Einaudi. Stile Libero Big

D0543672

Titolo originale *The Trespasser*

Tutti i personaggi in questo libro sono inventati.
Qualsiasi analogia con persone reali, vive o morte, è puramente casuale.

© 2018 Giulio Einaudi editore s.p.a., Torino

www.einaudi.it

ISBN 978-88-06-23413-3

Tana French
L'intruso

Traduzione di Alfredo Colitto

Einaudi

L'intruso

per Oonagh

Prologo

Mamma mi raccontava delle storie su mio papà. Nella prima che ricordo, era un principe egiziano che voleva sposarla e restare in Irlanda per sempre, ma la sua famiglia l'aveva costretto a tornare a casa per sposare una principessa araba. La raccontava bene, mamma. Anelli di ametista sulle dita lunghe di lui, il suo profumo come di spezie e pini, loro due che danzavano sotto le luci. Io, spaparanzata sotto il lenzuolo, inzuppata di sudore come se me lo avessero pennellato addosso – era inverno, ma l'amministrazione regolava il riscaldamento per tutto il blocco di appartamenti popolari, e le finestre ai piani alti non si aprivano – mi bevevo la storia e la spingevo a fondo dentro di me, e la tenevo lí. Ero piccola. Quella storia mi fece camminare con il mento alzato per un sacco di tempo, finché a otto anni la raccontai alla mia migliore amica, Lisa, e lei se la fece addosso dalle risate.

Un paio di mesi dopo, quando finalmente aveva smesso di bruciarmi, un pomeriggio entrai in cucina con i pugni sui fianchi, esigendo la verità. Mamma non fece una piega: spruzzò sui piatti un po' di detersivo e mi disse che in realtà papà era uno studente di Medicina dell'Arabia Saudita. Lo aveva conosciuto mentre studiava da infermiera. Tanti bei particolari, i lunghi turni di lavoro e le risate stanche e quella volta in cui avevano salvato un bambino che era stato investito da un'auto... E quando lei aveva scoperto

che io ero in arrivo, lui era già tornato in Arabia, senza
lasciare un indirizzo. Cosí mamma aveva abbandonato la
scuola da infermiera e aveva avuto me.

Quella storia mi tenne occupata per un altro periodo.
Mi piaceva; cominciai persino a progettare in segreto di
diventare la prima dottoressa mai uscita dalla mia scuola,
visto che ce l'avevo nel sangue e tutto il resto. Durò fino
a quando, a dodici anni, mi beccai una nota per qualcosa
che avevo fatto, con relativa predica di mia madre: non
avrebbe lasciato che io finissi come lei, senza un diploma
e senza speranza di fare nient'altro che le pulizie, a salario
minimo, per il resto della vita. Lo avevo già sentito mille
volte, ma quel giorno mi venne in mente che per studiare
da infermiera c'era bisogno del diploma.

Il giorno del mio tredicesimo compleanno mi sedetti di
fronte a lei, con la torta tra noi, e le dissi che stavolta non
volevo storie. Volevo sapere. Lei sospirò, disse che ormai
ero abbastanza grande da conoscere la verità e mi spiegò
che lui era un chitarrista brasiliano con il quale era uscita
per un paio di mesi, finché una notte l'aveva picchiata.
Quando si era addormentato, gli aveva rubato le chiavi
della macchina ed era schizzata verso casa a tutta velocità,
le strade buie e deserte, l'occhio gonfio che pulsava allo
stesso ritmo dei tergicristalli. Lui poi le aveva telefonato,
in lacrime, chiedendo scusa, e mamma era quasi disposta
a perdonarlo. Solo che a quel punto sapeva già di me, perciò gli aveva appeso il telefono in faccia.

Fu quello il giorno in cui decisi che dopo la scuola sarei
diventata una poliziotta. Non perché volessi fare dei numeri da Catwoman con tutti i violenti che ci sono in giro,
ma perché mia madre non sa guidare. Sapevo che l'accademia di polizia era da qualche parte nelle campagne fuori
città, ed era il modo piú rapido per allontanarmi dall'ap-

partamento di mia madre senza infilarmi nel vicolo cieco delle pulizie.

Alla voce «padre», il mio certificato di nascita dice «sconosciuto», ma ci sono dei modi per sapere. Vecchi amici, database del Dna. Avrei anche potuto continuare a insistere con mia madre, aumentando la pressione fino a ottenere una storia almeno abbastanza vicina alla verità, da cui poi andare avanti.

Invece, non le feci piú domande su quell'argomento. A tredici anni tacqui semplicemente perché la odiavo, per via degli anni sprecati a modellare la mia vita secondo le storielle che mi aveva raccontato. Quando, un po' piú grande, entrai nella scuola di polizia, tacqui perché pensavo di capire i suoi motivi, e sapevo che aveva fatto bene.

Il caso entra, cioè arriva nelle nostre mani, in un'alba di gennaio gelida e coperta, di quelle che ti fanno pensare che il sole non riuscirà mai a sollevarsi sopra l'orizzonte. Io e il mio partner stiamo finendo un turno di notte: una secchiata di noia e una di stupidità, che credevo non esistessero nella squadra Omicidi, il tutto sepolto sotto una valanga di scartoffie da compilare. Due deficienti decidono di concludere il loro sabato sera ballando sopra la testa di un altro deficiente, per ragioni che non sono chiare a nessuno, nemmeno a loro. Troviamo sei testimoni, tutti ubriachi persi, tutti con una storia diversa da quella degli altri cinque. E tutti con l'idea fissa che noi dobbiamo scordarci l'omicidio e indagare sul perché loro sono stati buttati fuori dal pub / lasciati dalla ragazza / fregati da uno spacciatore. Quando il testimone numero sei mi ordina di scoprire come mai gli hanno sospeso il sussidio di disoccupazione, sto per spiegargli che non ha diritto al sussidio perché è troppo stupido per qualificarsi legalmente come essere umano. Dopodiché, li avrei sbattuti in strada tutti e sei a calci nel culo. Ma il mio partner se la cava meglio di me con la pazienza, il che è uno dei motivi per cui lavoro con lui. Alla fine riusciamo a ottenere quattro dichiarazioni che non solo collimano tra loro, ma anche con le prove. Quindi ora possiamo imputare l'omicidio a uno dei due deficienti e l'aggressione all'altro, il che significa che abbiamo salvato il mondo dal male, in qualche modo che non me ne frega molto di approfondire.

Abbiamo formalizzato la denuncia contro i due colpevoli e siamo intenti a battere i nostri rapporti, in modo che siano già belli e ordinati sulla scrivania del capo quando arriverà in ufficio. Di fronte a me, Steve fischietta, un'abitudine che di solito mi fa venire voglia di menare le mani. Ma il mio collega è decisamente bravo con quella vecchia melodia tradizionale, mi ricorda le filastrocche che cantavo da bambina, un fischiettare basso, assente e sereno, che si interrompe nei momenti in cui è necessaria una maggior concentrazione e torna con trilli e infioretta-ture quando il rapporto riprende a scorrere come si deve.

Steve, il sussurro ronzante dei computer, il vento invernale fuori dalle finestre, il silenzio. La Omicidi si trova all'interno del Dublin Castle, nel pieno centro della città, ma il nostro edificio è separato dalle meraviglie che i turisti vengono a visitare, e abbiamo muri spessi; persino il traffico del mattino presto su Dame Street ci arriva solo come un morbido e innocuo rumore di fondo. I mucchi di carte e fotografie e appunti scarabocchiati sulle varie scrivanie si stanno caricando di energia, sono azioni che aspettano di accadere. Fuori dalle alte finestre schermate dalle tende, la notte si assottiglia e compare un grigio freddo; lo stanzone odora di caffè e termosifoni caldi. A quell'ora, sorvolando su tutti i motivi per cui il turno di notte fa schifo, posso quasi dire di amare la sala detective.

Io e Steve conosciamo tutte le ragioni ufficiali per cui ci toccano spesso i turni di notte. Siamo entrambi single, niente moglie o marito o bambini che ci aspettano a casa; siamo i piú giovani della squadra e reggiamo la fatica meglio di quelli che sono già vicini alla pensione; siamo gli ultimi arrivati – anch'io, nonostante sia qui da due

anni – perciò il concetto è: fatevi la vostra gavetta, stronzi. Che poi è quello che facciamo. Questo non è il lavoro in divisa, dove se il tuo capo è brutto e cattivo puoi
fare richiesta di trasferimento. Non c'è un'altra squadra
Omicidi dove farsi trasferire; c'è questa, unica e sola. Se
vuoi lavorarci, e lo vogliamo tutti e due, ti becchi quello che ti arriva.

Alcuni lavorano davvero nella squadra Omicidi che io
sognavo quando ho scelto la mia professione: quella dove passi la giornata giocando partite mentali contro geni
psicopatici, sapendo che basta un battito di ciglia al momento sbagliato per fare la differenza tra la vittoria e un
altro cadavere. Io e Steve possiamo solo allungare il collo
per vederli, gli psicopatici, quando gli altri della squadra
li accompagnano oltre la saletta interrogatori, dove noi ci
stiamo rompendo la testa su un altro Coniuge dell'Anno,
uno dei tanti che ci tocca interrogare per via della serie
infinita di omicidi domestici di cui dobbiamo occuparci.
Il capo ce li affida apposta, perché sa che li odio. I due deficienti del balletto sulla testa dell'altro perlomeno sono
stati una boccata d'aria fresca.

Steve clicca «Stampa» e la stampante nell'angolo comincia il suo ticchettio asmatico.

– Tu hai finito? – chiede.

– Quasi –. Sto controllando eventuali refusi nel rapporto. Non voglio dare al capo nessuna scusa per rompermi
le scatole.

Il mio collega intreccia le dita sopra la testa e si stira
all'indietro, facendo cigolare la sedia. – Una pinta? I pub
piú mattinieri stanno già aprendo.

– Stai scherzando, vero?

– Per festeggiare.

Steve se la cava meglio di me anche con il pensiero positivo. L'occhiata che gli lancio intende spegnere in boccio le sue speranze. – Festeggiare cosa?

Lui sorride. Steve ha trentatre anni, uno piú di me, ma sembra piú giovane. Forse è il fisico da adolescente, gambe lunghe e spalle strette, forse sono i capelli arancioni che si drizzano nei punti sbagliati; o forse è quella sua implacabile allegria. – Li abbiamo presi, quei due, non l'hai notato?

– Li avrebbe presi anche tua nonna, quei due.

– Probabile. E dopo sarebbe andata a farsi una pinta.

– Era un'alcolizzata?

– Di alto livello. Io mi sto solo sforzando di essere all'altezza dei suoi standard –. Va alla stampante e comincia a sfogliare pagine. – Dài, andiamo.

– No, grazie. Un'altra volta –. Proprio non ce la faccio. Voglio andare a casa, andare a correre, ficcare qualcosa nel microonde e friggermi il cervello guardando qualche programma di merda alla tivú. E poi dormire un po', prima di dover ricominciare tutto daccapo.

La porta si apre di scatto e O'Kelly, il nostro sovrintendente, mette dentro la testa, come al solito, per vedere se riesce a beccare qualcuno che dorme. Al mattino arriva sempre tutto rosa e tirato a lucido, odoroso di doccia e fritture varie, ogni singolo capello del riportino al suo posto. Non ho prove che lo faccia per girare il coltello nella piaga degli stanchi bastardi che puzzano di turno di notte e di ciambelle stantie, ma sarebbe in linea con il personaggio. Stamattina almeno ha un'aria sbattuta: borse sotto gli occhi, macchie di tè sulla camicia. Con questa immagine, mi sa che ho già esaurito la mia quota di soddisfazione per la giornata.

– Moran, Conway, – dice, fissandoci con diffidenza. – È arrivato qualcosa di buono?

– Una rissa in strada, – rispondo. – Una vittima –. Lasciamo perdere l'azzeramento della vita sociale: il vero motivo per cui tutti odiano il turno di notte è che non arriva mai nulla di buono. Gli omicidi di alto profilo, con storie complesse e moventi affascinanti possono verificarsi di notte, a volte, ma vengono scoperti al mattino. Gli unici omicidi che vengono segnalati di notte, sono quelli commessi da stronzi ubriachi il cui movente è che sono degli stronzi ubriachi. – Le consegneremo i rapporti tra un attimo.

– Cosí vi siete tenuti occupati. Avete risolto?

– Grosso modo. Stasera legheremo gli ultimi capi sciolti.

– Bene, – dice O'Kelly. – Allora siete liberi per occuparvi di questo –. E ci tende un foglio di chiamata.

Per un attimo, come una scema, oso sperare. Se un caso arriva in sala detective direttamente dal capo, invece che attraverso l'amministrazione, si tratta di qualcosa di speciale. Un caso troppo importante, o tosto, o delicato, per affidarlo al primo che si trova di turno in quel momento; deve andare alle persone giuste. Quando è il capo ad affidarti direttamente un caso, gli altri in sala detective drizzano le orecchie. Questo significherebbe che io e Steve siamo finalmente, finalmente, usciti dall'angolo dei perdenti, e siamo dentro.

Devo stringere il pugno per evitare di allungare la mano verso il foglio. – Di cosa si tratta?

O'Kelly ride. – Togliti quello sguardo affamato dalla faccia, Conway. L'ho preso mentre salivo, l'ho portato di persona per evitare il fastidio a Bernadette… Gli agenti in divisa sulla scena dicono che sembra un classico «domestico» –. Getta il foglio sulla mia scrivania. – Io ho detto che sarete voi a decidere cosa sembra. Non si sa mai, potreste avere fortuna: magari è un serial killer.

Per evitare un fastidio all'amministrazione? Col cazzo. O'Kelly ha portato su quel foglio per godersi la mia espressione. Lo lascio dov'è. – Il turno di giorno arriva tra qualche minuto.

– E voi siete qui adesso. Se devi andare a un appuntamento galante, sbrigati a risolvere questo caso.

– Stiamo lavorando ai nostri rapporti.

– Gesú, Conway, non devono essere un'opera di James Joyce. Va bene quello che avete scritto. E datevi una mossa: questa faccenda è successa a Stoneybatter, e sui moli ci sono di nuovo i lavori in corso.

Un secondo dopo clicco «Stampa». Steve, il piccolo leccaculo, si sta già mettendo la sciarpa.

Il capo è davanti alla lavagna bianca e contempla la lista dei turni, stringendo gli occhi. Dice: – Avrete bisogno di una mano.

Steve sembra esortarmi con lo sguardo a non abbassare la testa, e dico: – Possiamo gestire da soli un «domestico». Ne abbiamo già risolti abbastanza.

– E qualcuno con un po' di esperienza può insegnarvi a risolverli nel modo giusto. Quanto ci avete messo a chiudere il caso di quella giovane rumena? Cinque settimane? Con due testimoni che avevano visto il suo compagno mentre la pugnalava, con la stampa e quei deficienti delle pari opportunità che ci accusavano di razzismo, perché se fosse stata una ragazza irlandese avremmo già trovato il colpevole...

– I testimoni non volevano parlare con noi –. Steve mi fa segno con gli occhi: «Taci, Antoinette». Troppo tardi. Ho abboccato, proprio come O'Kelly sicuramente sperava.

– Esatto. E se anche oggi i testimoni non vorranno parlare con voi, voglio sul posto una persona piú esperta che li convinca a farlo –. O'Kelly tocca la lavagna. – Breslin è di turno stamattina. Prendete lui. È bravo con i testimoni.

Io dico: – Breslin è molto occupato. Direi che ha di

meglio da fare che sprecare il suo tempo prezioso tenendo per mano noi.

– Questo è vero, ma stavolta gli tocca. Perciò non sprecatelo, il suo tempo prezioso.

Steve continua ad annuire, e i suoi occhi mi urlano il messaggio: «Chiudi la bocca, poteva andare peggio». Il che è vero. Mi mordo la lingua e non ribatto piú. – Gli telefono mentre andiamo, – dico, prendendo il foglio sulla scrivania e infilandolo nella tasca della giacca. – Può raggiungerci sul posto.

– Fallo, capito? Bernadette sta già contattando la Scientifica e il patologo, e le dirò di trovarti un paio di reclute da assegnare temporaneamente alla Omicidi per l'indagine. Non avrai bisogno del mondo intero, per questo caso –. O'Kelly si dirige verso la porta, afferrando le pagine dalla stampante mentre esce. – E se non volete che Breslin vi faccia sfigurare troppo, prendete un caffè. Avete un aspetto di merda.

Nel parco intorno al castello i lampioni sono ancora accesi, ma in città comincia a farsi strada qualcosa che somiglia vagamente al mattino. Non piove, il che è un bene. Da qualche parte vicino al fiume ci possono essere impronte di scarpe in attesa di essere rilevate, o cicche di sigarette con sopra del Dna. Comunque si gela e l'aria è umida, una fine nebbiolina che forma aloni intorno ai lampioni; è quell'umidità che ti entra nelle ossa finché ti senti piú freddo dell'aria intorno a te. I primi caffè stanno aprendo, c'è odore di gas di scarico e salsicce fritte. – Vuoi fermarti per un caffè? – chiedo a Steve.

Lui si sta stringendo meglio la sciarpa intorno al collo.

– Cristo, no. Piú presto arriviamo sul posto…

Non finisce la frase. Non ce n'è bisogno. Piú presto arriviamo, piú tempo abbiamo prima che lo scolaro preferito del maestro venga a mostrare a noi poveri fessi come si fa. Non capisco nemmeno perché mi importi ancora, ma è un conforto vedere che Steve la pensa come me. Abbiamo tutti e due le gambe lunghe e camminiamo in fretta, senza parlare.

Siamo diretti al parcheggio della polizia. Sarebbe piú facile prendere la mia macchina o quella di Steve, ma è una cosa da non fare, mai. In molti quartieri la gente non ama i poliziotti, e se qualcuno sfregia la mia Audi TT io gli taglio un braccio. E ci sono casi, non sai mai in anticipo quali, in cui arrivare con la tua macchina significa dare il tuo indirizzo di casa a qualche gang di psicopatici. E pochi giorni dopo loro legano il tuo gatto a un mattone, gli dànno fuoco e lo gettano dentro spaccando una finestra.

In genere guido io. Al volante sono meglio di Steve e come passeggera sono molto peggio; se guido, arriviamo a destinazione con un umore migliore. Nel garage, prendo le chiavi di una Opel Kadett piuttosto graffiata. Stoneybatter è nella vecchia Dublino, lavoratori e gente che non ha mai lavorato, mescolati con gruppetti di yuppie e artisti che hanno comprato lí durante il boom economico per via dell'atmosfera autentica, il che significa che non potevano permettersi di meglio. A volte, ti serve una macchina che faccia voltare le teste. Questa volta no.

– Ah, merda, – dico, uscendo dal garage e accendendo il riscaldamento. – Ora non posso chiamare Breslin, sto guidando.

Steve sogghigna. – Oh, che guaio. E io devo leggere il foglio di chiamata. Non ha senso arrivare sulla scena senza avere almeno un'idea di ciò che ci aspetta.

Accelero a un semaforo giallo, tiro fuori di tasca il foglio e glielo passo. – Vai. Sentiamo le buone notizie.

Lui ci dà una scorsa. – La telefonata è arrivata alle cinque e sei minuti. A chiamare era un uomo, che si è rifiutato di declinare le sue generalità. Numero privato.
Quindi un dilettante, se pensa che gli servirà a qualcosa. La centrale ci darà quel numero entro poche ore.
– Ha detto che c'era una donna ferita al numero 26 di Viking Gardens. L'agente di servizio gli ha chiesto che tipo di ferite, lui ha risposto che era caduta e aveva battuto la testa. L'agente gli ha chiesto se respirava e lui ha detto che non lo sapeva, ma che la situazione sembrava brutta. L'agente ha provato a spiegargli come controllare i segni vitali, ma l'uomo ha detto: «Fate venire un'ambulanza, in fretta» e ha riattaccato.
– Non vedo l'ora di conoscerlo, – dico. – Scommetto che quando sono arrivati era sparito, giusto?
– Certo. Quando è arrivata l'ambulanza, hanno trovato la porta chiusa e nessuno che venisse ad aprire. Poi sono arrivati gli agenti, hanno sfondato la porta e hanno trovato una donna nel soggiorno. Ferite alla testa. I paramedici hanno confermato la morte. Nessun altro in casa, nessun segno di scasso o di furto.
– Se quel tizio voleva un'ambulanza, perché ha chiamato la stazione di Stoneybatter? Non era meglio il 999?
– Forse pensava che il 999 avrebbe rintracciato la chiamata, mentre una stazione di polizia di sicuro non ha la tecnologia necessaria.
– Quindi è un vero idiota, – dico. – Grande –. O'Kelly aveva ragione riguardo ai moli: il Dipartimento Escavazione di Merde Varie sta aggredendo una corsia con i martelli pneumatici, mentre l'altra è un ingorgo che mi fa venire voglia di avere una pistola vaporizzante. – Accendiamo le luci.
Steve prende il lampeggiante blu da sotto il sedile, si

sporge dal finestrino e lo attacca al tettuccio. Io aziono la sirena. Non succede granché. La gente si sposta di qualche centimetro, è il massimo che possono fare.

– Gesú Cristo! – dico. Non sono dell'umore adatto per una cosa del genere. – Allora come mai gli agenti pensano a un omicidio domestico? Qualcun altro vive in quella casa? Marito, compagno?

Steve guarda di nuovo il foglio. – Qui non lo dice –. Occhiata speranzosa verso di me. – Magari si sono sbagliati, eh? Magari stavolta è qualcosa di buono.

– No, non lo è. È un altro domestico del cazzo, o peggio, non è nemmeno un omicidio. Magari la tipa è morta perché ha battuto la testa, come ha detto quello della telefonata. Perché se ci fosse anche solo una possibilità che sia qualcosa di decente, O'Kelly avrebbe aspettato il turno del mattino e avrebbe affidato il caso a Breslin e McCann, o a un'altra coppia di viscidi lecc... *Cristo!* – Pianto la mano sul clacson. – Devo scendere e arrestare qualcuno? – L'idiota in testa alla fila all'improvviso scopre di essere dentro una macchina e comincia a muoversi; gli altri si tolgono di mezzo e io schiaccio a tavoletta, svolto sul ponte che attraversa il Liffey e mi trovo nella zona nord della città.

La sensazione di quiete improvvisa, lontano da moli e lavori in corso, è molto intensa. Le lunghe file di edifici alti in mattoni rossi e insegne di negozi cedono il passo a gruppi di case, lasciano spazio al cielo e la luce aumenta, tingendo di una sfumatura giallo pallido le nuvole basse e grigie. Spengo la sirena; Steve allunga la mano fuori dal finestrino e stacca il lampeggiante. Lo tiene tra le mani, gratta una macchia di sporco dal vetro, lo gira per controllare che sia pulito. Non torna a leggere il foglio.

Steve e io ci conosciamo da otto mesi, e siamo partner da quattro. Ci siamo conosciuti lavorando a un caso, quando lui era nell'unità Casi Freddi. All'inizio non mi piaceva – perché piaceva a tutti e non mi fido di chi piace a tutti, e inoltre sorrideva troppo – ma la situazione è cambiata in fretta. Quando abbiamo risolto il caso, Steve mi piaceva abbastanza da indurmi a usare i miei cinque minuti di grazia per chiedere a O'Kelly di mettermi con lui. Non avrei mai chiesto un partner di mia iniziativa, preferisco lavorare da sola, ma O'Kelly continuava a insistere, dicendo che nella sua squadra i novellini incapaci non volano soli. Non rimpiango la decisione, anche se Steve è un casinista e parla troppo. È la persona giusta, quando alzo lo sguardo e lo vedo seduto di fronte a me in ufficio, o quando siamo spalla a spalla sulla scena di un crimine, o al tavolo degli interrogatori. La nostra percentuale di casi risolti è alta, checché ne dica O'Kelly, e abbiamo spesso occasione di andare a farci quella pinta per festeggiare. Steve per me è qualcosa di molto vicino a un amico. Ma stiamo ancora imparando a capirci, ancora non ci sono garanzie.

Comunque lo capisco abbastanza da sapere quando ha qualcosa da dirmi. – Cosa c'è? – dico.

– Non lasciarti irritare dal capo.

Mi volto a guardarlo: Steve mi sta fissando, con uno sguardo fermo. – Mi stai dicendo che sono suscettibile? Sul serio?

– Non è la fine del mondo se pensa che dobbiamo diventare piú bravi con i testimoni.

Svolto su una laterale al doppio del limite di velocità, ma Steve conosce il mio modo di guidare e non si agita. Sono io quella agitata. – Invece sí. Sarei suscettibile se m'importasse quello che Breslin o altri come lui pensano della nostra tecnica con i testimoni; invece non può fregarmene di meno. Ma se O'Kelly pensa che non siamo in grado di cavarcela da soli, significa che continueremo a ricevere questi casi da nulla, e anche cosí avremo sempre qualche coglione che ci sorveglia da vicino. A te non dà fastidio?

Steve scrolla le spalle. – Breslin ci affianca, ma il caso è nostro.

– Non abbiamo bisogno di essere affiancati. Abbiamo bisogno di essere lasciati in pace per fare il nostro lavoro.

– Succederà. Prima o poi.

– Sí? E quando?

Steve non risponde, naturalmente. Rallento, la Kadett tiene la strada come un carrello del supermercato. Stoneybatter sta cominciando la sua domenica mattina: gente che fa jogging sui sentieri pedonali, adolescenti dalle facce incazzate che portano a spasso i cani e meditano sulle ingiustizie del mondo, una ragazza vestita da discoteca che torna a casa con la pelle d'oca sulle gambe e le scarpe in mano.

Dico: – Non penso di riuscire a sopportarlo ancora a lungo.

La sindrome da *burnout*. La gente si brucia, si esaurisce. È una cosa che succede con piú frequenza in squadre come l'Antidroga o la Buoncostume, dove ti trovi davanti la stessa merda un giorno dopo l'altro e qualsiasi cosa tu faccia non fa differenza: ti fai un culo come una casa per arrestare un criminale, e le stesse ragazze passano in gestione a un altro pappone, o gli stessi tossici comprano la stessa roba, ma da un nuovo fornitore. Tappi un buco e la merda esce da un altro, e continua a uscire. E a un certo punto non ce la fai piú. Alla Omicidi è diverso: se metti in galera qualcuno, le altre persone che lui avrebbe ucciso restano vive. Combatti contro un assassino alla volta, e non contro tutto il lato peggiore della natura umana, e un assassino puoi batterlo. Alla Omicidi, la gente va avanti, fino alla pensione.

E comunque, in qualsiasi squadra, le persone durano piú di due anni.

I miei due anni sono stati speciali. Il problema non sono i casi: posso affrontare cannibali e uccisori di bambini senza perdere un minuto di sonno. Come ho detto, un assassino puoi batterlo. Battere la tua stessa squadra è un altro paio di maniche.

Steve mi capisce abbastanza da sapere quando quello che dico non è solo uno sfogo momentaneo. Un secondo dopo, chiede: – Cosa vorresti fare? Tornare alla Persone scomparse?

– No, col cazzo –. Io non sono una che va all'indietro. – Uno dei miei amici dell'accademia è socio in un'agenzia di sicurezza. Roba grossa, guardie del corpo per gente importante a livello internazionale; non si tratta di acciuffare i taccheggiatori da Penneys. E mi ha detto che quando vorrò un lavoro…

Non guardo Steve, ma sento la sua presenza: è immobile e mi osserva. Non capisco cosa gli stia passando per la testa. Steve è un bravo ragazzo, ma è un po' troppo accomodante. Senza di me, potrebbe inserirsi benissimo nella squadra. Diventare uno di loro, lavorare a casi decenti e farsi una risata ogni tanto. Nulla di piú facile.

– Lo stipendio è ottimo, – dico. – E in quell'ambiente essere donna è un vantaggio. Molti clienti vogliono per mogli e figlie una guardia del corpo donna. E la vogliono anche per sé stessi: dà meno nell'occhio.

Steve dice: – Gli telefonerai?

Mi fermo in cima a Viking Gardens. La nuvolaglia si è aperta abbastanza da lasciar filtrare un po' di luce, che si spande come una vernice sottile sui tetti di ardesia e sui lampioni inclinati. È il sole mattutino che abbiamo visto per tutta la settimana.

Rispondo: – Non lo so.

Conosco bene Viking Gardens. Casa mia è a dieci minuti a piedi. Abito a Stoneybatter perché mi piace, non perché non possa permettermi nulla di meglio, e uno dei miei percorsi preferiti, quando vado a correre, passa da qui. La strada è meno eccitante del nome, i «giardini vichinghi»: senza uscita, trasandata, fiancheggiata da villette a schiera vittoriane, con marciapiedi rattoppati. Bassi tetti d'ardesia, tende a rete, porte dipinte a colori vivaci. La strada è così stretta che le auto parcheggiate hanno due ruote sul bordo del marciapiede.

Ormai abbiamo sfruttato tutto il tempo possibile per non chiamare Breslin. Se tardiamo ancora, lui si presenterà al lavoro e il capo gli chiederà che cosa ci fa lí. Perciò, prima di scendere, gli lascio un messaggio in segreteria, il che forse ci farà guadagnare qualche altro minuto e forse no, ma almeno mi risparmia di dovergli parlare di persona. Descrivo il caso come una vera merda, non è che ci voglia molto, ma so che questo non lo rallenterà. A Breslin piace pensare di essere indispensabile; arriva con la stessa prontezza sia sulla scena di un domestico, sia su quella di uno scuoiatore seriale, perché sa che la povera vittima è fregata, se non arriva lui a salvare la situazione.

– Muoviamoci, – dico, gettandomi la cartella a tracolla.

Il numero 26 è in fondo alla strada, si riconosce dal nastro che delimita la scena del crimine e dal furgone bianco della Scientifica. Un gruppo di ragazzini si disperde vedendoci arrivare («Ehi, scappiamo!» «Signora, lo arresti, ha rubato i Toffypops al negozio». «Sta' zitto, stronzo!») ma sappiamo di essere osservati non solo da loro. Dietro tutte le finestre velate dalle tendine, le domande saltano come popcorn.

– Voglio fare un gesto di saluto a tutti, – dice Steve, a bassa voce. – Si può, no?

– Comportati da adulto –. Ma la scarica di adrenalina colpisce pure me, anche se la combatto. Per quanto tu sappia che il lavoro che ti affidano potrebbe farlo anche una scimmia addestrata, avvicinarsi alla scena di un delitto è sempre un'esperienza: ti senti un gladiatore che cammina verso l'arena, a pochi secondi di distanza da una lotta che spingerà l'imperatore a scandire il tuo nome. Poi dài un'occhiata alla scena, e l'arena e l'imperatore si dissolvono in fumo e ti senti una merda piú che mai.

L'agente in divisa sulla porta è un ragazzo, collo lungo e magro, grandi orecchie e cappello troppo grande. – Detective, – dice, drizzando la schiena e cercando di decidere se deve fare il saluto militare o no. – Agente J.P. Dooley. La sua pronuncia ha bisogno di sottotitoli.

– Detective Conway, – dico, prendendo dalla borsa guanti e copriscarpe. – E lui è il detective Moran. Avete visto ronzare in giro persone sospette?

– Solo quei ragazzini –. Con loro dovremo parlare, e anche con i loro genitori. In questi vecchi quartieri le persone si fanno ancora gli affari degli altri. Non piace a tutti, ma a noi sí. – Non abbiamo ancora cominciato il porta a porta, pensando che forse avreste voluto organizzarlo voi.

– Buona idea, – dice Steve, infilandosi i guanti. – Ce ne occupiamo noi. Intanto, com'era quella, quando siete arrivati?

Accenna alla porta del cottage, di una innocua sfumatura di azzurro, scheggiata dopo che i poliziotti l'hanno sfondata.

– Chiusa, – risponde l'agente, senza esitare.

– Sí, ci ero arrivato da solo, – dice Steve, ma con un sorriso che dà alla frase il tono di una battuta, non di un rimprovero, come sarebbe successo se l'avessi detta io. – Chiusa come? Con la catenella, a doppia mandata, come?

– Oh, certo, mi scusi. Io… – Il ragazzo è arrossito. – Ci sono due serrature, una Chubb e una Yale. Ma la porta era chiusa solo con lo scatto, non a chiave.

Quindi, se l'assassino è uscito da qui, si è semplicemente tirato dietro la porta. – È scattato un allarme?

– No. Cioè, un sistema d'allarme c'è, – l'agente indica la scatola in alto sul muro. – Ma non era inserito. Non è scattato nemmeno quando siamo entrati noi.

– Grazie, – dice Steve, omaggiandolo di un altro sorriso. – Ottimo lavoro.

L'agente si fa ancora piú rosso. Stevie si è guadagnato un ammiratore.

La porta si apre e Sophie Miller mette fuori la testa. Sophie ha grandi occhi castani e un fisico da ballerina, e riesce a far sembrare quasi elegante persino la tuta bianca con cappuccio da scena del crimine. Per questo, in tanti la guardano dall'alto in basso, ma ci provano una volta sola. Sophie è uno dei migliori tecnici della Scientifica che abbiamo, e ci troviamo simpatiche a vicenda. Vederla è per me un sollievo persino esagerato.

– Ciao, – dice. – Era ora.

– Lavori stradali, – rispondo. – Come va? Cosa abbiamo?

– A me sembra un'altra lite tra innamorati. Te li becchi tutti tu?

– Meglio delle gang giovanili, – rispondo. Mi sento addosso l'occhiata sorpresa di Steve: lui sa che io e Sophie siamo amiche, ma dovrebbe anche sapere che non sono il tipo da piangere sulla spalla di nessuno per i problemi interni della squadra. – Almeno nei domestici trovi qualche testimone con cui parlare. Andiamo a dare un'occhiata.

Il cottage è piccolo. Si entra in un soggiorno dove si aprono tre porte, e so già quali: camera da letto a sinistra, cucina di fronte e bagno a destra della cucina. La pianta è uguale a quella di casa mia. L'arredamento invece non è uguale per niente. Tappeto viola sul pavimento in laminato, pesanti tende viola dall'aspetto finto costoso, plaid viola artisticamente disposto sul divano in pelle bianca, banali stampe di fiori viola su tela: sembra un po' quello che puoi acquistare con un'app tipo «arreda la tua casa». Indichi il tuo budget, i tuoi colori preferiti e il giorno dopo tutto ti arriva a domicilio con un furgone.

Qui dentro è ancora ieri notte. Le tende sono chiuse, i lampadari sono spenti ma le lampade a stelo negli angoli sono accese. I tecnici di Sophie hanno le luci frontali accese; uno è in ginocchio accanto al divano, e raccoglie fibre con una striscia di scotch trasparente, un altro sta spennellando polvere grigio argento su un tavolino, in cerca di impronte digitali, l'ultimo sta riprendendo la scena del crimine con una videocamera. Fa un caldo soffocante e c'è odore di carne cotta e candele profumate. Il tecnico vicino al divano si sta sventolando la parte anteriore della tuta integrale, nel tentativo di far entrare un po' d'aria.

Il caminetto a gas è acceso, i carboni finti brillano, lanciando lingue di fuoco verso la sala surriscaldata. Il caminetto è in pietra, in stile finto rustico che fa il paio con il resto del cottage. La testa della donna è poggiata sull'angolo del focolare.

È a faccia in su, con le ginocchia piegate, come se qualcuno l'avesse gettata lí. Un braccio è lungo il fianco, l'altro è sopra la testa, con una strana angolazione. È alta circa un metro e settanta, molto magra, con scarpe dai tacchi alti, abbronzatura artificiale, un vestitino attillato blu cobalto e una grossa collana di oro finto. Il viso è contornato di capelli biondi, stirati e laccati con tale ferocia che neppure la morte per omicidio è riuscita a scomporli. Sembra una Barbie morta.

– Abbiamo un'identificazione? – chiedo.

Sophie indica con un cenno del capo un tavolo accanto alla porta: poche lettere, una pila ordinata di bollette. – È piú che probabile che si tratti di Aislinn Gwendolyn Murray. La casa è sua, abbiamo trovato una dichiarazione dei redditi.

Steve sfoglia le bollette. – Non ci sono altri nomi, – dice. – Sembra vivesse da sola.

Mi basta un'occhiata e capisco perché tutti pensano che sia un caso di «ragazzo picchia ragazza». Il tavolo da pranzo rotondo è coperto da una tovaglia viola e apparecchiato per due, tovaglioli bianchi piegati in un modo fantasioso, le fiamme finte che fanno scintillare la ceramica e l'argenteria. Una bottiglia di rosso, aperta, due bicchieri, puliti, un candelabro con la candela completamente consumata. La cera solidificata forma stalattiti sul candelabro e sporca la tovaglia.

Intorno al caminetto c'è una grande macchia di sangue, scura e appiccicosa, che parte da sotto la testa. Non ce ne sono altre, almeno a quanto posso vedere. Dopo la caduta, nessuno ha provato a sollevarla, abbracciarla, tentare di farle riprendere conoscenza. Chi c'era è scappato in fretta e furia.

È caduta e ha battuto la testa, ha detto l'uomo che ha telefonato. O è la verità e il principe azzurro, colto dal panico, ha tagliato la corda – succede: a volte bravi cittadini, terrorizzati dall'idea di finire nei guai, si comportano come serial killer in fuga – oppure l'ha aiutata a cadere.

– Cooper è già passato? – chiedo. Cooper è il patologo. Io gli sono simpatica piú di altri, ma non per questo mi avrebbe aspettata. Se non sei sulla scena quando Cooper arriva per l'esame preliminare, è un problema tuo, non suo.

– È appena andato via, – dice Sophie. Intanto controlla con sguardo vigile il lavoro dei tecnici. – Ha detto che è morta, nel caso ci fosse sfuggito. Trovandosi accanto al caminetto acceso, il raffreddamento e il rigor mortis sono stati piú lenti, quindi l'ora della morte è incerta: una finestra temporale tra le sei e le undici di ieri sera.

Steve indica il tavolo. – Probabilmente prima delle otto e mezzo - nove. Se fosse stato piú tardi, avrebbero cominciato a cenare.

– A meno che uno dei due faccia turni di lavoro particolari, – dico. Steve se lo segna sul taccuino: è un dettaglio da far controllare alle reclute, una volta che avremo identificato l'ospite misterioso. – Secondo la chiamata, la donna è caduta e ha battuto la testa. Cooper ha detto se è possibile?

Sophie sbuffa. – Sí, certo. La famosa caduta speciale. La parte posteriore della testa è fracassata dall'esterno verso l'interno, e la ferita corrisponde all'angolo del caminetto. Cooper è sicuro che sia stato questo a ucciderla, ma non lo dirà fin dopo l'autopsia, nel caso sia stata invece una freccia avvelenata peruviana, o qualcosa di simile. Ma la donna presenta anche abrasioni e un grosso ematoma sul lato sinistro della mandibola, un paio di denti scheggiati e forse anche un'incrinatura della mandibola. Cooper però aspetta l'autopsia. Non può aver battuto la testa in due punti allo stesso tempo.

– Quindi qualcuno l'ha colpita in faccia, – dico. – Lei è caduta all'indietro e si è spaccata la testa sul caminetto.

– I detective siete voi, ma a me sembra proprio che sia andata cosí.

La donna ha le unghie lunghe, blu cobalto come il vestito, e perfette: nemmeno un difetto. I libri di fotografie sul tavolino sono ancora ben ordinati, come i soprammobili di vetro e il vaso di fiori viola sulla mensola del cami-

netto. Non c'è stata lotta. La donna non ha avuto la possibilità di reagire.

– Con che cosa l'ha colpita, secondo Cooper? – chiedo.

– Con un pugno, a giudicare dalla forma del livido. Un
destro.

Quindi niente arma del delitto, niente impronte digitali da collegare a un indiziato. Steve dice: – Un pugno cosí
forte da spaccarle i denti deve avergli lasciato i segni sulle
nocche. È una violenza che non si può nascondere. E se siamo fortunati, magari le nocche hanno sanguinato, lasciando
del Dna sul viso della vittima.

– Questo se l'ha colpita a mani nude, – dico. – Se la fortuna è come quella di ieri notte, indossava i guanti.

– Dentro casa?

Io indico il tavolo con un cenno del capo. – La vittima
non è riuscita nemmeno a versare il vino. L'uomo è rimasto qui pochissimo tempo.

– Ehi, – dice Steve, con ironica allegria. – Almeno è un
omicidio. Tu pensavi che ci avessero catapultati qui per
scoprire una nonnina caduta dopo essere inciampata sul
gatto di casa.

– Fantastico. Ma i salti di gioia li risparmio per dopo.
Cooper ha detto altro?

– Niente ferite da difesa, – dice Sophie. – I vestiti sono in ordine, non c'è traccia di un rapporto sessuale recente e niente sperma sui tamponi vaginali, quindi scor-
dati lo stupro.

Steve dice: – A meno che lui ci abbia provato, ricevendo un rifiuto, e le abbia dato un pugno per domarla. Poi
ha capito cos'era successo, si è spaventato e se l'è filata.

– È possibile. Volevo dire «scordatevi uno stupro riuscito»; cosí va meglio? – Sophie ha incontrato Steve solo una
volta e non ha ancora deciso se le piace o meno.

Dico: – Nemmeno la tentata aggressione funziona. Lui entra e le infila subito la mano sotto la gonna? Non le dà nemmeno il tempo di bere un bicchiere di vino, per aumentare le probabilità di successo?

Steve scrolla le spalle. – Va bene, niente aggressione –. Non significa che abbia messo il broncio, come farebbero tanti detective contraddetti dal loro partner, soprattutto davanti a una bella donna come Sophie. Dice sul serio. Non è che Steve non abbia un ego, tutti i detective ce l'hanno. È solo che non gli interessa fare sempre la parte di quello con le palle piú grosse. Il suo ego si nutre di lavori ben fatti, che è un'ottima cosa, e di accattivarsi la simpatia degli altri, che io invece guardo con estrema diffidenza.

– Avete trovato il suo cellulare? – chiedo.

– Sí. È su quel tavolino –. Sophie lo indica con la penna. – Le impronte le abbiamo già prese, perciò se vuoi giocarci fa' pure.

Prima di controllare il resto del cottage, mi siedo sui talloni accanto al cadavere e con attenzione, usando solo un dito, le sposto i capelli dalla faccia. Steve si avvicina a me.

Ogni detective della Omicidi che abbia mai conosciuto lo fa: dare una lunga occhiata al viso della vittima. Per chi non è del mestiere, non ha senso. Se volessimo solo un'immagine mentale, per ricordarci su chi stiamo lavorando, basterebbe un selfie qualsiasi preso dal suo cellulare. Se volessimo una foto per ricordarci di ciò che ha subito, meglio una foto delle ferite che del viso. Invece li guardiamo in faccia, anche quelli che conservano a malapena una faccia da guardare: quelli trovati in casa dopo una settimana, in piena estate; gli annegati... Anche i peggiori bastardi della squadra, i tipi che davanti al cadavere già freddo di questa donna darebbero per prima cosa un voto da uno a dieci alle sue tette, le riserverebbero questo gesto di rispetto.

Doveva avere meno di trent'anni. Carina, prima che qualcuno le gonfiasse il lato sinistro della faccia; non bellissima, ma niente male, e attenta a tutto ciò che poteva farle guadagnare qualche punto in piú. Ha addosso una camionata di trucco, un lavoro completo e ben fatto; naso e mento da ragazzina, ma con quell'aria affilata che deriva da diete continue poco al di sopra del livello di inedia. I denti sbiancati sono sporchi di sangue secco, ma la bocca è bella: morbida e piena, con una curvatura del labbro inferiore che ora non dice nulla, ma ieri doveva essere attraente. Sotto le tre sfumature di ombretto gli occhi sono socchiusi e fissano un angolo del soffitto.

– L'ho già vista, – dico.

Steve drizza subito la testa. – Sí? Dove?

– Non lo so –. Ho una buona memoria, che lui definisce fotografica e io no, perché mi sembra una definizione del cazzo, ma se ho già visto qualcuno me lo ricordo, e questa donna l'ho già vista.

Aveva un aspetto diverso. Piú giovane, ma forse era solo perché allora aveva addosso qualche chilo in piú – non grassa, solo un po' piú morbida – e molto meno trucco: fondotinta applicato con cura, appena un po' piú scuro della sua carnagione, un sottile strato di mascara e nient'altro. Aveva capelli castani ondulati, raccolti in uno chignon fatto su alla bell'e meglio. Tailleur blu scuro appena un po' troppo attillato, tacchi alti che le davano un'andatura barcollante: si era vestita da adulta, per un'occasione importante. Ma la faccia, il naso leggermente camuso e la curvatura del labbro inferiore erano uguali.

Era in piedi sotto il sole, veniva ondeggiando verso di me, con i palmi in su. Voce acuta con un tremito. «Ma...

per favore, ho proprio bisogno...» E io, con espressione impassibile, muovendo una gamba con impazienza, pensavo: «Patetica».

Voleva qualcosa da me. Aiuto, denaro, un passaggio, un consiglio... Io volevo che si togliesse di torno.

Steve dice: – Lavoro?

– Può essere –. L'espressione impassibile mi costava uno sforzo di volontà. Fuori servizio, l'avrei semplicemente mandata al diavolo.

– La inseriamo nei database appena torniamo in centrale. Se si è rivolta a noi per un caso di violenza domestica...

– Io non mi sono mai occupata di violenze domestiche. Dovrebbe essere stato quando ero ancora in divisa, e non... – scuoto la testa. I fasci di luce delle lampade frontali dei tecnici trasformano la stanza in qualcosa di minaccioso, dalle dimensioni incerte, dove noi sembriamo bersagli. – Non ricordo nulla del genere.

Non avrei avuto quel desiderio di liberarmi di lei al piú presto, se qualcuno l'avesse presa a schiaffi. Gli occhi socchiusi le dànno un'aria furba, da bambina che ha imbrogliato a nascondino.

Steve si rialza, lasciando che io mi prenda tutto il tempo che mi serve. Guarda Sophie, inarca le sopracciglia e indica il rettangolo di luce che esce dalla porta della cucina. – Posso...?

– Prego. Abbiamo già girato un video, ma non abbiamo ancora preso le impronte, perciò non metterti a lucidare nulla.

Steve passa accanto ai tecnici ed entra in cucina. I soffitti sono cosí bassi che deve quasi chinarsi per passare dalla porta. – Come sta andando? – mi chiede Sophie, indicando nella sua direzione.

– Bene. Steve è l'ultimo dei miei problemi –. Lascio ricadere i capelli sul viso della vittima e mi alzo anch'io.

Voglio muovermi; se cammino veloce e per abbastanza tempo, posso riacchiappare il ricordo. Ma se mi metto a camminare su e giú per la scena del crimine, Sophie mi manda fuori a calci in culo.

– Meglio cosí, – dice lei. – Ora che hai visto la scena cosí come noi l'abbiamo trovata, possiamo accendere le luci e smettere di cazzeggiare al buio?

– Fate pure, – dico. Uno dei tecnici accende il lampadario e il posto sembra subito piú deprimente. Le lampade a stelo gli davano una certa personalità, anche se un po' inquietante. Scansando i segni gialli che indicano i punti in cui sono stati trovati degli indizi, vado in camera da letto.

La stanza è piccola e immacolata. Il tavolino da trucco, tutto modanature bianco e oro e finta seta, sembra ciò che avrebbe scelto una bambina di otto anni per la sua stanza da principessa. Niente trucchi sparsi dappertutto, solo un'altra candela profumata e due flaconi di profumo di quelli che servono piú da soprammobili che altro. Niente vestiti provati e scartati lasciati sul letto: il copripiumino con un motivo a margherite è teso e simmetrico, punteggiato da quattro di quei cuscini decorativi che io non capirò mai. Quando ha finito di prepararsi, Aislinn ha riordinato a fondo, nascondendo tutte le tracce, non sia mai che il principe azzurro dovesse scoprire che lei, al naturale, non aveva l'aspetto di una modella uscita direttamente da una rivista di abbigliamento. La serata non è arrivata fino a quel punto, ma lei si aspettava che succedesse.

Do un'occhiata nell'armadio. Tanti vestiti, soprattutto tailleur giacca e gonna e abiti per serate fuori, tutti di medio prezzo, in tinta unita con un dettaglio eccentrico; il tipo di guardaroba che si vede nei talk show del mattino, insieme alle diete del gruppo sanguigno e ai trattamenti per la pelle. Nella piccola libreria bianca e oro ci sono romanzi rosa, vecchi romanzi da ragazzini e anche un bel po' di quelle cazzate assurde in cui l'autore ti illumina sul senso della vita attraverso la storia di un ragazzo dei bassifondi che impara a volare. Qualche libro sul crimine in Irlanda – persone scomparse, malavita di quartiere, omicidi: che ironia – alcuni romanzi fantasy che stranamente sembrano buoni. Sfoglio un po' di libri: quelli illuminanti e quelli sul crimine sono tutti sottolineati, ma dalle pagine non cade nessun biglietto del tipo «se mi succede qualcosa, è stato lui». Sul comodino ci sono una scatola di fazzoletti di carta con motivi di margherite, un caricabatterie e un pacchetto da sei preservativi, ancora cellofanato. Guardo nel cestino: nulla. Sotto il letto: nemmeno un batuffolo di polvere.

La casa della vittima è la tua possibilità di capire che tipo era, visto che non avrai mai l'occasione di conoscerla. Parenti e altra compagnia sono inaffidabili: le persone si presentano sempre come vorrebbero essere, e gli amici non vogliono parlar male dei morti, o sono pieni di sentimentalismi, o temono che tu fraintenda qualche piccola stranezza di chi non c'è piú. Perciò non te ne parlano.

Ma dietro la porta di casa questi filtri scompaiono. Dietro la porta, trovi quello che non è un'immagine deliberata: le cose che si fanno sparire prima di una visita, qualche strano odore, la roba che si accumula dietro i cuscini del divano. Piccole sbavature che la vittima non avrebbe mai voluto che qualcuno vedesse.

Questo posto non mi sta rivelando nulla. Aislinn Murray è una foto patinata su una rivista. Ogni cosa è sistemata con cura, come se aspettasse la visita di uno di quei programmi di candid camera, che mettono su internet tutti i dettagli della tua vita privata.

Paranoica? Maniaca del controllo? Noiosa in modo sovrumano?

«Ma per favore, non potrebbe soltanto... Non capisce come mi...»

In quel momento era piú spontanea, con meno filtri di quanto ora si veda in ogni particolare della sua casa. Allora non potevo saperlo, non è che la gente va in giro con scritto in fronte «futura vittima di omicidio». Ma resta il fatto che per una volta ho guardato negli occhi una vittima mentre era ancora viva, e le ho detto di togliersi dai piedi.

Quando i tecnici finiscono, facciamo una perquisizione come si deve, che forse ci dirà qualcosa di piú, ma a giudicare da ciò che ho visto, la personalità di Aislinn, ammesso che ne avesse una nascosta da qualche parte, non ha alcuna importanza. Se riusciamo a identificare il principe azzurro e a trovare qualche prova solida per inchiodarlo, non serve sapere che tipo fosse Aislinn. Eppure, quella voce da ragazzina nella mia mente, dove non dovrebbe esserci nulla, mi innervosisce.

– Trovato qualcosa? – mi chiede Steve, sulla porta.

– Un cazzo. Se non fosse stesa lí, penserei che non sia mai esistita. In cucina?

– Un paio di cose interessanti. Vieni a vedere.

– Grazie a Dio, – dico, seguendolo. Mi aspetto una cucina con elementi cromati e piani in finto granito, ispirata alle tendenze di moda durante il Celtic Tiger, come chiamiamo il boom economico di qualche anno fa, ma rivisitate al risparmio; invece è tutta in pino ultra intagliato, con un'incerata a quadretti e stampe in cornice di polli con grembiuli da cucina rosa a quadretti. Tutto ciò che scopro su questa donna mi dice sempre meno su di lei. Fuori dalla finestra c'è un cortile posteriore uguale al mio, con lo stesso muro di cinta; ma nel suo Aislinn ha sistemato una panchina con riccioli e modanature, per potersi sede-

re fuori e godersi la vista del muro. Controllo la porta che
dà sul cortile: chiusa a chiave.

– Prima cosa, – dice Steve. Apre il forno, infilando un
dito guantato nella fessura dello sportello, invece di toccare la maniglia.

Ci sono due teglie da arrosto in alluminio, piene di cibo
che si è ridotto a blocchi indistinti marrone scuro. Sembra
un pasticcio in crosta con patate. Steve abbassa lo sportello mezzo aperto del grill: due grumi nerastri che possono
essere funghi o merde di vacca.

– Allora? – chiedo.

– Allora, è tutto stracotto, ma non bruciato. Perché il
forno è ancora acceso, ma l'interruttore a muro è stato
spento. E guarda.

Un piatto da portata pieno di verdure sul piano di lavoro: fagiolini, piselli. Pentola mezza piena d'acqua su una
piastra elettrica. La manopola è sul massimo.

– Soph! – chiamo. – Qualcuno ha spento l'interruttore
della cucina? Voi o gli agenti in divisa?

– Noi no! – grida lei dall'altra stanza. – E agli agenti ho
detto di dirmi immediatamente se avevano toccato qualcosa. Sono certa di averli spaventati abbastanza. Se avessero
spento l'interruttore, l'avrebbero confessato.

– Allora? – dico a Steve. – Forse il principe azzurro era
in ritardo e Aislinn ha spento tutto.

Lui scuote la testa. – Forse il grill. Ma tu spegneresti il
forno, o lo lasceresti acceso e caldo? E lasceresti raffred-
dare l'acqua per le verdure, o la lasceresti bollire?

– Io non cucino. Faccio tutto al microonde.

– Io cucino. Non spegni tutto, specialmente se il tuo
ragazzo è in ritardo. Tieni l'acqua a bollore, cosí appena
lui arriva getti le verdure in pentola.

Dico: – Quindi è stato il nostro uomo a spegnere.

– Sembra di sí. Non voleva che il fumo facesse scattare
l'allarme antincendio.

– Soph! Puoi rilevare le impronte sull'interruttore a
muro della cucina?

– Certo.

– Hai già controllato le impronte di piedi?

– No, volevo aspettare che entraste prima voi a pestare
dappertutto, per rendermi la vita piú interessante, – grida
lei. – È stata la prima cosa che abbiamo fatto, – aggiunge. – Stanotte piovigginava, chiunque sia entrato doveva
avere le scarpe bagnate, ma le impronte si sono asciuga-
te da tempo, con il caldo che fa qui dentro, senza lasciare residui decenti. Abbiamo trovato qualche pezzetto di
fango secco qua e là, ma possono averli lasciati gli agenti
quando sono entrati, e comunque non era abbastanza per
identificare le impronte.

Il principe azzurro sta cambiando, nella mia mente. Lo
avevo immaginato come un pezzo di merda che tira un pugno sbagliato, si spaventa del risultato e corre a nascondersi
nel suo appartamento, facendosela addosso e aspettando il
nostro arrivo, pronto a spiegare piagnucolando che è stata
tutta colpa della donna.

Ma un tipo del genere sarebbe schizzato fuori di casa
ancora prima che il corpo di Aislinn cadesse sul pavimento. Non sarebbe stato in grado di fermarsi a pensare in
modo strategico.

– Ha un bel sangue freddo, – dico.

– Oh, sí, – dice Steve. La sua voce ha un tono come
quando senti un buon profumo in cucina e all'improvviso
ti viene fame. – Ha appena dato un pugno alla sua ragazza.
Forse non sa nemmeno se è viva o morta, ma è abbastanza
calmo da pensare all'allarme antifumo e al cibo nel forno.
Se è la sua prima volta, ha un talento naturale.

L'allarme antifumo è sopra le nostre teste. – Ma perché non lasciare che si scateni un incendio, anche se scatta l'allarme? Se la casa brucia, spariscono tutte le prove. Con un po' di fortuna, il corpo può finire cosí rovinato da impedirci persino di capire se è stato un omicidio.

– Forse per il suo alibi. Se fosse scattato l'allarme, qualcuno sarebbe arrivato qui molto prima. Forse ha pensato che piú tempo ci avremmo messo a trovarla, piú sarebbe stato difficile stabilire l'ora precisa della morte. E per qualche ragione lui non vuole che venga individuata con precisione.

– Ma allora perché la telefonata? Lei sarebbe potuta restare qui un giorno intero, forse piú, prima che qualcuno venisse a cercarla. E a quel punto l'ora della morte sarebbe stata un casino. Avremmo avuto come minimo una finestra di dodici ore.

Steve si sta grattando ritmicamente la testa, scompigliando i capelli rossi. – Forse è andato nel panico.

Emetto un verso poco convinto. L'immagine del principe azzurro è tremolante come un ologramma: patetico e pauroso, freddo e calmo, di nuovo pauroso. – Cioè, sulla scena del crimine è freddo come il ghiaccio, ma alcune ore dopo va nel panico e decide di chiamarci?

– La gente è pazza –. Steve allunga una mano e preme il bottone di prova dell'allarme antifumo con la punta della biro, producendo un *bip*. L'allarme funziona. – Oppure non è stato lui a chiamare.

Vediamo se funziona. – Va da qualcuno: un amico, un fratello, magari suo padre. Gli racconta l'accaduto. L'amico ha una coscienza, e non vuole lasciare Aislinn stesa a terra, pensando che forse è ancora viva e i medici potrebbero salvarla. Appena si ritrova solo, chiama la polizia.

– Se è cosí, – dice Steve, – dobbiamo trovare l'amico.

– Già –. Tiro fuori di tasca il mio taccuino e scrivo:
«Conoscenti del sospetto. Al piú presto». Appena avremo identificato il principe azzurro, ci servirà un elenco di
chi frequenta abitualmente. Un amico con una coscienza
è una delle sorprese preferite da ogni detective.

– Ora la seconda cosa, – dice Steve. – Lei non aveva gettato in pentola le verdure, non aveva versato il vino. Come
abbiamo detto prima, l'uomo era appena entrato in casa.

Rimetto in tasca il taccuino e ispeziono la cucina. Armadietto pieno di stoviglie in ceramica con decorazioni
a fiori rosa; frigo vuoto a parte yogurt senza grassi, bastoncini di carota e un pacco da due di tortini alla frutta
Marks & Spencer come dessert. Alcune persone conservano in cucina la maggior parte della loro personalità, ma
non Aislinn. – Sí. E allora?

– Allora, quando hanno avuto il tempo di litigare?
Non si tratta di una coppia sposata che bisticcia da anni, una sera lui dimentica di comprare il latte e di colpo
scoppia tutto. Questi erano ancora alla fase dell'invito a
cena, quando tutti e due vogliono presentarsi al meglio.
Su cosa diavolo possono litigare, un secondo dopo che lui
è entrato in casa?

– Pensi che non sia stata una lite? Che l'uomo avesse
pianificato tutto da prima? – Apro il secchio della spazzatura: contenitori vuoti di yogurt e altra roba M&S. – Secondo me no. Funziona solo se è un sadico che sceglie una
vittima e la uccide per divertimento. Ma in quel caso non
si sarebbe accontentato di un pugno e basta.

– Non sto dicendo che sia venuto qui per ucciderla.
Non necessariamente. Voglio solo dire… – Steve scrolla
le spalle, fissando un gatto di ceramica con un fiocco rosa a quadretti che ci guarda dal davanzale. – Voglio solo
dire che è strano.

– Ci vorrebbe un po' di fortuna –. C'è un piccolo blocco rosa attaccato a un armadietto: «lavanderia, carta igienica, lattuga». – La lite potrebbe essere cominciata prima
del suo arrivo. Dov'è quel cellulare?

Vado a prendere il telefonino di Aislinn e lo porto in
cucina, per non disturbare i tecnici nel soggiorno. Steve
si avvicina a leggere da sopra la mia spalla, un gesto che
fatto da chiunque altro mi farebbe incazzare. Lui riesce a
non respirarmi nell'orecchio.

È uno smartphone, ma per sbloccare lo schermo basta
strisciare il dito, niente password. Ci sono due sms ancora
non letti, ma guardo prima la rubrica. Niente sotto «mamma» o «papà» o variazioni sul tema, ma ha un contatto da
chiamare in caso di emergenza: Lucy Riordan, e il numero è quello di un cellulare. Me lo scrivo sul taccuino, per
dopo. Lucy ci servirà per identificare formalmente il corpo. Poi mi dedico agli sms e comincio a mettere insieme
la storia dell'ospite invitato a cena.

Il principe azzurro si chiama Rory Fallon, e doveva arrivare alle otto di ieri sera. Compare per la prima volta sul
telefono di Aislinn circa un mese e mezzo fa, nella seconda settimana di dicembre. «È stato fantastico conoscerti,
spero sia stata una bella serata anche per te. Ti va di uscire a bere qualcosa venerdí?»

Aislinn lo fa sudare un po'. «Venerdí non posso, potrei farcela giovedí». E, quando lui ci mette alcune ore per
risponderle che va bene, «Oops, purtroppo ho già preso
un impegno per giovedí!» Lo fa ballare a comando per un
po', cambiando giorni, ore, posti, poi finalmente escono
a bere qualcosa in centro. Lui la chiama il giorno dopo,
lei risponde solo alla terza telefonata. Lui la supplica di
lasciarsi invitare a cena in un ristorante costoso, lei gli fa
sudare anche quell'invito, cancellando l'appuntamento il

giorno stesso («Mi dispiace tanto, per stasera ho un problema») e costringendolo a spostare la prenotazione. Da qualche parte in questa casa troveremo il libro *Le regole*.

Io non ho tempo per donne che si comportano cosí e uomini che stanno al gioco. È roba da adolescenti, non da adulti. E quando va male, va male sul serio. Le prime volte è fantastico, il tuo uomo ti viene dietro ansimando, come un cucciolo che insegue il suo giocattolo preferito. Poi fai un giochetto di troppo e ti ritrovi la casa piena di detective della Omicidi.

Tra un giochetto e l'altro si snoda il resto della eccitante vita di Aislinn: un promemoria per un appuntamento dal dentista, uno scambio di sms con Lucy Riordan sul *Trono di spade*, un messaggio vocale di una settimana fa, probabilmente da un collega di lavoro, agitatissimo perché il suo account di posta elettronica è stato hackerato e chiede se Aislinn può dirgli come resettare la password. Nessuna meraviglia che lei avesse bisogno di trasformare un invito al ristorante in un melodramma.

L'invito a cena in casa, invece, deve essere stato fatto a voce, di persona o al telefono. Ci sono un mucchio di chiamate di Rory, alle quali Aislinn a volte ha risposto, a volte no, e nessuna chiamata da Aislinn a Rory. Comunque, mercoledí, Rory chiede conferma via sms. «Ciao Aislinn, solo per sapere se è tutto ok per sabato ore 8. Che vino porto?»

Lei lo lascia aspettare fino alla mattina dopo, prima di rispondere: «Sí, sabato alle 8! Non portare niente, solo te stesso :-)».

– Significa che se si presenta senza una dozzina di rose rosse sono cazzi, – dico.

– Forse lui non lo sapeva, – dice Steve. – Niente fiori da nessuna parte.

Tutti e due abbiamo visto omicidi nati per i motivi piú stupidi. – Forse questo è il motivo per cui è successo cosí in fretta. Lui arriva, lei nota che è venuto a mani vuote e… Steve sta scuotendo la testa. – E cosa? A giudicare da questa casa, lei non era il tipo da mandarlo affanculo dicendogli di ripresentarsi la prossima volta con un bouquet. Avrebbe piuttosto giocato un ruolo passivo-aggressivo, chiudendosi a riccio e facendolo impazzire nel tentativo di capire dove aveva sbagliato.

Il problema con il fatto che Steve la prende cosí bene quando lo contraddico è che io sento di dovermi elevare al suo livello. – Vero. Nessuna meraviglia che sia stata uccisa –. A volte penso che, se lavorerò con Steve per troppo tempo, diventerò uno zuccherino.

Ma con la sua amica Lucy, Aislinn smette i panni di quella che se la tira. Ieri sera, alle 18.49: «Oddio, sono eccitatissima, è assurdo!!! Canto con il cavatappi in mano come una ragazzina. Sono patetica o cosa???»

Lucy risponde subito: «Dipende da cosa canti».

«Beyoncé :-D».

«Poteva andare peggio. Dimmi almeno che non è *Put a Ring on It*».

«Nooo!!! È *Run the World*!»

«Ah, allora sei a posto. Mi raccomando, non dargli da mangiare sedano e gallette di segale, se non vuoi che svenga dalla fame prima che tu possa fare di lui ciò che vuoi :-D».

«Ah, ah, divertente. Sto facendo il filetto alla Wellington».

«Oooh, fantastico. E chi sei, Gordon Ramsay?»

«Ehi, è solo un piatto pronto di Marks & Sparks».

«Ah, capisco. Divertiti tanto. E sta' attenta, capito?»

«Non preoccuparti!!! Domani ti racconto tutto. Baci».

L'ultimo messaggio è stato inviato alle 19.13. Aislinn ha

avuto giusto il tempo di applicare l'ultimo strato di trucco, l'ultima passata di lacca per capelli, ficcare la cena pronta in forno, sostituire Beyoncé con musica di atmosfera e accendere la candela profumata, prima che suonasse il campanello.

– «Sta' attenta», – dice Steve.

Quando parleremo con Lucy, ci dirà perché era preoccupata. Per esempio, quando erano andati al pub Rory era diventato aggressivo perché pensava che Aislinn stesse guardando un altro, e al ristorante l'aveva obbligata a non togliersi il soprabito perché il vestito era troppo scollato. O magari lui era stato con l'amica di un'amica e lei diceva che la picchiava, ma Aislinn credeva che esagerasse e che Rory fosse un bravo ragazzo, che avesse bisogno solo di essere trattato nel modo giusto.

– La solita vecchia storia, – dico. – La prossima volta che mia madre mi chiede come mai sono ancora single, le parlo di questo caso. O di quello prima. O di quello ancora prima.

Classica lite tra innamorati, proprio come hanno pensato gli agenti in divisa. Rory praticamente ci aspetta su un piatto d'argento con una mela in bocca. Sapevo come sarebbe andata fin da quando il capo ci ha assegnato il caso, ma a una parte testarda di me sembra lo stesso un calcio nei denti.

Gli omicidi domestici sono quasi sempre facili. La questione non è se riesci ad arrestare il tuo uomo, o donna, ma se puoi costruire un caso abbastanza solido da reggere in tribunale. A tanti questo piace: alza la tua percentuale di casi risolti e ti fa fare bella figura con i superiori. A me non piace: un domestico non ti fa guadagnare nessun rispetto nella squadra, perché tutti sanno che la soluzione è semplice. Il che è l'altro motivo per cui odio questi casi:

hanno un livello di idiozia tutto loro. Se ammazzi tua moglie, tuo marito, o la tua ragazza del momento, che cazzo
credi che succederà? Che noi resteremo a grattarci la testa
a bocca aperta, davanti a quel grande mistero, pensando:
«Sarà stata la mafia?» Sorpresa: veniamo a prenderti direttamente a casa, le prove sono inoppugnabili e ti becchi
una condanna a vita. Se vuoi uccidere qualcuno, abbi almeno la decenza, nei miei confronti, di scegliere chiunque meno la persona piú fottutamente ovvia del mondo.

Ma c'è una cosa, nel cellulare, che non quadra con quel
livello di stupidità totale. Dopo lo scambio di sms con Lucy,
non c'è nulla per quasi un'ora. Poi un messaggio di Rory,
alle 20.09: «Aislinn, scusa, ho l'indirizzo giusto? Sono al
26 di Viking Gardens, ma non è venuto nessuno ad aprire
la porta. Il posto è questo?»

Il messaggio è segnato come non letto.

Steve indica l'ora. – Comunque, non era un ritardo tale
da indurla a spegnere il forno.

– Mmh.

Alle 20.15, Rory ha chiamato Aislinn. Lei non ha risposto.

Altra chiamata alle 20.25, poi un messaggio alle 20.32:
«Aislinn, per caso ho sbagliato settimana? Credevo che la cena fosse stasera, ma tu non ci sei. Fammi capire appena puoi,
per favore». Anche questo contrassegnato come non letto.

– Sí, certo, – dico. – Sa benissimo di non aver sbagliato settimana. Se vuole esserne sicuro, gli basta controllare i suoi sms.

Steve dice: – Sta cercando di metterla come se il problema fosse colpa sua. Non vuol fare incazzare Aislinn.

– Oppure sa che noi leggeremo questi messaggi e vuol
dirci chiaro e tondo che è un bravo ragazzo tranquillo che
non prenderebbe mai a pugni la donna con cui ha un ap-

puntamento, sempre se fosse entrato in casa, cosa che invece non è successa. «Lo giuro su Dio, agente, guardi il cellulare di Aislinn, vede tutti questi messaggi?»

Nei domestici può succedere: l'omicida si rende conto di ciò che ha fatto e comincia a inventare una storia di copertura. A volte funziona, persino. Non tanto con noi, ma con la giuria. Rory Fallon l'ha pensata bene: abbastanza messaggi da mostrare che stava davvero cercando di contattare Aislinn, ma nulla dopo le 20.32, per non fare la figura dello stalker. Di nuovo, non uno stupido totale.

– Comunque sia, l'ora della morte adesso è piú precisa, – dice Steve. – Alle sette e tredici lei manda l'ultimo messaggio a Lucy. Alle otto e dieci era già a terra.

– Comunque sia? – Alzo gli occhi dal telefono. – Cioè, tu pensi che questi possano essere veri?

Steve fa un movimento vago con il mento. – Probabilmente no.

– Ma dài. Un estraneo arriva qui a ucciderla nel momento esatto in cui Rory è atteso per il suo filetto alla Wellington? Dici sul serio?

– Ho detto «probabilmente no». È solo… che ci sono alcune stranezze, e voglio tenere la mente aperta.

Oh, Gesú. Il piccolo, dolce Steve, sta tentando di convincere entrambi che stavolta abbiamo davvero trovato qualcosa di speciale, cosí la giornata migliorerà e io tornerò a sorridere e smetterò di parlare del mio amico che lavora nella sicurezza privata e vivremo per sempre felici e contenti. Non vedo l'ora di chiudere questo caso.

– Andiamo a prendere Rory Fallon e vediamo, – dico. Se abbiamo fortuna, e la versione giusta di Rory è quella del patetico piagnucolone, potrebbe anche confessare in tempo perché io possa ancora andare a correre e mangiare qualcosa, prima di crollare addormentata.

Steve si fa attento. – Vuoi andare subito da lui?

– Sí. Perché no?

– Io pensavo di andare prima dalla migliore amica della vittima, Lucy. Se lei sa qualcosa, sarebbe bene che la sapessimo anche noi, prima di cominciare con Rory. Per attaccare con tutto ciò che abbiamo.

Sarebbe il modo perfetto di procedere se questo fosse un omicidio serio, e il colpevole fosse uno di quegli astuti psicopatici che ti sfidano a dare il massimo, invece di un pezzo di merda che ha ammazzato la sua ragazza in un attacco di rabbia e si merita tutte le scorciatoie che possiamo prendere. Ma Steve mi fa quello sguardo da cucciolo speranzoso, e penso «ma che cazzo, anche lui avrà presto il suo *burnout*, perché devo trascinarlo nel mio?»

– Va bene, – dico. Blocco il cellulare di Aislinn e lo rimetto nella busta da indizi. – Andiamo a parlare con Lucy Riordan.

Steve chiude di scatto la porta del forno. Lo sbuffo d'aria che ne esce sa di carne pronta ad andare a male.

Sophie è accanto al caminetto e preleva campioni dalla macchia di sangue.

– Ci togliamo dai piedi, – le dico. – Se trovi qualcosa che dobbiamo sapere, facci uno squillo.

– Sicuro. Niente sorprese, finora. La vittima ha fatto le pulizie di primavera, per questa cena. Praticamente ha lucidato ogni superficie, il che è un bene: se il nostro uomo ha lasciato impronte, possiamo dimostrare che sono recenti. Ma finora non abbiamo trovato nulla; forse hai ragione tu e indossava i guanti. Tenete le dita incrociate.

– Sí, – dico. – Tanto perché tu lo sappia, Don Breslin arriverà da un minuto all'altro.

– Grande. Calma la tua agitazione, cuore mio –. Sophie

lascia cadere un tampone in una provetta. – Perché vi serve lui?

– Il capo pensa che ci serva qualcuno abile con i testimoni –. Sophie alza la testa e mi guarda. Io scrollo le spalle. – O un'altra stronzata del genere, non ricordo bene. Il punto è che su questo caso dobbiamo collaborare con Breslin.

– Be', fantastico, – dice Sophie. Chiude la provetta e scrive qualcosa sull'etichetta.

– Breslin è solo di rinforzo, – dico. – Se trovi qualcosa, dillo a me o a Moran. E se non riesci a contattare nessuno di noi due, riprova finché ce la fai. Va bene?

Uno dei motivi per cui Steve e io ci abbiamo messo tanto a risolvere l'omicidio della rumena, il motivo che non diremo mai a O'Kelly, è che quando un testimone ha trovato il coraggio di telefonare, nessuno ce l'ha detto. Il testimone ci ha messo due settimane, prima di provarci di nuovo, e meno male; tanti altri avrebbero lasciato perdere. Quella volta ho risposto io. Lui ha detto che la prima volta gli aveva risposto un uomo dall'accento irlandese (vale per chiunque nella squadra eccetto me), che gli aveva promesso di riferire il messaggio. Non credo si trattasse di Breslin, ma non sono disposta a scommetterci la soluzione di questo caso.

– Nessun problema –. Sophie si rivolge ai tecnici. – Conway, Moran e nessun altro. Avete sentito tutti?

I tecnici annuiscono. Non può fregargliene di meno di noi detective e dei nostri problemi interni. Pensano che siamo un mucchio di primedonne che dovrebbero provare un po' a lavorare sul serio, tanto per cambiare. Ma sono leali a Sophie. Da loro Breslin non saprà nulla.

– Stessa cosa per cellulare e computer, – dico. – Quando riusciranno a entrare nei suoi account, e-mail, Facebook, eccetera, voglio saperlo io direttamente.

– Certo. Abbiamo un esperto di informatica che ascolta sul serio quando qualcuno gli parla. Faccio assegnare questo lavoro a lui –. Infila la provetta in una busta. – Vi terremo aggiornati.

Lancio un'ultima occhiata a Aislinn, prima di uscire. Sophie le ha spostato i capelli dal viso per prendere dei tamponi anche nel punto in cui ha ricevuto il pugno, sperando di trovare del Dna che non sia il suo. La morte ha già cominciato a prendere piede, tirandole indietro le labbra sopra i denti, e infossandole gli occhi. Anche cosí, mi torna di nuovo quel ricordo. «Per favore, ho solo bisogno... per favore...» E io che, con malcelata soddisfazione: «Mi spiace, non posso aiutarla».

– Lei mi ha fatto incazzare, – dico. – Quando l'ho vista da viva.

– Qualcosa che ha fatto? – chiede Steve. – Qualcosa che ha detto?

– Non ricordo. Qualcosa è stato.

– O forse no. Non ci vuole molto per farti incazzare, quando sei dell'umore.

– Vaffanculo.

– Lui mi piace, – mi dice Sophie. – Puoi tenerlo.

Sono concentrata su quando ho visto la vittima prima d'ora. Ho la guardia abbassata.

Mi chino per passare sotto il nastro, e un registratore per poco non mi cava un occhio, facendo un rumore come se un mastino volesse mordermi in faccia. Salto indietro d'impulso, alzando i pugni, e sento gli scatti elettronici della macchina fotografica di uno smartphone.

– Detective Conway, sospetta che si tratti di un serial killer? La vittima ha subito violenza sessuale?

In genere, i giornalisti sono una buona cosa. Tutti noi

abbiamo i nostri rapporti speciali con qualcuno di loro: tu gli dài una buona dritta, lui ti passa quello che è utile per te sapere, e qualche volta puoi servirtene per una fuga di notizie pilotata. Ma a parte questo, andiamo d'accordo alla grande con i giornalisti in genere: sappiamo quali sono i limiti, nessuno pesta i piedi a nessuno e siamo tutti contenti. Louis Crowley è l'eccezione. È una goccia di muco che lavora per il «Courier», un fogliaccio specializzato nel diffondere sempre qualche particolare di troppo sui casi di violenza sessuale, per quelli che vogliono piú scalpore e rabbia di quanta ne possano trovare sui giornali normali. Crowley sembra un incrocio tra un poeta e un pervertito: camicie morbide, impermeabile guarnito di forfora sul colletto, codino di capelli neri pettinati in modo da coprire la calvizie in cima alla testa, e un'espressione indelebile di moralità offesa. Preferirei lavarmi i denti con una motosega, piuttosto che dare una dritta a lui.

– Il killer ha seguito la vittima a casa? Le donne residenti in zona devono prendere delle precauzioni? I nostri lettori hanno il diritto di sapere…

Il registratore in una mano, il cellulare che scatta a manetta nell'altra, una zaffata di brillantina al patchouli, Crowley praticamente è davanti al mio naso. Evito di dargli uno spintone e mandarlo a cadere nel fango, mentre gli passo accanto, solo perché voglio evitarmi il fastidio di dover riempire le scartoffie. Alle mie spalle Steve dice, in tono allegro: – No comment. No comment sul no comment. No comment sul no comment riguardo al no comment.

Il gruppo di ragazzini si disperde di nuovo, guardano tutti a bocca aperta. Le tende di pizzo vibrano, l'aria è freddissima, dopo la casa surriscaldata. Crowley tira indietro il registratore appena in tempo, prima che resti incastrato

nella portiera, quando la chiudo di scatto. Esco sulla strada in retromarcia senza guardarmi indietro.

– Quel cretino, – dice Steve, scuotendo le maniche della
giacca come se Crowley le avesse sporcate di forfora. – Ha
fatto in fretta. In tempo per l'edizione del pomeriggio.

Io recito: – «La polizia non nega le voci che parlano di
un serial killer. La polizia beffata da possibile serial killer.
La polizia, davanti al terrore delle donne del quartiere, non
commenta» –. Non so nemmeno dove stiamo andando,
non abbiamo l'indirizzo di Lucy Riordan, ma guido come
se fosse un inseguimento. – «La polizia prende a pugni sui
denti la merdosa imitazione di un giornalista».

Negli ultimi mesi, Crowley è apparso sulla scena di
troppi dei miei casi, e troppo in fretta. Abbiamo avuto
problemi anche in passato. L'anno scorso stava tentando di ottenere con fare intimidatorio una dichiarazione
da un'adolescente che aveva visto il padre spacciatore
prendersi due colpi in testa. Io gli ho detto che se non
se ne andava l'avrei arrestato per intralcio all'indagine,
e lui si è allontanato mortalmente offeso, borbottando
di polizia brutale e libertà di stampa e Nelson Mandela.
Alla metà dei poliziotti di Dublino è capitato di mandare affanculo Crowley, in un modo o nell'altro. Non
c'è motivo per cui lui abbia scelto proprio me per vendicarsi, soprattutto non dopo tanto tempo. Ma anche
se la sua mente minuscola avesse deciso di fissarsi su di
me, questo non spiega come faccia a sapere dei miei casi così in fretta.

I giornalisti hanno i loro sistemi, dei quali non ci dicono nulla, ovviamente. È probabile che Crowley abbia uno
scanner che usa per cercare le coppie che fanno sesso al
telefono, e ogni tanto lo sintonizzi sulle frequenze della
polizia. Ma anche così la domanda resta aperta.

Non arrivi alla squadra Omicidi senza il dono di trovare modi creativi di far innervosire le persone fino a fargli fare qualsiasi cosa pur di liberarsi di te; anche quando il testimone che devi lavorarti è una ragazzina devastata dal dolore che piange per aver perso il padre. Io non faccio eccezione e neppure Steve, anche se a lui piacerebbe pensarlo. Non posso dire di essere rimasta scioccata, quando ho scoperto che non tutti i ragazzi della squadra usano quel talento solo per gli interrogatori. È una cosa che fa parte di te, come la pistola al fianco che quando non c'è ti fa sentire sbilanciato. E alcuni dei ragazzi proprio non riescono a farne a meno. Lo usano per ottenere quello che vogliono, o per superare qualcuno che può essere loro di ostacolo. O per fare a pezzi chi vogliono fare a pezzi.

Steve tiene la bocca chiusa, ed è una buona idea. Senza farci caso, sono andata a infilarmi in Phoenix Park, probabilmente perché è l'unico posto in cui posso guidare senza finire in un groviglio di traffico e di idioti. Le strade sono dritte, corrono tra ampi prati e file di alberi enormi, e io spingo sull'acceleratore e vado come una scheggia. Alla Kadett sta per venire un infarto.

Rallento. Accosto con manovra da manuale, mettendo la freccia in anticipo e tenendo un occhio sul retrovisore.

– Ci serve l'indirizzo di Lucy Riordan, – dico. – Ho il suo numero.

Tiriamo fuori i cellulari. Steve chiama il suo contatto presso una delle reti telefoniche, e mette in viva voce; sentiamo squillare, mentre i daini ci osservano da sotto rami spogli. Mi rendo conto che ho ancora i copriscarpe ai piedi, meno male che non sono scivolati sui pedali mandando a sbattere l'auto. Me li tolgo e li getto sul sedile posteriore. Il sole è ancora debole e senza calore; sembra ancora l'alba.

2.

Il contatto di Steve ci dà l'indirizzo di casa di Lucy Riordan, a Rathmines, quello del lavoro al Torch Theatre, in centro, e la sua data di nascita: ha ventisei anni. – Sono appena le nove e mezzo, – dice Steve, guardando l'orologio. – Sarà in casa.

Io faccio il numero della mia segreteria telefonica; ho un nuovo messaggio e non vedo l'ora di ascoltarlo. – Sarà ancora a letto a smaltire i postumi di ieri notte, come qualsiasi persona sensata, a quest'ora di domenica –. Il parco mi rende nervosa. Fuori dal finestrino il cielo è morto, non c'è nemmeno un uccello, e gli alberi sembrano inclinarsi lentamente verso di noi. – Tu conduci l'interrogatorio.

Visto che non ho un motivo lecito per arrestare Crowley o dargli un pugno in faccia, o per dire al capo dove può ficcarsi i suoi «domestici», rischio di staccare la testa al primo che mi dà anche un minimo pretesto, e non voglio che sia il nostro testimone chiave.

Prima non ero cosí. Ho sempre avuto il mio carattere, ma lo tenevo sotto controllo, anche se dovevo inghiottire qualche grosso rospo. Anche da ragazzina, sapevo come tenerlo carico e pronto mentre inquadravo il bersaglio, prendevo la mira e aspettavo il momento giusto per mandare al diavolo il bastardo di turno. Da quando sono riuscita a entrare alla Omicidi, le cose stanno cambiando. Lentamente, non perdo mai troppo terreno tutto in una volta, ma non ne riguadagno mai nemmeno un po', e si comincia a notare. Negli ultimi mesi, ho perso il conto delle volte in cui mi sono fermata mezzo secondo prima di esplodere e ritrovarmi a pulire il casino per il resto della mia vita. Non scherzavo, quando ho detto che stavo per spiegare a quel testimone che era troppo stupido per vivere. Stavo aprendo la bocca per farlo, quando è intervenuto Steve con una domanda tranquillizzante. Ma so che uno di questi giorni nessuno di noi due riuscirà a fermarmi in tempo. E so che gli altri della squadra si avventeranno su quel momento come squali su un pezzo di carne. Lo ingrandiranno di almeno dieci volte, diffondendo la voce in tutta la polizia, come fosse una foto di me nuda, e ogni giorno, per il resto della mia carriera, qualcuno me lo rinfaccerà come uno schiaffo.

La Omicidi non è come le altre squadre. Quando funziona bene ti toglie il fiato: precisa e feroce, agile e svelta, è il balzo di un grosso felino, o un fucile così perfetto che praticamente spara da solo. Quando ero ancora una recluta nell'Unità generale, fresca di servizio in divisa, una volta ad alcuni di noi vennero assegnati lavori di manovalanza per un caso di omicidio: battere a macchina, interrogatori casa per casa, e simili. Mi bastò un'occhiata alla squadra in azione, e non potei più distogliere gli occhi. È la cosa più vicina all'amore che mi sia mai capitata.

Quando sono riuscita a entrare in squadra le cose erano già cambiate. Il livello di stress adesso è più alto e l'equilibrio interno è così delicato che bastano poche teste nuove per spostare tutto: trasformare il grosso felino in un animale indisciplinato e nervoso, far inceppare il fucile in modo che prima o poi ti scoppi in faccia. Io sono arrivata nel momento sbagliato e sono partita con il piede sbagliato.

Una parte del problema sta nel non avere il cazzo, che apparentemente è lo strumento piú importante per poter indagare su un omicidio. Ci sono già state donne nella squadra prima di me, forse una mezza dozzina; se sono andate via da sole o se le hanno indotte a farlo non lo so, ma quando sono arrivata io ero l'unica. Alcuni dei ragazzi sono convinti che questo sia l'ordine naturale; pensavano che fossi troppo sbruffona, comportandomi come se avessi il diritto di stare in mezzo a loro, e quindi fosse necessario darmi una lezione. Non erano tutti cosí, la maggior parte erano a posto, almeno all'inizio, ma non erano nemmeno pochissimi.

Mi misero alla prova, nelle prime settimane, nello stesso modo in cui un predatore sessuale esamina una vittima potenziale in un bar, buttando lí piccole battute logore del tipo: «Perché una donna è come un…», commenti sul ciclo, allusioni al fatto che dovevo essere brava in determinate prestazioni per essere riuscita a ottenere quel posto. Tutto per vedere se avrei ingoiato il rospo e riso con loro. Proprio come il predatore cerca la persona mite che sopporterà violenze e umiliazioni piuttosto che fare scenate; la persona che può essere spinta, un passo alla volta, a fare ciò che lui vuole.

Ma nel profondo, il problema non era il mio essere donna. Quello era solo il punto di partenza, il sistema che secondo loro avrebbe reso piú facile piegarmi. Nel profondo, era tutto piú semplice. Era come alle elementari, quando l'Irlanda era ancora bianca come un giglio e io ero l'unica bambina dalla pelle bruna, detta Faccia di Merda, il mio primo soprannome. Nel profondo, si trattava di ciò per cui gli esseri umani combattono fin dalla preistoria: il potere. Si trattava di decidere chi erano i cani alfa e chi sarebbe finito in fondo al mucchio.

Io me lo aspettavo. In ogni squadra c'è il bullismo verso i nuovi. Il mio primo giorno alla Persone scomparse, tentarono di mandarmi casa per casa a chiedere se avevano visto una certa Mia Topa. E la Omicidi aveva già la fama di un bullismo piú duro, con meno risate e piú cattiveria. Ma il fatto che me lo aspettassi non significa che l'avrei accettato. Se c'è una cosa che ho imparato, a scuola, è: mai lasciarsi spingere giú. Se arrivi in fondo al mucchio, puoi anche non risalire mai piú.

Avrei potuto seguire il sistema ufficiale, rivolgendomi ai superiori e dicendo che i miei compagni di squadra mi discriminavano, creando intorno a me un ambiente ostile. A parte l'ovvia considerazione che cosí avrei solo peggiorato le cose, mi sarei sparata su un dito piuttosto che andare a piagnucolare dal capo. Perciò quando una testa di cazzo di nome Roche mi diede una pacca sul culo, per poco non gli spezzai il polso. Ci mise diversi giorni prima di poter di nuovo sollevare una tazza di caffè senza dolore, e il messaggio arrivò forte e chiaro: non mi sarei rotolata a terra a pancia in su, scodinzolando in attesa di qualsiasi cosa volessero farmi i cani piú grossi.

Allora si misero spalla a spalla e cominciarono a spingermi fuori dal branco. In maniera sottile, all'inizio. In qualche modo, tutti vennero a sapere di un mio cugino in galera per spaccio di eroina. I risultati di un esame di impronte digitali non mi arrivarono, cosí non riuscii a vedere il nesso tra un caso a cui stavo lavorando e una serie di furti con scasso. Una volta alzai la voce con un testimone che aveva fornito un finto alibi a un sospettato; niente di peggio di quello che fanno tutti gli altri, di continuo, ma qualcuno evidentemente mi stava osservando, dietro il falso specchio, perché per mesi, ogni volta che interrogavo un testimone, tutta la squadra lo voleva sapere, ma cosí, solo per scherzare, solo per farsi una risata in compagnia: «Gliel'hai fatto capire a urli, Conway? Scommetto che se l'è fatta nei pantaloni dalla paura. Chiederà un risarcimento per la perdita dell'udito? Quel povero bastardo ci penserà due volte, prima di parlare di nuovo con la polizia, eh?»

A quel punto, anche i ragazzi piú simpatici sentivano l'odore del sangue, intorno a me, e si tenevano lontani per evitare problemi. Ogni volta che entravo in sala detective, calava un silenzio totale e istantaneo.

All'epoca, però, almeno c'era Costello. Era il piú vecchio della squadra, aveva il compito di spiegare il lavoro ai nuovi ed era un tipo solido: nessuno esagerava con me, quando c'era Costello in giro. Pochi mesi dopo, Costello andò in pensione.

A scuola, avevo il mio gruppo di amiche. Chi dava fastidio a me lo dava anche a loro, e nessuna di noi era il tipo da sopportare una molestia qualsiasi. Quando si sparse la voce che mio padre era in prigione per aver dirottato un aereo, e nessuno voleva sedersi accanto a me per paura che avessi una bomba nella cartella, scoprimmo chi erano le tre stronze che avevano messo in giro la voce e le pestammo a dovere; e la storia finí. Alla Omicidi, dopo il pensionamento di Costello e fino all'arrivo di Steve, non avevo nessuno.

Prima ancora che Costello se ne andasse, i ragazzi alzarono il tiro. Una volta lasciai la casella e-mail aperta sul computer, e tornando trovai che era stato cancellato tutto: posta in arrivo, posta inviata, rubrica dei contatti, tutto. Alcuni si rifiutavano di partecipare agli interrogatori con me, quando era il momento di dare una scossa a qualcuno: «Non puoi mettermi con lei, farà casino e poi la colpa sarà anche mia». Oppure c'era bisogno di tutti i poliziotti disponibili per una grande ricerca, tranne me, e qualcuno diceva, a voce abbastanza alta perché potessi sentire: «Non troverebbe le tracce di un elefante nella neve». Al party natalizio, dove stavo attenta a non bere mai piú di una pinta, qualcuno mi scattò una foto mentre avevo gli occhi semichiusi; la foto era in bacheca la mattina dopo, con la didascalia: «Polialcoliziotta» e a fine giornata tutti sapevano che avevo un problema con l'alcol. Alla fine della settimana, tutti sapevano che al party ero ubriaca fradicia, mi ero vomitata sulle scarpe e avevo fatto un pompino nei cessi a… (il nome variava). Non riuscii a scoprire quale, o quali, dei ragazzi c'erano dietro. E anche se resterò nella polizia fino alla pensione, ci sarà sempre qualcuno che prenderà per vere tutte quelle stronzate.

Di regola, non m'importa un cazzo di ciò che pensano di me. Ma se non posso fare il mio lavoro perché nessuno si fida di me al punto di volermi stare vicino, comincia a importarmi.

Tutto questo per dire come mai è Steve che deve chiamare il suo contatto per avere i dati di Lucy Riordan. Lungo la strada conosci persone utili, che ti servono quando una richiesta ufficiale sarebbe troppo lunga e complicata. Pochi mesi fa io avevo un buon rapporto con un ragazzo che lavorava alla Vodafone; finché un giorno l'ho chiamato per sapere l'intestatario di un numero e lui si è messo a balbettare e non mi ha risposto e non vedeva l'ora di riattaccare. Non ho perso tempo a chiedere spiegazioni: sapevo già abbastanza. Non i particolari, tipo chi gli fosse arrivato addosso e di cosa lo avessero minacciato, ma non era importante. Cosí quando abbiamo bisogno di informazioni, è Steve a chiamare le aziende telefoniche, ed è sempre lui a gestire gli interrogatori quando io sono troppo nervosa per fidarmi di me stessa. E continuo a ripetermi che quei bastardi non mi avranno mai.

Il messaggio in segreteria è di Breslin, ovviamente, che culo. «Ciao, Conway». Breslin ha una bella voce profonda, e un accento da mezzobusto televisivo. Come se mamma e papà gli avessero pagato le migliori scuole per evitargli di incontrare tipi come me e Steve. E lui lo sa. Credo che la sua fantasia sia fare la voce narrante nei trailer dei film. «Sono felice di lavorare con voi due. Dobbiamo metterci in contatto al piú presto; fammi uno squillo quando ricevi questo messaggio. Sto andando sulla scena del crimine, a dare un'occhiata rapida. Ci vediamo lí o ci sentiamo». *Clic.*

Steve fa il gesto della pistola con le dita e mi strizza l'occhio. – Sí, tesoro, entra in contatto con lui.

Io rido senza volerlo. – Sai la sensazione che ho? È come se ti infilasse la lingua nell'orecchio direttamente dal telefono.

– Ed è convintissimo di aver dato un senso alla tua giornata. Perché prima di chiamarti si è spruzzato l'*eau de cologne* su quella lingua magica, solo per te.

Ridacchiamo. Breslin stimola il nostro lato adolescenziale; si prende cosí sul serio che non potrai mai essere alla sua altezza, perciò non ci proviamo nemmeno.

– Ora mi sento speciale, – dice ancora Steve, mano sul cuore. – Tu no?

– Io sento che avrei dovuto portarmi le gocce per le orecchie, – dico. – Cosa possiamo fare per tenerlo lontano ancora un po'?

– Centrale operativa? – Non è affatto una cattiva idea: qualcuno deve trovarci una sala operativa in cui lavorare al caso, e Breslin riuscirà a farsene dare una di quelle buone, con una lavagna bianca e varie linee telefoniche, mentre a me e Steve darebbero quel buco con due scrivanie che prima era uno spogliatoio e ne ha ancora l'odore.

– Ma niente lo terrà lontano a lungo. In tutta sincerità, gli interrogatori dei testimoni sono il motivo per cui il capo lo ha voluto, quindi vorrà essere presente.

– Lascia perdere la sincerità. Non sono dell'umore adatto per essere sincera con Breslin –. In realtà, il mio umore è migliorato. Avevo bisogno di farmi due risate. – La centrale operativa è una buona idea, intanto andiamo avanti con quella.

– Non staccargli la testa a morsi, – mi avverte Steve.

– Non lo farò, ma perché non dovrei, se ne avessi voglia? – Breslin non è affatto uno dei peggiori, anzi. Piú che altro ci ignora. Ma questo non significa che debba piacermi. – Perché dobbiamo comunque lavorare con lui? E perché sarà tutto piú difficile se lo facciamo incazzare fin dall'inizio?

– Pensaci tu a lisciarlo. Infilagli la lingua nell'orecchio.

Chiamo di nuovo la segreteria telefonica di Breslin. Se devo avere a che fare con lui, i messaggi sono il modo ideale. – Breslin, sono Conway. Sono felice di questa opportunità di lavorare insieme –. Guardo Steve, inarcando un sopracciglio. «Visto? So essere carina». – Stiamo andando a prelevare un tizio che aveva un invito a cena in casa della vittima e lo porteremo alla base per interrogarlo. Possiamo vederci lí? Ci sarebbe molto utile il tuo punto di vista, su questo –. Steve mima un pompino, io gli mostro il dito. – Mentre andiamo da lui, ci fermiamo un attimo a parlare con la migliore amica della vittima, nel caso ci sia qualcosa che dobbiamo sapere. Nel frattempo potresti trovare una stanza da usare come centrale operativa, visto che comunque arriverai prima di noi? Grazie mille, ci vediamo lí.

Riattacco. – Visto? – dico a Steve.

– Sei stata splendida. Mancava solo un bacetto alla fine.

– Come sei simpatico –. Voglio mettermi all'opera. Gli alberi spogli sembrano piú bassi, piú vicini, come se mentre mi concentravo su Breslin ne avessero approfittato per chiudersi di piú su di noi. – Scopriamo quali cazzo di reclute ci hanno assegnato.

Steve fa il numero e Bernadette, dell'amministrazione, gli dà i numeri delle nostre reclute. Sono sei, O'Kelly è stato di manica larga. Un paio sono bravi ragazzi, utili. Almeno uno non lo è. Se ne vogliamo di piú, dobbiamo fare domanda in triplice copia, spiegare il motivo per cui non possiamo fare da soli il lavoro sporco e in generale drizzarci sulle zampe e guaire come barboncini.

Piú tardi avremo la prima riunione sul caso: io, Steve, Breslin e le reclute, nella sala operativa. Tutti che prendono appunti mentre io riassumo il caso, poi si assegnano i compiti. Ci sono cose da fare subito, però, senza aspettare. Steve manda due reclute a fare un porta a porta preliminare in Viking Gardens, per scoprire ciò che sanno di Aislinn Murray nel quartiere e cosa hanno visto o sentito ieri notte. Altri due li spediamo a prelevare tutte le riprese di telecamere a circuito chiuso che riescono a trovare, prima che vengano cancellate da nuove registrazioni. Agli ultimi due dico di trovare l'indirizzo di Rory Fallon, scoprire se è in casa, in caso affermativo sorvegliare la casa e seguirlo se va da qualche parte, cercando di non farsi notare. Potrebbero anche prenderlo e portarlo in centrale, ma il mio piano non prevede che Breslin veda Fallon in corridoio e decida di fare un favore a me e a Steve ottenendo una confessione prima ancora del nostro ritorno. Breslin mi richiama; io lascio rispondere la segreteria.

L'aspetto sbattuto di Steve dopo il turno di notte mi dà un'idea di quale può essere il mio; cosí, prima di partire verso la casa di Lucy Riordan ci diamo una rapida sistemata: lisciamo le pieghe delle giacche e spazzoliamo via le briciole degli snack che abbiamo mangiato, Steve si pettina, io sciolgo ciò che resta del mio chignon e lo rifaccio liscio e ben tirato. Quando lavoro non mi trucco, ma la parte di me che vedo nel retrovisore mi sembra decente. In una giornata buona non sono niente male, e anche in una giornata cattiva mi si nota. Ho preso da mio padre, o almeno lo immagino: da mia madre ho ereditato l'altezza, ma non i capelli neri e lucenti, gli zigomi alti e la pelle che non avrà mai bisogno di un'abbronzatura artificiale. Indosso buoni tailleur, capi tagliati bene e che vanno d'accordo con il mio fisico longilineo e forte, e se qualcuno pensa che dovrei andare in giro coperta da un sacco per evitare che gli uomini facciano cattivi pensieri, può andare cordialmente affanculo. Gli aspetti di me che secondo alcuni dovrei tentare di nascondere – il fatto che sono alta, sono donna e sono di razza mista – sono proprio quelli che metto in risalto. Se questo causa disagio agli altri, be', significa che me ne posso servire.

– Che dici, basta? – chiede Steve, indicando sé stesso.

Ha un'aria come se la mamma lo avesse tirato a lucido per la messa, ma è una cosa che fa di proposito. Usi quello che hai, e lui ha la faccia di uno che se lo porti a casa i tuoi genitori sono tutti contenti.

– Deve bastare, – rispondo, risistemando lo specchietto retrovisore. – Andiamo.

Schiaccio a fondo e lascio credere alla Kadett di essere una vera auto, mentre ci porta fuori di qui. Ho una brutta sensazione, come se gli alberi si fossero appena chiusi di scatto sopra il punto dove eravamo parcheggiati.

Lucy Riordan abita in una di quelle case alte e a schiera divise in appartamenti. Spesso sono tuguri, ma la sua è carina. Il giardino davanti è stato ripulito dalle erbacce, gli infissi sono stati ridipinti da meno di dieci anni, e ci sono sei campanelli sul portone invece di dodici, il che significa che il padrone di casa non stipa gli inquilini in stanze da tre metri quadrati con il bagno in comune.

Lucy risponde al citofono solo dopo il secondo squillo, con la voce impastata di sonno. – Sí?

Steve dice: – Lucy Riordan?

– Chi è?

– Detective Stephen Moran. Può dedicarci due minuti?

Dopo un lungo secondo, Lucy dice, con la voce sveglissima: – Scendo tra un attimo.

Apre il portone abbastanza in fretta. È bassa e in forma, con quella forma atletica che ti fai nella vita, non in palestra, e che ti appartiene, non la perdi non appena smetti di allenarti. Capelli corti color platino con una lunga frangia che le ricade sul viso, pallido, con lineamenti precisi e puliti, a parte un po' del mascara di ieri notte. Felpa con cappuccio nera, pantaloni militari neri con macchie di vernice, piedi scalzi, un bel po' di orecchini d'argento e quello che sembra un discreto doposbronza. Non ha niente in comune con Aislinn Murray, né con l'immagine che mi ero fatta di lei.

Noi abbiamo già i tesserini in mano. – Io sono il detective Stephen Moran, – dice Steve, – e lei è la mia partner, detective Antoinette Conway –. E si ferma. Bisogna sempre lasciare un momento vuoto.

Lucy non guarda nemmeno i tesserini. Dice subito: – Si tratta di Aislinn?

Questo è il motivo per cui lasci il vuoto: è incredibile quello che le persone ci versano dentro.

Steve dice: – Possiamo entrare per qualche minuto?

Allora lei guarda i nostri documenti, ci mette un po' a

prendere una decisione, poi dice: – Sí, va bene. Entrate –.
Si volta e sale le scale.

Il suo appartamento è al primo piano e avevo ragione,
è decente: un piccolo soggiorno con un cucinotto da un
lato e due porte sugli altri due lati, bagno e camera da letto. Stanotte Lucy ha avuto gente, ci sono lattine vuote
sopra e sotto il tavolino, l'aria è piena di fumo; ma anche
prima del party casa sua non somigliava in nulla a quella
di Aislinn. Le tende sono fatte di vecchie cartoline cucite
insieme con lo spago, i mobili sono un tavolino ammac-
cato e un paio di divani sfondati con sopra delle coperte
messicane tessute a mano. Ci sono quattro telefoni degli
anni Settanta e una volpe impagliata sopra una matassa
di cavo accanto alla tivú. Nessuno ha ordinato questo arredamento con un'app.

Io e Steve ci sediamo sul sofà con lo schienale verso
la finestra, lasciando Lucy dove la luce livida del giorno le
illumina in pieno il viso. Prendo il taccuino ma mi siedo
inclinata in avanti, per far capire a Steve che non lascerò
fare tutto il lavoro a lui. O'Kelly può dire quello che vuole, ma Steve è in gamba con i testimoni; è meno vistoso di
Breslin, ma può far credere a chiunque di essere dalla sua
parte, e anch'io non me la cavavo male, fino a poco tempo fa. Lucy non sembra il tipo capace di farmi incazzare.
Questa ragazza non è un'idiota.

– C'è qualcun altro in casa? – chiede Steve. Dopo questa conversazione, Lucy avrà bisogno di avere qualcuno
accanto.

Lei si siede sull'altro divano e tenta di guardarci in faccia
entrambi allo stesso tempo. – No, ci sono solo io. Perché?

La faccia del testimone classico è un misto di voglia di
essere utile, voglia di sapere la storia e di: «Mio Dio, spero
di non essere nei guai». La variazione standard, nei quar-

tieri dove noi non siamo ben visti, è un'espressione cupa
da adolescente, anche sulla faccia di persone troppo an-
ziane per quelle stronzate. Lucy non assume né l'una né
l'altra. Siede con la schiena dritta, i piedi piantati a terra
e gli occhi ben aperti, come se fosse pronta a scattare in
azione. È spaventata e diffidente, e il motivo per cui dif-
fida occupa tutta la sua concentrazione. Sul tavolino c'è
un portacenere di vetro verde, che avrebbe dovuto vuotare prima di lasciar entrare dei poliziotti. Io e Steve fin-
giamo di non vederlo.

– Innanzitutto, le chiedo conferma di un paio di dati, – dice Steve, con il suo sorriso piú disarmante. – Lei
è Lucy Riordan, nata il 12 aprile 1988 e lavora al Torch
Theatre. È cosí?

Lucy si irrigidisce. A nessuno piace quando mostriamo
di sapere cose che loro non ci hanno detto, ma a lei piace
meno che agli altri. – Sí. Sono la direttrice tecnica.

– Ed è amica di Aislinn Murray. Amica intima.

– Ci conosciamo fin da quando eravamo piccole. Cosa
è successo?

– Aislinn è morta, – dico.

Non è una mancanza di tatto. Dopo il modo in cui ha
aperto la porta, voglio vedere la sua reazione.

Lucy mi fissa. Sul suo viso si scontrano cosí tante espressioni che non riesco a leggerne nessuna. Non sta respirando.

Dico, in tono piú dolce: – Mi spiace averla svegliata
con questa notizia.

Lucy afferra un pacchetto di Marlboro light sul tavolino e se ne accende una senza chiedere se ci dà fastidio
il fumo. Anche le sue mani sono da persona attiva: polsi
forti, unghie corte, graffi e calli. Per un attimo la fiamma dell'accendino ondeggia, poi lei si controlla e aspira la
prima boccata.

Chiede: – Come?

Ha la testa china, e la frangetta biondo platino le nasconde il viso.

– Non abbiamo ancora risposte definitive, – rispondo, – ma la consideriamo una morte sospetta.

– Significa che è stata uccisa. Giusto?

– Sembra di sí.

– Merda, – dice Lucy, a bassa voce. Sono certa che non si rende conto di quel che sta dicendo. – Ah, merda. Ah, merda.

Steve dice: – Come mai ha subito pensato che si trattasse di Aislinn?

Lucy alza la testa. Non sta piangendo, il che è un sollievo, ma la sua faccia è di un bianco malato, come se avesse la nausea, e gli occhi sembrano non vedere bene. – Cosa?

– Quando è venuta ad aprire, ha detto: «Si tratta di Aislinn?» Perché lo pensava?

La sigaretta le trema in mano. Lucy la fissa, stringe le dita per tenerla ferma. – Non lo so. È stato un impulso.

– Ci pensi meglio. Dev'esserci un motivo.

– Non ricordo. È stata la prima cosa che mi è venuta in mente.

Noi aspettiamo. Dentro i muri, dei tubi gemono e fischiano. Al piano di sopra un uomo grida qualcosa a proposito dell'acqua calda, e qualcun altro galoppa sul pavimento, facendo sussultare la tenda di cartoline. Accanto a Lucy, sul divano, c'è un pupazzo di Homer Simpson con in fronte una cartina Rizla, su cui c'è scritto «Principessa Bottondoro». Ieri è stata una bella nottata. La prossima volta che Lucy vede quel pupazzo mi sa che lo getta nella spazzatura.

Dopo un lungo minuto, la donna drizza di nuovo la schiena. Non piangerà, non vomiterà, almeno non adesso; ha altre cose da fare. Sono abbastanza sicura che abbia deciso di mentirci.

Scuote la sigaretta nel posacenere senza nemmeno notare i filtri degli spinelli. Dice, come tentando di orientarsi: – Aislinn aveva appena cominciato a vedersi con un tizio. Rory. Ieri sera l'aveva invitato a cena. Era la prima volta che lo invitava in casa, finora si erano incontrati solo in luoghi pubblici. Perciò, quando avete detto di essere detective, è stata la prima cosa che ho pensato: qualcosa è andato storto da Aislinn. Voglio dire, non vedevo un'altra ragione per cui avreste voluto parlare con me.

Stronzate. Posso enumerarne sei o sette senza nemmeno riflettere: l'hashish, un reclamo per rumori molesti da parte di qualche vicino di casa, una rissa in strada qui fuori per la quale stiamo cercando testimoni, idem per un omicidio domestico in un altro appartamento, e potrei continuare. E anche Lucy. Quindi sta mentendo.

– Capisco, – dico. – Ieri sera lei e Aislinn vi siete scambiate dei messaggi, riguardo al suo appuntamento –. La diffidenza sale di un altro grado, mentre Lucy tenta di ricordare cos'ha scritto. – Lei ha detto a Aislinn... – fingo di consultare il taccuino, – «Sta' attenta, capito?» Come mai?

– Be', lo conosceva da poco e si sarebbe trovata sola in casa con lui.

Steve mette su una faccia perplessa. – Non è un atteggiamento un po' paranoico?

Lucy solleva le sopracciglia di colpo e guarda Steve come fosse il nemico. – Sul serio? Non le ho detto di tenere una pistola carica sotto il cuscino. Solo di stare attenta con un estraneo in casa. È paranoia?

– A me sembra puro buon senso, – dico. Lucy si volta verso di me, grata, e si rilassa un po'. – A una mia amica io direi la stessa cosa. Lei ha incontrato Rory?

– Sí, ero presente quando si sono conosciuti. Un mio collega, Lar, ha pubblicato un libro sulla storia dei teatri di Dublino e lo presentava nella libreria di Rory. Il Wayward Bookshop, a Ranelagh. Molti di noi del Torch ci andavano, e io ho convinto Aislinn ad accompagnarmi. Pensavo che una serata fuori le avrebbe fatto bene.

Molte piú informazioni di quelle che le avevo chiesto. È la tecnica piú vecchia del mondo: se il testimone si incazza con uno dei due, darà all'altro qualcosa di piú. Io e Steve lo facciamo spesso, ma di solito in ruoli invertiti. Ora invece lascio che sia Steve a prendere appunti e io mi godo la sensazione di interpretare la poliziotta buona, per la prima volta da molto tempo. – E tra Aislinn e Rory è scoccata la scintilla, – dico.

– Bella forte. Lar aveva letto dei brani del libro e stava firmando le copie, e noi bevevamo il vino offerto dalla libreria, e Aislinn e Rory si sono messi a chiacchierare. Praticamente si sono rintanati in un angolo, non a pomiciare, eh, solo a parlare e a ridere insieme. Secondo me Rory sarebbe rimasto lí tutta la sera, ma Ash ha una sua regola, non parla mai con un uomo troppo a lungo...

Lucy si interrompe e batte le palpebre. Ecco un'altra volta il filtro. Dio non voglia che noi pensiamo male della povera dolce Ash. Ma so di cosa si tratta. Del libro *Le regole*. – Per non fargli capire che le piace, – dico, come se avesse molto senso.

– Sí, esatto. Non lo so, la considera una cosa sbagliata, per qualche motivo –. Muove una spalla e la bocca mentre lo dice, in tono affettuoso. – Dopo un'oretta Ash è venuta da me tutta eccitata. Era tutto un: «Oddio, lui è cosí dolce, cosí divertente, cosí interessante, cosí attraente...» Mi ha detto che gli aveva dato il suo numero e ora doveva trovare qualcun altro con cui parlare, perciò è rimasta

con me e con il mio gruppo di colleghi, ma chiedeva continuamente: «Sta guardando da questa parte? Guarda me?»
E la risposta era sempre sí. Un vero colpo di fulmine, per
tutti e due.

– Lar chi? – chiedo. – E quando è stata la presentazione?

– Lar Flannery... Laurence. Erano i primi di dicembre,
non ricordo la data precisa. Una domenica sera, perché potessero venire anche gli amanti del teatro.

– Dopo lei ha incontrato ancora Rory?

– No, solo quella volta. Anche Aislinn l'ha rivisto poche
volte. La stava prendendo con calma –. Abbassa la testa e
aspira una lunga boccata di fumo. Abbiamo di nuovo sfiorato quello che sta nascondendo. Lasciamo un momento
di silenzio, ma stavolta lei non ci getta dentro nulla. Invece chiede: – Ma state dicendo... Voglio dire, pensate che
Rory sia quello che l'ha...

La domanda è abbastanza logica, ma all'improvviso la
sua voce è piena di segni che non riesco a decifrare, e il
lampo dei suoi occhi sotto la frangetta è troppo veloce e
concentrato. Questo per lei ha un significato piú importante, o piú urgente, di quanto dovrebbe.

Steve dice: – Lei che ne pensa? Sospetterebbe di lui?

– Non sospetto di nessuno. Siete voi i detective. Rory
è il vostro principale indiziato, o come lo chiamate?

– C'era qualcosa di specifico, in Rory, che ha fatto scattare il suo radar? – chiedo io. – Qualcosa che la rendeva
diffidente nei suoi confronti?

Lucy vorrebbe ripetere la domanda, ma capisce che non
è il caso. Intelligente, capace, abituata a pensare in fretta.
Ci vorrà molta fortuna per scoprire cosa nasconde. Aspira
un'altra boccata dalla sigaretta. – No, nulla. Simpatico,
magari un po' noioso. Ash ovviamente vedeva in lui qualcosa che a me era sfuggito, perciò...

– Aislinn le ha mai dato motivo di pensare che avesse
paura di lui? Magari le faceva pressioni, tentava di con-
trollarla...

Lucy scuote la testa. – No. Sul serio. Non mi ha mai
detto nulla del genere. Parlava solo di quanto era dolce e
di come si sentiva rilassata in sua compagnia, e diceva che
non vedeva l'ora di rivederlo. Voi pensate...

– Devo essere sincera con lei, Lucy, – la interrompo.
– Se le cose stavano cosí, non ha senso che lei fosse tanto
preoccupata per Aislinn. Un messaggio per dirle di stare
attenta ci sta, lo capisco. Ma come mai appena bussiamo
alla porta lei pensa che si tratti di Aislinn e poi mi dice che
Rory sembra un bravo ragazzo, per niente minaccioso? No,
non quadra. Quando ci ha visti, avrebbe dovuto pensare
che il vicino al pianterreno spaccia, o che qualcuno è stato accoltellato in strada ieri sera, o che un suo familiare è
stato scippato o investito da un'auto. Non è possibile che
la prima cosa a venirle in mente sia stata Aislinn. A meno
che ci sia qualcosa che non ci ha detto.

La sigaretta di Lucy è arrivata al filtro. La schiaccia nel
portacenere guadagnando tempo, ma non è ostruzionismo;
sta prendendo una decisione.

Dalla finestra ora entra piú luce, e su di lei è impietosa;
le toglie la sua aria di bellezza «diversa» e lascia solo le borse sotto gli occhi e le macchie di mascara sulla cute pallida.

Dice: – Posso bere un bicchiere d'acqua? La testa mi
fa un male cane.

– Non c'è problema, – dico. – Non abbiamo fretta.

Lei va ad aprire il rubinetto nel cucinotto, dandoci le
spalle. Tiene le mani a coppa sotto l'acqua e ci tuffa dentro il viso, restando cosí; le spalle si sollevano e ricadono,
una volta sola. Torna con un bicchiere da una pinta in una
mano e asciugandosi la faccia con l'altra. Ha un aspetto un

po' piú vivo. Quando si siede dice: – Va bene. Secondo me Ash si vedeva anche con un altro, a parte Rory.

Di nuovo quel lampo troppo intenso, mentre osserva le nostre reazioni. Io e Steve non ci guardiamo, ma i nostri pensieri si incrociano proprio come sguardi. Steve pensa: «Lo sapevo, sapevo che c'era qualcosa di strano». Io penso: «Niente da fare, oggi non riuscirò ad andare a correre».

Steve dice: – Come si chiama?

– Non lo so. Ash non me l'ha mai detto.

– Nemmeno il nome di battesimo?

Lucy scuote la testa con forza e la frangia ricade in avanti. La spinge di nuovo indietro. – No. Non mi ha mai detto nemmeno che frequentava un altro. È solo una mia sensazione, non so nulla di specifico. Va bene?

– Va bene, – dico io. – Cosa le ha dato questa sensazione?

– Piccoli indizi. Per esempio, negli ultimi mesi, da prima che conoscesse Rory, a volte le chiedevo di uscire a bere qualcosa e lei diceva di no, ma senza spiegazioni. Normalmente avrebbe detto: «Non posso, ho il corso di pilates» o qualcosa del genere. Oppure diceva di sí e poi all'ultimo minuto mi mandava un messaggio tipo: «Contrattempo. Possiamo fare domani?» Sostanzialmente, ci vedevamo molto meno e lei andava molto di piú dal parrucchiere, e aveva le unghie sempre perfette. E quando frequenti meno gli amici e fai manutenzione di alto livello… – Lucy scrolla le spalle. – Di solito si tratta di una nuova relazione.

Aislinn ha cancellato l'appuntamento al ristorante con Rory con un preavviso di poche ore. Pensavo fosse per fargli capire chi comandava.

Sento di nuovo quel debole battito che ho sentito nella cucina di Aislinn, quando Steve mi ha mostrato il forno.

Una pulsazione come una fame, come musica da ballo: qualcosa di buono all'orizzonte, che ti attira. Sento che colpisce anche Steve.

Lui dice: – Quanto tempo fa è iniziato?

Lucy disegna linee nella condensa sopra il bicchiere e pensa, alla vera risposta o a quella che vuole darci. – Direi cinque o sei mesi fa. Verso fine estate.

– Qualche idea su dove potevano essersi conosciuti? Lavoro? Pub? Hobby?

– Nessuna idea.

– Chi frequentava abitualmente Aislinn, a parte lei?

Lucy fa spallucce. – Qualche volta andava a farsi un bicchiere con i colleghi. Non ha molti amici.

– E qualche hobby ce l'ha?

– Niente di serio. Negli ultimi due anni ha frequentato un mucchio di corsi serali: salsa, corsi di stile e immagine, ha imparato un po' di spagnolo... L'estate scorsa credo prendesse lezioni di cucina. Ma non mi ha mai parlato di un uomo in particolare. Non c'era mai nessuno che menzionasse un po' troppo di frequente, niente di simile.

Aislinn Murray si delinea sempre piú come una di quelle persone che è un vero spasso conoscere. Dico: – Lucy, mi sembra strano. Ash è la sua migliore amica fin dall'infanzia e non le dice nulla di quest'uomo?

Lei alza gli occhi, di nuovo diffidente. – Ho detto che eravamo amiche fin da piccole, non ho detto *migliori* amiche.

– No? Allora cosa eravate?

– Amiche e basta. A scuola ci frequentavamo, da grandi siamo rimaste in contatto. Niente di piú.

Steve ha un'espressione che è un mix perfetto di preoccupazione e disapprovazione. Dice: – Sa come abbiamo avuto il suo nome? Aislinn l'ha indicata nel cellulare come persona da contattare in caso di emergenza. Quando fai questo, scegli qualcuno a cui credi che importi qualcosa di te.

Lucy distoglie la faccia da quello sguardo accigliato. – Sua madre è morta qualche anno fa, suo padre è scomparso, lei è figlia unica. Chi doveva scegliere?

Sta di nuovo mentendo. Per qualche motivo cerca di ridurre la loro amicizia a qualcosa che le è solo rimasto attaccato a una scarpa, ma il calore quando ha menzionato le stupide regole di Aislinn era autentico. Dico: – Lei è anche la persona a cui Aislinn telefonava e mandava messaggi piú spesso. Forse non aveva molti amici, ma è evidente che pensava a lei come alla sua migliore amica. Sapeva che lei non ricambiava questo sentimento?

– Noi *siamo* amiche. È quello che ho detto. Ma non tanto da condividere tutto, da sapere ogni dettaglio della vita dell'altra. È chiaro?

– Allora chi può sapere tutto di Aislinn? Chi era la sua migliore amica, o amico, se non si tratta di lei?

– Un'amica cosí non ce l'aveva. Non è che ce l'hanno tutti.

Le trema la voce. Lascio perdere: Lucy sta per crollare e non voglio che succeda adesso, davanti a noi. – Capisco, – dico. – Ma io, quando esco con qualcuno, lo dico ai miei amici, anche se non sono amici strettissimi. Lei no?

Lucy ingolla un sorso d'acqua e si riprende. – Sí, certo. Ma Aislinn non lo faceva.

– Ha detto che parlava sempre di Rory, di che tipo fantastico fosse. Le ha parlato anche dei suoi altri fidanzati? Glieli ha fatti conoscere?

– Sí. Voglio dire, erano anni che non si vedeva con nessuno, ma sí, quello di prima l'ho conosciuto.

– Aislinn voleva parlarle di lui, capire cosa ne pensava, e tutto il resto. Giusto?

– Sí.

– Ma non questa volta.

– No. Non questa volta.

Lucy sfrega il bicchiere su una macchia di vernice viola sul ginocchio dei pantaloni militari e la gratta con l'unghia. Dice: – Ho pensato che fosse uno sposato. Sembra logico, no?

Guarda me. Rispondo: – Sarebbe il mio primo pensiero. Lo ha chiesto a Aislinn?

– Non ho voluto saperlo. Per quanto mi riguarda, una persona già impegnata è off limits, e Ash lo sa. Nessuna delle due voleva avere quella conversazione. Avremmo solo litigato.

– Sta dicendo che per Aislinn invece un uomo sposato non era off limits.

La vernice viola si stacca e Lucy la sfrega tra le dita. – Detto cosí la fa sembrare una rovinafamiglie. Ma Ash non è il tipo. Per niente. È solo… è molto insicura. Su tante cose. Ha senso, per voi? – Guarda me. Io annuisco. Il suo viso è invecchiato, da quando siamo arrivati. Questa conversazione le sta costando molto. – E se l'altra persona invece è molto sicura di sé, spesso Ash pensa di essere lei a sbagliare. Quindi sí, me la immagino con un uomo sposato. Non perché pensi che sia giusto, o perché non le importi, ma perché lui l'ha convinta che il *contrario* potrebbe non essere sbagliato.

– Chiarissimo, – dico. Sono contenta che Aislinn sia la vittima e Lucy la testimone. Se fosse stato il contrario, a questo punto avrei strangolato Aislinn con qualcosa a quadretti.

– Allora sarà stata contenta, quando Aislinn si è sentita attratta da Rory, – dice Steve. – Un bravo ragazzo, single, nulla che potesse causare tensione tra voi due, nulla che potesse causare problemi a Aislinn. No?

– Sí –. Ma passa una frazione di secondo, prima che lo dica. Un'altra volta, abbiamo sfiorato qualcosa che Lucy non ci sta dicendo.

Dico: – Lei ha avuto la sensazione che Aislinn avesse chiuso con l'altro uomo, prima di cominciare a uscire con Rory? O pensa che tenesse in piedi tutte e due le storie?

– Come faccio a saperlo? Come ho detto…

– Aislinn era ancora vaga quando si trattava di uscire con lei? Capitava ancora che cancellasse un appuntamento all'ultimo minuto?

– Sí. Capitava.

– Quindi è per questo che era preoccupata per lei?

Lucy sta ancora grattando macchie di vernice, con i gomiti sulle cosce e la testa bassa. – Chiunque si sarebbe preoccupato. Voglio dire, tenere in piedi due storie con due uomini, di cui uno sposato… Non può finire bene. E Ash… lei è molto ingenua, su tante cose. Non le sarebbe mai venuto in mente che si tratta di una situazione esplosiva. Io volevo solo che lo capisse.

Questo ha piú senso, ma non è ancora abbastanza. – Ha detto che Rory non ha fatto scattare campanelli d'allarme, in lei. E l'altro uomo?

– Di lui non so nulla, quindi niente allarmi. Come ho detto, era l'idea generale che non mi piaceva.

È tesa, pianta piú forte i gomiti sulle cosce. Stiamo girando intorno a qualcosa e lei non è contenta. Del resto, non sono contenta nemmeno io. Lucy non è un'idiota, dovrebbe sapere che questo non è il momento di cazzeggiare. – Questo ancora non spiega perché ha pensato subito a Aislinn quando abbiamo suonato il campanello. Vuole provare di nuovo?

Il mio tono duro la spinge a piantare piú a fondo i gomiti nelle cosce. – È questo il perché. Che altro dovrebbe essere? Forse la mia è una vita noiosa, ma nessuno che conosco fa cose che possono portarmi in casa dei detective della polizia.

Comincio a stufarmi delle stronzate. – Certo, – dico. Mi chino in avanti e do una spintarella al posacenere, mettendoglielo davanti agli occhi. Uno sbuffo di cenere rancida si solleva nella luce. – Come ho detto, provi di nuovo.

Lucy drizza la testa e mi lancia un'occhiata con un livello di diffidenza tutto nuovo.

Steve sposta il peso sul divano, accanto a me. So quello che significa: «Lascia stare».

Sto quasi per dargli una gomitata nelle costole, ma il fatto è che ha ragione. Ho stabilito un buon rapporto con Lucy, e sto per gettarlo via inutilmente. In tono piú gentile, aggiungo: – Non si preoccupi per questo. A noi interessa solo Aislinn.

Lo sguardo diffidente scompare, ma non del tutto. Steve si accomoda sul trono del poliziotto buono, dove si sente meglio, e dice: – Ci dica qualcosa di piú su Aislinn. Come vi siete conosciute?

Lucy si accende un'altra sigaretta. Io amo la nicotina. Mette a proprio agio i testimoni quando le cose si fanno difficili, impedisce ad amici e familiari della vittima di andare in pezzi, significa che possiamo innervosire i sospetti come ci pare, e poi offrire loro una sigaretta non appena vogliamo che si calmino di nuovo. I non fumatori sono una fatica doppia, con loro bisogna trovare altri modi. Per me, chiunque sia implicato in un omicidio dovrebbe fumare un pacchetto al giorno.

Lucy dice: – Alle medie, quando avevamo dodici anni.

– Quindi siete dello stesso posto? Quale?

– Greystones.

Appena fuori Dublino; una cittadina piccola, ma ab-

bastanza grande da consentire che Lucy e Aislinn si fre-
quentassero per scelta, non perché non c'era nessun altro
disponibile. Steve chiede: – Com'era Aislinn, allora? Se
dovesse descriverla con una parola, cosa direbbe?

Lucy ripensa a quei tempi. L'affetto le riscalda di nuovo il viso. – Timida. Molto. Voglio dire, non era affatto
la caratteristica piú importante in lei, ma all'epoca copri-
va tutto il resto.

– C'era un motivo particolare? O era semplicemente
fatta cosí?

– In parte era fatta cosí, e c'entra anche l'età, ma credo
fosse soprattutto per via della madre.

– Sí? Perché? Com'era sua madre? – Questo è ciò che
intendo quando dico che Steve è in gamba con i testimoni.
Il modo in cui si spinge avanti sul divano, l'inclinazione
della testa, il tono di voce: persino io crederei che il suo è
un interesse genuino, personale.

– La signora Murray aveva dei problemi. Seri, di quelli
che si curano con la psicoterapia o con le medicine, meglio
ancora con tutte e due.

Steve annuisce piú volte. – Che tipo di problemi?

– Secondo Ash stava bene, prima che ci conoscessimo.
Ma poi suo padre le abbandonò, quando Ash aveva dieci
anni –. Lucy dovrebbe rilassarsi, ora che ci siamo allontanati dall'omicidio, dall'hashish e da quello che ci sta
nascondendo; invece tiene ancora la sigaretta con le dita
rigide e i piedi piantati sul parquet macchiato di vernice,
come se dovesse tentare la fuga da un momento all'altro.

– Non seppero mai il motivo. Lui non glielo disse. Semplicemente... sparí.

– E la signora Murray andò fuori di testa.

– Non riuscí mai a superarlo. Cominciò a peggiorare costantemente. Secondo Ash si vergognava, come se il fatto

che il marito se ne fosse andato fosse colpa sua –. Torce di nuovo la bocca intorno alla sigaretta, ma stavolta il calore non c'è. – Quella generazione, avete presente? Tutto era sempre colpa della donna, e se non capivi perché significava che dovevi pregare di piú. Perciò in pratica la madre di Ash tagliò i contatti. Con tutti. Andava solo a messa e a fare la spesa, e basta. Quando ci siamo conosciute, Ash già da due anni passava la maggior parte della sua vita in casa, solo lei, sua madre e la televisione. È figlia unica. Io non volevo mai andare da lei, perché sua madre mi metteva i brividi. La sentivi piangere in camera da letto, o la trovavi in piedi in cucina che fissava un cucchiaio, mentre qualcosa bruciava sui fornelli, e le tende erano sempre chiuse, per evitare che qualcuno la vedesse da fuori e… non lo so… facesse brutti pensieri su di lei. E Aislinn doveva *vivere* lí.

Steve ha toccato il tasto giusto. Lucy parla piú rapidamente, non si fermerà finché non la fermiamo noi, o finché non crolla. – C'erano anche altre cose. Per esempio, poiché sua madre non usciva, Ash aveva sempre i vestiti sbagliati: a scuola non aveva mai quello che indossavano gli altri, ma solo roba da negozi di beneficenza passata di moda e non adatta a lei. Io le prestavo qualcosa, ma avevamo taglie diverse. Quello era un altro motivo per cui Aislinn era insicura: non era grassa, ma un po' sovrappeso. Mia madre le comprava dei vestiti, a volte, ma noi eravamo in quattro, quindi c'erano dei limiti a quello che poteva spendere, capite? Non sembrano grandi problemi, ma quando hai dodici anni e tutti sanno che tuo padre è scappato e tua madre ha qualche rotella fuori posto, l'ultima cosa di cui hai bisogno è avere un aspetto strano.

Queste sono le cose che piacciono a Steve, e che invece io tratto con circospezione. Lui pensa che ci diano un'idea di chi era la vittima. Io penso a quei filtri. So già

che Lucy ha almeno un'informazione che intende nascon-
derci. L'Aislinn che ci sta descrivendo qui è tutta nelle sue
mani: può fare con lei quello che vuole.

– Sto per dire una cosa che può sembrare insensibile, –
dico, – e mi dispiace. Ma ancora non capisco come voi due
foste diventate amiche. Mi sforzo, ma non riesco a vedere una sola cosa che voi due aveste in comune. Come ha
potuto funzionare?

– Avrebbe dovuto vederci –. Lucy fa un mezzo sorriso,
non a me, ma a ciò che vede nella sua mente. – Ne avevamo, di cose in comune. Nemmeno io mi trovavo benissimo,
a scuola. Non ero un'emarginata, ma mi piacevano i lavori
da falegname ed elettricista, e le ragazze che comandavano
mi rompevano parecchio su questo, mi chiamavano lesbica,
e quelli che volevano andare d'accordo con loro facevano
la stessa cosa. Non era una vera tortura o chissà che, ma la
scuola in generale faceva schifo. Invece Ash pensava che
io fossi fantastica. Per gli stessi motivi per cui gli altri mi
rompevano le palle. Mi considerava una specie di eroina,
solo perché dicevo alle altre di andare affanculo e facevo
ciò che volevo anche se a loro non piaceva. Ash era convinta che fosse qualcosa di incredibile.

Il sorriso diventa una specie di spasmo e Lucy dà un
tiro alla sigaretta per controllarsi. – E sí, all'inizio cominciai a frequentarla perché mi piaceva sentirmi considera-
ta una ragazza fantastica, ma dopo un po' fu perché Ash
cominciò a piacermi sul serio. La gente la considerava
lenta di comprendonio, ma era solo perché era insicura,
come ho detto, e allora sembrava che faticasse a tenere il
passo. Ma non era per niente stupida. Al contrario, era
molto perspicace.

Steve annuisce a manetta, completamente catturato dal
racconto. Anch'io sono interessata, ma non in quel senso.

Lucy vuole farci conoscere Aislinn, o almeno la sua versione di Aislinn. A volte succede: amici e familiari vogliono presentarci un santo o una santa, cosí non penseremo che la vittima abbia qualche colpa per ciò che le è capitato. Di solito lo fanno quando sono loro a pensare che almeno in parte sia stata colpa della vittima. Per Lucy forse è il fatto che Aislinn andava con un uomo sposato, o forse c'è dell'altro.

– Ed era capace di rendere divertenti anche le cose peggiori. Per esempio quando io litigavo con qualche stronza in classe e dopo ero tutta incazzata e adrenalinica, della serie: «Ma chi si crede di essere, quella vacca, avrei dovuto darle un pugno in faccia...» Ash cominciava a ridacchiare e io scattavo: «Che c'è? Non è divertente!» E lei: «Sei stata fantastica, una piccola gatta furiosa che scaccia una orribile iena». E faceva un'imitazione di me che saltavo su e giú, tentando di colpire qualcosa sopra la mia testa. Poi andava avanti: «Credevo che lei avrebbe tagliato la corda per andare a nascondersi, gridando aiuto mentre tu le mordevi le caviglie, e tutti intorno scandivano il tuo nome...» E all'improvviso cominciavo a ridere anch'io, e tutta la storia si sgonfiava. *Io* mi sgonfiavo.

Lucy ride, ma con un sottofondo di tensione, come se il riso lottasse contro il peso del dolore che lo trascina giú.
– Questa era Ash. Rendeva tutto piú bello. Forse perché aveva fatto pratica con sua madre, nel tentativo di rendere sopportabile la vita di entrambe; non lo so. Ma anche quando non riusciva a migliorare la vita a sé stessa, la migliorava agli altri.

«Per favore, non so dove altro...» Quella Aislinn era ancora come la dodicenne descritta da Lucy: grassottella, insicura, con vestiti che non sarebbero stati bene a nessuno e meno che mai a lei. La donna morta, invece, era molto diversa. Dico: – Le cose sono migliorate anche per lei, alla fine. Da adulta era diventata piú bella, aveva acquisito un po' di stile, un po' di sicurezza. No?

Lucy schiaccia la cicca, prende il bicchiere ma non beve. Ora che siamo tornati al presente torna anche la sua prudenza.

– Ci ha messo troppo tempo, – dice. – Anche dopo la fine della scuola è rimasta a vivere in casa, perché non se la sentiva di lasciare sola sua madre. Per me non era una buona idea, ma la capivo: se Aislinn se ne fosse andata, sua madre probabilmente si sarebbe suicidata nel giro di poche settimane. Perciò, fino a pochi anni fa, Ash tornava in quella casa tutte le sere, come quando eravamo ragazze. E questo le ha impedito... – Gira il bicchiere tra le mani, osservando la luce che si riflette sull'acqua. – Le ha impedito di diventare adulta. Aveva un lavoro, sempre lo stesso da quando abbiamo finito le superiori: receptionist in una ditta di forniture aziendali di carta igienica e sapone per le mani. Non era male, ma non era quello che desiderava. E Ash non aveva la minima idea di cosa desiderava; non aveva mai avuto la possibilità di pensarci. Io avevo paura per lei, capite? Immaginavo che avremmo avuto trent'anni, poi quaranta, e lei sempre con quel lavoro che le era capitato per caso e sempre a occuparsi della madre, e la sua vita... – Lucy schiocca le dita, sollevando la mano in una striscia di sole pallido. – Andata. E lo vedeva anche lei, solo che non sapeva cosa fare al riguardo.

– Cosa è cambiato? – chiede Steve.

– La signora Murray è morta. Tre anni fa. Dirlo può sembrare brutto, ma è davvero la cosa migliore che sia mai capitata a Ash.

– Di cosa è morta?

– Vuol sapere se si è suicidata? – Lucy scuote la testa.

– No. Aneurisma cerebrale. Ash è tornata a casa dal lavoro e l'ha trovata. Era distrutta, naturalmente, ma dopo un po' ha cominciato a venirne fuori e... È stato allora che è iniziata la sua vera vita. Ha venduto la casa, si è comprata quel cottage a Stoneybatter. Ha perso un bel po' di peso, si è tinta i capelli, si è comprata vestiti diversi, ha cominciato a uscire... – Un rapido sorriso. – Frequentava anche locali alla moda. Voglio dire, la stessa ragazza che dovevo letteralmente trascinare a bere una birra in qualche brutto pub vicino al teatro, all'improvviso vuole andare in un night club di lusso di cui ha letto su una rivista, e quando io dico che il buttafuori non mi lascerà mai entrare, lei ribatte: «Ci penso io, ti trucco, ti presto qualcosa da metterti, vedrai che entriamo senza problemi».

Il sorriso si fa piú ampio. – E ci hanno lasciate entrare davvero. Non era il mio tipo di posto, pieno di coglioni con abiti firmati che facevano a chi urla piú forte, ma ne è valsa la pena solo per vedere Ash. Se la spassava un mondo: ballava, flirtava con uno dei coglioni per poi mollarlo... Sembrava una ragazzina al luna park.

Il sorriso sparisce. Lucy fa un respiro profondo ed espira con un sibilo, sforzandosi di non crollare.

– Aveva finalmente una possibilità di capire cosa voleva fare. Cominciava ad avere la fiducia in sé stessa necessaria per pensare che *meritava* di capirlo. Era...

«Aveva», «cominciava», «era». Lucy ha smesso di usare il presente, parlando di Aislinn. La morte dell'amica sta diventando un fatto reale. Può crollare da un momento all'altro.

– Voleva lasciare il lavoro. Non ha mai avuto qualcosa per cui spendere lo stipendio, perciò aveva parecchi soldi da parte, e voleva prendersi un anno o due di pausa per decidere cosa fare. Parlava... – Un altro respiro profondo.

– Parlava di fare un viaggio, perché non era mai stata fuori dall'Irlanda. Parlava di iscriversi all'università. Era eccitatissima. Come se si fosse svegliata dopo quindici anni di coma e non riuscisse ad abituarsi a quanto fosse splendente il sole. Ash...

La voce si incrina. Lucy abbassa la testa e comincia a grattare un'altra macchia di vernice, con tanta forza che si procurerà una ferita alla gamba, sotto i pantaloni. Non ce la fa piú, forse anche per via del gioco che sta giocando con noi.

Dice, con la faccia sopra le ginocchia: – Come... Cosa le hanno fatto?

Rispondo: – Non possiamo rivelare i particolari dell'indagine, ma posso dirle che non ha sofferto, da ciò che abbiamo potuto vedere.

Lucy apre la bocca per dire qualcos'altro, ma non esce nulla. Le lacrime cadono sui pantaloni militari, formando macchie scure.

La cosa piú dignitosa da fare sarebbe andarsene, lasciarle un po' di privacy mentre la prima ondata di dolore le arriva addosso e la riempie di lividi. Nessuno di noi due si muove. Lei resiste per quasi un minuto, poi scoppia in singhiozzi.

Le offriamo fazzoletti di carta e riempiamo di nuovo il suo bicchiere d'acqua. Chiediamo se c'è qualcuno che può venire a stare un po' da lei, accettiamo e facciamo finta di niente quando lei riesce a dire che preferisce restare da sola. Quando è in grado di parlare di nuovo la convinciamo a farci una lista di tutti gli ex di Aislinn (che sono tre, includendo anche una storia estiva di due settimane quando lei aveva diciassette anni, con un tizio di nome Jorge) e di tutte le persone che ricorda di aver visto alla presentazione di quel libro. Le chiediamo anche, solo per barrare una casella, è una cosa che dobbiamo chiedere a tutti, dov'era ieri sera. Lucy risponde che era al Torch: è arrivata alle sei e mezzo, ci sono diverse persone che possono confermarlo, poi alla fine dello spettacolo, poco dopo le dieci, è andata a farsi qualche pinta al pub ed è tornata all'una con il tecnico delle luci e due attori del cast, i quali sono rimasti a fare quello che risulta ovvio fino alle quattro circa. Controlleremo la storia, cioè, lo faranno le reclute, ma non credo che troveremo incongruenze.

Sto per affrontare il problema dell'identificazione formale del corpo, quando Steve dice: – Le lasciamo i nostri biglietti da visita, – e mi lancia un'occhiata. Io pesco un biglietto e me ne sto zitta. – Quando si sentirà pronta a rilasciare una dichiarazione faccia uno squillo a uno di noi due.

Lucy prende i biglietti con aria assente, senza nemmeno vederli. Io dico: – Nel frattempo, la pregherei di non parlare con i giornalisti. Dico sul serio. Anche se pensa di non star dicendo nulla di importante, potrebbe danneggiare seriamente l'indagine. Va bene? – Ho ancora in mente il Bieco Crowley. La persona che me l'ha scatenato addosso è qualcuno che avrà accesso anche ai dati di Lucy.

Lei annuisce, asciugandosi gli occhi con il dorso della mano, visto che i fazzoletti sono già finiti. Ma le lacrime continuano a scendere.

Dice, con la voce impastata di pianto: – Chiunque sia stato... è come se avesse ucciso una bambina, che non aveva ancora avuto la possibilità di cominciare una vita propria. Le ha portato via tutto. Ve lo ricorderete? Durante l'indagine?

– Non si preoccupi, – dico. – Chiunque sia stato, lo prenderemo.

Lucy smette di resistere e lascia scorrere liberamente le lacrime, che le gocciolano dal mento. Ha un aspetto ter-

ribile, occhi gonfi e mezzi chiusi, una macchia di vernice
viola su una guancia.

– Sí, lo so. Solo… tenetelo a mente.

– Va bene, – dico. – Lo faremo. In cambio, lei pensi se
c'è qualcosa d'altro che può dirci. Qualsiasi cosa, capito?

Lucy annuisce, per quello che vale. Non guarda in faccia nessuno di noi due. La lasciamo a fissare il nulla, cir-
condata dalle ceneri della notte scorsa.

Quando usciamo, la giornata è cominciata davvero.
Rathmines è in piena attività: studenti a caccia di rimedi
per il doposbronza, coppie che vogliono far sapere al mondo quanto si amano, famiglie decise a godersi la domenica
insieme a costo di morire nel tentativo. Basta un'occhiata
e precipitiamo nel vortice della mattina dopo, quando il
tuo corpo si rende conto all'improvviso che sei stato sveglio tutta la notte e spegne il motore, lasciandoti con le
gambe molli dalla stanchezza.

– Caffè, – dice Steve. – Cristo, ho bisogno di un caffè.

– Pappamolla.

– Io? Se chiudi gli occhi, tu ti addormenti e cadi a terra. Vuoi scommettere?

– Vaffanculo.

– Caffè. E cibo.

Odio perdere tempo mangiando sul lavoro. Non vedo
l'ora che inventino qualche pasto in pillole da ingoiare un
paio di volte al giorno, ma fino ad allora io e Steve abbiamo bisogno di cibo vero, e in notevoli quantità.

– È il tuo turno di pagare, – dico. – Trova un posto che
venda il caffè a litri.

Steve fa un buon lavoro. Evita i posti fighetti che servono *chai* al posto del caffè e quei nuovi incroci di croissant
e krapfen che chiamano *cronut*. Pesca un negozietto picco-

lo e sudicio, e ne esce con dei caffè in formato industriale e panini imbottiti con abbastanza salsicce, uova e fette
di pancetta da sfamarci per tutta la giornata. Andiamo a
mangiarli in un giardinetto vicino a una strada secondaria.
Fa troppo freddo per una colazione all'aperto, l'aria sembra aspettare solo il momento giusto per trasformarsi in
nevischio, ma almeno scendendo dalla macchina nessuno
potrà romperci le palle via radio, e noi dobbiamo parlare
di cose di cui non si può parlare in un locale.

Il giardino pubblico è bellissimo, tutto panchine in ferro battuto ritorto, siepi ben potate e aiuole in attesa della
primavera, ma se guardi meglio vedi anche un preservativo usato dentro una siepe, una busta di plastica azzur-
ra appesa a un recinto, da cui sporge qualcosa che non mi
piace per niente. Questo posto ha una vita notturna. Con
il sole sarebbe pieno zeppo di gente, ma con questo freddo è semideserto. Su una panchina un tizio con l'unifor-
me della Tesco sta fumando una sigaretta, voltandosi di
scatto a ogni tiro come per controllare che nessuno lo veda; un ragazzino in monopattino gira in tondo, mentre la
madre messaggia sul cellulare e culla un passeggino da cui
esce un piagnucolio. Il cappello del ragazzo è una specie
di dinosauro che gli sta mangiando la testa.

Troviamo una panchina che non puzza di piscio recente. Alzo il bavero del soprabito e butto giú metà del mio
caffè in un solo sorso. – Avevi ragione. Parlare con Lucy
è stata una buona idea.

– Credo anch'io. Potrebbe ancora trattarsi di Rory
Fallon...

Io lo fisso negli occhi. – Si tratta di lui. È quasi sicuro.

Steve fa un gesto vago. Sta aprendo dei tovagliolini di
carta sul davanti del giaccone: questi sono panini d'assal-
to, e Steve prende molto sul serio i suoi vestiti da lavoro.

– Forse. Ma il resto è comunque qualcosa che vale la pena sapere.

Mi sento già meglio; dopo il caffè ho gli occhi spalancati come un cartone animato. – Almeno sappiamo perché la casa di Aislinn sembrava quella di una Barbie lavoratrice. E perché Aislinn sembrava una Barbie in attesa del suo grande amore. Quella donna stava cercando di mettere insieme una personalità ritagliandola dalle riviste.

Steve dice: – Una persona cosí è vulnerabile. Molto vulnerabile.

– Non mi dire. Rory potrebbe essere anche un totale psicopatico, con piú bandiere rosse dell'ambasciata cinese, ma gli sarebbe bastato indossare vestiti della marca giusta e aiutare Aislinn a infilarsi il soprabito, e lei lo avrebbe comunque invitato a cena all'appuntamento numero tre. Perché è cosí che si deve fare.

– Lucy non è scema, – mi fa notare Steve. – Se Rory fosse stato pieno di bandierine rosse lei le avrebbe viste.

– A proposito, – dico. Il panino è roba seria, fette di pancetta belle spesse, grasso e rosso d'uovo dappertutto; sento già l'energia che risale. – Che ne pensi di Lucy?

– Intelligente. Impaurita –. Steve ha finito il lavoro con i tovagliolini; appoggia il caffè sulla panchina e comincia a scartare il suo panino. – Ci ha taciuto qualcosa.

– Ci ha taciuto parecchie cose. E non ha senso. Lasciamo perdere la storia del «solo amiche, non migliori amiche»; lei voleva bene a Aislinn. E molto. Quindi, perché non dire quello che sa? Non vuole che l'assassino venga preso?

– Credi che sappia piú di quello che dice sull'uomo sposato di Aislinn?

– Penso che abbiamo solo la parola di Lucy sul fatto che questo uomo sposato esista davvero –. Parliamo a bassa voce. Il tizio di Tesco e la mamma con il passeggino sembrano aver a malapena notato la nostra presenza, ma non si sa mai. – È stata attentissima a non rivelarci nulla che possiamo confutare, ci hai fatto caso? Niente nome, niente descrizione, niente date, nessun posto dove forse si vedevano, niente di niente.

Steve ha aperto il panino in grembo e con attenzione ne sta cospargendo l'interno di salsa marrone. – Credi che si sia inventata tutto lí per lí? Ma perché?

– Mi è sembrata troppo interessata a sapere se Rory è il nostro principale sospettato. Non vuole solo sapere chi è stato ad ammazzare la sua amica; vuol sapere specificamente se noi pensiamo che sia stato Rory.

– Già –. Steve si spruzza in bocca le ultime gocce di salsa, poi lancia la bustina vuota in un cestino dei rifiuti accanto alla panchina. – Ma non ho capito se spera che lo pensiamo o che non lo pensiamo. Ci ha dato il nome di Rory senza tergiversare e ci ha detto che ieri sera era invitato a cena da Aislinn. Ma dopo…

– È vero. Rivelare il nome e il fatto che fosse invitato a cena non era niente di che: doveva sapere che tanto li avevamo già, o li avremmo avuti da un momento all'altro. Ma dopo è stato tutto un: «Che bravo ragazzo, non mi è mai sembrato minaccioso, Aislinn con lui era proprio felice» eccetera. Potrebbe anche essere tutto vero; magari è convinta che non sia stato lui e vuole convincere anche noi, per evitare che perdiamo tempo con Rory mentre il vero assassino fa perdere le sue tracce. Ma mi chiedo se è vero che non provasse nessun sentimento per Rory, come ci ha detto.

Steve inarca le sopracciglia e cita le parole di Lucy. – «Simpatico, magari un po' noioso. Ash ovviamente vedeva in lui qualcosa che a me era sfuggito…»

– Sí, ma anche su questo abbiamo solo la parola di Lucy. Per quanto ne sappiamo, lei poteva essere pazza di Rory proprio come Aislinn. Per quanto ne sappiamo, magari si vedevano in segreto, all'insaputa di Aislinn.

– Ma abbiamo appena detto che lei voleva bene a Aislinn, e molto.

– E per qualche motivo non le piace ammetterlo. Potrebbe essere senso di colpa –. Mando giú un altro bel sorso di caffè. – Come ha detto anche lei, queste storie a tre possono finire molto male.

– Lucy ha un alibi, – dice Steve.

– Sí. E il suo shock era autentico. Non è stata lei, ne sono sicura. Ma il suo alibi le impedisce di fornire un alibi a Rory. Perciò se vuole allontanare i sospetti da lui, per qualsiasi motivo, l'unica cosa da fare è inventare un uomo misterioso e spingerci a dargli la caccia.

Steve mastica e pensa. – Facciamo un controllo incrociato tra Lucy e Rory. Numeri di telefono, account Facebook, e-mail. Vediamo se sono stati in contatto. Comunque, anche se non troviamo niente, questo non prova che Lucy non sia innamorata di lui.

– Bene –. Il ragazzino dinosauro ci passa vicino sul suo monopattino e spalanca gli occhi guardando i nostri panini. Gli lancio un'occhiataccia e lui si toglie di torno. – E dobbiamo anche esaminare al piú presto tutta la roba di Aislinn, per vedere se troviamo una prova dell'esistenza dell'altro uomo. Se esiste, dovrà pur esserci qualcosa: messaggi, telefonate, e-mail.

Steve esamina il panino e sceglie un angolo di attacco. – Be', – dice. – Forse.

– In che senso «forse»? Non esistono le persone invisibili. Non piú. Se non ha lasciato tracce, è perché non è mai esistito.

– Ti dico quello che penso, anche se è solo un'idea, per adesso, – dice Steve. – E se l'altro uomo di Aislinn fosse un criminale? Un malavitoso, per esempio?

Un pezzo di uovo fritto per poco non mi entra nel naso. – Gesú, Moran, vuoi proprio trasformarlo in un caso interessante, eh? Peccato che abbiano già preso Whitey Bulger, sennò ti saresti raccontato che è stato lui.

– Sí, sí, sí. Ma pensaci. Spiega perché Lucy vuole distogliere la nostra attenzione da Rory: è sicura che sia stato l'altro e non vuole che indaghiamo nella direzione sbagliata. Spiega perché ha immaginato subito che fossimo lí per Aislinn. Spiega perché le ha scritto di stare attenta, ieri sera: se Aislinn aveva una storia segreta con un criminale, doveva stare *molto* attenta a invitare a cena un altro uomo.

Ho già aperto la bocca per stopparlo, quando mi rendo conto di una cosa. Mister Ottimista ha ragione. La spiegazione quadra.

– Cristo, – dico. Ecco di nuovo quella pulsazione, che quasi mi solleva dalla panchina. Altro che caffè; questo lavoro, quando va per il verso giusto, è meglio della cocaina. – E spiegherebbe perché Lucy nasconde delle cose. Vuole che lo prendiamo, ma non desidera trovarsi sul banco dei testimoni, sotto gli occhi di un malavitoso, a spiegare che è stata lei a indirizzare le indagini verso di lui. Perciò ci dà in pasto l'idea ma sta molto attenta a dire che non sa come si chiami, non sa nulla di lui, non può nemmeno giurare che esista, perché lei e Aislinn in realtà non erano poi cosí tanto amiche. Devo ammetterlo, Steve. Funziona.

– Non solo un bel visino, – dice Steve a bocca piena, facendomi il gesto del pollice alzato. Manda giú il boccone e aggiunge: – E se si tratta di un malavitoso, si spiega anche che sia stato attento a non lasciare tracce: niente messaggi, niente telefonate.

– Soprattutto se è un malavitoso sposato. Molti di loro sposano sorelle e cugine di altri come loro. Giocare fuori casa ti può costare un proiettile in un ginocchio –. Adesso sono eccitata. Se il caso va davvero in questa direzione, il capo cacherà un riccio. È quanto di piú lontano possibile dalla classica lite tra innamorati. – Gesú, funziona sul serio.

– Spiega anche come mai lui abbia chiamato la stazione di polizia di Stoneybatter. Un cittadino normale di solito chiama il 999, se vuole un'ambulanza.

– Ma un criminale, o l'amico di un criminale, sa che le telefonate al 999 sono registrate. E non vuole lasciare la sua voce su nastro per evitare di essere identificato, soprattutto se è già noto alle forze dell'ordine. Cosí chiama il commissariato piú vicino.

– Esatto, – dice Steve. – C'è una cosa, però. Aislinn ti sembra il tipo da uscire con un gangster? Una ragazza tranquilla come lei?

– Certo. È *esattamente* il tipo. Aveva una vita cosí noiosa che solo pensarci mi fa venire voglia di darmi una martellata in faccia per procurarmi un diversivo. Sai cosa c'era nella sua libreria? Un mucchio di libri sul crimine in Irlanda, tra cui uno bello grosso sulle gang.

Steve scoppia in una breve risata. – Ma guarda un po'. Forse allora era proprio il tipo, dopotutto.

– Ho pensato che cercasse un po' di eccitazione di seconda mano, con quelle letture; ma forse voleva invece aggiornarsi sul lavoro del suo nuovo fidanzato. O forse il libro era solo una curiosità, e poi ha avuto la chance di fare un'esperienza dal vivo. E hai sentito Lucy: Aislinn non aveva un grande senso morale, e nemmeno il buon senso necessario per capire che era meglio non mettersi con un criminale –. Faccio fatica a mantenere un tono calmo. È ancora presto, tutto questo è solo un mucchio di se e di forse che può dissolversi in nulla da un momento all'altro. – Se un tipo losco attacca discorso con Aislinn in una discoteca, è di bell'aspetto e ha i vestiti giusti, lei ne sarà *elettrizzata*. È la sua esperienza dell'*anno*.

– Molti criminali però non sono maestri del vestire, – fa notare Steve. – Tendono a vestirsi da schifo, e molti hanno anche delle facce da schifo.

– Meglio, questo restringe il campo delle ricerche. Poi, dopo qualche mese l'eccitazione si spegne e Aislinn comincia a notare che il suo uomo fantastico in realtà è solo un bastardo. Ed ecco che conosce Rory, il Bravo Ragazzo. Allora lascia lo stronzo, oppure non ne ha il coraggio e comincia a vedersi con Rory di nascosto. In un modo o nell'altro, lo stronzo non è contento.

Steve dice: – Credi che Lucy sappia un nome?

– *Se* c'è un nome da sapere.

– Okay, ma se c'è lei lo sa, secondo te?

– Probabilmente solo il nome di battesimo, o un soprannome. E non ce lo dirà. Se quell'uomo esiste, dobbiamo trovarlo da soli.

– Io non ho nessun buon contatto nel dipartimento Crimine organizzato. Tu?

– Non proprio. Una specie –. Non riesco piú a stare seduta, con questa storia che mi balla davanti agli occhi. Spingo in bocca l'ultimo boccone del panino, appallottolo la carta e la getto oltre Steve, nel cestino. – Comunque non pensarci, per il momento. Ora andiamo a fare una bella chiacchierata con Rory Fallon. A seconda di quello che ne esce, decidiamo se vale la pena di seguire quest'altra pista. Nel frattempo...

Noto un movimento con la coda dell'occhio e mi volto di scatto, ma è solo il tizio di Tesco che torna a riempire scaffali al supermarket, ora che si è fatto la sua dose di nicotina.

Lui fa un salto e mi guarda storto, io gli punto contro un indice e si allontana. Quando sono su un caso, divento molto vigile (anche se O'Kelly userebbe il termine «tesa»). Non si tratta solo di me, succede a molti detective. È un istinto animale: quando insegui un predatore, anche se non sei tu la sua preda e lui probabilmente se la farà addosso non appena ti vede, sei sempre su un livello di allerta arancione. Io negli ultimi tempi ho qualche problema a scendere dal livello arancione, anche quando non lavoro.

– Nel frattempo, – dico, – io voto per non dire un cazzo di niente di tutto questo.

– A Breslin.

– A nessuno –. Se la cosa si risolve in niente, diventeremo gli zimbelli della squadra: gli idioti che si sono inventati una caccia ai gangster quando era solo un omicidio di routine tra innamorati. – È tutto ancora ipotetico; non ha senso parlarne finché non abbiamo in mano qualcosa di solido. Per adesso, possiamo dire che Lucy ci ha raccontato un po' la storia di Aislinn, che Rory sembra venirne fuori come un tipo a posto, e fine.

– Per me va bene, – dice Steve, un po' troppo in fretta.

– Non mi dire, – ribatto, comprendendo la sua manovra. – Ecco perché volevi tenerla lontana dal lavoro. Sei proprio un furbetto.

– Come ho detto, – sogghigna Steve, appallottolando la sua pettorina di tovagliolini, – non solo un bel visino.

Il bambino dinosauro è caduto dal monopattino, è seduto per terra e tenta di tirare fuori un pianto convincente. Gli giriamo intorno, diretti verso il cancello; io sto già chiamando le reclute per dire loro di portare Fallon in centrale, quando vedo di nuovo la busta di plastica e mi rendo conto di cos'è la cosa che sporge: un gatto morto, il pelo tirato contro la testa, i denti scoperti in un grido muto di furia.

3.

La sala detective adesso è piena di vita. La stampante va a manetta, un telefono squilla, le veneziane sono aperte per tentare di portare dentro un po' di pallida luce solare. Si sente l'odore di mezza dozzina di pasti diversi, piú tè, bagnoschiuma, sudore, calore e azione. O'Gorman è reclinato sulla sedia con i piedi sulla scrivania, si getta delle patatine in bocca e grida qualcosa a King riguardo a una partita. King sta leggendo una deposizione, e ripete «sí» ogni volta che O'Gorman fa una pausa per respirare. Winters e Healy discutono su un testimone che Healy vorrebbe sballottare un po' mentre Winters crede che sia tempo perso. Quigley fruga in uno schedario, con un'espressione scocciata sulla bocca molle, sbattendo i cassetti quando li chiude. Accanto allo schedario, McCann è chino a sfogliare carte sulla scrivania, e sussulta a ogni cassetto sbattuto: ha l'aria di avere un doposbronza pazzesco, ma le borse sotto gli occhi e l'ombra di barba permanenti gli dànno quell'aspetto quasi sempre. O'Neill ha il telefono premuto contro un orecchio e un dito ficcato nell'altro. Accanto alla mia scrivania e a quella di Steve due tizi in piedi, che devono essere le nostre reclute, tentano di appoggiarsi con nonchalance a tutto quello che trovano, per dare l'impressione di essere a proprio agio e ridendo a una delle barzellette cretine di Roche, nella speranza che lui si ricordi di loro quando avrà bisogno di qualcuno per qualche lavoro noioso.

Non vedo Breslin, ma il suo cappotto è appeso allo schienale della sedia. Probabilmente sta ancora cercando di trovare una centrale operativa, borbottando tra sé contro la sfortuna di dover prendere ordini da una come me. Non sono preoccupata: Breslin è nel gioco da troppo tempo per mettersi a fare il borioso quando non gli conviene.

Qualcuno alza la testa, vedendo entrare me e Steve, poi torna a fare quello che stava facendo. Nessun saluto, nemmeno da parte nostra. Andiamo dritti alle nostre scrivanie. In sala detective io cammino a passi lunghi e ben distesi, per combattere l'istinto di procedere sulle punte, con la paura che qualcuno allunghi un piede per farmi lo sgambetto. Non ci ha ancora provato nessuno, ma ho l'impressione che sia solo questione di tempo.

– Ehi, – dico alle reclute, che drizzano la schiena e mettono su espressioni vigili. Sono entrambi della nostra età: un palestrato che comincia a perdere i capelli davanti, e un tizio grasso e biondo che cerca di farsi crescere i baffi, senza molto successo. – Io sono Conway, lui è Moran. Avete qualcosa per noi?

– Stanton, – dice il palestrato, con un finto saluto militare.

– Deasy, – dice il grasso. – Sí, abbiamo portato il vostro uomo, Rory Fallon, pochi minuti fa.

– Povero bastardo, – dice Roche dal suo angolo, che puzza di dopobarba e di tastiera appiccicosa. Roche è un grosso stronzo che è entrato in polizia perché riesce a farselo venire duro solo facendo piangere gli altri, ma non è stupido: sa quando tenere a freno l'istinto e quando lasciarlo libero, e ottiene risultati. – Devo andare a dirgli di tagliarsi le palle da solo, per risparmiare tempo e fatica?

– Non mi sento in colpa se la mia percentuale di casi risolti è piú alta della tua, Roche, – dico. – È perché sei un ritardato. Impara ad accettarlo.

Le reclute restano a bocca aperta e tentano di nasconderlo. Roche mi lancia un'occhiata da maschio alfa, che non faccio nemmeno lo sforzo di notare. – Parlatemi di Fallon, – dico, gettando la cartella sulla sedia.

– Ventinove anni, proprietario di una libreria a Ranelagh, – dice quello grasso. – Abita sopra la libreria.

– Con qualcuno?

– No. Da solo.

Peccato. Un coinquilino sarebbe stato non solo un buon testimone, ma anche un buon candidato per l'uomo che ha fatto la telefonata.

Steve chiede: – È successo qualcosa che dobbiamo sapere, mentre tenevate sotto controllo la casa?

I due si guardano, scuotono la testa. – Niente di che, – dice il palestrato. – Ha aperto le tende intorno alle dieci, in pigiama. Nessun altro movimento visibile. Quando siamo andati a prenderlo era vestito, ma senza scarpe. Non sembrava avesse intenzione di uscire.

– Aveva fatto colazione, – dice il grasso. – Caffè e roba fritta, a giudicare dall'odore.

Steve mi guarda. Un uomo ammazza la sua ragazza con un pugno, torna a casa e si mette in pigiama per farsi una bella dormita, si alza al mattino e si prepara uova e salsicce. Può succedere: Fallon magari era sconvolto e andava con il pilota automatico, o è uno psicopatico, o stava preparando la propria difesa. Oppure.

La sala è surriscaldata, un calore spesso che mi fa prudere il collo. – Cosa gli avete detto?

– Quello che ci aveva detto lei, – dice il grasso. – Che pensavamo potesse aiutarci con un'indagine e gli abbiamo chiesto se era disposto a venire con noi in centrale per fare una chiacchierata.

– E lui ha detto di sí e basta? Niente resistenza, niente domande?

Loro scuotono la testa. – È un tizio accomodante, – dice il palestrato.

– Già, – dico io. – Quasi chiunque, alla richiesta di recarsi in una stazione di polizia per rispondere a delle domande, vuole almeno sapere di cosa si tratta, prima di mandare al diavolo i piani per la giornata e seguirti. O Rory Fallon è proprio un pollo, oppure vuole dare l'impressione di non avere nulla da nascondere.

– Ha detto qualcosa, lungo la strada? – chiede Steve.

– Una volta in macchina ha chiesto di che si trattava, – dice il grasso. Interessante: ovviamente Rory può sapere esattamente di cosa si tratta, ma non sapere che noi possiamo provare che lo sa. Questo significa che Lucy non l'ha chiamato subito, non appena noi siamo andati via. Un punto contro la teoria di una relazione tra lei e Rory. – Gli abbiamo risposto che non conoscevamo i particolari, ma che i detective incaricati dell'indagine gli avrebbero detto tutto. Dopodiché ha tenuto la bocca chiusa.

– L'abbiamo trattato bene, – dice il palestrato. – Gli abbiamo offerto una tazza di tè, gli abbiamo detto che apprezzavamo molto la sua disponibilità, che non andremmo da nessuna parte senza cittadini responsabili come lui, e tutto il resto. Abbiamo pensato che lo avreste voluto trovare rilássato.

– Perfetto, – dice Steve. – Dove lo avete messo?

– Nella saletta interrogatori giú in fondo.

– È il tipo che può pensare di andarsene, se lo teniamo sulle spine ancora per un po'?

Loro ridono. – Nooo, – dice il palestrato. – Come ho detto, è accomodante.

– È un bravo ragazzo, – dice il grasso. – Che ha fatto una brutta cosa.

– Grazie, – dico io. – Ci servirà anche un elenco dei suoi conoscenti. Potreste mettervi al lavoro su questo? Mi interessano soprattutto amici maschi, fratelli, padre, cugini con cui è in rapporti stretti. È stato un uomo a telefonare a noi, e se non si tratta di Fallon, dobbiamo sapere chi è stato –. Il palestrato prende appunti, assicurandosi che io lo noti. – Potete andare nella sala operativa, ormai dovrebbe essere già pronta. Riunione alle quattro. Se ci sono cambiamenti, vi avviso.

I due vanno via con un passo scattante, calibrato per dare l'idea che sono sul pezzo, ma senza fretta. Ricordo quel passo, ricordo quando ero io a praticarlo, mentre andavo a fare elenchi e fotocopie per conto di qualche detective della Omicidi, sperando che un giorno sarei entrata in questa sala detective per non uscirne piú. Provo quasi compassione per Stanton e Deasy, finché capisco che per loro, se riusciranno a entrare qui, andrà tutto liscio.

Steve è davanti al suo computer e batte sui tasti. – Come mai vuoi tenere Fallon sulle spine? – gli chiedo.

– Solo per qualche minuto, – risponde, senza smettere di battere. – Torna a casa e va a letto, si alza e si fa uova fritte e salsicce? È un sangue freddo notevole, per un cittadino modello. Anche se vuole solo tentare di sembrare innocente. Sto passando il suo nome nei database, per vedere cosa viene fuori.

– Controlla anche la vittima. Vorrei sapere dove l'ho vista prima –. Faccio il numero della mia segreteria telefonica, blocco il telefono tra collo e spalla e comincio a sfo-

gliare le dichiarazioni del festival di deficienti della notte
scorsa: dobbiamo mandare il fascicolo ai magistrati prima
che scadano i termini del fermo. McCann borbotta al cellulare, è chiaro che si sta prendendo una lavata di testa
dalla sua signora («Lo *so*, stasera giuro che sarò a casa per
le... Sí, lo *so* che abbiamo prenotato. Naturalmente sarò...»). Roche lo guarda e mima degli schiocchi di frusta.

Trovo un altro messaggio da Breslin. Comincio a sperare che riusciremo a lavorare a questo caso senza doverci
mai incontrare di persona. «Ciao, Conway». Sempre un
tono ricco, nel caso che Hollywood sia in ascolto, ma con
una sfumatura seccata: io e Steve ci siamo comportati male. «Sembra che ci sia qualche problema di collaborazio-
ne. Sono tornato alla base. Vado a occuparmi di farci assegnare una sala operativa; tu chiamami appena puoi. Ci
sentiamo presto». Cancello il messaggio.

– Rory Fallon non è nel sistema, – dice Steve.

– Per niente?

– Zero.

– Santa Maria bella, – dico. Restare fuori dal sistema
è piú raro di quanto si potrebbe pensare; basta una multa per eccesso di velocità e sei dentro. Rory ufficialmente
non ha commesso neppure un'infrazione, nella sua vita.

– Questo non significa che fino a ieri fosse vergine, ma
solo che non è mai stato beccato.

– Lo so. Volevo solo metterti al corrente.

– Hai già provato con Aislinn?

– Lo faccio ora, aspetta...

Intanto chiamo la segreteria di Breslin e gli lascio un messaggio, dicendogli di trovarci nella stanza di osservazione
tra dieci minuti. Steve dice: – No. Nulla nemmeno su di
lei. Tra tutti e due, fanno vomitare da quanto sono puliti.

– Erano proprio perfetti l'uno per l'altra, – dico. – Peccato che non abbia funzionato –. Finisco di controllare la dichiarazione dell'ultimo testimone, e mi blocco.

Manca l'ultima pagina, quella con le firme. Senza l'ultima pagina, tutta la dichiarazione non ha valore.

Non potrò mai provare di non averla lasciata cadere mentre tornavo dalla saletta interrogatori. C'è anche una minima possibilità che sia successo davvero: era tardi, ero esausta e incazzata e con la fretta di concludere prima della fine del turno. Naturalmente posso controllare: camminare avanti e indietro come un'idiota, guardando speranzosa sotto le scrivanie e dentro i cestini dei rifiuti, mentre tutti i simpaticoni della squadra trattengono le risate, nascosti dietro i monitor, aspettando di vedere chi scoppia a ridere per primo. Oppure posso incazzarmi e mettermi a strillare contro chi mi ha fregato il foglio, che per molti sarebbe la cosa piú divertente. O posso chiudere la bocca, rintracciare di nuovo il testimone e passare un altro paio d'ore a riconvincerlo che parlare con la polizia è una cosa figa, e ritirargli fuori la sua dichiarazione, un monosillabo alla volta.

– Ehi, – dice Steve. – Qui c'è qualcosa.

Ci metto un paio di secondi prima di ricordare di cosa sta parlando. Sono cosí incazzata che vorrei spaccare la scrivania a morsi. Steve alza gli occhi: – Tutto bene?

– Sí, cos'hai trovato? Aislinn è nel sistema?

– No, non lei. Forse non è nulla, ma c'è il suo indirizzo. Il 20 ottobre scorso, all'una del mattino, il suo vicino di casa, al numero 24, ha chiamato la polizia di Stoneybatter. Era in giardino a fumare un'ultima sigaretta prima di andare a letto, e ha visto qualcuno scavalcare il muro di cinta dietro la casa di Aislinn, per poi sparire nel vicolo. La descrizione non è un granché; in fondo al vicolo c'è un lampione, ma l'intruso ci è passato vicino in fretta, e di schiena. Maschio, corporatura media, soprabito scuro, e dal modo in cui ha scavalcato il muro il vicino ha pensato che fosse di mezza età; ha detto anche che gli è sembrato biondo, ma può trattarsi del riflesso della luce. La polizia ha mandato due ragazzi a dare un'occhiata, ma a quel punto l'uomo era scomparso senza lasciare traccia. Non c'erano segni di intrusione forzata, quindi hanno immaginato che il vicino lo avesse disturbato prima che potesse entrare. Hanno consigliato a Aislinn di prendere delle misure di sicurezza e se ne sono andati.

– Ah, – dico. Non spiega dove avevo visto Aislinn prima d'ora, ma è abbastanza interessante da spingere la pagina mancante in un angolo della mia mente. – C'è qualcosa su come l'ha presa lei? Era spaventata? In panico? È andata a passare la notte da Lucy?

– No. Dice solo: «La residente ha un allarme di fascia bassa e serrature di sicurezza, ma le è stato consigliato un sistema d'allarme collegato con la polizia e di prendersi un cane».

– E non ha fatto nessuna delle due cose –. Roche tenta di origliare: gli mostro il dito e abbasso la voce. – Per essere una donna sola, ha preso la tentata intrusione con molto sangue freddo. Ti sembra il tipo con due palle cosí?

Steve dice: – Mi sembra piú che sapesse che non c'era nulla di cui preoccuparsi.

– Perché non era uno scassinatore, – dico io, – ma il suo uomo segreto. Guarda un po'. Forse esiste davvero –. Sento salire di nuovo l'eccitazione, ma la reprimo. – Comunque, non basta a scagionare Rory Fallon. Forse lui ha scoperto che Aislinn aveva un altro e non gli è piaciuto. Andiamo a chiederglielo.

– Un attimo, voglio controllare un'ultima cosa –. Steve si rituffa dentro i suoi dati.

Io metto ciò che resta delle deposizioni nel cassetto della scrivania, che ha una chiave ed è dove le avrei messe fin dall'inizio, se O'Kelly non fosse arrivato mentre ci preparavamo ad andare via. Infilo la chiave nella tasca dei pantaloni. Poi mi metto a controllare la sala da dietro il mio taccuino.

Nessuno sta aspettando apertamente che io perda la testa, ma non sono cosí scemi. Quigley ha trovato il suo fascicolo e lo sta leggendo, frugandosi in un orecchio con un dito. Questo probabilmente significa che non si aspetta di essere osservato, ma non si sa mai. Quigley è un pezzo di merda, O'Gorman è uno scimmione, Roche è il meglio di quei due mondi: chiunque di loro (o magari tutti insieme) può aver pensato che rovinarmi la giornata sarebbe stato divertente. McCann sembra troppo preoccupato delle sue faccende per pensare ad altro e O'Neill mi è sempre parso un uomo sensato, ma non posso escludere nessuno.

Non che abbia importanza. Il punto, e loro lo sanno bene quanto me, non è chi è l'autore della burla: può essere uno diverso ogni giorno. Il punto è che, chiunque sia stato, io non posso farci nulla.

– Ehi, – dice Steve, a bassa voce. – C'è dell'altro.

Stavolta ricordo di cosa si tratta. – Sí? Cosa?

– Ho pensato di scoprire se Aislinn è mai stata sul radar della squadra Crimine organizzato. Perciò ho controllato per vedere se qualcun altro avesse cercato il suo nome nei database –. Faccio per alzarmi e andare a dare un'occhiata al suo monitor, ma lui mi ferma con uno sguardo. – Resta seduta. E sí, il 17 settembre dell'anno scorso qualcuno ha lanciato una ricerca su di lei.

Ci guardiamo.

Io dico: – Devono esserci una ventina di Aislinn Murray. Come minimo.

– Aislinn Gwendolyn Murray? Nata il 6 marzo 1988?

Penso a tutta velocità. – Non voglio tirare dentro quelli del Crimine organizzato. Non ancora. Ho un amico...

Steve dice, cosí piano che faccio fatica a sentirlo. – Il login era della Omicidi.

Ci guardiamo di nuovo. L'espressione cauta di Steve è la stessa che avverto sulla mia faccia; stiamo cercando di capire *quanto* dobbiamo essere cauti.

– Se si trattava di un caso della nostra squadra, – dico, – chiunque sia stato non dovrebbe avere problemi a condividere l'informazione.

Steve fa cenno di no con la testa e apre la bocca per spiegarmi come mai è una cattiva idea, e ha ragione: la cosa piú furba è tenerci per noi quel che sappiamo e cercare di scoprire da soli ciò che ci serve. Ma quella pagina mancante mi rode ancora, e ne ho abbastanza di tenere la bocca chiusa e di muovermi in punta di piedi intorno ai colleghi della mia stessa squadra. Ruoto la sedia in modo da vedere la sala e schiocco le dita sopra la testa. – Ehi! – dico, a voce piuttosto alta: le teste si voltano, i dialoghi si interrompono. – Aislinn Gwendolyn Murray, nata il 6 marzo dell'88. Qualcuno ricorda di aver fatto una ricerca su di lei, lo scorso settembre?

Occhiate perplesse. Un paio scuotono la testa, gli altri non si prendono nemmeno il fastidio e continuano a fare quello che stavano facendo.

Ruoto di nuovo la sedia e torno a guardare Steve.

Lui dice: – Forse chi ha fatto quella ricerca non è di turno adesso. Oppure... – Fa un cenno vago con la testa.

– Oppure non mi darebbe neppure il vapore della sua piscia se stessi morendo di sete. Lo so –. Odio quando Steve si mostra pieno di tatto. – O può anche essere stata una ricerca personale, non autorizzata.

Succede spesso. Non ti piace la faccia del ragazzo di tua figlia, o la coppia che è venuta a visitare l'appartamento che vuoi dare in affitto, e fai una ricerca su di loro per vedere se salta fuori qualcosa. L'abbiamo fatto tutti: mia madre non era contenta del suo nuovo vicino di casa, e infatti ho scoperto che si trattava di un tossico, ma almeno non era uno spacciatore e comunque se ne andò poche settimane dopo. Chiunque si senta scandalizzato da queste cose ha bisogno di uscire di più, ma di fatto si tratta di ricerche illegali. Se il cugino di un poliziotto stava pensando di assumere Aislinn, o se i genitori di un detective volevano affidare la chiave di casa di scorta alla giovane vicina di casa, bastavano trenta secondi al computer; un favore innocuo, e non c'era bisogno che nessuno lo venisse a sapere. Ma ora che Aislinn è stata uccisa, chiunque abbia fatto un controllo illegale su di lei si prenderà una lavata di testa dal capo e perderà un paio di giorni di ferie, come minimo. Perciò, è logico che nessuno abbia alzato la mano.

Steve dice: – Può anche essere una ricerca non autorizzata ma non personale. Quadra con l'idea del criminale. Per esempio, se qualcuno del Crimine organizzato vuole fare una ricerca su Aislinn senza che la sua squadra lo sappia, per un motivo qualsiasi, chiede a un amico della Omicidi di fare il controllo al suo posto...

Mi costa fatica pensare a un controllo innocuo. La sala mi sembra infida, con angoli deformati, ombre contorte... Dico: – E l'amico non ce lo dirà mai.

Steve dice, a voce ancora più bassa: – Conosco un tizio ai Crimini informatici. Può scoprire da quale computer è partita la richiesta.

– Troverà il computer, ma non chi lo stava usando. Se avessimo dei login individuali, invece di questa merda da «una squadra, una password»...

– Vuoi che lo contatti lo stesso?

– No, – rispondo. – Non ancora –. Tutti sono tornati alle loro scartoffie o alle loro conversazioni; nessuno guarda verso di noi. Ciò nonostante, vorrei aver tenuto la bocca chiusa.

La stanza di osservazione è piccola e brutta. C'è un tavolo appiccicoso, una sedia barcollante e un distributore d'acqua che di solito è vuoto. Niente finestre e l'aria condizionata non funziona da anni; se fosse stata una sala interrogatori, gli avvocati si sarebbero messi a strillare che i loro clienti avevano il diritto di respirare, e l'avrebbero riparata in men che non si dica. Ma poiché del *nostro* diritto di respirare non frega niente a nessuno, la ventola resta scassata. E la stanza puzza di sudore, anni di caffè rovesciati, dopobarba di detective che erano già in pensione quando Steve e io eravamo ancora in accademia, fumo di sigaretta che risale a prima del divieto. E in inverno è peggio, perché il riscaldamento stimola il bouquet completo.

Breslin non è ancora arrivato. Getto il cappotto sullo schienale della sedia – non mi fido a lasciarlo in sala detective e poi dovermi chiedere se qualcuno ci si è pulito il cazzo sopra – e mi avvicino per dare un'occhiata a Rory Fallon. Steve è accanto a me, siamo cosí vicini al falso specchio che il nostro fiato lascia un po' di condensa sul vetro.

Fallon dimostra meno dei suoi ventinove anni. È esile e non tanto alto, sul metro e settantadue. Potrei gettarlo a terra con una mano sola, ma per questo omicidio è bastato un solo pugno, e un pugno può tirarlo anche un rammollito. Ha i capelli castani lisci, e si vede che era appena stato dal barbiere in vista dell'appuntamento con Aislinn. Gli occhiali in finta tartaruga sono cosí vecchi che la plastica della montatura ha perso limpidezza. La camicia fuori

moda color panna è infilata come si deve nei jeans sbiadi-
ti, e i lineamenti fini gli dànno un'aria da artista sensibile
o da smidollato, a seconda dei punti di vista. Non è male,
ma non sembra il tipo da far perdere la testa a una come
Aislinn. Mi aspettavo un uomo imponente, coperto di vestiti firmati da capo a piedi, grande fan del rugby. Rory
sembra il tipo di persona che di un videogame apprezza la
parte in cui esplori il terreno di gioco e la grafica, e non
la parte dove devi ammazzare i cattivi.

– Dieci euro che si mette a piangere, – dico. È una cosa
che Steve e io abbiamo cominciato a fare con i «domestici». Ovviamente, le scommesse sul lavoro sono vietatis-
sime, ma me ne faccio una ragione. Alla metà dei sospettati basta guardarci in faccia per aprire i rubinetti, e a me
viene voglia di prenderli a calci in culo. Devo mordermi
la lingua per non dire loro che è questo il momento di mostrarsi uomini (o donne); «Facevi il duro mentre pestavi a
morte la tua metà, e ora te la fai addosso?» Se devo sopportare questo schifo, posso almeno farci su un po' di soldi scommettendo.

– Ah, merda, – dice Steve. – Spero di avercelo, un dieci da darti. Basta guardarlo.

– La prossima volta impara a essere piú veloce.

Osserviamo Rory Fallon voltare la testa qua e là e muovere i piedi sotto la sedia, cercando di inquadrare l'ambiente. Le stanze per gli interrogatori sono progettate in
modo da non lasciarsi inquadrare. Il linoleum, il tavolo e
le sedie sono il piú anonimi possibile, e non solo per via
dei tagli al budget; è perché cosí la tua mente non riesce
a interpretare l'ambiente e comincia a caricarlo di significati. Se resti abbastanza tempo da solo in una sala interrogatori, da anonima diventa sinistra e poi un vero e proprio film dell'orrore.

Rory ha piegato per bene il cappotto sullo schienale della sedia e ha allineato sul tavolo un paio di guanti di nylon imbottiti. Le mani sono nella stessa posizione dei guanti, con i palmi appoggiati sul tavolo e i pollici che si toccano appena. Le nocche, almeno da questa distanza, sembrano perfette: nemmeno un graffio.

Steve dice: – Hai visto le mani?

– Non basta a scagionarlo. Sophie ha detto che probabilmente aveva i guanti, ricordi?

– Chiamala. Vedi se alla fine hanno trovato qualche impronta.

La chiamo, la metto in viva voce e tengo d'occhio la porta per vedere se arriva Breslin. – Sophie, ciao, sono io con Moran.

– Ciao, ti aggiorno: abbiamo finito di esaminare il corpo e il salotto –. La perdo un attimo, poi torna in linea. – Qui dentro sembra un ricevimento, aspetta –. Sento sbattere una porta. – Eccomi.

– Come sta andando con le impronte?

– Niente fortuna, finora –. Dietro la sua voce sento fischiare il vento. È uscita in strada. Poi evidentemente mette la mano a coppa intorno al telefono e il ruggito si smorza. – Abbiamo un sacco di impronte sulle stoviglie, sul pomello della porta, sulla bottiglia di vino e sui bicchieri, ma come prima impressione sembrano troppo piccole per essere di un uomo e molto probabilmente sono della vittima.

– Quindi avevamo ragione sul fatto che lui indossava i guanti, – dico. Steve fa una smorfia.

– Stiamo ancora cercando, ma direi di sí. Probabilmente in pelle o in Gore-Tex, qualcosa di molto liscio. Non abbiamo trovato fibre sul viso della vittima, in corrispondenza di dove è stata colpita, e se i guanti fossero stati di lana o simili le avremmo trovate.

Dico, guardando Steve: – Guanti grossi, quindi. Il che vuol dire che può anche non essersi prodotto un segno visibile sulla mano.

– Il che vuol dire che avete prelevato il vostro indiziato, – dice Sophie, – e le sue mani sono a posto.

– Già. L'invitato a cena.

– Avete i guanti che indossava ieri sera? Perché in quel caso il guanto destro dovrebbe recare tracce del sangue della vittima, anche se lui lo ha lavato. È il tipo di sostanza che tende a restare.

– Oggi ha un paio di guanti grigi di nylon. Sembrano puliti ma te li faremo recapitare, e se otteniamo un mandato ti invieremo anche tutti gli altri che troveremo in casa sua, ma scommetto che non avremo fortuna neppure in questo. È probabile che li abbia gettati via mentre tornava a casa –. Mentre parlo osservo Fallon. Ha smesso di guardarsi intorno ed è seduto immobile. Si guarda le mani e fa respiri profondi, sembra una specie di meditazione. Do un colpo sul vetro per interrompere quelle stronzate. – C'è qualcos'altro che dobbiamo sapere, prima di cominciare con lui?

Sophie fa un sospiro esasperato. – Non molto. Questa mattinata fondamentalmente è stata una perdita di tempo. L'unico elemento solido che abbiamo trovato sono tre fibre di lana nera sul vestito della vittima: due sul lato sinistro del petto, una sul lato sinistro della gonna. Non corrispondono a nulla di ciò che lei indossava e non possiede un cappotto nero, perciò non le sono rimaste attaccate perché è uscita a comprare qualcosa all'ultimo minuto. Abbiamo pensato che si fosse messa un pullover mentre cucinava, per proteggere il vestito, ma non abbiamo trovato pullover o cardigan neri –. Sophie tiene la voce bassa. Fuori da casa di Aislinn c'è qualcuno, forse solo i ragazzini, o forse i giornalisti. – Perciò penso che le fibre provengano dal nostro uomo, quando l'ha abbracciata per salutarla o l'ha afferrata prima di colpirla. Guarda se il vostro indiziato possiede un soprabito nero di lana.

– Ne ha indossato uno per venire in centrale, – dico, guardando Steve, che fa spallucce. Una persona su due a Dublino ha un cappotto nero di lana. – Te lo mandiamo. Bel colpo, Sophie, grazie.

– Niente di che. Senti, c'è qui una specie di baby-reporter che si sporge oltre il nastro sperando di origliare qualcosa. Vuoi che vada a dirgli che sospettiamo dei ninja?

– Sí, allieta pure la sua giornata. Ci sentiamo presto.

– Aspetta, – interviene Steve, chinandosi verso il telefono. – Sono Moran. Potete esaminare la camera da letto e il bagno?

– Che brillante idea. Pensavi fossimo qui per ridipingere la casa?

– Voglio dire, in punti che ieri sera magari non sono stati toccati, ma che possono conservare tracce di quando qualcuno è rimasto a dormire in casa della vittima. E potete controllare se sul materasso ci sono tracce di fluidi corporei?

– Ah, – dice Sophie. – State pensando a un ex?

– Qualcosa del genere. Grazie. Saluta da parte nostra il baby-reporter.

– Gli dirò che lo arresterete per aver marinato la scuola. Giuro, dimostra dodici anni. Sto diventando vecchia… – E riattacca.

Fallon sta facendo un altro tentativo con la meditazione. Breslin o sta costruendo la sala operativa mattone su mattone, oppure ci sta castigando per averlo fatto aspettare. Mentre ho in mano il telefono, ne approfitto per dare un'occhiata alle notizie: – Un secondo, – dico a Steve, toccando lo schermo.

L'edizione del pomeriggio del «Courier» è già uscita. Il Bieco Crowley ha battuto un colpo.

In prima pagina campeggia il titolo: *La polizia beffata da brutale omicidio*. Sotto ci sono due foto. Una di Aislinn in versione recente, mentre ride con indosso un vestito arancione attillato e brillantini intorno agli occhi, la foto di un party natalizio che Crowley deve aver pescato sul profilo Facebook di qualcuno. Nell'altra foto ci sono io, mentre mi rialzo dopo essermi chinata sotto il nastro che delimita la scena del crimine, con la mia faccia migliore: borse sotto gli occhi, capelli spettinati, il pugno alzato e la bocca aperta in un ringhio che spaventerebbe un rottweiler.

Stringo i denti cosí forte che mi fanno male. Vado a leggere, ma il testo è solo allusioni, sentimentalismo da quattro soldi e sdegno. Bellissima giovane donna, nel fiore degli anni, particolari delle ferite non ancora resi pubblici, le parole di un vicino che racconta come Aislinn andasse a fare la spesa per lui quando i marciapiedi erano ghiacciati, le parole di una vicina che non si sentirà al sicuro in casa sua finché noi non toglieremo questo str… dalle strade; poi c'è una frecciata contro la «detective Antoinette Conway, che ha condotto l'indagine sull'omicidio ancora irrisolto di Michael Murnane a Ballymun, nel settembre scorso», per chiarire che io sono incompetente e/o non me ne frega niente delle vittime se appartengono alla classe operaia. Sulla barra laterale: «Genitori in panico per pedofilo ai giardinetti», piú schizzi di boria verso il consiglio regionale che dovrebbe fare qualcosa anche contro questo schifo di tempo, e l'intervista a una celebrità che parla in tono enfatico dei benefici della quinoa e dei suoi bambini che fanno una vita che piú normale non si può.

– Cosa c'è? – chiede Steve.

Riesco a fatica a staccare i denti. – Niente.

– No, dài. Cosa c'è?

Tanto non posso tenerlo lontano dai giornali, e se gli nascondo ora l'articolo può sembrare che mi importi la faccia da cane rabbioso che ho in quella foto, mentre non me ne frega un cazzo e mezzo. – Guarda, – dico, e gli passo il cellulare.

Le sue sopracciglia schizzano in alto. – Oh, Gesú –. Poi, un secondo dopo: – Oh, *Geeesú*!

– Proprio, – dico.

I media non pubblicano l'identità della vittima finché non ricevono il nostro benestare. Serve a proteggere i familiari, che cosí non devono scoprirlo dal banco dei giornali del supermarket, e a volte anche noi abbiamo i nostri motivi per tenerla nascosta per un giorno o due. I giornali gettano qua e là informazioni sufficienti perché la gente del quartiere capisca di chi si tratta. «Il trentaduenne padre di due figli che lavorava nella finanza», e simili. Ma tanto la gente della zona lo sa già. E non usano foto dei detective senza permesso, nel caso che noi non desideriamo essere riconosciuti subito da dieci metri di distanza. Io non lascio mai circolare le mie foto, per buoni motivi, ma in genere nelle foto pubblicate i detective hanno sempre un'aria professionale e cordiale e tutto il resto, una faccia che stimola i testimoni a farsi avanti per parlare con noi, non a nascondersi perché sembriamo Wolverine con il doposbronza. Se un giornalista non rispetta i limiti, paga: niente piú «fonti vicine all'indagine» per te, e lo facciamo sapere anche all'editore. Quel figlio di puttana di Crowley ha superato il limite in almeno una dozzina di modi.

Ci è andato vicino molte volte anche prima, ma erano tutte banalità utili a farlo sentire una specie di Bob Woodward senza creargli reali problemi; nulla di simile a ciò che ha fatto ora. Crowley non ama i poliziotti, perché è uno spirito ribelle che non s'inchina all'autorità, ma anche gli spiriti ribelli devono pagare l'affitto, perciò si controlla. Quindi, o alla sua tarda età ha scoperto all'improvviso di avere i coglioni, o vuole commettere un suicidio professionale, oppure dietro di lui c'è qualcuno. La stessa persona che gli ha detto dove trovarmi stamattina, gli avrà detto di stampare quelle foto, promettendogli che non finirà su nessuna lista nera. Qualcuno gli ha promesso una ricompensa.

Steve sta ancora leggendo l'articolo. – Niente informazioni riservate, – dice.

Cioè, niente di cui possiamo rintracciare la fonte. – Lo so. Ma lui parla con qualcuno qui dentro, questo è sicuro. E se scopro chi…

Steve alza gli occhi. – Possiamo proporgli uno scambio. Gli offriamo l'esclusiva su ogni progresso che facciamo su questo caso, se ci dice chi è il suo contatto.

– Non può funzionare. Chiunque sia questo contatto, deve avergli già promesso qualcosa di serio. E Crowley non metterà in pericolo il suo guadagno –. Mi riprendo il telefono e lo metto in tasca. – Sai chi ha avuto la migliore opportunità di parlare con Crowley riguardo a questo caso?

Steve dice piano: – Breslin.

– Già.

– A Breslin piace fare bella figura. E un modo per riuscirci è trasformare questo caso in qualcosa che noi stiamo rovinando senza speranza, finché entra in scena lui e rimette tutto a posto.

Dico, anch'io sottovoce: – O semplicemente aveva voglia di farmi uno scherzo, per far ridere un po' i ragazzi. O magari ha un accordo stabile con Crowley e ogni tanto deve gettargli un osso, e oggi è toccato a noi.

– Forse. Può essere –. Steve tiene d'occhio la porta,

proprio come me. – Ascolta, sia come sia, dobbiamo andare d'accordo con Breslin.

– Io vado d'accordo con tutti. È il mio carattere.

– Dico sul serio.

– Va bene, collaboriamo –. Ho l'impulso di mettermi a camminare su e giú. Mi appoggio al bordo del tavolo per forzarmi a stare ferma. – Ci serviamo di Breslin per gli interrogatori e lo teniamo aggiornato sull'uomo là dentro –. Indico con un cenno del capo il falso specchio. – A parte questo, non deve sapere nulla su ciò che pensiamo.

Steve sbotta, all'improvviso: – Quando mi facevo il culo ogni giorno per poter entrare nella squadra, non era questo che immaginavo.

– Nemmeno io, – dico. – Credimi.

Solo tentare di ricordare quando è cominciata la giornata di oggi mi fa girare la testa. Ho un bisogno aggressivo di aria fresca e musica forte da spaccare i timpani, mentre corro e non mi fermo finché il bruciore in tutto il corpo mi costringe a farlo.

Breslin sceglie quel momento per spalancare la porta. Sussultiamo entrambi. Lui resta sulla soglia, mani nelle tasche dei pantaloni, e ci squadra dall'alto in basso, la bocca atteggiata a un'espressione tra fredda e divertita.

– Detective Conway. Detective Moran, – dice. – Finalmente.

Breslin dovrebbe piacermi, visto che è uno dei pochi che si limitano a non somministrarmi piú della razione standard di merda. Ma non mi piace. La prima volta che lo vedi, ti fa una buona impressione. Quarantacinque anni circa, in forma, tutto spalle e schiena dritta e nemmeno l'ombra di quella pancia da birra che sfoggiano tanti maschi irlandesi. È abbastanza alto, con gli occhi chiari e i capelli biondi pettinati all'indietro con il gel, e ha un bel viso. Se socchiudi gli occhi, somiglia un po' a un attore, non ricordo il nome, uno che interpreta sempre ruoli da anticonformista, il che fa un po' ridere, visto che Breslin è la persona meno anticonformista che conosco. Ma aggiungi a tutto questo anche la voce, e puoi restare abbagliato, pensare che quest'uomo sia speciale: intelligente, rapido, sagace, raffinato. In poche parole, un vincente.

Breslin è cosí convinto di questa versione di sé che ti trascina a crederci. Durante le sue prime settimane alla Omicidi, Steve lo guardava come un dodicenne guarda il capitano della squadra di rugby, sbavando per un sorriso e una pacca sulla spalla. Io ho dovuto mordermi la lingua a sangue, per non dirgli niente, ma ce l'ho fatta perché sapevo che gli sarebbe passata. Potevo prevedere quasi il giorno preciso in cui sarebbe successo. Anch'io, quando sono entrata nella squadra, pregavo che Breslin e McCann litigassero tra loro, cosí io sarei potuta diventare partner di Breslin e ottenere rapidamente la gloria. Poi mi è passata.

E anche a Steve, dopo tre settimane circa. Uno della Buoncostume si era sparato in bocca e Breslin, in sala detective, circondato da persone che conoscevano il morto, che avevano lavorato e bevuto con lui, tirò indietro la sedia e ci illuminò con una profonda e importante lezione: quell'uomo sarebbe ancora con noi, disse, se avesse smesso di fumare, fatto piú esercizio fisico e costruito vere amicizie sul lavoro.

I ragazzi piú intelligenti della squadra continuarono a lavorare; quelli piú stupidi annuirono tutto il tempo, a bocca aperta davanti a un simile genio. Il povero Steve aveva la faccia di chi ha appena scoperto la verità su Babbo Natale.

Quando capisci che Breslin è un idiota, cominci a notare che tutto quello che dice è un cliché, che i capelli imbrillantinati sono organizzati in modo da coprire una chiazza

di calvizie, e a un certo punto ti rendi conto che tutta la
sua altezza ammonta a poco piú di uno e settantacinque, e
che la sua percentuale di casi risolti non è nulla di speciale. E cominci a chiederti se porta la panciera. Tutto questo non ha importanza, lui riesce comunque ad abbaglia-
re testimoni e sospettati e va via prima che loro possano
scorgere la verità. Ma io ce l'ho con me stessa per essermi
lasciata abbindolare, e perciò Breslin e tutto quello che lo
riguarda mi fa incazzare.

– Come va? – dico. – Mi spiace che non siamo riusciti a sentirci di persona, finora. Il campo andava e veniva.

Breslin non si è mosso dalla soglia. – Forse dovresti com-
prarti un nuovo telefono, Conway. Ma lasciamo perdere.
Ora siamo tutti qui.

– Già, – dico. – Hai dato un'occhiata alla scena?

– Sí. Dieci a uno che è una lite tra innamorati. Vediamo se riusciamo a risolvere il caso in fretta cosí possiamo
tornare a cose piú interessanti. Che ne dite?

– Questo è il piano, – dice Steve, cordiale, prima che
io possa aprire bocca. – Grazie dell'aiuto, siamo felici di
lavorare con te.

– Non c'è di che –. Breslin gli rivolge un cenno del capo. – Siamo nella centrale operativa C.

La centrale C ha una lavagna piú grande della mia cucina, computer e linee telefoniche sufficienti per un'indagine di alto livello, una bella vista sul Dublin Castle ed è
anche attrezzata con PowerPoint, se ti viene l'impulso di
proiettare diapositive. Steve e io finora ci siamo entrati
solo come reclute. – Ottima sala, – dico.

– Per noi, solo il meglio –. Breslin si avvicina al vetro
per dare un'occhiata a Rory. – Spero solo che la migliore
amica della vittima, come si chiama, vi abbia dato qualcosa di buono.

– Lucy Riordan, – dice Steve. – Ci ha dato piú che altro informazioni di background. L'infanzia di Aislinn non è stata felice: il padre se n'è andato, la madre ha avuto un esaurimento nervoso e Aislinn ha dovuto riempire il vuoto. Cosí niente esperienze formative, poca fiducia in sé stessa. La madre qualche anno fa è morta, e Aislinn ha cominciato a scoprire la vita, ma era ancora agli inizi, piena di ingenuità. Proprio il tipo capace di non sentire i campanelli d'allarme.

– E ce n'erano, di campanelli d'allarme?

– Lucy non ne ha sentiti. Aislinn e Rory si sono conosciuti alla presentazione di un libro, meno di due mesi fa. Colpo di fulmine per entrambi, ma lei ci stava andando piano. Rory sembrava un bravo ragazzo, la trattava bene. Lucy non ha mai avuto sentore di una minaccia.

– Certo, – dice Breslin, osservando Rory, che ha cominciato a muovere un ginocchio su e giú, sotto il tavolo. – Il classico pappamolla, eh? Non sembra in grado di dare un pugno neppure a sua nonna. E Lucy Comesichiama non poteva sapere che sono i piú pericolosi, se pensano di aver subito una mancanza di rispetto. Saperlo non è il suo lavoro, è il nostro. Che altro?

Steve scuote la testa. – Questo è tutto.

Breslin inarca le sopracciglia. – È tutto ciò che sa la sua migliore amica? Cosa mi dite di altri fidanzati, un ex che ci è rimasto male quando lei l'ha mollato, rivali gelose, nemici sul lavoro?

Ora scuotiamo la testa tutti e due. – Niente.

– Ma per favore. Le ragazze parlano; dico bene, Conway? Non voglio nemmeno pensare a quello che mia moglie racconta alle amiche dopo un bicchiere di chardonnay. La vittima deve aver detto alla vostra Lucy qualcosa di piú di questo.

– Secondo Lucy, loro due non erano poi tanto amiche. Si frequentavano perché si conoscevano fin da bambine e perché Aislinn non aveva altre amicizie, ma non avevano molto in comune, e non si confidavano l'una con l'altra.

Breslin ci pensa su, poggiando la schiena sul vetro e pizzicandosi il labbro inferiore. – Non credete che vi abbia taciuto qualcosa?

Io e Steve ci scambiamo un'occhiata vuota. Steve scuote la testa. – Direi di no.

– Lucy non è stupida, – dico io. – Sa che deve dirci tutto quello che sa. L'unica cosa che mi sono chiesta... – Non finisco la frase. – Ma non ha senso, probabilmente.

– Ehi, condividi i tuoi pensieri con tutta la classe, Conway. Non preoccuparti di sembrare stupida, qui stiamo solo dando spazio alle idee.

Che cretino. – Va bene, – dico. – Mi sono chiesta se Lucy non avesse anche lei una cotta per Rory. Non smetteva di parlare di che tipo fantastico è. Voglio dire, magari è vero, ma se una mia amica fosse appena stata uccisa, io avrei almeno un minimo di diffidenza verso il suo nuovo ragazzo.

– Ah, – dice Breslin. – E questa Lucy ha un alibi, per la notte scorsa?

– Sí. Lavora al Torch Theatre; era lí alle sei e mezzo di ieri sera, poi è stata costantemente in compagnia fino alle quattro del mattino. Lo verificheremo, ma come ho detto non è una stupida; non ci avrebbe dato qualcosa di cosí facile da confutare, se non fosse la verità.

– Bene, allora controlliamo com'è la relazione tra lei e il nostro uomo qui, nel caso Lucy sia in qualche modo implicata nel movente. Ma se non c'è un vero contatto, non vedo come una cotta ipotetica possa essere rilevante per noi. Voi lo vedete? – Io e Steve scuotiamo la testa, umilmente. – Abbiamo fatto un buon brainstorming, comunque. C'è altro?

– Questo è tutto, – dico.

– Be', – dice Breslin, trattenendo un sospiro. – Comunque valeva la pena di andarci, immagino. E le informazioni di background non sono mai realmente una perdita di tempo. Ora però suggerisco di metterci all'opera. Che ne dite?

– Ottima idea, – dico io. È la pura verità. Altri sessanta secondi di questa predica e comincio a prenderlo a calci nei coglioni. – Io conduco l'interrogatorio, detective Breslin, e tu mi dài una mano. Detective Moran, tu osserva da qui e tieniti pronto a scambiarci i ruoli, se decido di mescolare un po' le carte.

Steve annuisce. Breslin si tira i polsini. – Vieni da papà, – dice, rivolto al vetro.

– Questo è solo un colloquio preliminare, – dico. – Non sto cercando una confessione. Spingeremo per ottenerla solo quando avremo i rapporti della Scientifica e il referto dell'autopsia da sbattergli in faccia –. E dopo che io e Steve avremo avuto il tempo di fare un po' di indagini in privato. – Per il momento, voglio delineare bene il caso: capire che tipo è Rory, com'era il suo rapporto con la vittima, cosa pensava di Aislinn, la sua versione riguardo a ieri sera. Voglio vedere se ammette di aver parlato con qualcuno tra le venti di ieri e le cinque di stamattina; se non è stato l'assassino a chiamare la polizia, è stato qualcuno con cui ha parlato, e dobbiamo trovare questo qualcuno. Voglio il suo cappotto e i suoi guanti: i tecnici hanno trovato fibre di lana nera sul cadavere, e dicono che probabilmente il nostro uomo indossava guanti non in tessuto, che corrispondono a quelli con cui Rory è venuto qui. Perciò, se possiamo convincerlo a darceli spontaneamente, evitandoci la fatica di ottenere un mandato, ne sarei felice.

In un mondo perfetto, lui ci darebbe anche il permesso di perquisire casa sua e prendere tutti i cappotti e i guanti che troviamo, ma oggi non voglio farlo preoccupare trop- po, perciò se vediamo che non va liscia, lasciamo perdere e prendiamo la strada del mandato. D'accordo?

Breslin ci pensa su. – Mmh. Questo è un modo di af- frontare la situazione. Un altro sarebbe entrare e provare a farlo confessare il piú presto possibile. Non sto dicendo che il fatto di essere stato assegnato a questo caso sia un problema, al contrario, sono felice di dare una mano. È solo che per poter essere qui ho dovuto mettere in pausa gli altri miei casi, e non vorrei perdere troppo tempo con un domestico. Sono certo che la pensate cosí anche voi. Ho ragione?

Io piú che altro penso che dovrebbe chiudere la bocca e fare quello che il detective incaricato gli dice di fare, ma noto il lampo di panico negli occhi di Steve e mi viene da ridere, cosí mi rilasso. – Non hai tutti i torti, – rispondo, in tono amabile. – Facciamo cosí: per adesso la prendia- mo con calma, come ho detto. Appena avremo in mano abbastanza per schiacciare l'acceleratore, prometto di da- re il mio ok. Va bene?

Breslin non sembra contento, ma un attimo dopo scrolla le spalle. – Come preferite. Possiamo almeno cominciare mentre manca ancora un po' di tempo alla fine del tur- no? – E quando io mi scosto dal tavolo, aggiunge: – Forse è meglio che ti togli quello, a meno che non faccia parte del tuo astuto piano.

Dicendo «quello» si dà un colpetto all'angolo della boc- ca. Mi passo una mano sulla faccia e scopro un pezzo di rosso d'uovo, che è rimasto lí dalla colazione. – Grazie, – dico, in parte a Breslin e in parte al mio socio, il capitano Occhio di Falco, il quale assume un'aria di scusa.

– La prima impressione eccetera eccetera. Ora, se siamo pronti, diamo inizio alle danze.

Breslin mi tiene la porta aperta per lasciarmi uscire per prima, cosí non posso dire un'ultima parola in privato a Steve. Non che abbiamo bisogno di scambiarci bisbigli di nascosto, comunque. Il corridoio dovrebbe avvolgermi con una sensazione di casa, con i suoi muri scrostati color verde liquame e la moquette consunta; dovrebbe sembrarmi un sentiero segnato che attraversa il mio territorio e mi conduce dal nemico, inquadrato nel mirino della sala interrogatori. Invece sembra una pista inesplorata attraverso una terra di nessuno, piena di mine antiuomo e di buche dove puoi romperti una caviglia.

4.

Ognuno interpreta un suo ruolo abituale, per gli interrogatori. Uno dei nostri detective riesce benissimo in quello del padre confessore, accumulando le colpe e sbandierando l'assoluzione come un biscotto per cani; un altro fa il preside irascibile: fissa il soggetto da sopra gli occhiali e spara domande secche. Io faccio la donna guerriera, pronta a scatenare il fuoco per vendicare i tuoi torti, se solo le dici quali sono, e il rovescio della medaglia della guerriera, cioè la stronza che odia gli uomini, quando vogliamo far incazzare un violentatore o un troglodita. Faccio anche la donna di mondo, che regge l'alcol e sa farsi due risate, quella con cui un uomo può parlare di cose che non direbbe a un altro uomo. Steve fa il bravo ragazzo della porta accanto, con tutte le variazioni. Con le donne, Breslin fa il gentiluomo galante, le aiuta a togliersi il soprabito e inclina la testa per ascoltare ogni parola; con gli uomini fa il capobranco: un amicone se lo prendi dal lato giusto, altrimenti ti ficca la testa nel cesso e tira lo sciacquone. In genere valutiamo il bersaglio e usiamo il personaggio che ha le migliori possibilità.

Rory non ha bisogno della donna guerriera, ci sembra, e la stronza che odia gli uomini lo spaventerebbe a morte, mentre la donna di mondo può aiutarlo a rilassarsi un po'. Sarebbe del tutto a suo agio con il bravo ragazzo della porta accanto, ma per il momento Steve è fuori gioco. Spero solo che il capobranco non lo impaurisca troppo o non faccia infuriare me al punto da mandare tutto a puttane.

Il mio rapporto con Rory inizia costandomi subito un deca: non si mette a piangere. Fa un salto sulla sedia quando Breslin spalanca la porta ma, non appena tiro fuori il mio sorriso da donna di mondo, lui riesce addirittura a ricambiarlo. – Buongiorno, – dico, sedendomi di fronte a lui e prendendo il taccuino. – Sono la detective Conway, e lui è il detective Breslin. Grazie di essere venuto.

– Non c'è problema –. Rory cerca di capire se deve stringerci la mano, esita. – Io sono Rory Fallon. Di cosa...

– Buongiorno, Rory, – dice Breslin, dandogli subito del tu, mentre si avvicina al videoregistratore. – Ce la fai a parlare? Non hai troppo mal di testa? So come funziona: un giovane come te, domenica mattina...

– No, sto bene –. La voce di Rory trema sull'ultima parola. Si schiarisce la gola.

Breslin sogghigna, mentre schiaccia i tasti. – Ah, allora devi fare meglio il prossimo fine settimana.

Io accenno alla tazza di tè ancora mezza piena. – Glielo faccio riscaldare? O magari desidera un caffè?

– No, grazie, va bene cosí –. Ha il culo sul bordo della sedia, come se fosse pronto a fuggire al minimo rumore sospetto, se ci fosse un posto dove fuggire. – Di cosa si tratta?

– Ah-ha, – dice Breslin, voltandosi e puntandogli contro un dito. – Un momento, non possiamo ancora parlarne. Al giorno d'oggi bisogna registrare ogni conversazione. Per la protezione di tutti, capisci cosa intendo?

Dopo un secondo o due Rory annuisce, incerto. – Credo di sí.

– Ma certo che lo capisci, – dice Breslin, allegro. – Dammi solo un minuto, poi parleremo quanto vogliamo –. Torna a manipolare il videoregistratore, fischiettando tra i denti.

Rory ha le spalle che gli arrivano quasi alle orecchie. Dice: – Ho bisogno di un avvocato, o qualcosa del genere?

– Non lo so, – dico io, abbassando il taccuino e guardandolo negli occhi. – Ne ha bisogno?

– Volevo dire… Non dovrei avere un avvocato?

Sollevo le sopracciglia. – C'è un motivo per cui lo vuole?

– No. Non ho nulla da… Ma non ho il diritto di averlo?

– Certo che puoi avere il tuo avvocato, – interviene Breslin. – Al cento per cento. Ne scegli uno, lo chiami e noi aspettiamo finché arriva. Nessun problema. Ma posso dirti esattamente cosa farà, l'avvocato. Si siederà accanto a te e ogni tanto dirà: «Non è obbligato a rispondere a questa domanda». E intanto ogni minuto che passa con te finirà sulla sua parcella. Io posso dirti la stessa cosa gratis: non sei obbligato a rispondere a *nessuna* delle nostre domande. Lo diciamo subito a tutti. Non devi rispondere se non te la senti di farlo, ma ogni cosa che dirai sarà registrata e trascritta, e potrà essere usata come prova. È chiaro, no? O preferisci pagare per sapere le stesse cose?

– No. Cioè, voglio dire… Va bene. Non mi serve un avvocato, immagino.

E cosí il problema numero uno, quello di avvertirlo che ha diritto a un avvocato, è superato.

– Ovvio che non ti serve, – dice Breslin, dando un colpetto al videoregistratore. – Bene, il registratore è acceso. Detective Conway e Breslin a colloquio con il signor Rory Fallon. Parliamo pure.

Rory dice subito, proprio come Lucy: – Si tratta di Aislinn?

– Ehi, Rory, piano, – dice Breslin, ridendo e alzando le mani. – Rallenta un attimo, eh? Ci arriveremo, promesso. Ma io e la detective Conway dobbiamo fare centinaia di colloqui come questo, perciò dobbiamo porre a tutti le stesse domande nello stesso ordine, altrimenti ci confondiamo e dimentichiamo che cosa abbiamo già chiesto a chi. Perciò facci un favore: lasciaci condurre questo colloquio a modo nostro. Va bene?

– Va bene. Scusate –. Ma intanto ha rilassato le spalle, scoprendo che è solo uno tra centinaia di intervistati, mentre noi siamo solo due sgherri preoccupati di non perdere il bandolo della matassa. Breslin è in gamba. L'ho già visto lavorare, ma è la prima volta che condivido un interrogatorio con lui, e a dispetto di me stessa non mi dispiace.

– Non c'è problema, – dico, tranquilla. Breslin si siede accanto a me e ci mettiamo comodi, sfogliando taccuini, adattando i nostri culi alla forma delle sedie, controllando che le biro funzionino. – Bene, – dico. – Cominciamo dall'inizio. Cos'ha fatto ieri? Grosso modo da mezzogiorno in poi?

Rory fa un respiro profondo e spinge gli occhiali sul naso. – Allora, a mezzogiorno ero al negozio. Sono il proprietario del Wayward Bookshop, a Ranelagh, avete presente? È proprio sotto il mio appartamento, dove siete venuti... dove i vostri colleghi sono venuti a prendermi.

– Ci sarò passata davanti un centinaio di volte, e non mi sono mai decisa a entrare, – dico. – Ma ora dovrò farlo, sennò lei inoltrerà un reclamo contro di me –. Io e Breslin ridacchiamo, e Rory sorride in automatico: un bravo ragazzo, che fa quello che ci si aspetta da lui. – Allora, come sono andati gli affari, ieri?

– Piuttosto bene. Il sabato vengono molti clienti regolari, soprattutto mamme e papà che portano i figli a scegliere un libro. Abbiamo un'ottima sezione per bambini, se lei... voglio dire, *se* lei... non sto dicendo che...

– Porterò i miei nipoti, – dico, ma non ho nipoti. – Sono fissati con i dinosauri. Ma come vanno gli affari, in generale?

– Bene. Cioè... – Fa una scrollata di spalle un po' rigida. – Le librerie stanno tutte attraversando un periodo difficile. Ma noi, almeno, abbiamo dei clienti regolari.

Il che vuol dire che fa fatica ad andare avanti. Controlleremo cosa vuol dire «bene», per lui. – Allora devo proprio portare i miei nipoti da lei, anche per dare una mano agli affari, – sorrido. – A che ora ha staccato?

– Chiudo alle sei.

– E poi cosa ha fatto?

– Sono tornato a casa per farmi una doccia. Ero... avevo un... – La sua faccia prende una bella sfumatura rosata. – Avevo un invito a cena a casa di una ragazza. Di una donna.

– Oooh, *sí*, – dice Breslin, con un ghigno, bilanciando la sedia sulle gambe posteriori. – Rory rubacuori. Raccontala tutta allo zio Don. Fidanzata? Trombamica? Vero amore?

– Lei è... – Il rosa vira piú verso il rosso. Rory si passa le mani sulle guance come se potesse cancellare il colore. – Ecco, non so se posso definirla la mia ragazza, esattamente. Siamo usciti insieme solo poche volte. Ma sí, spero tanto che la storia vada avanti.

Parla al presente. Non significa molto, Rory non è uno stupido. Io sorrido a quella storia d'amore giovane e adorabile. Rory in qualche modo ricambia il sorriso.

– Allora hai fatto uno sforzo, – dice Breslin. – Vero? Dimmi che hai fatto uno sforzo, Rory. Quella camicia va benissimo per vendere *Il Gruffalò* alle mamme con bambini in età da lettura, ma se vuoi impressionare una bella donna, se vuoi aprirla come un libro, diciamo cosí, quella camicia non va. Come ti sei vestito per andare da lei?

– Camicia, pullover e pantaloni. Decenti, voglio dire, non...

Breslin gli dà un'occhiata scettica. – Di che tipo? Di quali colori?

– Camicia bianca di lino, pullover celeste e pantaloni blu scuro. Io sono un tipo da jeans, ma Aislinn... Sapevo che avrebbe indossato qualcosa di chic, perciò ho pensato che dovevo farlo anch'io.

– Mmh. Bene, pensavo peggio. Hai buon gusto, quando ti sforzi, figliolo –. Breslin accenna al soprabito sullo schienale della sedia di Rory. – Quel cappotto?

Rory sposta lo sguardo tra Breslin e il cappotto, incerto. – Sí. Non ho un altro cappotto invernale. L'ho comprato da Arnott's. È un capo di un certo... Insomma, va bene, no?

– Non male, – dice Breslin, squadrando il soprabito con aria critica. – Può andare. Ma di sicuro non ti sei messo quei guanti, spero. O sí?

Rory volta la testa a fissare i guanti. – Sí, li ho messi. Perché? Cos'hanno di sbagliato?

– Gesú, – dice Breslin, con una smorfia. Allunga una mano sul tavolo e tocca i guanti con la penna. Li gira dall'altro lato. Sembrano puliti. – Forse sto invecchiando; forse oggi i giovani vanno a cena da una ragazza con guanti da mountain bike. Sul serio portavi questi, ieri sera?

– Faceva freddo.

– E allora? Per lo stile bisogna soffrire, Rory. Non ne hai un paio neri? Avresti fatto una figura migliore.

– Li ho cercati. Ero convinto di averne un paio di pelle nera, da qualche parte, ma non so dove sono finiti. Ho trovato solo questi.

Li cercheremo anche noi. – Smettila di tormentarlo, – dico a Breslin. – Tanto i guanti te li togli non appena entri in casa, no? Che importa se sono belli o brutti?

Breslin alza gli occhi al cielo e si fa indietro sulla sedia, scuotendo la testa. Rory mi lancia una rapida occhiata di gratitudine. Stiamo trasformando la sala interrogatori in

un terreno che gli è familiare: persino i rimproveri di Breslin non sono troppo diversi dalle prese in giro che deve
aver sopportato a scuola, e questo lo sta calmando. Rory
non è uno smidollato piagnucolone, come avevo pensato
all'inizio, vedendolo agitato. È un po' piú complesso di
cosí. Dentro la sua zona di comfort, Rory va alla grande.
Fuori, non ce la fa. «Io sono un tipo da jeans»… Aislinn
era fuori dalla sua zona di comfort.

– Allora, – dico. – Dove vive Aislinn?

– Stoneybatter.

– Comodo, – annuisco. – Un salto dall'altro lato del fiume, in pratica. Come c'è andato?

– In autobus. A piedi fino a Morehampton Road, non
pioveva ancora, poi ho preso il 39A fino a Stoneybatter.
La fermata è quasi all'angolo con casa sua.

– No, no, no, un momento –. Breslin ha le sopracciglia
alzate. – Autobus? Hai preso l'autobus per andare da lei?
Bel sistema di impressionare una donna, Rory. Non ce
l'hai una macchina?

Rory è di nuovo rosa in faccia e agitato. Quelli che ar-
rossiscono mi piacciono. – Ce l'ho. Ma ho pensato… Voglio dire, se avessimo bevuto vino a cena, e se fossi dovuto tornare a casa…

– Ce l'hai? Che tipo di macchina?

– Una Toyota Yaris.

Breslin reprime una risata. – Sí? Di che anno?

– 2007.

– Gesú, – dice Breslin ridendo e fissando il taccuino.
– Ora capisco perché hai preso l'autobus. Continua.

Rory abbassa la testa e si spinge gli occhiali sul naso.
È un remissivo, di quelli che quando perdono il controllo, lo perdono sul serio. Gli chiedo: – A che ora è uscito di casa?

Rory raddrizza la schiena all'istante. È cosí contento quando parlo io invece di Breslin che mi direbbe qualsiasi cosa. – Alle sette meno un quarto.

Questa è la cosa piú interessante che ha detto finora. Aveva appuntamento con Aislinn alle otto, e non ci vuole un'ora e un quarto per andare da Ranelagh a Stoneybatter, soprattutto di sabato sera. Se ci fosse andato a piedi ci avrebbe messo la metà di quel tempo.

– E quando ha preso l'autobus?

– Erano quasi le sette. Ne è arrivato uno non appena ho raggiunto la fermata.

Possiamo controllarlo: sugli autobus ci sono telecamere di sicurezza. Me lo scrivo. – A che ora aveva appuntamento a casa di Aislinn?

– Alle otto, ma... Ecco, non volevo arrivare tardi. Se fossi arrivato in anticipo, mi sarei fatto una passeggiata nei dintorni.

– *Brrr*, – dico. – Con quel tempo? Una passeggiata?

Rory sposta i piedi come se non trovasse una posizione confortevole. Parlare di quel tempo in piú lo rende nervoso. Nulla mi piacerebbe di piú che scrivere «Rory: innocente» e mettermi in caccia del malavitoso di Steve, ma sento l'odore del sangue: lí c'è qualcosa.

Rory dice: – Non lo so... per trovare la casa senza problemi, quel tipo di cose.

Faccio una faccia perplessa. – Ma ha detto che la casa era dietro l'angolo dalla fermata dell'autobus. Mi sembra che conoscesse già la zona.

Rory sbatte le palpebre a ripetizione. – Cosa? No... non è cosí. Ma Aislinn mi aveva spiegato come arrivarci e avevo guardato la mappa sul cellulare. Non era complicato, ma ho pensato di arrivare con un po' di tempo in piú, per qualsiasi evenienza.

Lascio calare un silenzio scettico, ma lui non lo riempie.
– Va bene, – dico. – Quindi è sceso dal 39A alla fermata
di Stoneybatter. A che ora?
– Appena prima delle sette e mezzo. Non c'era molto
traffico.

Ma c'era tutto il tempo di arrivare a casa di Aislinn,
ucciderla e tornare alle otto per bussare alla porta e mostrarsi confuso. Spiegherebbe anche il fatto di aver spento il forno. Non voleva che l'allarme antifumo scattasse
prima che lui avesse il tempo di mettere in scena la commedia con le telefonate e i messaggi e presumibilmente l'andirivieni preoccupato davanti alla porta, nel caso
qualcuno lo stesse osservando. L'odore caldo del sangue
mi riempie le narici.

Guardo verso il vetro a senso unico, ma ovviamente non
vedo nulla dall'altra parte. Uno sguardo a Steve mi avrebbe fatto capire se la pensa come me. Invece al suo posto ho
Breslin, che dondola sulle gambe della sedia e scarabocchia
sul taccuino. Mi viene voglia di dare un calcio alla sedia e
mandarlo per terra.

– È arrivato con molto anticipo, – dico. – Cos'ha fatto?
– Sono arrivato fino in cima a Viking Gardens, è il nome della strada di Aislinn. Per assicurarmi di avere le indicazioni giuste.
– Ha visto qualcuno, in Viking Gardens?
– No. La strada era deserta. Ma non sono rimasto lí.
Non volevo rischiare di essere scambiato per un ladro o
uno stalker –. Un'altra spinta con il dito agli occhiali.
– Si è messo a cercare la casa?
– No, la strada è dritta e senza uscita. Dall'alto vedevo
tutto, e non c'era bisogno di andare a cercare la casa. Non
volevo che Aislinn guardasse per caso dalla finestra e mi
vedesse fuori, con mezz'ora di anticipo. Avrebbe dovuto

invitarmi a entrare, e di sicuro non era pronta, e insomma sarebbe stato imbarazzante.

È nervosissimo, ma le risposte gli vengono facili, senza doverci pensare, senza correzioni. Ma non significa molto, non con uno come Rory. Ci ha già detto che pensa a tutto in anticipo, cerca di prevedere ogni ipotesi e prende precauzioni in modo che nulla disturbi i suoi piani. Se ha pianificato l'omicidio, ha preparato il suo alibi con cura. Probabilmente ha fatto una ricognizione un paio di giorni prima. Se invece non l'ha pianificato, ha comunque avuto tutta la notte per inventare una buona storia di copertura e ripassarla a mente qualche centinaio di volte. La zona di comfort, per lui, è dentro la sua testa.

– Inoltre lei avrebbe pensato che eri una specie di pervertito ossessivo, che la spiava dalle finestre, – fa notare Breslin. Rory trasalisce. – E non è una bella impressione. Cos'hai fatto, quindi?

– Pensavo semplicemente di camminare fino alle otto. Poi mi sono reso conto che non avevo portato nulla.

– Cioè, vuoi dire i preservativi? – Breslin fa un ampio sorriso. – Ora, questa sí che è fiducia in sé.

Rory china la testa di scatto e riprende a spingersi su gli occhiali. – No! Voglio dire dei fiori! Non volevo presentarmi a mani vuote. Aislinn mi aveva detto di non portare del vino, cosí pensavo di comprarle un mazzo di fiori a Ranelagh, ma me ne sono dimenticato. Ero cosí concentrato su cosa mettermi, stirare tutto per bene, a che ora uscire… E mi sono ricordato dei fiori solo quando ero già lí.

– Imba… razzante, – cantilena Breslin. Riprende a dondolarsi sulla sedia e a giocherellare con la penna.

– È vero. Per un attimo sono andato in panico, ma c'è un Tesco su Prussia Street, perciò…

– Un momento, – dico, con la faccia confusa. – Credevo che non conoscesse la zona.

– No, infatti. Perché?

– Come faceva a sapere dov'è il supermercato?

Rory batte le palpebre. – L'ho cercato sul telefono. E mi sono diretto da quella parte...

Prima che Breslin apra bocca, so già che sta per intervenire. Stiamo lavorando bene, insieme: io tranquillizzo Rory, cosí possiamo ottenere le informazioni di base, lui lo bastona ogni volta che ne ha l'opportunità, e io mi metto sotto la pignatta pronta a raccogliere tutti i dolciumi che saltano fuori. Lavorare bene con Breslin non mi piace. Ho l'impressione che mi stia fregando di nuovo, in un modo che non riesco a determinare con precisione.

– Fiori di Tesco? – chiede Breslin, una faccia tra ghignante e schifata. – Non hai detto che Aislinn è una tipa raffinata?

Rory sposta il sedere sulla sedia. – L'ho detto, ed è vero. Ma a quell'ora...

– Una donna raffinata passa la giornata in cucina per te, e tu ti presenti con un mazzo di margherite mezze morte color rosa shocking? Ma per favore!

– Be', non pensavo alle margherite. Volevo... Aislinn mi aveva detto che da piccola suo padre la portava a Powerscourt, e visitavano insieme il giardino giapponese, guardando le azalee, e lui le raccontava storie di una principessa coraggiosa di nome Aislinn. Perciò speravo di trovare una pianta di azalea. Pensavo... – Un piccolo sorriso triste, guardandosi le mani. – Pensavo che ne sarebbe stata contenta.

– Un bel pensiero, – dico, annuendo. – Proprio bello. Credo che le sarebbe piaciuto molto.

– Sí, – dice Breslin, con tono di approvazione, puntando la biro verso Rory. – Questo è giocare in serie A. Sono cose come questa che fanno arrivare un uomo dove vuole arrivare, se capisci cosa intendo. Un'idea del genere può persino compensare quelli –. Indica i guanti. – Peccato che hai mandato tutto a puttane, perché scommetto che Tesco non vende azalee.

– Lo so che non le vende. Ma a quell'ora, di sabato sera, non avrei trovato nessun posto aperto. E ho pensato che anche un brutto mazzo di fiori era meglio di niente –. Rory sposta lo sguardo tra noi due, cercando approvazione.

Breslin agita una mano. – Dipende dalla ragazza. Se è di gusti popolari, hai ragione tu. Ma questa Aislinn... Pazienza, inutile pensarci ora. Quindi sei andato da Tesco...?

– Sí. Non restavano molti fiori e la maggior parte erano proprio grandi margherite tinte di strani colori. Ma ho trovato un mazzo di iris che andavano bene.

– Infatti. Gli iris vanno benissimo, – dico io. – Che ora era?

– Le otto meno un quarto, all'incirca.

E possiamo controllare anche quello: telecamere sull'autobus, telecamere nel supermercato... Tutto quello che Rory ci sta dicendo è verificabile, e mi chiedo se non sia una mossa deliberata. La storia dei fiori dimenticati funziona bene. Tesco è a sette o otto minuti a piedi da Viking Gardens: perfetto per giustificare quella mezz'ora extra.

Se Rory fosse andato e tornato di corsa – e cercheremo di scoprire se qualcuno l'ha visto affrettarsi – avrebbe risparmiato un paio di minuti. L'omicidio è stato una cosa pressoché istantanea: due secondi per il pugno, forse dieci o venti per controllare se Aislinn respirava ancora e se il cuore batteva, altri dieci per spegnere il forno. Praticamente l'assassino può essere entrato e uscito nel tempo di un minuto. È la pianificazione dell'omicidio, sempre che ci sia stata, che ha richiesto tempo.

Se Rory è il nostro uomo, non è affatto uno smidollato di ultima categoria. È nervoso, ma copre ogni crepa prima ancora che possiamo arrivarci, è sempre un passo avanti. Se ci convinciamo che è stato lui, direi che avremo una bella lotta.

– Sul filo di lana, – dico. – Quanto è rimasto dentro?

– Solo un paio di minuti. Ho fatto in fretta. Come ha detto lei, non avevo molto tempo. Cose di questo tipo sono il motivo per cui mi piace essere in anticipo.

– Ha ragione, – dico. – E quando è uscito dal supermercato...

– Sono tornato a Viking Gardens. Ho fatto in tempo: ho guardato l'orologio e mancava pochissimo alle otto.

– C'era qualcuno in strada?

Rory ci pensa, sfregandosi il naso. – C'era un signore anziano che portava a spasso il cane, un cane bianco, piccolo. Stava uscendo da Viking Gardens e mi ha fatto un cenno di saluto con la testa. Non credo ci fosse nessun altro.

Di nuovo, facile da controllare. – E poi, cos'è successo?

Ho cominciato a guardare i numeri delle case, finché ho trovato quella di Aislinn, al ventisei. Ho suonato il campanello...

Non finisce la frase.

– E poi? – dico io.

– Lei non è venuta ad aprire.

Arrossisce di nuovo, in modo piú profondo. Immagino Steve dietro il vetro, che prende quel rossore come la prova che ha ragione lui e Rory Fallon è del tutto innocente. Io non ne sono tanto sicura. Quel rossore può essere dovuto al ricordo di un'umiliazione subita, o alla consapevolezza di star mentendo.

– Ah, – dico. – Strano. Cosa ha pensato?

Rory china di nuovo la testa. – Prima di tutto, che Aislinn non avesse sentito. Il campanello funzionava, l'ho sentito squillare dentro la casa, ma forse lei era in bagno o era uscita sul retro, per qualche motivo.

– E cosa ha fatto?

– Ho aspettato un paio di minuti e ho bussato alla porta. Poi ho suonato di nuovo il campanello. Lei non è venuta ad aprire, allora ho aspettato qualche altro minuto e le ho mandato un messaggio. Mi sono chiesto se avessi sbagliato indirizzo. Ho aspettato a lungo, ma lei non ha risposto nemmeno al messaggio.

– Oooh, – dice Breslin, con una smorfia di finto dolore. – Deve essere stato un brutto colpo.

– Ho pensato che forse non aveva sentito il segnale del messaggio in arrivo –. Rory nota il misto di pietà e divertimento sul viso di Breslin e abbassa di nuovo la testa.
– Può succedere. Magari stava cucinando e aveva lasciato il telefono in un'altra stanza. Alcuni segnali di avviso sono molto bassi...

– Sí, io il mio non lo sento mai, – dico. – Quindi cos'ha fatto, ci ha riprovato?

– L'ho chiamata al telefono. La casa è un piccolo cottage su un solo piano, perciò lo squillo del telefono doveva sentirlo per forza, in qualunque stanza fosse. Ma non mi ha risposto –. Rory alza gli occhi, nota il sogghigno asciutto di Breslin e li abbassa di nuovo. – Ci ho provato un'ultima volta, con l'orecchio accostato alla porta, per sentire squillare il telefono. Ormai mi stavo chiedendo se lei fosse in casa, o se... Ma non sono riuscito a sentire nulla.

Controlleremo anche questo. Dico: – E cos'ha pensato, a quel punto?

– Non lo so. Ho pensato che probabilmente... – La voce gli è quasi scomparsa.

– Parla piú forte, sennò la telecamera non registra, – dice Breslin.

Rory alza appena il volume, ma ancora non riesce a guardarci in faccia. – Ecco... Aislinn ha cancellato un appuntamento all'ultimo minuto, un paio di settimane fa. E non mi ha mai detto perché, solo che aveva avuto un contrattempo. E anche per gli altri appuntamenti è stato complicato mettersi d'accordo: io suggerivo un giorno, e per lei non andava bene, o magari all'inizio sí e poi veniva fuori un problema. A volte poi non risponde al telefono... Non so se lo fa apposta per tenermi sulla corda; non sembra il tipo, ma come ho detto non la conosco ancora bene. O magari nella sua vita c'è qualcosa di cui non è ancora pronta a parlarmi, tipo un genitore alcolizzato o con l'Alzheimer, che a volte ha bisogno di assistenza all'improvviso.

Per non parlare di un altro uomo: questa possibilità deve pur essergli venuta in mente. Forse non ne parla per evitare le battute di Breslin, ma è curioso che abbia lasciato fuori proprio questa.

– Cosí ho pensato, – continua Rory, – che fosse di nuovo la stessa storia delle altre volte.

– E tu lí, con il tuo mazzolino di fiori di Tesco, – dice Breslin, con un accenno di sorriso sarcastico. – Già pronto all'azione –. Rory abbassa la testa ancora di piú.

Io dico, con simpatia: – Si è preoccupato? Che a Aislinn fosse successo qualcosa?

Rory si volta, grato, verso di me. – Sí, un po' sí. Ecco perché quando siete entrati vi ho chiesto se si trattava di lei. Temevo che fosse svenuta, o scivolata nella doccia, o che stesse cosí male da non poter nemmeno rispondere al telefono. Voglio dire, forse era questa la cosa che non era pronta a dirmi, no? Una malattia, l'epilessia, o che so io. Ma non sapevo cosa fare. Non potevo chiamare il 999 e dire che l'emergenza riguardava una donna che non veniva ad aprire la porta a un tizio che conosceva solo da poche settimane. Mi avrebbero riso in faccia, dicendomi di trovarmi una nuova ragazza. Anch'io sapevo che quella era l'ipotesi piú probabile. Ma non potevo evitare di immaginare tutte le possibilità. Lo faccio sempre, anche quando non... Aislinn sta bene?

È fuori dalla sua zona di comfort, e diventa subito titubante e inutile. O vuole darci questa impressione. – E cosa ha fatto? – gli chiedo.

– Le tende non erano chiuse del tutto e in casa c'era la luce accesa, cosí ho provato a guardare dentro dalla fessura. Avevo un po' paura che i vicini mi notassero e chiamassero la polizia, ma avevo i messaggi di Aislinn in cui mi invitava a cena, e ho pensato che se fosse arrivata la polizia sarebbe stato un bene, avrebbero controllato che fosse tutto a posto...

Quest'uomo non potrebbe ordinare un sandwich senza mettersi a pensare a tutte le possibili conseguenze della maionese. – Cos'ha visto?

Rory scuote la testa. – Niente. Era una fessura molto stretta e sono riuscito a vedere solo un pezzo del divano e una lampada, che era accesa. Non volevo esagerare, e ho dato solo una rapida occhiata.

– Ha visto del movimento? Ombre? Un'indicazione della presenza di qualcuno in casa?

– No. Nulla del genere. C'erano delle ombre tremolanti, ma piú che persone in movimento mi sembravano quelle di un camino acceso.

Infatti il camino era acceso. Mi faccio un appunto mentale di controllare se è possibile vederlo sbirciando attraverso le tende. Se Rory è il nostro uomo, ha un grande autocontrollo; tanti altri non avrebbero resistito alla tentazione di parlare di un intruso misterioso.

– E cosa ha fatto?

– Le ho inviato un altro messaggio, nel caso ci fossimo
capiti male e avessi sbagliato giorno, o... – Breslin ride dal
naso, e Rory ha un sussulto. – Ho detto «nel caso». So benissimo che in realtà la cosa piú probabile è che sono stato
scaricato. L'ho già detto. Ma *se* c'era stato un malinteso e
io me la prendevo a morte e cancellavo il suo numero dalla mia rubrica, magari ci saremmo persi entrambi qualcosa
di fantastico. E non volevo correre questo rischio, anche
a costo di fare la figura dell'idiota.

– Sembra che tu sia stato esaudito, – dice Breslin. – Te ne
saresti dovuto andare quando lei non ti ha aperto la porta.
Poi, se lei vuole ripensarci, tocca a lei fare tutto il lavoro.
Devi trattarle male, se vuoi che ti trattino bene.

– Io non faccio cosí.

– No? E come ti va?

– Lui è un uomo perbene, Breslin, – intervengo io. – Meno male che ce ne sono ancora. Rory, quando Aislinn non
ha risposto al messaggio, cos'ha fatto?

Rory dice piano: – Mi sono arreso. Erano le otto e mezzo passate, mi stavo congelando e cominciava a piovere.
E quale che fosse la spiegazione, se anche fossi restato lí
tutta la notte, non avrebbe fatto nessuna differenza. Perciò sono andato via.

– Mi sa che eri parecchio incazzato, – dice Breslin. – At-
traversi mezza città in una sera d'inverno con un tempo di
merda, ti tocca anche fare una corsa da Tesco e ritorno, e
lei non si degna nemmeno di aprirti la porta. Se fosse successo a me sarei stato furioso.

– Io no. Ero piú che altro... sconvolto. Sí, certo, ero
anche un po' irritato, ma...

– Ovvio. Cos'hai fatto, hai preso a pugni la porta? Hai
urlato? Imprecato? Preso a calci i lampioni? – Mentre

Rory apre la bocca, aggiunge: – Ricorda, controlleremo con i vicini di casa.

– Non ho fatto nulla del genere –. Rory volta la testa, come se non aver preso a calci la porta di Aislinn lo rendesse meno uomo. – Sono tornato a casa e basta.

– Bravo, – dico io. – Altri avrebbero fatto una scenata in strada, e non è certo il modo di impressionare una ragazza. Ha preso di nuovo l'autobus?

– Ho camminato. Non avevo voglia di aspettare l'autobus, né di vedere gente. Sono andato a piedi.

Quindi non c'è un autista o un passeggero dell'autobus che possa dirci se Rory sembrava scosso o agitato, o se aveva del sangue sui guanti. Sollevo le sopracciglia, in un'espressione preoccupata. – Gesú, non mi piacerebbe una camminata del genere. Attraversare la città di sabato sera, con tutti quei teppisti ubriachi in cerca di guai... Qualcuno l'ha infastidita?

Rory muove le spalle, non proprio scrollandole ma quasi. Sta cercando di nuovo di sparire dentro sé stesso. – Se lo avessero fatto, probabilmente non me ne sarei nemmeno accorto. Un tizio mi ha gridato dietro qualcosa, in Aungier Street, ma non so cosa: non mi sembrava neppure inglese, e non sono sicuro che parlasse con me. Ero... – di nuovo quella mossa delle spalle. – Distratto.

– Non credo si sia perso molto, – dico. – Cosa ne ha fatto dei fiori?

– Li ho gettati via –. All'improvviso nella voce di Rory torna tutta la delusione di quella serata. Il suo tono è sconfitto e crudo e pieno di una tristezza orribile. Perdere Aislinn, in un modo o nell'altro, è stato un brutto colpo, per lui. – All'inizio non ricordavo nemmeno di averli in mano, e quando me ne sono reso conto volevo solo liberarmene. Ho pensato di darli a qualcuno, invece

di sprecarli, ma non ne avevo la forza. Perciò li ho gettati in un bidone.

– Dove, esattamente?

– Sui viali. Sí, ho fatto tutta quella strada a piedi con in
mano un cartello che diceva: «Scaricato», prima di ricordarmi dei fiori. Divertente, eh? – dice, rivolto a Breslin.

– Io avrei fatto la stessa cosa, – dico. Alzo un sopracciglio verso il vetro: Steve deve mandare un paio di reclute a
frugare nei bidoni sui viali, prima che passi il camion della
spazzatura. Potrebbe esserci del sangue su quel mazzo di
fiori. – Solo che mi sarei anche fermata a farmi una pinta,
prima di tornare a casa. Lei no, invece?

– No. Volevo solo arrivare a casa –. Rory si passa le
mani sul viso. La tensione comincia a segnarlo. – Potete
dirmi che cosa succede?

Io dico: – E a che ora è arrivato?

– Non ne sono certo. Un po' prima delle nove e mezzo,
direi. Non ho guardato l'orologio.

– A chi hai telefonato, Rory? – chiede Breslin.

– In che senso?

– Quando sei tornato a casa. Per sfogarti sull'invito
andato a puttane. Al tuo migliore amico? A tuo fratello?

– A nessuno.

Breslin lo fissa. – Non può essere. Ah, Rory, dimmi che
hai qualcuno a cui puoi telefonare. Perché nella vita un
sacco di gente riceve il classico calcio nel culo, è una cosa
che succede. Ma se torni a casa dopo una serata del genere
e non puoi pensare nemmeno a un solo amico da chiamare
per parlare male delle donne e del mondo intero... be', è la
cosa piú triste che ho sentito da settimane. Anzi da mesi.

Rory dice: – Non ho chiamato nessuno. Mi sono preparato un panino, perché per ovvie ragioni non avevo cenato,
e mi sono seduto a guardare fuori dalla finestra, senten-

domi il piú gran cretino del mondo, e immaginando spiegazioni sempre piú ridicole di come tutto potesse ancora risolversi per il meglio, e desiderando essere il tipo d'uomo che sa gestire una situazione del genere andando fuori a sbronzarsi e magari fare a pugni con qualcuno o scopare con una sconosciuta.

L'umiliazione nella sua voce è selvaggia. Ha un buon sapore. Se riusciremo a farlo crollare sarà cosí: attraverso l'umiliazione.

Anche Aislinn forse ci è riuscita nello stesso modo. Scoprire che lei se la faceva con qualcun altro può averlo fatto esplodere.

– A mezzanotte Aislinn non mi aveva né chiamato, né mandato un messaggio. Allora sono andato a letto. L'ultima cosa al mondo che desideravo era chiamare uno dei miei amici per raccontargli tutta la storia. Va bene?

Breslin mantiene lo sguardo incredulo per un altro minuto. Rory distoglie gli occhi e si tira i polsini della camicia, ma tiene la bocca chiusa.

Finora ha raccontato una storia facilmente verificabile, e deve sapere che possiamo controllare i tabulati telefonici. Se ha parlato con qualcuno, lo ha fatto in un modo non rintracciabile. Mi chiedo se qualche suo amico abiti vicino a casa sua.

Ma per il momento lascio perdere. – Solo per evitare ogni possibile confusione, – dico, – può confermare che è questa la donna con cui usciva? La donna che doveva vedere ieri sera?

Tiro fuori dal fascicolo una foto di Aislinn e la spingo sul tavolo verso di lui. Rory la fissa, a occhi spalancati, dimenticando di colpo tutta l'amarezza. – Come mai avete…? Avete già… È successo… Cosa?

– Come ha detto il detective Breslin, – gli dico, in tono gentile ma fermo, – dobbiamo procedere con ordine. È questa la donna che doveva vedere ieri sera?

Per un attimo penso che Rory tiri fuori gli attributi, esigendo una spiegazione, ma continuo a fissarlo e a sorridere, e alla fine lui cede: – Sí. È lei.

– Il signor Fallon ha identificato una foto di Aislinn Murray, – dico alla telecamera.

– Diamo un'occhiata –. Breslin si sporge in avanti e prende la foto. Le sopracciglia scattano in su e fa un fischio lungo e basso. – Oh, oh, i miei rispetti, amico mio. Proprio una bella figa.

Cosí Rory si dimentica delle sue domande. Fissa Breslin con uno sguardo duro, che Breslin non nota nemmeno: tiene ancora la foto con il braccio teso, e annuisce con approvazione.

– È molto bella. Ma non è questo che mi piace, di lei, – dice Rory.

Breslin gli dà un'occhiata incredula, da sopra la foto. – Sí, certo. Sei attratto dalla sua personalità effervescente.

– Sí, esatto. Aislinn è interessante, intelligente, calda. Ha un'immaginazione notevole... Il fisico non c'entra. Fisicamente, non è neppure il mio tipo.

Breslin esplode in un'altra risata nasale. – Ma per favore. Sarebbe il tipo di chiunque! Mi stai dicendo che a te piacciono brutte? Che avresti preferito una grassona pelosa con la faccia come un krapfen schiacciato, ma ti è andata male e ti sei dovuto accontentare di questa? Mi piange il cuore per te.

Rory arrossisce. – No, non è questo. Sto solo dicendo che non sono mai stato con una ragazza cosí... be', cosí elegante. Le altre mie fidanzate erano tutte un po' casual.

– Non mi sorprende, – dice Breslin, con un'occhiata alla camicia di Rory. – Allora come hai fatto a beccare questa? Senza offesa, ma bisogna dirlo: qui sei un po' al di sopra della tua portata. Non ti dà fastidio, se te lo faccio notare, vero?

– No. Ho già detto che è molto bella –. Rory si sposta sulla sedia, vorrebbe che Breslin mettesse giú la foto. Breslin le dà un'altra occhiata lasciva.

– Proprio notevole. Mentre tu... Voglio dire, non hai nulla che non va, ma non sei esattamente Brad Pitt, no?

– Lo so benissimo.

– Allora come ci sei riuscito? – Breslin agita la foto.

– Ci siamo messi a parlare. Alla presentazione di un libro nel mio negozio. Verso i primi di dicembre. Questo è tutto.

– Ah –. Breslin lo squadra dall'alto in basso, scettico. – Qual è la tua tecnica? Seriamente. Qualsiasi consiglio tu possa darmi, sarei felice di accettarlo.

Rory si sta incazzando. Siede piú dritto, fissa Breslin negli occhi. – Non ho nessuna tecnica. Le ho solo parlato. Non credevo nemmeno di avere una possibilità. So perfettamente che bastava dare un'occhiata a me e una a lei per scommettere qualsiasi cifra contro la probabilità che tra noi due potesse nascere qualcosa. Era quello che pensavo anch'io. Ho attaccato discorso con Aislinn solo perché era da sola nella sezione dei bambini, e visto che la libreria è mia, volevo che tutti i presenti stessero bene.

– E poi, – dico io, – è scoccata la scintilla.

Gli sto sorridendo, e viene da sorridere anche a lui, prima di ricordare cosa è successo ieri. – Sí, proprio cosí. O meglio, io pensavo di sí.

– Di cosa avete parlato?

– Di libri, piú che altro. Aislinn stava sfogliando una raccolta di favole di George MacDonald; io avevo amato quel libro, da piccolo, e gliel'ho detto, e lei ha risposto che era stato anche uno dei suoi preferiti. Da lí, siamo andati avanti. A tutti e due piace il realismo magico, e ci piacciono gli spin-off, le rielaborazioni. Aislinn amava *Il grande mare dei sargassi*, allora le ho detto che doveva leggere *Fantasmi americani*. Lei mi ha detto che a quattordici anni si era cosí irritata per come finiva *Piccole donne* che aveva riscritto il finale, con Jo che sposa Laurie. Aveva incollato le pagine alla sua copia del libro, cosí quando lo rileggeva poteva fingere che finisse davvero cosí. Era molto divertente, quando ne parlava, raccontando com'era furiosa contro Louisa May Alcott, finché non aveva trovato una soluzione… Abbiamo riso tanto –. Rory sorride di nuovo, inconsciamente.

Blatera come se io fossi la sua migliore amica. Breslin e io stiamo facendo il nostro lavoro, e Rory, con la sua mente che valuta tutte le conseguenze, deve sapere che basta una risposta sbagliata per finire in una cella piena di comparse di *Oz*, ma anche cosí è strano: a questo punto lui dovrebbe puntare i piedi e insistere per avere delle risposte, e non starsene seduto lí e darci a piene mani tutto ciò che vogliamo da lui. Un tipo accomodante, hanno detto le reclute, ma qui si esagera. Gli unici che non puntano mai i piedi sono quelli che hanno qualcosa da nascondere.

Vorrei vedere la faccia di Steve. Ma vedo solo il vetro.

– Quindi vi siete scambiati i numeri di telefono, – dico. – E poi…?

– Ci siamo scambiati un po' di messaggi, poi siamo usciti a bere qualcosa, al *Market Bar*. E ci siamo trovati di nuovo benissimo. Io sentivo… So che dirlo mi fa sembrare un adolescente, ma sentivo che stava succedendo qualcosa di incredibile. Non riuscivamo a smettere di parlare e di ridere. Siamo arrivati alle otto, e ce ne siamo andati solo quando ci hanno buttati fuori.

– Sembra la serata che sognano tutti, – dico.

Rory volta le mani con i palmi in alto. – È proprio quel che pensavo anch'io. Aislinn... mi ha detto che prima era una ragazza ordinaria, ha usato proprio questa parola, «ordinaria»; e ora, ogni volta che un uomo attacca discorso con lei, pensa solo che qualche anno fa non le si sarebbe neppure avvicinato, e non riesce a superare questa sensazione: non riesce a rispettare quel tipo di persone. Mentre di me pensava che io le avrei parlato esattamente nello stesso modo anche se ci fossimo conosciuti anni fa, il che è vero. Ne sembrava... sorpresa. Anzi, piú che sorpresa, frastornata. Capisce cosa intendo? C'era davvero una sintonia, non solo da parte mia.

Questa Aislinn non sembra la fissata de *Le regole* che mette in pratica una serie di teorie. Sta succedendo di nuovo: diventa piú indistinta ogni volta che scopro qualcosa su di lei. Oppure Aislinn ha raccontato a Rory un sacco di balle. O è Rory che le sta raccontando a noi.

Breslin dice: – E alla fine della serata?

– L'ho accompagnata a prendere un taxi.

– Avanti, Rory, sai cosa voglio dire. Non ti ha dato almeno un bacetto?

Rory alza il mento. – Questo in che modo è rilevante? – Tenta un tono sdegnato, ma non gli riesce.

Breslin sorride al taccuino. – In nessun modo –. Poi dice, rivolto a me: – E questa sarebbe la serata che sognano tutti?

Rory abbocca. – E va bene, ci siamo baciati.

– Aaah, – dice Breslin. – Meno male. Solo un bacio?

– Sí, solo un bacio.

Breslin sogghigna. Io dico: – E dopo quella sera?

– Abbiamo continuato a messaggiarci. L'ho invitata a cena fuori. Come ho detto ci è voluto un po' per riuscire a combinare, ma alla fine ce l'abbiamo fatta. Siamo andati al *Pestle*.

– Bel posto, – dice Breslin, annuendo. Persino io ho sentito parlare del *Pestle*, anche se vorrei riprendermi le cellule cerebrali che ho usato per farlo. – Ti sei venduto un rene?

Sul viso di Rory lampeggia un sorriso triste. – Ho pensato che a lei sarebbe piaciuto. Non mi sono fermato a pensare che è un posto alla moda, l'ho scelto perché ha un giardino coperto sul tetto, da dove avremmo potuto guardare la città e parlare... Non lo so, di tutti quelli che ci vivono, di che tipi sono... A posteriori, direi che è stato un errore. Devo esserle sembrato come gli altri, uno che la giudicava dall'aspetto fisico. Lei pensa... – si volta all'improvviso verso di me, con gli occhi spalancati. – Pensa sia stato per questo che...?

– Non abbiamo abbastanza informazioni per capirlo, – rispondo. – Le è sembrato che si stesse godendo la serata?

– Sí. Voglio dire... – Un'ombra gli passa sul viso. – Sí, ne sono convinto. Ma era come se avesse in mente anche qualcos'altro; non riusciva a rilassarsi. Ogni volta che tutto partiva bene, quando dicevamo qualcosa di interessante, o ridevamo insieme... Aislinn faceva una faccia preoccupata e chiudeva la bocca, e io dovevo riprendere la conversazione dall'inizio. È stato allora che ho cominciato a chiedermi se c'era qualcosa che lei non era ancora pronta a dirmi, tipo una situazione familiare, oppure...

– Oppure, – dice Breslin, – si stava rendendo conto che non le piacevi poi cosí tanto. E ogni volta che tu avevi l'aria di pensare che fosse tutto fantastico, si preoccupava perché per lei era una serata infernale e non sapeva come dirtelo.

Rory s'incollerisce. – Non era affatto una serata infernale. Sapevo che lei lo avrebbe detto, ma... – Breslin fa per dire qualcosa, Rory però alza la voce; sta tirando fuori le palle. – Ma io ero lí e non ho visto nulla del genere. La maggior parte del tempo andava tutto benissimo.

– Se lo dici tu, – dice Breslin, come se trattenesse a stento un sorriso ironico. – E alla fine di quella serata?

– Ci siamo baciati di nuovo. Immagino sia questo che voleva sapere.

Le gambe davanti della sedia di Breslin scendono sul pavimento con un tonfo. – Vi siete *baciati*? Lei non ti ha invitato a casa sua? Hai ipotecato i tuoi organi interni per portarla al *Pestle* e ne ricavi solo una pomiciata contro un lampione, come un ragazzino? Se questa è la tua idea di una serata ben riuscita...

Rory scatta. – Due giorni dopo mi ha invitato a cena da lei. Potete controllare il mio cellulare, ci sono tutti i messaggi. Lo avrebbe fatto, dopo una serata infernale?

Breslin fa un sorriso ampio, aperto, bagnato. Un ghigno da acquolina in bocca. Tutto questo gli piace un mondo. E lo capisco, la sento anch'io quella fame. Abbiamo trovato il sistema per lavorarci Rory, e ora lui è nostro. Possiamo farlo rimbalzare su e giú, fargli fare giri strani, come se fosse uno yo-yo.

Ma non voglio ancora dei rimbalzi troppo forti. Lancio un'occhiata di avvertimento a Breslin e dico: – E l'invito a cena era per ieri sera.

– Già –. La spina dorsale di Rory si affloscia; il momento di risolutezza è passato. – Prima era per la settimana scorsa, ma Aislinn ha avuto un contrattempo. Cosí l'abbiamo spostato a ieri sera.

Breslin fa marcia indietro, ma non troppo. – Quando stavamo parlando di come sei arrivato a casa di Aislinn, hai detto... – sfoglia i suoi appunti, – che hai preso l'autobus nel caso che aveste bevuto del vino, e tu fossi dovuto tornare a casa. Significa che non eri sicuro di passare la notte da lei, giusto?

Rory diventa rosa di nuovo. – Non ne avevo idea. Per

questo non ho portato la macchina. Non volevo far pensare
a Aislinn che davo per scontato che mi invitasse a restare.

Mi sorprende che quest'uomo riesca ad alzarsi dal letto
la mattina senza farsi venire un attacco di panico pensando che potrebbe scivolare sul tappetino del bagno e piantarsi lo spazzolino da denti in un occhio, perdendo cosí
la capacità di far atterrare un aereo in caso di infarto del
pilota, e condannando centinaia di persone a una brutta
morte. Normalmente alzerei gli occhi al cielo davanti a
tali discorsi, ma in questo caso può venire utile. Appena
saremo pronti a spingere.

L'atteggiamento da «supponiamo che...» è per i deboli.
Per quelli che non hanno la forza di pilotare le situazioni a modo loro, e quindi si nascondono nei sogni a occhi
aperti, dove possono giocare ad avere il controllo su ciò
che succede. E questo li rende ancora piú deboli. Ogni «e
se...» è un regalo che fai a chi vuole capire come manipo-
larti, cioè a noi, nel caso presente. Se un uomo ha i piedi
piantati nella realtà, la realtà è l'unico modo che abbiamo di arrivare a lui. Se invece lascia pascolare la mente in
decine di ipotesi fantasiose, ciascuna di tali ipotesi è una
crepa che possiamo allargare per entrargli dentro.

Breslin dice: – Ma tu pensavi che ieri sera fosse «la» sera.

– Non lo sapevo. Per questo ho...

– Dài, Rory, non dire stronzate. È il terzo appuntamento, no? L'ultima volta avevi sfondato il budget per
lei, hai ottenuto un invito a cena in casa sua, chiunque si
aspetterebbe...

– Io non mi aspettavo *nulla*. Il prezzo del ristorante non
ha nulla a che fare con... Aislinn non è una...

Rory è simpatico quando è incazzato, è come un gerbillo che drizza il pelo. Breslin alza gli occhi al soffitto. – Va
bene, proviamo cosí: hai portato i preservativi?

– Non vedo come questo sia...

– Rory, non fare il timido, per favore. Qui siamo tutti adulti. Quando hai bussato alla porta di Aislinn, ieri sera, avevi con te dei preservativi, sí o no?

Dopo un attimo, Rory risponde: – Sí, ne avevo una confezione in una tasca del cappotto. Per sicurezza.

– Be', almeno hai le priorità giuste, – dice Breslin, con un sorriso ironico. – Hai dimenticato i fiori ma i pigiamini per l'uccello te li sei ricordati.

– Si nota che hai una certa età, Breslin, – dico io, con un altro sorrisetto ironico. – La tua generazione non aveva ancora capito bene il concetto di sesso sicuro. La mia e quella di Rory sono diverse: noi non andiamo da nessuna parte senza un pacchetto da tre, perché non si sa mai.

Breslin mi lancia un'occhiata infastidita che è finta solo in parte. Io torno a guardare Rory: – Dico bene? Ce li ha ancora nella tasca del cappotto?

Se ci sono, è una conferma che si tratta proprio del cappotto che indossava ieri. Ma lui scuote la testa. – Li ho tirati fuori. Quando sono tornato a casa e mi sono tolto il soprabito, li ho sentiti in tasca e ho... – si mette a respirare in fretta, – ho pensato che avrei dovuto sapere dall'inizio che non sarebbe successo. Proprio come ha detto lei, – aggiunge guardando Breslin, il quale annuisce. – Ho pensato che forse l'unico motivo per cui Aislinn era uscita con me era per qualche orribile burla tipo candid camera. Ho pensato che mentre io me ne stavo lí a bussare, a messaggiare e a telefonare come un idiota, lei e i suoi amici dietro la porta si sganasciavano dal ridere, guardando il perdente che aveva davvero pensato di avere una possibilità con lei.

L'emozione è autentica. Gli prende tutto il corpo, con una forza sufficiente a sollevarlo dalla sedia per il colletto e sbatterlo contro il muro. Questo non significa che la sua storia sia vera. Può essersi sentito cosí umiliato una volta tornato a casa, ma anche quando è arrivato in anticipo da Aislinn e non ha ricevuto il benvenuto che si aspettava. O magari è successo all'inizio, dopo che lei gli ha confessato che si vedeva con un altro, o quando sono usciti dal *Pestle* e lei non l'ha invitato a casa sua. E Rory ha deciso di punirla.

Rory continua: – Ho gettato la confezione contro il muro. Mi faceva sentire ridicolo e disgustoso e sporco e... È ancora da qualche parte nel mio soggiorno. Spero di non ritrovarla mai.

Io dico, in tono pratico ma con simpatia (la donna di mondo è piena di simpatia): – Se davvero lo ha fatto apposta a non aprirti la porta, è proprio una stronza.

Rory scrolla le spalle. Si sta di nuovo accartocciando su sé stesso. Quest'ultimo sfogo lo ha svuotato; sembra persino piú piccolo. – Forse. Non so cos'è successo davvero.

Breslin si muove. Rory alza gli occhi e vede il sorrisetto. Sposta lo sguardo di scatto.

– No, sul serio, – dico. – Se è incazzato, ne ha tutto il diritto.

Rory risponde: – Non sono incazzato. Vorrei solo capire –. All'improvviso sembra esausto. Si toglie gli occhiali e tira un polsino per pulirli. Ora che non riesce a vedermi bene, può guardarmi in faccia piú facilmente. I suoi occhi miopi e non protetti sono limpidi come quelli di un animale. – Solo per poter smettere di immaginare tutte le spiegazioni possibili. È quello che ho fatto per tutta la notte. Non riuscivo a fermare la mente. Credo di aver dormito al massimo un paio d'ore –. Io spero che qualcuno possa confermare di averlo sentito muoversi durante la notte, o di aver visto la luce accesa. – Vorrei solo sapere la verità. Nient'altro.

– Perché pensa che l'abbiamo fatta venire qui? – gli chiedo.

– Non lo so –. Rory raddrizza la schiena. Sente che stiamo arrivando al punto. – Ovviamente è successo qualcosa. Forse nella zona dove abita Aislinn, visto che mi avete fatto tante domande su… Ma non riesco… Ci sono troppe… Voglio dire, spero che non…

Dico, senza nessuna gentilezza: – Aislinn è morta.

La frase lo colpisce come un riflettore in faccia. Rory sobbalza sulla sedia, si porta le mani al viso, gli occhiali schizzano dall'altro lato del tavolo. Per un attimo penso che stia avendo un attacco di qualcosa, è il tipo da girare sempre con un inalatore in tasca. Ma si riprende. Allunga una mano, afferra gli occhiali e se li rimette sul naso. Gli ci vogliono tre tentativi, perché gli cadono e deve riprenderli, tentando allo stesso tempo di non sporcare le lenti. Poi preme insieme i palmi, li appoggia in verticale contro la bocca e ci respira in mezzo, fissando il nulla.

Io e Breslin aspettiamo.

Rory dice, attraverso le dita: – Come? Quando?

– Ieri sera. Qualcuno l'ha uccisa.

Lui ha un sussulto. – Oh, Dio. Oh, Dio. È per questo che… era… quando io bussavo, lei era… la persona era ancora in…

Io dico: – Ora capisce perché dovevamo parlare con lei?

– Sí. Io… Oh, *Dio!* – Rory mette a fuoco gli occhi e li fissa su di me, spalancati. Finalmente gli si è accesa la lampadina, o questa è l'impressione che vuole dare. – Non penserete… un momento. Credete che io sia… sono un *indiziato?*

Breslin ride, una risata fredda.

– Cosa? Cosa c'è di divertente?

– Ma sentilo, – dice Breslin, rivolto a me. – È tutto preso da Aislinn, dalla sua fantastica personalità, e appena gli diciamo che quella povera ragazza è morta, si dimentica di lei e gli importa solo di sé stesso.

– Certo che mi importa di lei! È solo… Non volevo dire… – Sembra mancargli l'aria. Ha un aspetto orrendo: pallido, scomposto, occhi da folle che sposta tra me e Breslin. Spero proprio che si sia portato dietro il suo inalatore. – Pensavo a un'intrusione in casa, a un'aggressione. Non avrei mai…

Si porta le mani alla testa e si massaggia le tempie. Ha il respiro ansimante.

Sembra tutto giusto. Lo shock e il dolore sono brutti, non sono una storia di lacrimucce e fazzoletti per asciugarsi gli occhi. Ma Rory ha avuto tutta la notte per costruirsi una corazza di «e se» da indossare. E proprio perché è abituato a concentrarsi su quello che sarebbe potuto succedere invece che su ciò che è successo, è di sicuro capace di muoversi dentro una storia inventata come se fosse vera.

L'unico punto in cui la sua versione mostra la corda è quella mezz'ora tra il momento in cui è sceso dall'autobus e quello in cui ha bussato alla porta di Aislinn. Lí c'è qualcosa. Tutto il resto può pendere verso l'innocenza o la colpevolezza, al cinquanta per cento. Ma in quella mezz'ora, la mezz'ora piú importante, non c'è innocenza.

Anche se lo shock è autentico, Rory può essere lo stesso il nostro uomo: c'è un ovvio motivo per cui magari si aspettava di sentir parlare di un'aggressione e non di un omicidio.

– Come mai, – gli chiedo, – pensava a un'intrusione o a un'aggressione?

– Posso… – Rory ha la voce impastata. Deglutisce a vuoto, gli trema il mento. – Lasciatemi solo un minuto, per favore.

– Perché? – chiede Breslin.

– Perché ho appena scoperto... – Muove la testa a scatti, come per scacciare una mosca molesta. – Ho bisogno solo di un minuto.

– Sta andando benissimo, – gli dico. – Ormai abbiamo quasi finito.

– No. Non posso. Mi serve...

– Ti stiamo chiedendo di darci una mano, Rory, – dice Breslin. – C'è un motivo per cui questo ti crea problemi?

– Ho solo bisogno di sgombrarmi la testa. Ho... Devo restare qui? Ho il diritto di andare via? – La voce prende un tono piú acuto e piú forte.

Breslin lo guarda con un labbro arricciato. – Rory, ricomponiti –. Ma Rory è fuori portata, ormai. Il disgusto di Breslin non lo tocca. – Questa è solo routine, niente di personale. Faremo questa stessa conversazione con ogni singola persona che aveva qualcosa a che vedere con Aislinn. E posso garantirti che le persone che le volevano bene vorranno fare qualsiasi cosa per aiutarci. Tu no?

– Certo che sí. Voglio solo... Non sono in arresto, giusto? Posso andare a fare una passeggiata, e poi torno?

Non è un pollo totale, dopotutto. Il morbido Rory è capace di opporre resistenza, quando vuole.

È a un millimetro dall'alzarsi e andarsene. Se lo fa, dovrò scegliere: lasciarlo andare o arrestarlo. E nessuna delle due è una buona idea.

– Gesú, ma non ha visto che tempo c'è fuori? – dico, in tono colloquiale. – Piove a dirotto. Si bagnerà fino alle ossa, e intanto noi perderemo questa stanza e dovremo aspettare ore per averne un'altra –. Rory mi fissa, troppo disorientato per mettere ordine nei pensieri. – Facciamo cosí: la lasciamo solo per qualche minuto, va bene? Il tempo di riprendere fiato. È una bella botta da digerire.

Breslin fa un movimento di scatto, ma non mi volto a

guardare. Rivolgo a Rory il mio sorriso da donna di mondo, caldo, ma non tanto da risultare appiccicoso. – Noi andiamo a prendere un tè e torniamo –. Tiro indietro la sedia e mi alzo, prima che lui riesca a prendere una decisione. – Le porto una tazza di qualcosa, già che ci siamo?

– No, grazie. Voglio soltanto...

Gli manca la voce. Si preme il dorso di una mano sulla bocca.

Breslin non si è mosso. I suoi occhi chiari mi fissano, con un messaggio chiaro come se mi avesse afferrato un polso: «Torna a sederti, cazzo».

Senza distogliere lo sguardo da Breslin, dico: – Ci vediamo tra qualche minuto, Rory.

Mi volto e vado verso la porta, lasciandola aperta ma senza voltarmi. Sono quasi arrivata alla stanza di osservazione quando sento il raschiare della sedia di Breslin sul linoleum.

Steve è davanti al falso specchio, con le maniche della camicia arrotolate e i capelli rossi che puntano in ogni direzione. Ci ha osservati con tutta l'attenzione possibile. Mi avvicino per vedere cosa fa Rory adesso che è solo. Incrocio lo sguardo di Steve solo per un attimo, mandandogli il segnale: «Dopo».

Rory ha i gomiti sul tavolo e il viso tra le mani. Il sussultare delle spalle fa pensare che stia piangendo, ma non riesco a vedere se è vero.

– Bene, bene, bene, – dice Breslin, entrando dietro di me e sbattendo la porta. – Ottimo lavoro per un primo round, Conway.

Detto con un tono di superiorità del cazzo.

– Anche tu non te la sei cavata male, – dico.

– Ma non sono sicuro che sia stata la mossa giusta andarcene proprio quando lui stava crollando. È sempre un buon momento per ottenere una confessione –. Breslin si allenta il colletto con un dito e spinge indietro le spalle. – Ma va bene. Lo abbiamo fatto crollare una volta, possiamo riuscirci di nuovo. Ho ragione?

– Non c'è problema. Tu su cosa scommetti?

Breslin spinge avanti la testa come se non credesse alle sue orecchie. – Come, scusa?

– L'indiziato, Breslin. Colpevole o innocente? Ti sto chiedendo la tua opinione.

Le sopracciglia di Breslin arrivano fino all'attaccatura dei capelli. – Sul serio?

– Se voglio sul serio la tua opinione, dici? Piú o meno.

Steve è andato al distributore d'acqua e sta riempiendo un bicchiere di plastica, mentre ci osserva. Breslin alza una mano. – Un momento, un momento, palla al centro. Stai dicendo che hai dei dubbi?

– Sto dicendo che mi piacerebbe avere la tua opinione. Ma se è un problema, posso vivere senza –. Ho di nuovo voglia di dargli un cazzotto in gola. L'alleanza sottile che avevamo costruito in sala colloqui è durata trenta secondi, una volta usciti.

– Fammi capire, Conway. Stai cercando di andarci con i piedi di piombo, è cosí? Per coprire tutte le basi? Si tratta di questo?

Non è una cattiva tecnica, quella di spingere l'altro a spiegarsi in modo da mantenere un vantaggio. Ma è questo che intendo, quando dico che Breslin non è furbo come crede: l'ho appena visto usare questo sistema con Rory, e comunque lui dovrebbe almeno pensare che, essendo io una detective, potrei conoscere i suoi stessi trucchi. Poggio una spalla contro il vetro, cosí posso tenere d'occhio Rory, e infilo le mani in tasca. – Secondo te dovremmo farlo?

Breslin sospira. – Va bene, diciamolo chiaro: una delle ultime cose che ti servono, per la tua reputazione, è saltare troppo presto alle conclusioni. Ma *l'altra* ultima cosa che ti serve è la reputazione di essere cosí indecisa da permettere all'indiziato di cavarsela, piuttosto che rischiare le palle. Mi segui?

Steve dice, con aria vagamente sorpresa: – Aspetta un attimo. Stai dicendo che sei sicuro che sia stato lui?

Breslin fa un sospiro esasperato e si passa le dita tra ciò che resta dei capelli, ma con attenzione, per non rovinare il riportino. – Sí, Moran, direi di sí. Rory è il fidanzato della vittima, e questo è lo strike numero uno. Era sulla scena del crimine in un momento rilevante, e non ha nemmeno tentato di negarlo, e abbiamo lo strike numero due. Indossava guanti che non lasciano fibre, come l'assassino: strike numero tre. Indossava un cappotto nero di lana, e sul cadavere abbiamo trovato fibre di lana nera: quarto strike. Inoltre, praticamente ha ammesso che cominciava a diventare impaziente, dopo aver investito tempo e denaro su questa ragazza, senza che lei mostrasse alcun segno di volergliela dare. E questo è un bello strike numero cinque. Non sono un grande esperto di baseball, ma sono sicuro che basta meno di questo per eliminare definitivamente un battitore.

Steve beve un sorso d'acqua e annuisce a ogni punto enumerato da Breslin. – Direi che sono d'accordo, – dice, in tono cordiale. Il suo accento si è fatto piú marcato. Anch'io sono in grado di recitare la parte della coatta dura di comprendonio, ma lo faccio con gli indiziati, non con i ragazzi della mia squadra. A volte Steve mi fa venire voglia di vomitare. – Mi sforzerò di mantenere la mente aperta ancora per un po', ma...

L'esasperazione di Breslin aumenta di una tacca. – Aper-

ta su cosa? Non c'è altro, qui, Moran. Abbiamo Fallon,
abbiamo una carrellata di prove circostanziali che puntano tutte verso di lui, e non c'è nient'altro. Su cosa vuoi
mantenere la mente aperta? Sulla possibilità che siano stati gli alieni? O la Cia?

Steve poggia il culo sul tavolo traballante, mettendosi
comodo per la chiacchierata. Io lascio che se ne occupi lui.

– L'unica cosa che vorrei sapere, – dice Steve, – è questa: come si è svolto l'omicidio?

– Ma di cosa stai parlando? Lui le ha dato un pugno,
lei ha battuto la testa ed è morta. Ecco come si è *svolto*.

Steve ci pensa su, aggrottando la fronte. Noi coatti siamo
un po' lenti di comprendonio. – Sí, ma perché? – chiede.

Breslin getta indietro la testa e scopre i denti, in qualcosa a metà tra un sorriso e una smorfia. – Moran. Moran.
Ti sembro Poirot, io?

– Eh? No, non molto.

– Infatti. Perché qui non siamo davanti alla tele di sabato sera, con una tazza di tè e biscotti Digestive, e quindi non me ne frega niente del movente. E non dovrebbe
fregartene neppure a te. Dovresti averlo imparato, ormai.

Steve si gratta il naso. – Mi sa che hai ragione, sai? Direi proprio. È solo che non riesco a vederlo. Mi piace riuscire a immaginarmi le cose, capisci cosa intendo? Tipo
inquadrare la scena nella mia testa –. Si inquadra la testa
con le mani, per assicurarsi che Breslin afferri il concetto.

Breslin fa un respiro profondo ed esala lentamente, per
farci capire il grande sforzo che sta facendo con noi. – Va
bene, – dice. – Va bene. Dedichiamo pure un po' di tempo a *inquadrare*.

– Grazie, – dice Steve, con un sorriso umile. – Lo apprezzo.

– Rory si presenta con il suo pulcioso bouquet di Tesco.

Aislinn, che chiaramente non è il tipo da Tesco, non è molto contenta. Fa la spocchiosa. Rory non ci sta. Ha sfondato il suo budget, ha dovuto cambiare tutti i suoi programmi, ha attraversato Stoneybatter sotto la pioggia per farla felice, ma per la principessina non è abbastanza? Le spara una citazione di Jane Austen sulle stronze ad alta manutenzione, o fighe che se la tirano, o come altro i letterati chiamano quel tipo di donne. Aislinn gli dà un ceffone e gli dice in modo chiaro perché non lo considera adatto a lei, perché finora non gli ha dato la cosa che ha dentro le mutande e perché, a quel punto, non gliela darà mai. Ma fa un commento di troppo e *bam!* – Breslin mima un pugno, senza metterci molta forza. – Ed eccoci tutti qui riuniti. Ora riesci a inquadrarlo, Moran? Sí?

– Funziona, – annuisce Steve, inquadrando a volontà. – Però... ecco, il bouquet non si sarebbe un po' rovinato, con tutto quel movimento? Lui l'avrebbe lasciato cadere, no? Ma non abbiamo trovato petali sul pavimento.

– Allora vuol dire che i fiori non hanno perso petali. O che Rory ha avuto l'intelligenza di raccoglierli prima di uscire. Non stiamo parlando di una lotta prolungata. Qui si tratta di un pugno e poi di qualche secondo di «oh, merda». Un paio di petali sarebbero stati perfetti, ma in questo lavoro non si può essere troppo esigenti. Dobbiamo usare quello che abbiamo, invece di preoccuparci di quello che non abbiamo –. Breslin sta già iniziando a sorridere a Steve, pronto per il bacetto della pace: – Ho ragione, sí o sí?

Steve dice, brioso: – Hai ragione al cento per cento. Mi piacerebbe solo scuotere qualche altro albero per vedere se ne cade qualcosa, questo è tutto –. Breslin si prepara a impennarsi, apre la bocca, e Steve aggiunge subito: – Io sono nuovo, capisci? Ho un sacco di cose da imparare. E vorrei fare tutta la pratica che posso.

– Non sei tanto nuovo, nessuno di voi due lo è. Dovreste già essere in grado di gestire i vostri casi senza bisogno di baby-sitter, ma il modo in cui vi state comportando ora è il motivo per cui il capo ha deciso che ne avete bisogno.

– E noi apprezziamo il fatto che tu ti sia preso questo incarico, Breslin. Sul serio. Ma io devo arrivare alla soluzione con i miei tempi, capisci? Altrimenti non imparerò mai. Alla fine, che danno può fare?

– Moran, per favore. Il *danno* è che voi due state per fare una gran brutta figura, e siamo sinceri, non ve lo potete permettere. Se lasciate libero questo tizio per andare a scuotere alberi o cose del genere, farete la figura dei deboli, degli *insicuri*. E non solo con i ragazzi della squadra. Piú aspettate, piú la difesa ne approfitterà: «Signore e signori giurati, nemmeno la polizia era sicura che il mio cliente fosse colpevole; come potete voi non condividere i loro ragionevoli dubbi?» Non ve ne importa niente?

In sala colloqui, Rory alza la testa e si asciuga il viso con le mani. Le lacrime ci sono, per quello che vale.

Steve solleva la tazza, come se volesse brindare con Breslin. – Non preoccuparti, chiariremo con il capo che tu hai fatto del tuo meglio per metterci il fuoco al culo.

– Ehi, un momento. Credete che si tratti di me? – Breslin trova una bella espressione tra stupita e ferita. – Pensate sul serio che sia questo a preoccuparmi? La mia reputazione?

– Ah, no, assolutamente, – dice Steve, con un gran sorriso. – La tua reputazione è… stellare, ecco la parola giusta. Ci vuole altro che due come noi per rovinarla. Voglio solo dirti di non preoccuparti. Faremo in modo che ciascuno riceva il giusto credito.

– Non si tratta di *me*. Io non lavoro cosí. E non si tratta neppure di voi. Certo, se fosse in ballo la vostra reputazione, farei di tutto per impedirvi di combinare un casino, per il vostro bene, ma alla fine sareste liberi di fare le vostre scelte. Qui si tratta della *squadra*. Se ci mettete un mese a trovare le palle necessarie per accusare il signor Ovvio, lí dentro, i media non si metteranno a strillare che Conway e Moran devono imparare come si lavora; strilleranno che la squadra Omicidi deve prendere sul serio il proprio lavoro e proteggere il pubblico dai criminali. Spero che abbiate almeno il minimo di lealtà necessaria perché vi importi qualcosa.

Breslin si è cosí eccitato, parlando, che non riesco a capire se crede davvero a queste stronzate. Dico: – E che figura ci fa la squadra, se accusiamo l'uomo sbagliato?

– Bisognerà ritirare l'accusa, – rincara Steve, facendo una faccia disgustata. – Pubbliche scuse, piú che probabile. I media strilleranno che la Omicidi è una squadra di segaioli incompetenti, a cui non importa chi sbattono dentro, pur di chiudere un caso. I testimoni non vorranno venire da noi, per paura di finire in manette, perché si sa che abbiamo fretta di accusare la prima persona su cui riusciamo a mettere le mani... – Scuote la testa. – Non va bene. Per la squadra, voglio dire.

Breslin sospira di nuovo e cambia tattica, provando con la gentilezza: – Conway, Moran. Quest'uomo è colpevole come il peccato. Parola di uno che sbatteva dentro i criminali quando voi due stavate ancora riempiendo i moduli di domanda a Templemore: è il nostro uomo. La questione qui non è se è stato lui. La questione è se voi due siete in grado di fare ciò che va fatto.

– Teniamo le dita incrociate e speriamo di sí, – dico io.

– State a sentire –. Breslin si appoggia al muro, e ci gratifica di quel sorriso che fa sciogliere i testimoni. – So che voi due non avete avuto una vita facile, qui. Forse pensavate che non lo sapessi, o che non m'importasse. Ma vi sorprenderebbe sapere quanti di noi fanno il tifo per voi. Io ho sempre detto che diventerete due ottimi detective, non appena vi sarete assestati.

– Grazie, – dice Steve. A lui in realtà nessuno rompe i coglioni, gli unici suoi problemi sono quelli che gli rimbalzano addosso perché è il mio partner. Breslin vuole soltanto farci diventare paranoici. – Questo significa molto.

– Non c'è di che. Dovete solo superare la merda iniziale. I nuovi vengono un po' stuzzicati; è solo routine, niente di personale.

Questo viscido bastardo è troppo stupido per rendersi conto di aver usato quasi le stesse parole con Rory Fallon, cinque minuti fa, oppure pensa che siamo noi gli stupidi. Cosí stupidi da berci la storia che la merda che ci tirano addosso è solo routine, o cosí disperati da fingere che lo sia.

– I ragazzi devono solo vedere che siete in grado di tenere botta. E questa, – indica il vetro a senso unico, – è la vostra possibilità di dimostrarlo. So che quelle stupide vessazioni possono aver minato la vostra fiducia in voi stessi, ma se bastano delle stronzate da ragazzini a rendervi insicuri al punto di non voler accusare un colpevole evidente come quello che abbiamo qui, forse fareste meglio a tornare a lavorare in divisa. Mi rendo conto che può sembrare duro, – dice, alzando una mano come se uno di noi avesse provato a interromperlo, cosa che non è successa, – ma è ciò che avete bisogno di sentire.

So che non devo guardare Steve e non lo faccio. Con la coda dell'occhio, lo vedo che dondola le gambe e beve la sua acqua, seduto sul tavolo. Anche lui sa che non deve guardare verso di me.

Breslin vuole che accusiamo Rory Fallon. Lo vuole con forza. Forse è stufo di fare da baby-sitter ai bambini dell'asilo, vuole chiudere il caso e tornare dal suo amicone

McCann e ai loro casi di complotti di alto livello e omicidi di mafia. Forse vuole fare bella figura con O'Kelly, del tipo: «Questi due ci hanno messo un mese a risolvere il loro caso precedente, ma grazie a me questo lo abbiamo chiuso in meno di un giorno: ora fa' una bella sega al mio ego e proponimi per una promozione». O forse è solo cosí abituato a ottenere quello che vuole torcendoti il braccio che non sa farne a meno. Ma.

Finora ho pensato che chi mi ha gettato addosso Crowley lo abbia fatto d'impulso, per divertimento, come quando qualcuno ha fatto cadere il mio cellulare nel caffè, all'epoca in cui ancora lo lasciavo sulla scrivania. Non ho pensato, fino a questo momento, che possa trattarsi di qualcosa di piú grosso.

Il Bieco Crowley sta agitando le acque per trasformare questo caso in una storia grossa, e qualcuno lo spinge a farlo. Se io faccio una figura di merda spettacolare, per esempio imputare ufficialmente Fallon quando c'è una grossa prova a discarico che in qualche modo è scomparsa lungo la strada verso la mia scrivania, e se per caso i giornali lo vengono a sapere, il caso esploderà a livello nazionale. E sarà il pretesto che tutti aspettano con ansia per mandarmi via.

Durante un interrogatorio, questo sarebbe il momento in cui mi alzo e premo pausa sul registratore: «Colloquio interrotto alle 14.52. I detective Conway e Moran lasciano la sala interrogatori». Poi io e Steve taglieremmo la corda in fretta e furia. Io e lui dobbiamo parlare, e subito. Osservo Breslin, per vedere che altro tirerà fuori.

– Facciamo cosí, – dice lui. – Moran, controlla le varie telecamere di sorveglianza, vedi se trovi un video di Fallon che lascia la casa della vittima, e segui le sue tracce attraverso la città. Forse possiamo scoprire dove ha gettato i guanti. Nel frattempo, Conway e io facciamo un'altra chiacchierata con Rory e tentiamo di ottenere una confessione. Non è un problema, per noi due, giusto? – Mi fa un sorriso di stima e, lo giuro su Dio, mi dà una pacca sulla spalla. Per poco non gli tiro un pugno. – Anche se non confessa, non c'è problema: abbiamo già abbastanza a suo carico. Lo arrestiamo e lo accusiamo formalmente. Io dirò ai ragazzi che quando si tratta di giocare duro voi sapete il fatto vostro, e posso garantirvi che non avrete altri problemi in sala detective. E saremo tutti felici e contenti.

È a un pelo dal dirlo chiaro: «Fate come vi dico, e vi tolgo di dosso i ragazzi». Non può essere solo perché ha voglia di tornare da McCann o perché vuole farsi bello con il capo. Ha proprio una voglia matta di vedere Fallon imputato.

Ed è sicurissimo che accetteremo l'accordo con entusiasmo. Si raddrizza la cravatta e fa per aprire la porta.

– Faremo cosí, – dico. – Deasy e Stanton stanno preparando una lista dei conoscenti di Rory Fallon. Se lui è il nostro uomo, la persona che ha avvisato la polizia sarà su quella lista. Ti chiederei di parlare tu con loro e vedere se riesci a identificare chi ha telefonato. Comincia da fratelli e amici stretti, se ne ha. E procedi come sai.

Breslin si è voltato e mi fissa, ma riesce a mantenere un'espressione neutra, pronto a fare di nuovo l'amico, se gliene diamo la possibilità. Aspetta che abbia finito e poi chiede: – Perché?

– Perché, – dico, – da ora in avanti di Fallon ce ne occupiamo io e Moran.

Breslin sposta lo sguardo dall'una all'altro, come un grosso cane che comincia a perdere la pazienza con i cuccioli, ma il fatto di dover alzare gli occhi per guardarci in

faccia gli toglie un po' di grinta. Dice: – A questo punto
ho bisogno di una spiegazione.

Sto per dirgli: «La spiegazione è che questo caso è nostro
e la prossima volta che provi a darmi un ordine ti prendi
un calcio nei coglioni», ma Steve mi precede.

– Hai ragione al cento per cento, – dice. – Noi dobbiamo guadagnarci il rispetto dei ragazzi. E non succederà
se sarai tu a ottenere una confessione al nostro posto. Apprezziamo l'offerta, ma bisogna che ci riusciamo da soli.

Devo ammettere che la sua versione è migliore della mia.
Breslin resta senza parole per un paio di secondi e io ho il
tempo di riprendere il controllo. Dico a Steve: – Il detective Breslin lo sa benissimo, scemo. Ti sembra una recluta? Ci stava mettendo alla prova. Voleva vedere se ce la
saremmo fatta sotto, scaricando il lavoro duro su qualcun
altro alla prima possibilità, o se abbiamo davvero le palle
di fare il nostro lavoro.

Steve apre la bocca, confuso. Poi scoppia a ridere. – Gesú! E io qui come un cretino a fare discorsi sul guadagnarsi
il rispetto dei ragazzi. Complimenti, amico, sul serio. Mi
avevi proprio fregato per bene.

Breslin si mette un accenno di sorriso sulla bocca, ma
i suoi occhi chiari, che si spostano ancora tra Steve e me,
sono freddi e senza espressione. Non sa se credere a ciò
che abbiamo detto oppure no.

Faccio un mezzo sorriso. – Aveva fregato anche me,
all'inizio. Se ha una reputazione stellare c'è un motivo.
Grazie, Breslin: messaggio ricevuto, chiaro e forte. Faremo il nostro lavoro. Dopodiché ci vediamo in sala operativa. Riunione alle quattro.

Gli rivolgo un cordiale cenno di saluto e mi volto verso
il falso specchio. Vedo Rory, ma anche il riflesso di Breslin
che mi sta ancora fissando. Mi viene un prurito alla schiena.

Alla fine lui scrolla le spalle. – Spero per voi che sappiate quello che fate, – dice. – Ci vediamo alle quattro.

Il riflesso si volta e scompare. La porta si chiude piano.

Io e Steve ascoltiamo e aspettiamo, e intanto guardiamo Rory che si fruga in tasca, prende un fazzoletto spiegazzato e cerca di ritrovare un aspetto presentabile. Poi vado alla porta e la apro di colpo. Il corridoio è vuoto.

Steve dice: – Non mi piace –. Il suo accento è tornato normale.

– Nemmeno a me.

– Qual è il suo gioco?

– Non lo so –. Lascio la porta aperta. Provo a camminare avanti e indietro, ma la stanza è troppo piccola, e ogni due passi mi trovo davanti un muro. L'odore si è fatto cosí forte che è quasi come se con noi ci fosse un'altra persona. – L'hai sentito? «Posso garantirvi che non avrete altri problemi in sala detective». Stava tentando di comprarci.

– Ma perché gli interessa tanto accusare ufficialmente Fallon?

– Non lo so. Finora non pensavo che lui fosse tra quelli che stanno tentando di fregarmi –. Steve sa quello che succede, visto che ha occhi e orecchie e non è in coma, ma noi non facciamo conversazioni cuore a cuore; questa è la prima volta che ne parlo in modo diretto e non è una bella sensazione. – Ma se accusiamo Fallon troppo presto e poi tutto va a puttane e Crowley fa montare il caso a livello nazionale... – Il solo pensiero degli applausi sarcastici in sala detective, del sorrisetto di Roche, del sollievo nella voce di O'Kelly mentre mi spiega che cosí non va, mi accende lampi rossi a zig-zag nel cervello. Dico: – Sarebbe il modo per togliersi dai piedi la sottoscritta.

Steve ha rotto il bicchiere di plastica e comincia a piegarlo in forme strane. – Potrebbe essere questo, – dice.

– Un tentativo di fregare noi –. Il «noi» è una stronzata, perché nessuno sta facendo una campagna per liberarsi di Steve, ma mi scalda lo stesso il cuore in modo ridicolo.
– Anche a me lui non è mai sembrato cosí... Devo dire che non mi è mai sembrato che gliene fregasse un cazzo di noi, per un verso o per l'altro.
– Anche a me. Ma se lavorasse sul serio per toglierci di mezzo, farebbe in modo da dare proprio questa impressione. Breslin non è un genio, ma fa questo lavoro da molto tempo. Ed è perfettamente in grado di nascondere le sue vere intenzioni.
– Oppure, – dice Steve, – se la storia del criminale dovesse risultare vera...
Non finisce la frase. Il crepitio della plastica accartocciata mi trapana le orecchie.
I poliziotti corrotti esistono. Nella vita reale sono meno che in televisione, ma ci sono. Si va dall'agente che ti toglie una contravvenzione in cambio di biglietti omaggio per la partita, a quello che è legato mani e piedi a qualche boss.
Se Aislinn è stata uccisa dal suo misterioso amante malavitoso, la prima cosa che lui o i suoi amici farebbero è chiamare il loro uomo alla Omicidi per dirgli di sistemare le cose. E il modo perfetto di sistemarle, senza capi sciolti, senza preoccupazioni, è quello di accusare dell'omicidio Rory Fallon e chiudere il caso.
– Breslin, – dico. Ho smesso di camminare su e giú, e ho quasi smesso anche di respirare. – Breslin. Lo pensi davvero?
Steve alza una spalla.
– Io no. Non ce lo vedo. Gli piace troppo giocare all'eroe. Non ce la farebbe a resistere, sapendo di essere il poliziotto addomesticato dei cattivi. Gli scoppierebbero i neuroni.
Steve dice: – Breslin troverà sempre un modo per consi-

derarsi un eroe, qualsiasi cosa faccia. Lui parte da questo: è dalla parte dei buoni, quindi qualsiasi cosa fa deve essere giusta. Dopodiché lavora all'indietro per scoprire come.

È vero, non ci avevo mai pensato prima. Non avevo mai passato il mio tempo a pensare a Breslin. E non mi piace la sensazione che provo facendolo ora, come di una mano che mi afferra dietro il collo. Ciò di cui parla Steve non è una caratteristica solo di Breslin: tutti facciamo cosí. Quando prendiamo un testimone traumatizzato e lo assilliamo finché non ci rilascia una dichiarazione firmata, quando manipoliamo una madre per ottenere le prove che faranno finire il figlio in carcere, ci piace la sensazione di vittoria, e non ci perdiamo in sottigliezze morali, perché noi stiamo dalla parte dei buoni. Steve sta sbriciolando quell'idea, trasformandola in qualcosa di diverso e pericoloso.

Dice: – E lui è proprio il tipo adatto per loro: moglie, figli, mutuo da pagare…

Le gang non vanno dietro a tipi come me e Steve, single di basso ceto che ancora non hanno fatto carriera. A meno che non ci siano debiti di gioco o magari una dipendenza dalla cocaina, non c'è molto su cui fare leva. Ma Breslin ha una moglie bionda e ad alta manutenzione, tre figli biondi con i dentoni che sembrano usciti da una pubblicità, e una casa in un quartiere elegante di Templeogue. Ha molto da fare per mantenere tutto questo e molto da perdere se gli venisse voglia di tirarsi indietro. Una volta messo dentro anche solo un dito, uno come lui non può piú uscirne.

Breslin e McCann si occupano di molti omicidi importanti relativi al crimine organizzato; passano un sacco di tempo a parlare con criminali di alto livello. Sarebbe un miracolo se a un certo punto uno di loro non gli avesse fatto una proposta.

Provo la stessa sensazione di curvatura dell'aria che ho

avvertito in sala detective, linee rette che si piegano ai bordi della mia visione. Il cuore prende a martellarmi nel petto.

– Sí, – dico. – Breslin è proprio il tipo.

– Esatto. E un detective della Omicidi varrebbe parecchio per il boss di una gang.

Breslin veste elegante, ma un po' lo facciamo tutti. Ha una Bmw del 2014 e si vanta di mandare i figli in una scuola privata perché non vuole che si mescolino con i coatti e gli immigrati che riescono appena a parlare un inglese comprensibile, «E questo vale anche per i coatti, senza offesa, eh, Conway, Moran». Ma ho sempre pensato che fosse sovvenzionato dai genitori. Porta la famiglia in vacanza alle Maldive, ma se mi fosse importato abbastanza da pensarci su, avrei detto che doveva al massimo aver tolto un po' di punti di penalità sulla patente al direttore della sua banca, in cambio di un limite di spesa alto sulla carta di credito, senza pressioni per ripianare il debito.

Steve dice: – E se è lui che passa informazioni a Crowley, questo ne spiegherebbe il motivo.

Se intorbidisci le acque abbastanza, un ragionevole dubbio ti viene. L'aria continua a curvarsi negli angoli.

E io non riesco a togliermi il ghigno dalla faccia.

Se Steve ha ragione, allora corriamo seri pericoli, da molte direzioni. Le gang non ammazzano i poliziotti, è una faccenda che crea troppi problemi, ma incendiarti la macchina per avvisarti che devi farti gli affari tuoi è un altro paio di maniche. E questo non è nulla in confronto a ciò che farebbero gli amici se noi dovessimo dare il nome di Breslin a quelli degli Affari interni.

Non vedo l'ora che comincino. Il pericolo non mi disturba, me lo mangio a colazione. Breslin il poliziotto pieno di sé che tenta di piegarmi nella forma che preferisce, come se fossi uno di quegli animali fatti con i palloncini, mi fa

venire voglia di prenderlo a cazzotti. Ma Breslin il poliziotto corrotto è una prova di coraggio: una sfida velenosa
che nessuna persona di buon senso dovrebbe accettare, e
io ho sempre avuto un debole per le sfide.

Steve mi guarda come se fossi fuori di testa. – Cosa c'è
di divertente?

– Niente. È che mi piacciono le sfide.

– Allora pensi che ho ragione, che lui... – Non finisce
la frase.

Questo mi fa tornare appena un po' seria. – Non lo
so ancora. Stiamo parlando in modo ipotetico, e non mi
piacciono le ipotesi –. Mi mordo un pollice per smettere
di sorridere. – L'unica cosa certa è che Breslin vuole che
accusiamo Fallon dell'omicidio e chiudiamo il caso al piú
presto. Dobbiamo prendere tempo finché riusciremo a capire perché. Prima, quando hai detto che dovevamo fare
da soli il lavoro sporco, hai avuto un'ottima idea. Dovrebbe farci guadagnare un po' di tempo.

La bocca di Steve ha una piega poco convinta. – L'ha
bevuta, secondo te?

– Non lo so. Penso di sí. Spero di sí –. Il ricordo dello
sguardo freddo di Breslin mi spinge a mordere piú forte il
dito. – Comunque, questa adesso è la nostra linea: siamo
i pivelli un po' tonti che non capiscono come funzionano
le cose nella squadra e vogliono gestire il caso a modo loro. Per te va bene?

Una parte di me si aspetta che Steve si tiri indietro. C'è
una buona probabilità che tutto questo sia solo contro di
me, e se lui gioca bene le sue carte può evitare l'esplosione e ambientarsi perfettamente nella squadra, una volta
che io sarò un cratere fumante. Ma se convince Breslin di
essere un vero idiota, le sue carte non valgono piú nulla.

Steve sorride: – Il pivello tonto? Ce la posso fare.

– Ne sono sicura, – dico, con un sollievo imbarazzante.
– Non hai nemmeno bisogno di recitare.

– Ehi, usi quello che hai, no? – Steve indica con un pollice il falso specchio. – Che facciamo con lui?

Rory si è fatto il suo pianto e ora è nervoso, allunga la
testa come una mangusta, chiedendosi dove siamo spariti.
Lui dovrebbe essere il centro della nostra giornata, invece
mi ero quasi dimenticata della sua esistenza.

– Ci proviamo un'altra volta. Abbiamo detto a Breslin
che lo avremmo fatto.

– Questo significa lasciare Breslin da solo con amici e
parenti di Rory. Siamo sicuri?

Se Breslin cerca un modo di fregare Rory o me, gli amici
di Rory possono essere una manna dal cielo. – Probabilmente no, – dico, – ma insomma, viviamo pericolosamente. È
stato l'unico modo che mi è venuto in mente per liberarci
di lui. E non lo volevo ancora lí dentro con Fallon. Fallon
non regge le vessazioni e, se Breslin gli dà un'altra spinta,
quello si alza e se ne va. Colpevole o no, non voglio che ci
consideri dei bulli grossi e cattivi che ce l'hanno con lui.
Non ancora, almeno.

– Colpevole o no, – ripete Steve. – Vuoi dire che non
ne sei piú sicura?

Alzo una spalla. – Lo ero quando sono uscita da quella stanza. Non al cento per cento, ma quasi. C'è qualcosa
che non quadra sul fatto che è arrivato a Stoneybatter con
tanto anticipo; non voleva parlarne, l'hai notato?

– Sí. Però la reazione che ha avuto quando gli hai detto
che Aislinn è morta, mi è sembrata autentica.

– Anche a me. Ma non significa che sia innocente –.
Rory intanto ha preso il fazzoletto bagnato tra il pollice e
l'indice e si guarda intorno in cerca di un posto in cui gettarlo. Poi si arrende e lo rimette in tasca. – Forse non sa-

peva di averla uccisa, – dico. – Le dà un pugno, lei cade a terra, e quando lui si china a controllare vede che respira ancora; va in cucina a spegnere il forno per evitare che si incendi la casa, e taglia la corda. Pensa che lei sia soltanto stordita, o qualcosa del genere. Passa la notte sperando che il colpo le abbia anche cancellato la memoria, e quando all'improvviso scopre che è morta e capisce di rischiare un'accusa di omicidio, si caca sotto.

– Ci sta, – dice Steve.

– Quando sono uscita da quella stanza, ci avrei scommesso i miei soldi. Ma adesso… – Rory fa per alzarsi, poi si risiede, quasi che stare in piedi sia contro le regole. – E tu?

Steve passa un'unghia su una costola del bicchiere di plastica e osserva Rory che si sforza di restare seduto. – Il punto è: anche se Rory è il nostro uomo, non significa che l'uomo segreto non esista e Breslin sia pulito –. Abbassa la voce mentre lo dice e tutti e due guardiamo verso la porta, ma fuori non c'è nessuno. – Presumiamo che quell'uomo esista, okay? Anche se non è stato lui a colpire Aislinn, di sicuro non vuole che annusiamo la sua pista, controlliamo i suoi movimenti, magari andiamo a dire a sua moglie che aveva l'amante… Uno cosí, appena scopre che Aislinn è morta, per esempio, se ieri sera era passato per una sveltina, chiama subito il suo contatto nella polizia e gli dice di sistemare tutto senza perdere tempo.

– E piú tempo ci mettiamo, – dico io, – piú probabilità abbiamo di scoprire se c'è qualcosa sotto –. Solo pronunciare quelle parole mi fa aumentare le pulsazioni.

– Quindi, perdiamo tempo, – dice Steve.

– No. Breslin ha ragione su questo, non dobbiamo farci la reputazione di inconcludenti. Semplicemente, ci andiamo piano. Per esempio, non voglio portare ancora qui Rory finché non sapremo tutto ciò che c'è da sapere sul caso. Se lo interroghiamo di nuovo, voglio avere in mano munizioni sufficienti da farlo saltare.

Steve annuisce. – E adesso?

Guardo l'orologio. Manca meno di un'ora alla riunione. – Adesso gli facciamo ripetere tutta la storia, vediamo se c'è altro che vuole dirci, ci facciamo dare guanti e cappotto e proviamo a strappargli l'autorizzazione a perquisire il suo appartamento. Poi lo mandiamo a casa e facciamo la nostra riunione. Dopodiché...

– Dopodiché ce ne andiamo a dormire. Sono distrutto.

Gli basta dirlo per partire con uno sbadiglio enorme. Io cerco di non sbadigliare a mia volta, ma è troppo tardi. Mi rendo conto di quanto sono esausta. Vedo tutto strano, non saprei dire a quale distanza sono i muri. – Ma Breslin non lo è, – dico. – Se andiamo a casa, lo lasciamo libero di fare quello che vuole.

– E se non ci andiamo, lo mettiamo sull'avviso.

Steve ha ragione. Se il morto è un bambino, o un poliziotto, lavori anche ventiquattr'ore di fila, poi ti fai una doccia, un sonnellino, e riparti per altre ventiquattr'ore. Se lo fai per ogni caso, nel giro di tre mesi sei bruciato. A un omicidio normale si dedicano i classici turni di otto ore, con punte di dodici o quattordici se succede qualcosa di interessante. Se io e Steve partiamo su questo con un turno di ventiquattr'ore, tanto vale andare da Breslin a dirgli in faccia che pensiamo ci sia sotto qualcosa di poco chiaro.

– Allora cosa facciamo? – dico.

– Lo carichiamo di lavoro, alla riunione. Per evitare che combini guai.

– Sí, certo. Ne sarà felice, immagino.

Steve sogghigna. – Qui non si tratta del suo ego, ricordi? Ce l'ha detto lui. Si tratta della *squadra*. Non gli seccherà rintracciare tutti i passeggeri del 39A, se è per il bene della squadra.

Anche sulla mia bocca si allarga un sorriso. – Frugare in ogni cassonetto tra Stoneybatter e Ranelagh. Incaricato: Breslin, per il bene della squadra. Battere al computer le dichiarazioni...

– Ordinare le pizze. Incaricato: Breslin, per il bene della squadra.

Siamo sull'orlo di un attacco di risa. Se mi rilasso ancora un po' rischio di addormentarmi in piedi.

– Lo manteniamo occupato su Fallon, – dico. – Una volta finito di parlare con amici e conoscenti, può cominciare con le ex fidanzate, per vedere se Rory è mai ricorso agli schiaffi...

– Non è proprio il tipo –. Steve mette una mano sotto il rubinetto del distributore e si schizza un po' d'acqua in faccia, nel tentativo di svegliarsi.

– Probabilmente no. Ma se Breslin vuole tanto che Fallon sia imputato, non gli importerà scavare per trovare qualcosa di sporco su di lui, no? Avrà troppo da fare per creare problemi a noi, almeno fino a stasera. E gli affianchiamo una recluta. Cosí forse ci penserà due volte, prima di far sparire qualche dichiarazione che non gli piace.

Nella mia voce deve essere filtrato qualcosa. Steve alza gli occhi di scatto. – Ti è sparita dell'altra roba? Dopo quel testimone sul caso Petrescu, intendo.

– No, – dico. Non voglio piangere sulla sua spalla e lamentarmi dei ragazzi cattivi che mi hanno rubato l'ultima pagina della dichiarazione di ieri notte. – Ma non significa che non possa succedere. Dobbiamo essere prudenti.

Steve mi osserva, mentre si asciuga le gocce d'acqua dal mento con una mano, e mi sembra che ci metta una frazione di secondo di troppo a rispondere. Ma dice, in tono tranquillo: – Una recluta non impedirà a Breslin di passare informazioni a Crowley, se è lui quello che lo sta facendo.

– Lo so. Cosa vuoi fare, seguirlo al cesso per assicurarti che non mandi un sms a Crowley con una mano mentre si tiene l'uccello con l'altra?

– No, la recluta è una buona idea. Possiamo dire a Breslin che il ragazzo ha bisogno di un mentore.

Rido. – Questa se la beve. In realtà non so se funzionerà, Breslin si girerà la recluta come gli pare. Ma è meglio di niente.

Steve dice: – Dobbiamo tenerlo lontano dai dati digitali di Aislinn.

Cellulare, e-mail, account sui social media; tutti i posti dove l'amante malavitoso, se esiste, può aver lasciato qualche traccia.

– Alla riunione diremo chiaro a tutti che ce ne stiamo occupando noi, – dico. – Breslin avrà già dato un'occhiata al cellulare, quando è stato sulla scena, ma lí non c'era nulla di utile, da quello che ho visto.

– C'è un'altra cosa che dobbiamo fare, – dice Steve. – Chiacchierare con Breslin ogni volta che ne abbiamo la possibilità, o, piú probabilmente, lasciare che sia lui a chiacchierare con noi.

– Oh, Gesú. Piuttosto mi sparo.

– È importante farlo parlare. Non è un idiota, ma…

– Gli piace troppo il suono della sua voce, – dico. – Sí, lasciamo che ci dia tutte le lezioni illuminanti che vuole; non si sa mai cosa gli può sfuggire. E parliamo anche con McCann, se ne abbiamo l'occasione. Non che sia un gran parlatore, ma non si sa mai.

Breslin e McCann sono partner da dieci anni, e sono culo e camicia. Se Breslin vuole sbattere dentro Fallon, per qualsiasi motivo, o se vuole solo che questo caso mi scoppi in faccia, McCann lo sa.

– È il meglio che possiamo fare. Di sicuro non possiamo parlare con quelli del Crimine organizzato, non in modo diretto –. Steve si morde una cuticola, guarda Rory attraverso il vetro ma senza vederlo. – Hai detto che hai un amico, lí. Lo puoi contattare e chiedergli se ha sentito qualcosa?

– Sí, non è tanto semplice –. Mi bagno anch'io una mano sotto il rubinetto e me la passo sul collo. – Vedo cosa posso fare.

– E non stampiamo niente.

– Dio, no. E non lasciamo nulla sulle scrivanie –. Penso alle dichiarazioni chiuse nel cassetto; quelle ormai non le toccano piú, a loro piace cambiare, per tenermi sempre sulla corda. Ma all'improvviso la serratura del cassetto mi sembra un giocattolo. – E neppure nei cassetti. Tutti gli appunti li teniamo con noi.

Steve si morde l'angolo di un labbro. – Cristo!

È tutto un grande nulla, ombre che forse derivano da qualcosa di grosso, e forse da qualcosa che non vale la pena di scoprire, ma l'adrenalina mi scorre addosso ed è una bella sensazione. Per poco non spruzzo un po' d'acqua addosso a Steve. – Che faccia hai fatto. Tirati su, questo potrebbe essere il lavoro migliore che ci sia mai capitato.

– Ma non mi piace lavorare cosí. Nascondere cose alla tua stessa squadra...

– Piano, piano, – dico. – È probabile che sia solo un mucchio di merda. Come ho detto, si tratta soltanto di essere prudenti.

Un movimento in corridoio. In due passi sono alla porta, ma è solo Winters che accompagna un piccoletto in tuta, dalla faccia tutt'altro che intimidita, verso un'altra

sala interrogatori. – Muoviamoci, – dico, – prima che Breslin torni a controllare cosa stiamo facendo.

Steve annuisce e getta il suo bicchiere spezzettato nel
cestino. Do un'ultima occhiata a Rory, il quale ormai sussulta come se la sedia fosse elettrificata. Poi entriamo, disposti a prendercela comoda per un po'.

La stanza puzza di sudore e lacrime. – I detective
Conway e Moran entrano nella sala interrogatori, – dico
al videoregistratore.

– Buongiorno, – dice Steve con un sorriso cordiale, mettendosi a sedere. – Il detective Breslin è dovuto andare via
e lo sostituisco io. Sono il detective Moran.

Rory fa a malapena un cenno del capo. Io dico, avvici-
nando la sedia: – Come va?

– Sto bene –. Ha il naso chiuso. – Scusatemi per...

– Non c'è problema. Ora se la sente di parlare?

Rory mi rivolge un'occhiata accusatoria. – Lo sapevate
dall'inizio. Che mi vedevo con Aislinn, che ieri sera ero
invitato da lei. Lo sapevate.

Sia benedetto il suo piccolo cuore borghese. È sul serio
irritato per essere stato ingannato dalla polizia. – Sí, – rispondo. – Lo sapevamo. So che non è stata una bella cosa da fare, ma stiamo indagando su un omicidio, e a volte
l'unico modo di ottenere le informazioni che cerchiamo è
quello di comportarci in modi non del tutto appropriati.
Se le avessimo detto subito di cosa si trattava, lei avrebbe
potuto farsi troppo cauto, e non era il caso di rischiare.
Lei può sapere qualcosa d'importanza cruciale, anche se
magari non se ne rende conto.

– Vi ho detto tutto quello che so.

Se l'è davvero presa a male nei miei confronti. Mi faccio
indietro sulla sedia e con un'occhiata cedo il controllo a Steve.

– Crede di averlo fatto, – dice Steve. – Ma questo era prima che venisse a sapere cosa è successo. Io ho visto spesso che uno shock del genere può liberare i ricordi. Mi farebbe il favore di ripercorrere di nuovo tutto ciò che è successo da ieri sera a ora?

Il bravo ragazzo della porta accanto ha uno sguardo serio e speranzoso. Rory lo fissa con diffidenza, ma poi decide che il mio cattivo comportamento non è colpa di Steve. In ogni modo è già pronto a trovarlo simpatico, solo per il fatto che non è Breslin.

– Va bene, anche se sono sicuro che non...

– Ottimo, – lo interrompe Steve. – Anche il piú piccolo dettaglio può esserci utile. Ha visto qualcosa, mentre si trovava a Stoneybatter? O ha sentito qualcosa di strano? Mi interessa qualsiasi cosa che abbia attratto la sua attenzione.

– Direi di no. Non sono un grande osservatore, e inoltre ieri sera ero concentrato su... Aislinn. Non prestavo attenzione proprio a nulla.

– Certo, è successo anche a me. Quando una relazione è all'inizio, soprattutto una come quella che stava nascendo tra voi, sembra che non esista nient'altro.

Steve sorride, e Rory di riflesso quasi ricambia il sorriso. – Esatto. Lei sa che tempo faceva, ieri: un freddo cane, un albero mi ha scaricato uno scroscio d'acqua nel collo... eppure io mi sentivo dentro una storia fantastica. L'odore di erba bagnata, la pioggia contro la luce dei lampioni...

– Vede? È proprio quello che volevo dire: ricorda piú di quello che pensava. Ed è rimasto a Stoneybatter per un'oretta, giusto? Dalle sette e mezzo alle otto e mezzo. Deve aver visto qualcuno.

E Rory lo fa di nuovo: un'improvvisa mossa del collo, una spinta del dito sugli occhiali. Steve menziona quello specifico lasso di tempo, e di colpo a Rory il gioco non piace piú. Sento di nuovo l'odore del sangue nelle narici. Steve solleva un po' la testa, e capisco che lo sente anche lui.

A Rory tornano i ricordi: qualsiasi cosa, pur di distrarci. – In realtà sí. Ho visto tre donne in Prussia Street, mentre andavo da Tesco. Erano vestite come per una serata fuori e due di loro avevano i capelli come Aislinn, lunghi, biondi e lisci, per questo le ho notate. Camminavano tutte e tre sotto lo stesso ombrello e ridevano. E quando sono sceso dall'autobus c'erano dei ragazzi in felpa con cappuccio che davano calci a un pallone, su Astrid Road, all'angolo con la casa di Aislinn. Quando mi sono avvicinato non hanno smesso di passarsi la palla, e ho dovuto fare il giro per evitarli. Ma non vedo come queste cose possano...

Steve annuisce a tutto, come se si trattasse di informazioni cruciali. – Non si può mai sapere. Potrebbero essere stati loro a vedere qualcosa –. Io scrivo sul mio taccuino, concentrata come se fosse tutto importante. C'è una buona probabilità che si tratti di persone immaginarie. – Ha visto qualcun altro? O qualcos'altro?

Rory scuote la testa. Steve aspetta, ma non viene fuori altro. – Va bene, – dice. – Ora si prenda un attimo e ripensi alle sue conversazioni con Aislinn. Per esempio, ricorda che lei abbia mai accennato a qualcuno che la molestava? Magari un collega di lavoro un po' invadente, o un ex che non si rassegnava alla fine della relazione...

Rory scuote la testa.

– C'era qualcosa che sembrava metterla a disagio? Diventava mai evasiva ogni volta che veniva fuori un argomento specifico?

– In realtà... – Ora che ci siamo allontanati dal punto caldo Rory è di nuovo rilassato. – Sí. Quando si parlava dei suoi genitori, Aislinn diventava... strana. Mi aveva detto che erano morti tutti e due, il padre in un incidente d'auto quando lei era piccola, mentre la madre aveva la sclerosi multipla ed è morta di questo, qualche anno fa.

Sposta lo sguardo tra me e Steve, in cerca di conferme o negazioni, che non gli diamo.

– Ma parlarne la metteva molto a disagio, e cambiava subito argomento. Forse era solo perché non ci conoscevamo ancora bene, ma io mi sono chiesto spesso se non ci fosse dell'altro. Per esempio, se uno dei due fosse ancora vivo, ma con qualche serio problema, come ho detto prima. Ovviamente mi sono guardato bene dal chiedierglielo, ma... ci ho pensato.

Non è quello che sta cercando Steve. – Capisco, – dice. – Interessante, controlleremo. Altro?

Rory scuote la testa. – È l'unica cosa che mi viene in mente.

– Ne è sicuro? Non dico per dire, ogni piccolo dettaglio può fare la differenza.

Segue un momento di silenzio. Rory prende fiato per dire qualcosa, poi espira senza dire nulla. Non guarda in faccia Steve.

Steve aspetta, con uno sguardo cordiale e interessato, come un amico al bar. Rory dice all'improvviso, in tono contrariato: – Vorrei solo sapere che altro non mi avete ancora detto.

– La capisco, – dice Steve, serio. – Posso dirle solo che non lo facciamo per divertimento. Lo facciamo per prendere la persona che ha ucciso Aislinn.

Rory alza la testa e si costringe a guardare Steve negli occhi. Chiede: – Io sono un indiziato? – E si prepara ad assorbire il colpo.

Steve dice: – In questo momento, chiunque abbia un collegamento qualsiasi con Aislinn è un potenziale indiziato. Non intendo insultare la sua intelligenza dicendole che lei fa eccezione.

Rory deve saperlo, ma nei suoi occhi appare una luce di paura. – Io non l'ho nemmeno *vista*, ieri sera. E le volevo bene, pensavo che avremmo... Perché avrei dovuto...

Qualsiasi cosa avesse intenzione di dirci, è scomparsa.

– Certo, certo, – dice Steve, in tono ragionevole. – Ma noi dobbiamo partire dall'idea che tutti quelli con cui parliamo diranno la stessa cosa. E tra loro ce ne sarà uno che mente. Saremmo solo felici di poter cancellare lei dalla lista: prima restringiamo il campo dei sospetti, meglio è, ma per farlo non possiamo semplicemente fidarci della sua parola. Lo capisce, vero?

– E allora come fate?

– Con l'analisi delle prove. Abbiamo sempre bisogno di prendere le impronte digitali, e in questo caso chiederemo di esaminare anche guanti e cappotti. Ovviamente non posso dirle il perché. Questo sarebbe utilissimo per poter eliminare lei dalla lista. Immagino che non avrà problemi se quelli li prendiamo noi, giusto? – Indica con un cenno del capo i guanti e il soprabito di Rory.

Rory è sorpreso, ma Steve non gli ha lasciato molta scelta. – Suppongo... Voglio dire... Sí, va bene. Ma poi li riavrò indietro, vero?

– Naturalmente, – dice Steve, allungando una mano sul tavolo e tirando verso di sé i guanti con la penna. – Ci vorrà al massimo qualche giorno. Va bene se diamo un'occhiata anche nel suo appartamento, per vedere se ce ne sono altri che possiamo eliminare dalla lista?

– Io non... – Rory batte le palpebre in fretta. La tensione e l'aria soffocante della stanza lo stanno esaurendo; comincia a non farcela piú. – Non potete prendere solo questi? Sono quelli che indossavo ieri sera, se si tratta di...

– Vede, – gli spiega Steve. – Noi non stiamo cercando di cancellare dalla lista questo cappotto e questi guanti. Stiamo cercando di togliere *lei* da quella lista. E per farlo ci serve tutto quello che lei avrebbe potuto indossare, non solo quello che aveva addosso. Capisce cosa intendo?

Rory si preme le dita sugli occhi, sollevando gli occhiali. – Sí, capisco. Va bene, prendete quello che vi serve. Ma io voglio esserci, quando lo farete. Non mi piace l'idea di gente che fruga in casa in mia assenza. Va bene?

– Ma certo, – conviene Steve. – I ragazzi che l'accompagneranno a casa daranno una rapida occhiata, cosí fanno un viaggio solo e intanto mandiamo avanti le cose il piú in fretta possibile. Adesso le prendiamo le impronte, cosí potrà finalmente uscire di qui e continuare la sua giornata.

Rory chiude gli occhi sotto i polpastrelli. – Sí, – dice. – Sí, mi piacerebbe.

Io getto guanti e cappotto in due sacchetti di plastica per le prove ed esco per mandarli a Sophie, prima che lui possa cambiare idea. Poi mi metto a battere il verbale in sala detective, ignorando le merde intorno a me che mi ignorano a loro volta, mentre Steve stampa una mappa, cosí Rory può indicarci la strada che ha seguito per tornare a casa, per quanto possa o voglia ricordare. Dopodiché gli fa ripetere la sua storia un'ultima volta. Io li lascio il piú possibile soli, nel caso Rory ce l'avesse ancora con me, ma quando torno nella saletta Steve scuote la testa in modo quasi impercettibile: non è venuto fuori nulla di interessante.

– Ecco, – dice Rory, spingendo la mappa attraverso il tavolo. Ha davvero un'aria sbattuta. Le labbra secche, i capelli appiccicati alla testa come se avesse fatto una corsa. – Cosí va bene?

Sulla mappa c'è una linea sinuosa che va da Stoneybatter a Ranelagh, con una piccola *x* in corrispondenza dei

viali, con sotto la scritta «fiori». – Perfetto, – dice Steve.
– Grazie mille.

– Dia una letta a questo, – dico io, tendendogli il verbale e una penna. – Se è tutto corretto, metta una sigla in fondo a ogni pagina e la sua firma alla fine.

Rory non si muove per prendere il foglio. – Voi credete... – Fa un respiro profondo. – Se non fossi andato via, se avessi continuato a bussare, o se avessi chiamato la polizia... Se fossi entrato sfondando un vetro... Credete che avrei potuto salvarla?

Sto quasi per rispondergli di sí. Se non è il nostro uomo, è proprio un pulcino bagnato, di quelli che hanno bisogno continuamente di uno schiaffo sulla testa solo per non precipitare nel buco della propria mente. Inoltre ci ha fatto sprecare mezza giornata solo perché si trovava nel posto sbagliato e aveva un'aria colpevole. Devo solo dirgli di sí e passerà il resto della vita flagellandosi con fantasie sempre piú elaborate in cui irrompe nel cottage all'ultimo minuto e salva Aislinn da un branco di teppisti violenti, dopodiché vivono per sempre felici e contenti, sposandosi e facendo 2,4 bambini, pulcini bagnati come lui. La tentazione è quasi irresistibile.

Ma se invece è il nostro uomo, non è affatto un idiota e troverà il modo di usare a suo vantaggio ogni informazione che gli diamo. Per questo gli dico: – Non c'è modo di saperlo. Legga questo –. E gli metto il verbale del colloquio sotto il naso.

Lui lo legge, o almeno, trascorre un certo tempo a fissare ciascuna pagina. Alla fine lo firma, come se non ricordasse bene come si fa.

Manca poco alle quattro del pomeriggio. Contattiamo Kellegher e Reilly, le reclute che avevano il compito di controllare le telecamere in strada, e diciamo loro quello che devono fare con Rory dopo averlo accompagnato a casa. Nel suo armadietto Steve prende una vecchia felpa e la presta a Rory, cosí non si congelerà sulla via del ritorno. Alla fine gli diciamo che ci è stato di grande aiuto e lo salutiamo.

– Mi devi un deca, – dice Steve, mentre Kellegher e Reilly accompagnano Rory in corridoio. Visto da dietro, stretto tra quei due poliziotti con le spalle grosse da contadini, Rory sembra il secchione della scuola trascinato dietro un angolo per essere preso a schiaffi.

Controllo che ci siano tutte le pagine della sua dichiarazione. – Col cazzo. Non lo hai visto piangere come una fontana? Sei tu che devi pagare.

– Quello non conta. Conta se scoppia in lacrime perché ha paura di noi, non perché ha appena saputo che la sua ragazza è morta.

– E da quando? – Steve ha ragione, ma mi va di stuzzicarlo. – No, no, no. Non puoi cambiare le regole solo perché ti conviene.

– Da sempre. Quando mai ho provato a…

– E io quando mai ho cercato di fregarti solo perché non mi piaceva il momento in cui…

Rory e le reclute sono scomparsi, c'è solo l'eco dei loro passi che scendono le scale. Chiudo la porta della sala interrogatori e ci dirigiamo verso la sala detective, per mettere insieme quello che ci serve. Il corridoio ha ancora l'aria di nascondere buche coperte con in fondo bastoni appuntiti, ma ora non mi sembra piú cosí terribile.

5

In passato, la prima riunione su un caso mi piaceva moltissimo. Mi piaceva tutto, al riguardo. La vibrazione della
centrale operativa, tutti tesi come levrieri ai box di partenza; in quella stanza ogni risposta arriva piú in fretta dopo la
domanda, ogni occhiata è piú attenta. Lo schiocco di frusta
degli incarichi assegnati: «Murphy controlla le riprese delle telecamere, Vincent controlla la Toyota Camry dorata,
O'Leary parla con la fidanzata», *bam, bam, bam*. Il momento
in cui chiudevo il taccuino e dicevo: «Cominciamo», e non
facevo in tempo a richiudere la bocca che eravamo già tutti
in piedi e vicini alla porta. Uscivo con la sensazione che il
bastardo a cui stavamo dando la caccia non avesse nessuna
possibilità. Ora invece il pensiero della riunione mi dà una
nausea da doposbronza e mi incattivisce: le reclute mi guardano e si chiedono se le voci su di me sono vere; io guardo
loro e mi chiedo chi sarà quello che prenderà la mia minima
distrazione, la gonfierà fuori misura e la riferirà ai ragazzi
per ottenere una risata e una pacca sulla schiena.

Centrale operativa C. Non ci entro da quando ero una
recluta con il compito di controllare inutili non-piste per
conto dei detective; l'avevo dimenticata. La luce bianca
esplode dal soffitto alto, scivola e rimbalza sulla lavagna
bianca e sulle alte finestre. I computer, allineati e pronti
all'azione, riempiono l'aria del loro ronzio. Le scrivanie
lucide hanno angoli cosí netti che ti ci potresti tagliare un

dito. Appena supero la soglia, quella stanza mi toglie di dosso la fatica come se fosse polvere e mi ricarica fino a elettrizzarmi. Lí dentro puoi risolvere anche il caso di Jack lo Squartatore. E stavolta non sono la recluta che deve saltare ogni volta che il capo schiocca le dita; stavolta sono io il capo, e tutto questo è a mia disposizione. Per un attimo quella stanza mi fa tornare l'amore per il lavoro, un amore duro, acerbo, doloroso, che ricresce da zero.

Il viso di Steve, con le labbra aperte in un mezzo sorriso come un ragazzino alle giostre, mi dice che si sente anche lui cosí. E questo mi fa tornare di colpo in me. Steve si scioglie per ogni cosa bella, senza pensare a come lo è diventata o a cosa c'è sotto. Io no.

Sbatto le mie carte sulla scrivania del comando, quella a un capo della stanza, lunga il doppio delle altre. – Signori, – dico ad alta voce. – Cominciamo. Di chi è questa? – Prendo una tazza di caffè dalla scrivania e la sollevo.

Breslin è appoggiato alla lavagna e tiene banco circondato da Deasy e Stanton, le reclute che hanno portato qui Rory, piú i due a cui abbiamo affidato il porta a porta (un tizio snello e nervoso di nome Meehan, ci ho già lavorato insieme e mi piace, e Gaffney, un nuovo arrivato con la faccia da pignolo e una postura cosí eretta che invece di un completo giacca e pantaloni sembra indossi una divisa da capoclasse). Breslin, o piú probabilmente qualcuno ai suoi ordini, ha già iniziato il lavoro sulla lavagna: foto di Aislinn, della scena del crimine e di Rory, una mappa di Stoneybatter. Ha anche tirato fuori un bloc-notes dalla copertina rigida che sarà il registro di lavoro, dove terremo la lista aggiornata delle cose da fare e di chi le fa. Abbiamo persino un bollitore elettrico.

– È mia, – dice Gaffney, allungandosi a prendere la tazza e ritirandosi in fretta, rosso in faccia. – Mi scusi.

– Meehan –. Gli lancio il blocco. – Registro di lavoro, ti va? – Lui lo prende al volo e annuisce. Steve mette la sua roba accanto alla mia e comincia a distribuire fotocopie: la trascrizione della chiamata iniziale, il rapporto degli agenti in divisa, la dichiarazione di Rory. Io vado alla lavagna e butto giú una rapida cronologia della notte scorsa. Le reclute prendono posto alle scrivanie e si fanno serie: il momento delle chiacchiere è finito.

– La vittima, – dico, toccando la foto di Aislinn con il pennarello. – Aislinn Murray, ventisei anni. Viveva da sola a Stoneybatter, faceva la receptionist in una ditta di forniture aziendali di prodotti per il bagno. Fedina penale pulita, mai una chiamata alla polizia. Aggredita ieri sera a casa sua: secondo l'esame preliminare di Cooper è stata colpita con un pugno in faccia e ha battuto la testa sul gradino del caminetto. I messaggi presenti sul suo cellulare indicano il momento della morte tra le 19.13 e le 20.09 –. Passo alla foto di Rory. – Quest'uomo, Rory Fallon, usciva con lei da un paio di mesi. Ieri sera era invitato a cena da lei alle otto.

– Che coglione, – dice Deasy, ridendo. – Una donna come quella, se proprio voleva ucciderla poteva prima scoparsela.

Risatine. Breslin si schiarisce la gola con un sorriso indulgente e inclina la testa verso di me. Le risatine si spengono.

Io dico: – Deasy, visto che ti importa tanto del suo benessere, la prossima volta che lo portiamo qui puoi fargli un pompino nei bagni.

Deasy si tocca i baffi e fa una faccia scura. Le risatine si fanno equivoche.

– Io, Moran e Breslin, – dico, – abbiamo appena fatto una chiacchierata con Fallon. La sua versione è questa: si è presentato alla porta di Aislinn alle otto, ha suonato ma lei non gli ha aperto, lui ha pensato di essere stato scaricato ed è tornato di corsa a casa a piangere sul cuscino.

– Stranamente, – interviene Breslin, ruotando la penna tra le dita, – noi non gli crediamo.

– La teoria sulla quale stiamo lavorando, – riprendo, – è semplice: Fallon arriva a casa della vittima intorno alle sette e mezzo, la situazione tra loro precipita in qualche modo e lui le dà un pugno. Forse pensa che sia solo svenuta; se ne torna a casa in fretta e spera che lei, quando si riprenderà, non lo denunci, o meglio ancora che la botta in testa le abbia procurato un'amnesia.

Breslin annuisce con approvazione a tutto ciò che dico, impartendo la sua benedizione alla teoria dei due novellini. – Piú omicidio colposo che omicidio vero e proprio, – dice. – Ma non è un problema nostro.

– Stamattina molto presto, – proseguo, – Fallon ha avuto un rimorso di coscienza, oppure ha parlato con un suo amico che poi ha voluto fare la cosa giusta. Un uomo ha fatto una telefonata anonima alla stazione di polizia di Stoneybatter, dicendo che c'era una donna ferita al 26 di Viking Gardens, e ha chiesto di mandare un'ambulanza.

– Personalmente, scommetto che è stato Fallon a chiamare, – dice Breslin. – È proprio il tipo che dopo qualche ora non ce la fa piú e cerca di aggiustare le cose quando ormai è troppo tardi.

– Il numero da cui proveniva la chiamata appare come numero privato, – dice Steve. – Chi se ne occupa?

Tutti alzano la mano. – Tranquilli, ragazzi, – dice Breslin con un sorriso. – Ce n'è per tutti.

– Gaffney, pensaci tu, – dico. È una specie di pacca sulla spalla, dopo la sgridata per la tazza di caffè. Meehan scrive sul blocco nome e compito assegnato. – Stanton,

Deasy: voi due dovevate controllare la lista dei conoscenti di Fallon. Come sta andando?

– Nessuna sorpresa, – risponde Stanton. – Madre, padre, due fratelli piú grandi, niente sorelle; un gruppetto di amici dai tempi della scuola e dell'università, quasi tutti professori di Storia, bibliotecari, cose del genere. Le mando tutto via e-mail.

– Benissimo. Detective Breslin, hai già cominciato a contattare i nomi su quella lista, giusto?

– Tutti e due i fratelli di Fallon hanno manifestato il livello di shock appropriato. Tutti e due sapevano del grande appuntamento di Rory, ma dicono di non sapere altro; stavano aspettando di conoscere i particolari piccanti. Tutti e due sostengono di non aver chiamato la stazione di Stoneybatter, né stamattina, né mai, ma è ovvio che lo dicano. Ho fissato incontri separati qui con loro dopo questa riunione, per parlarne un po' meglio.

Cosí scopro che Breslin ha deciso di allungare il turno, per un semplice caso di routine.

– Se non ne viene fuori nulla, continuiamo ad andare avanti con la lista, – dico. – Partiamo da tutti i conoscenti che abitano lungo la strada che Rory ha seguito per tornare a casa. Magari ieri sera ha fatto una visita a sorpresa a uno di loro. E già che ci siamo, registriamo i colloqui con i fratelli e gli amici intimi. Dobbiamo far sentire le loro voci e quella di Fallon al collega di Stoneybatter che ha preso la chiamata, per vedere se ne riconosce una. Breslin, puoi seguire tu questa parte?

Per un attimo penso che Breslin stia per dirmi dove posso ficcarmi quel lavoro da reclute. Invece dice: – Perché no? – anche se con una smorfia sulle labbra.

– Grande, – dico. – Ci serve anche qualcuno per controllare i video delle telecamere di sorveglianza. Ci mettiamo

Kellegher e Reilly. Visto che li stanno già raccogliendo, se li guardano anche.

Meehan annuisce e scrive.

– Qualcuno deve anche occuparsi delle telecamere sulla linea 39A: rintracciate gli autobus di quella linea che si sono fermati in Morehampton Road intorno alle sette, vedete se riuscite a trovare una ripresa di Rory Fallon che sale a bordo e controllate a che ora precisa è sceso a Stoneybatter –. Il palestrato alza un dito. Questo ritmo serrato, che mi piaceva tanto, mi colpisce ancora come un triplo espresso. – Se ne occupa Stanton. E ci serve qualcuno che vada a Stoneybatter e prenda i tempi della strada che Rory dice di aver seguito quando è sceso dal bus: da Astrid Road fino in cima a Viking Gardens, poi al Tesco di Prussia Street, il tempo di comprare un mazzo di fiori e ritorno a Viking Gardens. Meehan, tu hai all'incirca la stessa età e corporatura di Fallon. Ci pensi tu? Prendi i tempi due volte: una a passo normale, una al passo piú veloce possibile.

Meehan annuisce. Steve dice, spostando gli occhi tra lui e Gaffney: – I fiori di Rory sono ricomparsi in qualche cestino della spazzatura, sui viali?

– Ho guardato io, – spiega Meehan. – Gaffney ha continuato con il porta a porta. I cestini non erano ancora stati vuotati dopo la notte scorsa, a giudicare dallo stato in cui erano, ma niente iris da nessuna parte. Forse li ha presi qualcuno per darli alla sua donna.

– Oppure, – dice Breslin, – non sono mai stati in quei cestini, e Rory li ha gettati nel fiume, perché non voleva che trovassimo sul bouquet il sangue e i capelli di Aislinn o fibre della sua moquette. A che punto siamo con i conoscenti della vittima?

– Niente famiglia e poca vita sociale, – rispondo. – Ma la sua amica Lucy ci ha dato qualche nome e numero di telefono per cominciare. Qualcuno deve recarsi sul posto di lavoro di Aislinn, per chiedere al suo capo di venire qui a identificare il corpo e per parlare con i colleghi. Voglio sapere se aveva parlato loro di Rory e cosa aveva detto.

Steve aggiunge: – E vogliamo sapere se qualche collega aveva una cotta per lei. Nel caso improbabile che Rory dica la verità, – Breslin ride, – qualcuno può non essere stato contento che lei si fosse trovata un uomo. E i colleghi di lavoro erano le uniche persone con cui Aislinn passava del tempo.

Bella idea, penso. Se qualcuno ci vede fare qualcosa che non punta verso Rory, possiamo dire che stiamo cercando un potenziale collega stalker. E chi lo sa, potrebbe persino essere vero.

– Perché non ve ne occupate voi due, degli amori in ufficio? – suggerisce Breslin. – Intuizione femminile e tutto il resto.

– La mia intuizione femminile è in riparazione, – rispondo. – Si è rotto l'albero di trasmissione. Bisognerà fare del vero lavoro da detective. Deasy, Stanton, andateci voi, domattina presto.

– L'altra cosa in cui Aislinn impiegava il suo tempo erano i corsi serali, – dice Steve. – Forse è stato lí che ha attratto l'attenzione di uno stalker. Qualcuno deve scoprire che corsi ha fatto e stilare elenchi di tutti gli altri studenti, o come si chiamano quelli che frequentano quei corsi.

– Gaffney, pensaci tu, – dico. – Io e Moran ci occupiamo dei tabulati telefonici della vittima, delle sue e-mail, account social, eccetera.

– Su quelli posso cominciare io da stasera, – dice Breslin. – Non m'importa restare qualche ora in piú, se ci aiuta a chiudere questo caso una volta per tutte, ma non posso presentarmi dai conoscenti di Rory alle nove di sera. Perciò tanto vale che mi dedichi alla vita della vittima sui social.

Io e Steve incrociamo lo sguardo per una frazione di secondo, prima che lui abbassi la testa sul taccuino. Breslin forse sta solo cercando un modo per migliorare la sua reputazione stellare: tutti vogliono i dati digitali della vittima, perché spesso è lí che viene fuori qualcosa di buono. Ma forse vuole farmi fare la figura dell'idiota, incapace di trovare da sola gli indizi relativi al proprio caso. Oppure vuole far sparire tutto quello che trova riguardo a un amico nella malavita.

Meehan ha smesso di scrivere e sposta lo sguardo tra noi, incerto. – Io e Moran abbiamo già iniziato a occuparcene, – dico. – Siamo sul caso da ieri notte e ora ci serve qualche ora di sonno, ma ci ributtiamo sulla vita digitale di Aislinn domattina presto. Breslin, tu hai già iniziato con Rory Fallon, perciò tanto vale andare avanti cosí. Ci serve qualcuno che faccia una lista delle sue ex e controlli cosa dicono di lui, specialmente su cosa lo fa incazzare e come si comporta quando le cose non vanno come vuole lui. Se davvero puoi restare un po' di piú, stasera, perché non cominci con quello?

Breslin ha una faccia come se avesse trovato un capello nella zuppa ma sapesse che è inutile protestare con il cameriere. – Perché non comincio con quello, – dice.

– Ottimo, – dico io. Dopo un altro secondo di pausa, la penna di Meehan riprende a muoversi. – Detective Gaffney, questo è il tuo primo caso di omicidio, giusto?

– È cosí –. Gaffney viene da qualche posto dove l'attività prevalente riguarda le pecore.

– Bene, – dico, inviando un grazie mentale al capo per averci mandato reclute senza esperienza. – Per il momento resta vicino al detective Breslin: ti mostrerà le basi del lavoro e ti aiuterà a orientarti –. Breslin fa un cenno cordiale a Gaffney, niente obiezioni; ma non significa nulla. – Puoi fare anche tu un po' di straordinario, stasera?

Gaffney drizza ancora di piú la schiena. – Certo. Assolutamente.

– Qualcuno che non può? – Nessuno si muove. – Bene. Abbiamo bisogno anche di controllare le finanze di Aislinn; Gaffney, comincia tu. È una cosa che ti troverai davanti comunque, quando dovrai verificare quali corsi serali ha pagato.

Breslin sospira, abbastanza forte da chiarire che sto sprecando tempo e risorse. Steve dice, rivolto a tutti: – Non abbiamo ancora un movente. La storia d'amore finita male è il piú ovvio, ma non possiamo escludere un motivo finanziario. Rory ha detto che la sua libreria sta attraversando un brutto momento, e Lucy Riordan, l'amica di Aislinn, ci ha detto che la vittima aveva del denaro da parte. Rory può averle chiesto di investire qualche migliaio di euro nella libreria ed essersela presa a male quando lei ha rifiutato. O qualcosa del genere.

Breslin scrolla le spalle. Ha cominciato a fare ghirigori in un angolo del suo taccuino.

– Ci serve anche la situazione finanziaria di Rory, – dico. – Gaffney, già che ci sei pensa tu anche a questo. Poi qualcuno deve rivolgersi alla compagnia telefonica per rintracciare tutti i posti in cui è stato il telefono di Rory la notte scorsa. Deasy, ce l'hai un contatto decente alla Vodafone? Bisogna anche convalidare l'alibi di Lucy Riordan, parlando con lo staff del Torch Theatre. Stanton, pensaci tu. Qualcuno vada a parlare con il personale del *Market Bar* e del *Pestle*, per vedere se ricordano qualcosa di quando Rory e Aislinn si sono visti in quei locali. Meehan, va bene? Bisogna mandare all'autopsia uno degli agenti in divisa presenti sulla scena: Deasy, fallo tu. L'autopsia sarà domattina sul presto; fa' in modo che l'agente non arrivi in ritardo, sennò Cooper avrà un attacco di diarrea dalla rabbia –. Risatine da tutti quelli che già conoscono Cooper. – Io e Moran contattiamo la Scientifica e ci facciamo dare gli ultimi aggiornamenti. Ci saranno altre cose, ma intanto questo è abbastanza per partire. Domande?

Tutti scuotono la testa. Sono già pronti ai blocchi di partenza.

– Bene, – dico. – Cominciamo.

Meehan chiude di scatto il registro di lavoro. Tutti spostano l'attenzione su scrivanie, telefoni, sulla dichiarazione di Rory, in una specie di gara a chi si metterà in pista per primo. La centrale operativa C è percorsa da una corrente di energia che rimbalza sulle scrivanie lucenti e sulle finestre.

E sotto tutto questo, il ronzio feroce nella mente mia e di Steve, che spinge per uscire allo scoperto. La testa bionda e imbrillantinata di Breslin è china sul suo taccuino, ma quando avverte il mio sguardo alza gli occhi e mi fa un gran sorriso.

Steve scrive il rapporto per il capo mentre io esamino quello che hanno portato le reclute. Sono tutti piuttosto competenti, anche se Deasy fa errori d'ortografia e Gaffney sente il bisogno di condividere ogni particolare di qualsiasi cosa, che sia rilevante o meno. («La testimone spiega che stava portando la figlia Ava, di otto anni, a visitare il nonno, ricoverato al St James's Hospital dopo un grave infarto, quando ha visto la Murray scendere dall'auto...»)

Dal porta a porta non è emerso nulla di interessante: Aislinn era cordiale con i vicini, niente cattivo sangue per via di spazi di parcheggio o rumori molesti, ma non era amica di nessuno; alcuni abitanti della zona hanno visto una donna che corrisponde alla descrizione di Lucy Riordan entrare e uscire da casa di Aislinn di tanto in tanto; nessuno ha mai visto altri visitatori. Aislinn non ha mai detto di avere un uomo. La vedevano uscire di sera tutta in tiro, abbastanza spesso, ma non essendo in confidenza con lei non hanno idea di dove andasse e cosa facesse. La coppia anziana al numero 24 non ha sentito nulla ieri sera, ma sono tutti e due duri d'orecchio; la coppia giovane al 28 ha sentito Beyoncé ad alto volume, precisando che Aislinn aveva abbassato il volume o spento la musica poco prima delle otto; sono stati precisi su questo perché alle otto mettono a dormire il figlio piccolo, e hanno apprezzato il controllo del volume proprio a quell'ora. Dopodiché, non hanno piú sentito alcun rumore.

L'uomo anziano che abita al numero 3 conferma in parte la versione di Rory: stava uscendo per portare fuori il cane (un terrier maschio dal pelo bianco di nome Harold, specifica Gaffney), poco prima delle otto di ieri sera, e ha visto un uomo corrispondente alla descrizione di Rory svoltare in Viking Gardens. Quando è tornato dalla passeggiata, circa un quarto d'ora dopo, l'uomo era ancora lí, in fondo alla strada, e sembrava occupato con il cellulare. In quei quindici minuti nessun altro vicino di casa è uscito in strada; Viking Gardens è un quartiere di anziani e di giovani coppie, quindi poco inclini ad andare a massacrarsi il sabato sera. Questo significa che Rory può essere entrato in casa, aver ucciso Aislinn ed essersi trovato di nuovo fuori alle otto e dieci, in tempo per costruirsi una storia di copertura a base di sms e messaggi in segreteria. Ma io non ci credo. La parte che lo rendeva nervoso era un'altra, quella prima della deviazione da Tesco. E a quell'ora in strada non c'era nessun vicino che possa confermare o meno la sua storia.

Steve sta ancora scrivendo al computer. Breslin è andato a parlare con i fratelli di Rory, portandosi dietro Gaffney e inondandolo di saggi consigli; Meehan, con il cappotto abbottonato fino al collo, è andato a prendere i tempi dei percorsi a piedi a Stoneybatter; Deasy si sta facendo due risate con il suo contatto alla Vodafone, mentre Stanton spiega le norme legali a qualcuno dell'amministrazione degli autobus. Le loro voci rimbalzano dagli angoli della stanza e il troppo spazio le rende un po' indistinte. Le finestre sono buie.

Il mio telefono squilla. – Conway, – rispondo.

È O'Kelly: – Tu e Moran nel mio ufficio. Voglio un aggiornamento.

– Arriviamo, – dico, e lui riattacca. Guardo Steve, che sta dando un'ultima controllata al rapporto. – Il capo vuole vederci.

Steve alza la testa e batte le palpebre. Ciascun movimento dura diversi secondi: è già addormentato per due terzi, e per una volta dimostra gli anni che ha. – Perché?

– Vuole un aggiornamento.

– Oh, Gesú –. Il capo vuole aggiornamenti di persona quando lavori a un caso grosso, e questo non lo è, o quando ci stai mettendo troppo a chiuderne uno, ma un giorno è troppo poco, anche se sei sulla sua lista nera. Perciò la chiamata non può essere niente di buono.

Le voci di corridoio dicono che io sono entrata in squadra perché lui aveva bisogno di barrare le caselle, e con me ne poteva barrare due al prezzo di una. E queste sono le voci gentili. Ma sono tutte stronzate. Quando il capo mi ha presa a bordo, gli mancava un detective (uno dei suoi uomini migliori era andato in pensione in anticipo) e io ero la star in ascesa della squadra Persone scomparse, con un bel numero di casi risolti di alto profilo. Avevo ricevuto da

poco dei titoli sui giornali per via di un caso in cui avevo
svolto tutti i tipi possibili di lavoro da detective: rintracciare *ping* telefonici e login su wi-fi, convincere i familiari
e costringere gli amici a darmi informazioni, per ritrovare
un papà scaricato che era scappato con i due figli piccoli,
dopodiché gli avevo parlato per quattro ore di fila, fino
a persuaderlo a uscire dalla macchina con i figli invece di
gettarsi in mare con loro da un molo. Insomma, all'epoca
ero un buon acquisto. Sia io, sia il capo, avevamo tutti i
motivi di pensare che il mio ingresso nella squadra sarebbe stata un'ottima cosa.

O'Kelly sa cosa succede, so che lo sa, ma non ha mai
detto una parola: si limita a guardare e aspettare. Nessun
capo vuole un trattamento del genere nella sua squadra,
le voci insidiose negli angoli, il veleno che incombe sulla
sala detective come una cappa di smog. Qualsiasi persona
nella sua posizione a questo punto cercherebbe un modo
per liberarsi di me.

Steve clicca «Stampa» e la stampante si mette al lavoro
con un dolce ronzio, niente a che vedere con l'ansito da
piede nella fossa della stampante in sala detective. Troviamo dei pettini, ci sistemiamo i capelli e spazzoliamo un
po' le giacche. Steve ha una macchia blu sulla camicia ma
non ho cuore di dirglielo, per evitare che nello sforzo di
pulirla ci lasci la pelle. Immagino che lui faccia lo stesso
con le macchie di pennarello che devo avere in faccia io.

Uno dei motivi per cui non mi fido di O'Kelly è che il
suo ufficio è pieno di pacchianate: un disegno infantile in-
corniciato con la scritta «miglior nonno del mondo», trofei di golf di tornei condominiali o poco più, un giocattolo lucente da manager, nel caso non avesse niente da fare
in ufficio, e pile di fascicoli polverosi che non si muovono
mai. L'impressione generale è quella di un burocrate su-

perato dai tempi, che passa le giornate perfezionando il suo swing al golf, lucidando la targa con il proprio nome e inventando trucchi per scoprire se qualcuno ha toccato la sua bottiglia nascosta di single malt. Ora, se O'Kelly fosse davvero cosí, non dirigerebbe la Omicidi da quasi vent'anni. L'ufficio dev'essere un trucco, per indurre le persone ad abbassare la guardia. E le uniche persone che ci entrano sono quelli della squadra.

O'Kelly è seduto rilassato sulla sua sedia ergonomica di lusso, con le mani appoggiate sui braccioli. Sembra una specie di dittatore di una repubblica delle banane in procinto di concedere udienza. – Conway, Moran, – dice. – Parlatemi di Aislinn Murray.

Steve gli tende il rapporto come un pezzo di carne davanti al muso di un cane aggressivo. Il mento di O'Kelly indica la scrivania. – Lascialo lí, lo leggo dopo. Ora voglio sentirlo da voi.

Non ci ha invitati a sederci (il che può essere un buon segno: non ci vorrà tutta la notte), quindi restiamo in piedi. – Stiamo ancora aspettando l'autopsia, – dico. – Ma dopo l'esame preliminare Cooper ha detto che qualcuno le ha dato un pugno in faccia e lei ha battuto la testa sul caminetto. Aveva invitato a cena un uomo, Rory Fallon, il quale ammette di essersi trovato sul posto nel periodo di tempo rilevante, ma sostiene che lei non gli abbia aperto la porta, e di aver scoperto che era morta solo quando glielo abbiamo detto noi questo pomeriggio.

– Ah, – dice O'Kelly. La luce cruda della lampada da tavolo gli getta ombre nette sul viso, nascondendogli un occhio e rendendo non interpretabile la sua espressione. – Gli credete?

Scrollo le spalle. – Metà e metà. La nostra teoria è questa: lei gli ha aperto, hanno avuto una lite per qualche motivo e Fallon le ha dato un pugno. Ma forse è vero che non sapeva che fosse morta.

– Avete delle prove concrete?

Meno di dodici ore sul caso, e mi tocca una lavata di testa perché non ho una corrispondenza del Dna. Metto le mani nelle tasche della giacca, per reprimere l'impulso di sbattere sul pavimento la stupida pianta ragno che tiene sulla scrivania.

Prima che possa aprire bocca, Steve dice: – La Scientifica ha già il cappotto e i guanti che Fallon sostiene di aver indossato la notte scorsa, e stiamo controllando la strada che ha fatto per tornare a casa, nell'eventualità che abbia gettato via qualcosa. Ci ha dato il permesso di guardare in casa sua e prendere i capi d'abbigliamento che ci sembrano interessanti, e un paio di ragazzi sono già sul posto. Secondo i tecnici, se lui è il nostro uomo abbiamo una buona possibilità di trovare sangue o cellule epiteliali, o una corrispondenza di fibre tessili con quelle che hanno trovato sul cadavere.

– Io ho chiesto a un mio contatto di affrettare gli esami, – dico, mantenendo un tono calmo. Dovremmo avere i risultati preliminari già domattina. Le faremo sapere.

O'Kelly unisce le punte delle dita e ci osserva. – Breslin pensa che dovreste smettere di sprecare il tempo di tutti e arrestare quel bastardo, – dice.

– Non è un caso di Breslin, – dico io.

– Significa che avete dei dubbi, o che volete mostrare a tutti che non vi fate comandare a bacchetta da Breslin?

– Se qualcuno è cosí stupido da pensare che Breslin possa comandarci a bacchetta, provare che si sbaglia sarebbe tempo perso.

– Allora avete dei dubbi.

Nel buio, fuori dalla finestra, si è alzato il vento. Dal suono sembra un vento ampio, da campagna, che soffia per chilometri senza nessun ostacolo, come se questo edificio sorgesse in mezzo al nulla. Dico: – Effettueremo l'arresto quando saremo pronti a farlo.

O'Kelly insiste: – Dubitate di avere abbastanza per ottenere una condanna, o dubitate che sia lui il colpevole?

Guarda me, non Steve. Rispondo. – Dubitiamo di essere pronti per arrestarlo.

– Non hai risposto alla mia domanda.

Scende il silenzio. L'unico occhio visibile di O'Kelly, metallico alla luce della lampada, non batte ciglio.

Alla fine dico: – Credo che sia il nostro uomo. Ma non intendo arrestarlo basandomi solo sulla mia sensazione. Se è un problema, ci tolga il caso e lo dia a Breslin. Glielo cedo volentieri.

O'Kelly ci fissa negli occhi per un altro minuto. Io non abbasso lo sguardo. Poi dice: – Tenetemi aggiornato. Voglio un rapporto completo sulla mia scrivania tutte le sere. Se viene fuori qualcosa di serio, non aspettate il rapporto e fatemelo sapere subito. È chiaro?

– Chiarissimo, – dico. Steve annuisce.

– Bene, – dice O'Kelly. Allontana la sedia dalla scrivania, la gira verso una pila di fascicoli e comincia a sfogliarne uno. La polvere si solleva nel cono di luce della lampada. – Ora andate a dormire. Le vostre facce sono ancora peggio di stamattina.

Steve e io aspettiamo di essere tornati nella centrale operativa, con la porta chiusa, prima di guardarci in faccia. Lui dice: – Che diavolo succede?

Io prendo il soprabito dallo schienale della sedia e lo indosso. Appena siamo entrati le reclute hanno accelerato il ritmo, e la sala è tutto un ticchettare di tasti e frusciare di carte. – Succede che il capo ci mette i bastoni tra le ruote. Non ti era chiaro?

– Sí, ma perché? Non gliene è mai fregato un tubo di
un nostro caso, a meno che non si trattasse di romperci le
palle perché non lo avevamo risolto abbastanza in fretta,
secondo lui.

Mi giro la sciarpa intorno al collo e infilo i capi sotto
il bavero: il buio fuori dalle finestre dice che là fuori fa
un bel freddo. O'Kelly ha tolto il lustro alla nostra idea
brillante: gangster e poliziotti corrotti sembrano un salto
da ginnasti, comparati al semplice tentativo di indurmi a
sbagliare per fregarmi. – Sí, e dopo le rotture di palle io
sono ancora qui. Forse il capo ha deciso di alzare la posta.

– Oppure, – dice Steve, piano. Non ha ancora cominciato a raccogliere la sua roba; è in piedi davanti alla scrivania, con un dito batte un ritmo pensieroso sul bordo.
– Se per esempio si è chiesto le stesse cose che ci stiamo
chiedendo noi adesso, magari già da un po', ma non vuole
dire nulla finché non è sicuro...

– Io vado a casa, – dico.

Da fuori, casa mia somiglia molto a quella di Aislinn
Murray: una casa a schiera a un solo piano, in stile vitto-
riano, con muri spessi e soffitti alti. È decisamente adatta a me: quando invito qualcuno a dormire, cosa che non
succede spesso, al mattino sono nervosa e non mi piace
sentire la mancanza di spazio. Qui, secondo il censimento
del 1901, una coppia ha cresciuto otto figli.

Dentro, casa mia non ha un cazzo in comune con quella
di Aislinn. Ho lasciato i pavimenti originali in legno (li ho
levigati e lucidati personalmente, quando ho comprato la
casa) e il caminetto vero, niente imitazioni con la fiamma a
gas; i muri sono stati raschiati fino a mettere a nudo i mattoni (anche quello l'ho fatto io) e poi imbiancati. Il mutuo
e le rate della macchina si mangiano buona parte del mio

stipendio, perciò l'arredamento è un misto di Oxfam e Ikea, ma almeno non c'è nulla a quadretti.

Getto la cartella sul divano, spengo l'allarme e accendo la macchina del caffè. Ho un messaggio della mia amica Lisa: «Siamo al pub, vieni!» Rispondo: «Ho fatto il doppio turno, sto crollando». È la verità, sono in piedi da più di ventiquattr'ore e gli occhi non mettono a fuoco bene, ma una pinta e due risate con un gruppo di persone che non mi considerano una merda me li sarei anche potuti fare. Solo che è proprio questo il motivo per cui non ci vado. Se passi abbastanza tempo a farti trattare come se avessi addosso un cartello con scritto «trattatemi di merda», cominci a temere che il cartello sia diventato reale e lo possano vedere tutti quelli con cui parli. Nella testa dei miei amici, io sono Antoinette la superpoliziotta, intelligente, dura, di successo, una contro la quale è meglio non mettersi. E voglio che la mia immagine resti così. Negli ultimi mesi ho rifiutato parecchie pinte.

Inoltre, ci sono buone possibilità che al pub con il gruppo ci sia anche il mio amico che ha la ditta di sorveglianza, e non voglio che mi offra di nuovo il lavoro. Non intendo accettarlo, almeno non stasera, con la sfida che ancora mi brilla davanti agli occhi, ma non voglio nemmeno che ritiri l'offerta.

Dovrei mangiare qualcosa e mettermi a letto, ma detesto perdere tempo dormendo ancora di più di quanto detesti perderlo in cucina. Metto nel microonde un piatto pronto a base di pasta, e mentre si scalda chiamo mia madre, come faccio tutte le sere, non so bene perché. Mia madre non è il tipo che ama parlare dei suoi problemi alla schiena, o di cosa fanno i figli delle sue amiche o di quello che ha trovato mentre vuotava il cestino della spazzatura di qualche manager, e quindi non le resta molto da dire. Io, quando

sono di buon umore, le faccio un riassunto super sinte-
tico della mia giornata. Quando sono di cattivo umore le
do tutti i particolari: com'erano le ferite, cos'hanno detto
i genitori tra le lacrime. A volte, mentre sono sulla scena,
mi sorprendo a immaginarmi mentre le racconto qualche
dettaglio veramente brutto, pensando che sarà la cosa
che finalmente provocherà una sua reazione, almeno un
respiro improvviso o una secca richiesta di non andare oltre. Finora, non ci sono mai riuscita.

– Come stai? – dice subito. Sento lo scatto di un accendino. Fuma sempre una sigaretta mentre parliamo. Quando la spegne, riattacchiamo.

Io schiaccio il bottone per un espresso. – Bene, e tu?

– Novità?

– Io e Moran ci siamo occupati di una rissa in strada.
Due ubriachi ne hanno aggredito un altro, gli hanno bal-
lato sulla testa. Un occhio della vittima era schizzato sul
sentiero.

– Ah, – commenta mia madre. – Qualcos'altro di strano?

Non mi va di parlare di Aislinn. È un caso con troppa
merda che gli gira intorno, troppa roba che non so ancora
come gestire; non parlo a mia madre di cose che non ho
inquadrato bene. – No, niente. Lisa mi ha invitato al pub
per una pinta con i ragazzi, ma sono distrutta. Vado a letto.

Mia madre lascia passare un attimo di silenzio, giusto
per farmi capire che non me la cavo cosí, poi dice: – Marie
Lane mi ha detto che sei sul giornale.

Ovviamente. – Ah, sí?

– E non per una rissa. Per una giovane che è stata uccisa in casa. Il giornale ti faceva fare uno schifo di figura.

Cambio la cialda nella macchina e schiaccio di nuovo il
tasto dell'espresso: me ne serve uno doppio. – È solo un
omicidio di routine. È arrivato sul giornale perché la donna

era una bionda con una tonnellata di trucco. E il giornalista non ha simpatia per me. Fine della storia.

Molte madri a questo punto avvertirebbero la debolezza e tenterebbero di succhiarne fino all'ultima goccia. Non la mia. Lei voleva solo farmi capire chi comanda, in questa conversazione, e chi deve imparare a fare meglio di cosí, se vuole fregare una professionista della menzogna. Ora che ha chiarito il punto, cambia discorso. – Lenny mi ha chiesto di nuovo se può venire a stare da me.

Lenny e mia madre stanno insieme da nove anni, in cui si sono lasciati e ripresi varie volte. Lui è un tipo a posto. – E tu?

Lei emette una risata rauca e uno sbuffo di fumo. – Io gli ho chiesto se stava scherzando. Se volessi le sue mutande sporche nella mia stanza da letto, ci sarebbero già. Comunque non parla sul serio; non vuole piú mangiare quello che cucino io, preferisce cenare al fish and chips…

Mi fa ridere parlando di Lenny finché finisce la sigaretta, e riattacchiamo. Arriva uno squillo dal microonde. Mi porto il piatto di pasta e il caffè sul divano e apro il laptop.

Esploro i siti di appuntamenti, una cosa che al lavoro non farei nemmeno morta. Un'occhiata da dietro le mie spalle o una ricerca sulla cronologia mentre io non ci sono, e sento già le battute: «Gesú, ragazzi, Conway frequenta i siti di appuntamenti!» «Certo, stronzefrigide.com». «C'è mercato per qualsiasi cosa, al giorno d'oggi». «Anche per lei? Stai scherzando?» «Ehi, comunque i pompini li sa fare, sennò non sarebbe qui. Può metterlo sul suo profilo». Ma se il nostro principe azzurro esiste davvero, Aislinn deve pur averlo trovato da qualche parte. I compagni di lavoro e dei corsi serali non comprendono il crimine organizzato, e lei non aveva una grande vita sociale, a giudicare da ciò che dicono il suo telefono e la sua amica Lucy. A meno

che non si fosse trovata un malavitoso che voleva imparare a lavorare all'uncinetto, internet resta l'ipotesi migliore.

Con un indirizzo e-mail usa e getta, la descrizione di
Aislinn e la foto di una bionda sorridente presa da Google
Immagini apro una serie di account, nel caso che il nostro
uomo abbia un tipo fisico preferito e stia già cercando una
sostituta. Resto a curiosare per un po'. In quei siti si usano
nickname, non nomi veri: j-wow79, footballguy12345, e
simili. Inoltre la descrizione di Aislinn si adatta alla metà
delle donne presenti. Uso filtri di ricerca per età e tipo e
osservo un mare di bionde con la faccia da oca finché mi
si incrociano gli occhi, ma di lei non c'è traccia. «Io credo che nella vita *cè* da essere positivi, quello che ci *aspeta*
ci troverà *lol*»; «Mi piacciono il romanticismo, la sponta-
neità, il rispetto, la sincerità, l'autenticità, la buona conversazione»; «Cerco qualcuno con cui chattare, segui l'impulso e messaggiami, non si sa mai cosa può succedere!!!»

La mia pasta ora è fredda e attaccaticcia, ma ingoio lo
stesso l'ultimo boccone. Fuori dalla finestra la strada è
buia, i lampioni perdono la battaglia contro la notte. Il
vento prende a pugni un sacchetto di carta del fish and
chips, lo sbatte contro un muro, lo tiene lí per un secondo,
poi lo ributta in strada. Passa la vecchietta del 12, spingendo il suo carrello per la spesa a motivi scozzesi, con il
foulard ben stretto in testa.

Passo alle foto di maschi e cerco un viso che mi risulti familiare, uno che magari ho visto al lavoro o su un articolo di
giornale. Non trovo niente. Non che un malavitoso di alto
profilo metterebbe la propria foto su un sito di appuntamenti. «È la mia prima volta su un sito del genere, non so bene
cosa dire, cerco una donna rilassata, niente drammi, buon
senso dell'umorismo…» «Sono un po' matto e un po' selvaggio, se pensi di potermi reggere, mandami un messaggio!!»

Mi stanno già irritando. Sono tutti cosí bisognosi, saltano su e giú agitando le braccia e scodinzolando: «Guardami, guardami. Ti piaccio? Mi vuoi? Ti prego, di' di sí».
E quelli esigenti sono quasi peggio: «Cerco una persona
alta, snella, in perfetta forma, no fumo, no droghe, no
bambini, no cani e gatti, con un lavoro fisso, che parli tre
lingue, ami il bikram yoga e l'acid jazz...» È come voler
ordinare un partner da un menu à la carte, solo perché ovviamente *devi* avere un partner, tanto quanto *devi* avere
un impianto stereo di ultima generazione e un'auto nuova
e di un certo livello, ed è importante specificare che non
ti accontenterai di nulla di meno di ciò che hai chiesto.
Rispetto solo le persone che sono qui per affari: bombe
sexy ucraine in cerca di uomini di mezza età da sposare.
A tutti gli altri prescriverei un calcio in culo e una flebo
di autostima.

Nessuno ha *bisogno* di una relazione. Quello di cui hai
bisogno è un minimo di buon senso per capirlo, anche se
tutti i media strillano che da solo non sei nessuno e se non
sei d'accordo sei strano e pericoloso. La verità è che, se
per esistere hai bisogno di qualcun altro, significa che non
esisti. E non vale solo per le relazioni romantiche. Io voglio bene a mia madre, ai miei amici. Se uno di loro mi
chiedesse di donargli un rene o di dare un fracco di botte
a qualcuno che gli dà fastidio, lo farei senza esitare. Eppure, se tutti loro domani sparissero dalla mia vita senza
preavviso, sarei la stessa persona che sono oggi.

Vivo dentro la mia pelle. Quello che succede fuori non
cambia la persona che sono. Non è una cosa di cui vado
fiera, è semplicemente quello che considero il minimo sin-
dacale per potersi definire un essere umano adulto, piú o
meno come la capacità di fare il bucato o cambiare un rotolo di carta igienica. Tutti quegli idioti sui siti web, che

supplicano altre persone di tirare i loro fili da marionette per farli muovere e renderli reali, mi fanno vomitare.

Ho già due messaggi privati. «Ciao, come va? Guarda il mio profilo e dimmi se vuoi chattare». Il tizio ha ventitre anni e lavora nella tecnologia informatica: un candidato improbabile per essere l'amante segreto di Aislinn. «Ciao bella donna, mi piacerebbe scoprire cosa c'è sotto quel fantastico esterno. Io: spiritualmente evoluto, molto creativo, mi piace viaggiare per il mondo, molti mi dicono che dovrei scrivere un romanzo sulla mia vita. Sei intrigata? Parliamoci». Riconosco la foto del profilo: è uno che ho arrestato perché si masturbava su un autobus, quando ero ancora in divisa. Questa città è piccola. Mi faccio un appunto mentale di controllare cos'ha fatto di recente, quando ne avrò il tempo, ma non ora: non è lui. Lucy non si sarebbe fatta impaurire da uno cosí.

Sono arrivata al punto in cui il monitor si piega e mi balla davanti agli occhi. Butto giú ciò che resta del caffè, ormai freddo da un pezzo, entro in un vecchio account e-mail e clicco su «Scrivi messaggio».

«Ciao tesoro, come va? È passato troppo tempo, mi piacerebbe rivederti quando hai un momento libero. Fammi sapere. A presto, baci. Rach».

L'indirizzo del mittente è «rachelvodkancoke». Rileggo, ma non clicco su «Invia».

La luce nella stanza cambia tono: le lampade a sensori di movimento nel cortile posteriore si sono accese. Mi alzo, spengo le luci interne e mi avvicino di lato alla finestra della cucina.

Nulla. Solo il patio. La luce bianca e le ombre ondeggianti gli dànno un'aria sinistra: lastricato in pietra, alti muri di cinta, la traccia diffusa del punto in cui c'era un rampicante, il buio incombente tutto intorno. Per un attimo mi sembra di vedere un movimento oltre il muro, la cima di una testa che si affaccia nel vicolo. Ma in un batter d'occhio non c'è piú.

Mi esplodono in testa mille pensieri. Penso a Aislinn, una giovane single con un cottage a Stoneybatter, accesso posteriore dal vicolo. Penso all'intruso che è scappato scavalcando il muro di cinta non appena si è accorto di essere stato scoperto. Penso a Crowley che ha sbattuto la mia foto in prima pagina, nel caso qualcuno avesse voglia di aspettarmi fuori dal Dublin Castle per seguirmi fino a casa.

Spengo le luci della veranda e controllo la pistola. Poi apro di scatto la porta posteriore, corro in cortile, poggio il piede su una sporgenza del muro, mi do una spinta e mi ci siedo sopra.

Sono pronta a trovarmi davanti chiunque, da un tossico a Freddy Krueger. Mi trovo davanti solo il vicolo, stretto e male illuminato dal lampione sulla strada. Ai bordi solo ombre e pacchetti vuoti di patatine, sul muro il logo di un graffitaro di ultimo livello scarabocchiato in blu. Ascolto: sento un rumore come di passi di corsa sulla strada, ma potrebbe essere solo il vento che sbatte in giro dei rifiuti.

Il moto di rabbia che provo è un po' per la delusione – la volevo proprio, una lotta – e un po' per essere cosí idiota. Anche se questo caso magicamente si trasforma nell'omicidio di riscaldamento di un serial killer, stasera lui è a casa a godersi un meritato riposo, non fuori in cerca d'azione. La testa che ho visto nel vicolo può essere un'allucinazione dovuta alla stanchezza o un ubriaco che si è fatto una pisciata, e il mio sensore di movimento è scattato per via del vento, o di un gatto randagio in cerca di cibo.

Torno al mio laptop. Resto seduta a lungo con un dito sul tasto, ascoltando il rumore del vento e tenendo d'occhio la cucina. Poi alla fine schiaccio «Invia».

6.

Per prima cosa, lunedí mattina, vado a casa del testimone del festival di deficienti, lo tiro giú dal letto e lo persuado a tornare in centrale per rilasciare di nuovo la sua dichiarazione, stavolta condita da frecciate sul fatto che io sono stipendiata da lui (attraverso il sussidio di disoccupazione, immagino) e dovrei avere piú rispetto e non fargli perdere tanto tempo. Sappiamo entrambi che se gli dico di chiudere la bocca, improvvisamente avrà un'amnesia su ciò che è successo sabato notte. Persino questo stronzetto sente l'odore della mia debolezza. Un paio di ceffoni potrebbero fargli passare le smanie, ma preferisco riservarli per qualcuno che conta un po' di piú.

Comunque solo metà della mia mente è concentrata su di lui. La giornata è cominciata strana. Sono uscita di casa che era ancora buio, una nebbia fredda e spessa riempiva la strada, riportandola alla sua misteriosa atmosfera vittoriana: le auto erano macchie confuse, i lampioni e le luci accese dietro le finestre sembravano appesi nel nulla. E c'era un uomo fermo in cima alla strada, quando nessuna persona sana di mente se ne sarebbe stata lí ferma a quell'ora e con quel tempo. Era troppo lontano per vederlo bene: alto, rivolto verso di me, con un soprabito nero e un cappello trilby nero e un'inclinazione delle spalle che suggeriva un'età non piú giovane. È tornata l'adrenalina della notte. Ho pensato all'uomo che aveva scavalcato il muro di cinta di Aislinn: corporatura media, soprabito scuro, il vicino pensava che fosse di mezza età... Nel tempo che ci ho messo a uscire dal parcheggio e a risalire la strada a tutta velocità, era scomparso.

Questo mi ha dato un brivido ulteriore, spingendomi a guardare nel retrovisore per tutta la strada fino al parcheggio della polizia e poi a casa del testimone e ritorno in centrale con lui che si lamentava sul sedile posteriore. Steve ha ragione, ci sono tanti uomini con un cappotto nero, tra cui anche quasi tutti i detective che conosco.

Ci sono vari motivi per cui un detective potrebbe tenere d'occhio casa mia, e alcuni sono meno divertenti di altri.

Poi, per rallegrarmi la giornata, il Bieco Crowley sta di nuovo cercando di trasformare il caso di Aislinn nell'omicidio dell'anno. Ha recuperato altre foto di lei, sempre tutta in tiro: Crowley e i suoi lettori non si ecciterebbero con una donna tarchiata, bruna e tracagnotta in tailleur di poliestere. Sotto le foto, una valanga di cliché si estende per buona parte della prima pagina del «Courier». Parecchi di tali cliché riguardano la polizia, che non prende sul serio il caso perché ha troppo da fare a proteggere i politici e i potenti, e dei normali lavoratori non gliene può fregare di meno. Crowley è riuscito a trovare anche una vecchia foto mia di quando ero ancora in divisa, e facevo servizio d'ordine durante una manifestazione di protesta. Si trattava di circa duecento persone, giustamente incazzate per la chiusura di un pronto soccorso, e non ci fu nessun incidente. Ma io sono lí in tenuta antisommossa e manganello, e Crowley non ha bisogno d'altro per l'immagine che vuole trasmettere. Se non effettuiamo un arresto in fretta, gli alti papaveri cominceranno a sentire la pressione e prenderanno a calci O'Kelly, il quale prenderà a calci me.

Accompagno fuori il mio testimone, che protesta ancora per essere stato svegliato presto, e lo seguo con lo sguardo mentre si accende una sigaretta e si allontana. Sono già quasi le dieci; la luce non diventerà piú forte di cosí, un grigio debole soffocato di nuvole. Mi appoggio al muro, ignorando il morso del freddo sotto la giacca del tailleur, e chiamo Sophie approfittando di avere un po' di privacy. L'impronta digitale di un boss della droga nella stanza da letto di Aislinn, o anche una bella macchia di sangue su un guanto di Rory, aiuterebbero molto a rimettere in sesto la giornata.

– Ciao, – dice Sophie. – Ti metto in viva voce, va bene? Questo vaso deve tornare a Galway tutto intero, per il caso O'Flahery, e secondo me gli idioti che trasportano le prove usano i reperti per giocarci a pallone, quindi lo sto impacchettando di persona, con una quantità industriale di plastica a bolle. Sono nel mio ufficio, non ci sente nessuno.

– Va benissimo, – dico. – Hai già ricevuto il materiale del nostro indiziato, vero?

– Sí. I guanti grigi di nylon e il cappotto nero di lana che indossava, piú un paio di pantaloni blu scuro, due camicie bianche di lino, un pullover celeste, guanti rossi di lana, guanti a motivi *jacquard*, dico sul serio, e una sciarpa nera di lana. Piú le impronte digitali –. Dal telefono arriva il rumore di un pezzo di nastro adesivo staccato dal rotolo. – A proposito, Breslin mi ha telefonato ieri sera. Voleva tutti i rapporti della scena del crimine piú i dati digitali di Aislinn.

La pietra grezza del muro mi punge la schiena attraverso la giacca. – E cosa gli hai dato?

– Ehi, è questo che pensi di me? Non gli ho dato un cazzo. Mi ha fatto una leccata che non ti dico, spiegando quanto era *felice* che io lavorassi a questo caso, perché nes-

suno degli altri tecnici è al mio livello. Che razza di cretino
può pensare di accattivarsi la mia simpatia parlando male
dei miei colleghi? – Un altro pezzo di nastro strappato.
– Gli ho detto che i rapporti non erano ancora pronti, visto che questo caso non è l'unico al mondo, e che i ragazzi dei computer non avevano ancora cominciato. Il che è
anche la verità, o quasi. Breslin non ne è stato contento,
ma ha continuato sullo stesso tono. Te lo giuro, alla fine
pensavo che mi avrebbe mandato dei fiori.

– Farò una chiacchierata con Breslin, – dico. Vorrei dare un bacio a Sophie. – A che punto siete, in realtà?

– I rapporti sono pronti, te li mando quando vuoi. Ho
convinto i ragazzi a fare un po' di straordinario. Ho immaginato che se volevi tenere questa roba lontana da quel
leccaculo, e non voglio sapere se è vero, non mi interessa,
poteva essere utile trovarci un paio di passi avanti rispetto a ciò che lui si aspetta.

– Perfetto, – dico, mostrando mentalmente il dito medio
a Breslin. – Sei un tesoro. Hai trovato qualcosa di buono?

Sophie fa un rumore come un'alzata di spalle. – Le fibre nere sul corpo della vittima quadrano con il cappotto
dell'indiziato, ma non è niente di speciale: si tratta di roba comunissima, probabilmente corrispondono ad almeno
metà dei cappotti neri di questa città. Niente corrispondenze con la sciarpa, invece, niente sangue sui guanti. Se
lui è il vostro uomo, questi non sono i guanti che indossava al momento del delitto. Mi dispiace.

– Così vanno le cose, – dico. Non sono sorpresa: persino Rory è abbastanza furbo da gettare dei guanti insan-
guinati in un bidone. – Continueremo a cercare. Qualcosa
di nuovo dalla scena?

– Troverai quasi tutto nei rapporti: una quantità di fibre varie non identificate e roba simile. Faremo un con-

trollo incrociato con le fibre in casa dell'indiziato, in cerca di trasferimenti secondari: una fibra della moquette in casa di lui finisce sul cappotto e dal cappotto sul divano di lei, cose di questo tipo. Inoltre controlleremo l'eventuale presenza, sugli abiti dell'indiziato, di fibre provenienti dall'abitazione della vittima, ma non l'abbiamo ancora fatto. Merda... – Sento un fruscio di plastica e un tonfo: Sophie che lotta con il rotolo di plastica a bolle. – C'è solo una cosa un po' strana. La casa è pulita.

– Aveva invitato a cena l'uomo che le piaceva. Avrà fatto le pulizie.

– Non quel tipo di pulito. Sí, certo, lei era proprio un tipino ordinato, niente polvere nemmeno sopra l'armadio, una roba da *La fabbrica delle mogli*, e di sicuro ha dato il meglio di sé per l'invito a cena del suo Romeo. Ma mi riferivo alle impronte digitali. Ricordi che Moran mi ha chiesto di controllare i punti che un ex poteva aver toccato? La testiera del letto, sotto la tavoletta del water?

– Sí.

– Be', non c'è niente. Niente impronte sulla testiera, nemmeno quelle della vittima, ed è verniciata, trattiene bene le impronte. Stessa cosa per i pomelli delle porte, il lavandino del bagno, il sedile del water, la porta del frigorifero, il pacchetto di preservativi nel comodino: solo macchie indistinte.

– Qualcuno ha cancellato le impronte, – dico. L'amante malavitoso comincia a proiettare un'ombra piú decisa. Tipi cosí pensano a ripulire una casa dalle impronte. Rory, che non c'era mai stato prima, non ne avrebbe avuto bisogno.

Sophie emette un suono vago. – Forse. O la nostra donna perfetta era davvero fissata con la pulizia. Sono possibili tutte e due le ipotesi. Comunque ho pensato che avresti voluto saperlo.

– Infatti. Fluidi corporei sul letto?

– Sí. Le lenzuola erano pulite, ma abbiamo trovato delle macchie sul materasso. Forse è solo il sudore della vittima, hai visto anche tu che in casa teneva una temperatura tropicale; ma se abbiamo fortuna magari troviamo un
campione di sperma, o almeno il sudore di qualcun altro –.
Un fruscio piú energico: Sophie sta avvolgendo il vaso in
un altro strato di plastica. – Anche se troviamo del Dna,
comunque, non c'è modo di sapere quando è stato depo-
sitato. Se scopri quando ha comprato il materasso puoi
definire una data limite, ma a parte questo...

– Tienimi aggiornata sul Dna, – dico, senza molte speranze: quel pacchetto di preservativi la dice lunga sulla
possibilità di trovare dello sperma sul materasso. – Grazie,
Sophie. E su computer e telefono puoi già dirmi qualcosa?

– Buona parte di ciò che abbiamo trovato sono le solite
stronzate. Niente di utile sul cellulare: ricerche su negozi
di vestiti e night club, app di gioco piene di fatine svolaz-
zanti. Nessuna faccia interessante sulle foto, ma ti mando
delle copie, cosí puoi controllare. Il suo profilo Facebook
è tutto selfie e cose tipo: «Quale personaggio di *Hunger
Games* sei?» o «Condividi questo post se detesti il cancro». A che dovrebbero servire queste cose? Se il post riceve abbastanza «Mi piace» il cancro capisce l'antifona e
si toglie di torno?

– Facci avere username e password, per favore. Dobbiamo controllare i suoi amici di Facebook.

– Non c'è problema, – risponde Sophie. – Non sembra
che avesse relazioni serie, sui social. Niente messaggi privati o cose del genere; il suo profilo è tutto colleghi di lavoro e vecchi compagni di scuola, del tipo a cui scrivi un
post all'anno per commentare quanto stanno bene nella
foto del compleanno. Ma accomodati pure.

Se l'amante malavitoso esiste davvero, è bravo a rendersi invisibile. – Che mi dici delle e-mail? Amore, sesso,
appuntamenti, c'è qualcosa? Da parte di Rory Fallon o di
chiunque altro?

– Niente di niente. L'account Gmail collegato al telefono è pieno di conferme di ordini online e di offerte speciali da siti di moda. La cosa piú affettiva è una cugina in
Australia che la saluta con una serie di baci alla fine delle
sue e-mail. State ancora cercando un ex?

– Teniamo aperta quella possibilità, – dico. Un gruppo di turisti mi passa accanto, tutti con la testa alzata e la
bocca aperta. Uno mi punta addosso una macchina fotografica, ma gli lancio un'occhiata che quasi fonde l'obiettivo, e fa marcia indietro.

– Noi vediamo solo quello che lei ha lasciato, – mi ricorda Sophie. – Può aver cancellato tutto ciò che le ricordava l'ex. E-mail, foto, messaggi.

– Lo so –. O può averlo fatto lui, sabato sera. – Ci
faremo dare i tabulati dalla compagnia telefonica, probabilmente Steve lo sta facendo proprio ora. Per favore
mandami il login dei suoi account e-mail, metti Steve in
copia e... puoi parlare con i provider di quegli account
e farti dare le cronologie, cosí possiamo vedere ciò che
ha cancellato?

– Il mio tecnico informatico ha amici potenti. Lo metto
al lavoro appena finisco di impacchettare questo cazzo di
vaso. Dovresti vederlo: alto almeno un metro e venti, cani
di porcellana che vengono fuori da tutte le parti, coperto
di spruzzi di sangue. Che almeno lo imbelliscono un po'.

– E il computer della vittima? Dimmi che sul suo laptop c'è qualcosa di utile –. Ho un freddo tale che persino
il caffè istantaneo e insapore della centrale operativa comincia a sembrarmi invitante.

– Se vuoi delle prove interessanti, portami una vittima interessante. Questa donna aveva una vita noiosa. Passava un sacco di tempo online, ma non esplorava nessun angolo oscuro di internet, da quanto abbiamo potuto vedere. Il mio tecnico ha controllato la cronologia degli ultimi due mesi: un sacco di tempo, ma proprio *un sacco*, su siti di viaggi: leggeva articoli su Australia, India, California, Portogallo, Croazia... Ha fatto ricerche su vari corsi serali a Dublino, su corsi di Storia dell'arte in alcune università, ha comprato un bel po' di vestiti firmati a prezzi scontati, ha letto tutti gli articoli mai usciti su un paio di processi a malavitosi. Voleva disperatamente provare delle emozioni; magari potrebbe averle trovate al di fuori della cronaca.

È proprio quello che ho pensato quando ho scoperto la piccola biblioteca sul crimine di Aislinn. Mi dimentico del caffè. – Capisco, – dico, sforzandomi di tenere un tono privo di emozioni. – Ricordi quali casi?

– Francie Hannon, e Comesichiama, quello con la lingua tagliata. Avevo dimenticato quanto i giornalisti si fossero tuffati a pesce su quel caso. Qualcuno di loro deve aver avuto un vero orgasmo.

Tutti e due gli uomini facevano parte della stessa gang, un gruppo di ragazzi della zona nord, capeggiati da uno psicopatico detto Cueball Lanigan. Di tutte e due le indagini si erano occupati Breslin e McCann.

– Sembra che il caso abbia eccitato anche la nostra vittima, – dico. Se davvero Aislinn era entrata in contatto con i ragazzi di Cueball, in fondo non le è andata troppo male. – C'è altro, sul laptop?

Altri energici fruscii di plastica, poi: – Leggeva tanta fan fiction. Del tipo sdolcinato, niente roba piccante. Il mio informatico è rimasto un po' deluso. Ha detto che ha smesso di andare avanti dopo uno in cui Giulietta si sveglia in tempo e lei e Romeo vivono per sempre felici e contenti.

– Carino, – dico. – Siti di appuntamenti?

– Niente.

– Messaggi particolari?

– No. E il tecnico dice che nessuno ha manomesso la cronologia.

– Puoi cercare un po' piú a fondo? Abbiamo bisogno di tornare indietro di almeno sei mesi. Un anno sarebbe meglio.

Sophie fa un sibilo basso. – Sei sicura? Guarda che se lo fai incazzare, il mio informatico ti manda ogni Url che lei abbia mai visitato. Passerai il resto della vita a controllare ogni singola pagina di ogni sito di moda dell'universo.

– È per questo che Dio ha inventato le reclute, – dico. – Con il laptop abbiamo finito, quindi?

– Non mettermi fretta, – dice Sophie con un pezzo di nastro adesivo tra i denti. – Ora viene il meglio. Il mio uomo ha esaminato la cartella documenti. L'unica cosa un minimo interessante è che Aislinn ha aggiornato il suo curriculum un paio di mesi fa: forse pensava di cambiare lavoro. Poi ha guardato le foto. Quasi tutte sono del tipo di quelle sul cellulare, selfie in discoteca. Ma c'è una cartella protetta da una password, creata nel settembre scorso. Si chiama «Mutuo». Ma chi scatterebbe delle foto al proprio mutuo? Proteggendole con una password?

Non ho piú bisogno del caffè; sono sveglissima. Settembre: molto prima che Aislinn conoscesse Rory, e non molto dopo che secondo Lucy aveva conosciuto il suo uomo segreto. – Un nome finto, – dico. – Per depistare chi avesse frugato tra la sua roba. Siete già riusciti a entrare?

– Non ancora. Il mio uomo ha provato con un intero dizionario, piú varie combinazioni del nome e data di nascita di Aislinn, ma niente.

– Avete provato con la password del suo account Facebook?

– Non ce l'abbiamo. Facebook e Gmail erano già aperti sul cellulare; abbiamo resettato le password rispondendo alla domanda di sicurezza – il nome da nubile di sua madre, figurati – cosí possiamo entrare nei suoi account da altri computer, se vogliamo, ma non abbiamo le password originali. E non le hanno nemmeno i provider, perché sono criptate.

– Il tuo uomo sta ancora lavorando su quella cartella?

– Sí, e riuscirà ad aprirla. Quella ragazza non era Jason Bourne; non ha nessuna possibilità contro uno del suo livello. Voglio solo farti capire che si è data un certo da fare, per assicurarsi che quella cartella restasse privata.

– Ho fiducia in te e nel tuo uomo, – dico. Sento l'adrenalina salire di nuovo; per quanto cerchi di tenerla giú, una parte di me immagina l'uomo di Sophie che riesce a entrare in quella cartella e ne esce con le mani piene di foto di Aislinn e Cueball Lanigan che scopano, mentre Breslin conta i soldi sullo sfondo. – Fammi sapere quando ci riuscite, va bene?

– Sarai informata appena succede –. Sophie strappa un'altra striscia di nastro e lo attacca. – Basta cosí. Questo affare è cosí brutto che se alla fine lo rompono il mondo sarà un posto migliore.

Vado a cercare Breslin. Bernadette dice che è qui, da qualche parte. Non lo trovo in sala detective – le chiacchiere si sgonfiano quando apro la porta e riprendono sopra un substrato di risatine quando la richiudo – e neppure in sala mensa. Salgo al piano superiore per vedere se è nella centrale operativa.

Sono sul pianerottolo quando sento la sua bella voce

fuoricampo che scende lungo la tromba delle scale. Breslin
è sopra di me, e parla a bassa voce.

Mi fermo di colpo. Poi riprendo a salire in punta di piedi (le scale sono in marmo bianco, fanno parte del vecchio
castello e ogni suono riecheggia) fino a vederli attraverso
il corrimano. Breslin e McCann, in cima alle scale, molto
vicini l'uno all'altro.

Dovrei afferrare ogni occasione per chiacchierare con
loro due, ma McCann non mi sembra di umore discorsi-
vo. Sembra ritirarsi dentro il suo completo, con le mani
affondate in tasca. Breslin è appoggiato al corrimano con
la schiena verso di me. Dalla linea delle spalle, capisco che
quell'atteggiamento rilassato gli costa uno sforzo.

McCann borbotta qualcosa che include le parole «quella stronza». Pronunciate con sentimento.

– Ci penso io, – dice Breslin. – Tu sta' buono e lascia
fare a me, va bene?

McCann si muove come se avesse il vestito appiccicato
addosso. – A lei non piacciono le minacce. Se tenti di...

– Non voglio minacciarla, non si tratta di questo. Si
tratta di farle capire che ha un'unica opzione.

McCann si passa le dita sulle borse sotto gli occhi e getta indietro la testa.

Breslin dice: – La sistemo io. Tutto tornerà in regola
molto presto.

McCann alza la testa per dire qualcosa e vede il mio
tailleur nero contro il bianco della scalinata e resta immobile. – Bres, – dice.

Breslin si volta e un'espressione vuota gli cala sulla faccia. – Detective Conway, – dice. – Gentile, da parte tua,
farti vedere.

– Avevo da sistemare alcune cose rimaste in sospeso da
sabato notte, – dico. – Questo non è l'omicidio di John

Kennedy; non intendo abbandonare tutto il resto per occuparmene. Ho bisogno di fare due chiacchiere con te.

– Facciamole. Andiamo pure. Mac, ci vediamo dopo, eh? – McCann annuisce senza alzare gli occhi. Breslin gli dà una pacca sulla spalla e scende le scale, passandomi accanto e precedendomi.

Io lo seguo. Quando mi volto indietro, McCann è ancora sul pianerottolo e fissa il nulla.

– McCann e la moglie stanno passando un brutto periodo, – dice Breslin in tono colloquiale, sopra il rumore dei nostri passi. – Avrai sentito le telefonate che riceve.

Io faccio un suono che può significare qualunque cosa. Le telefonate le abbiamo sentite tutti: McCann borbotta a denti stretti che sarà a casa presto la sera mentre la testa si abbassa sempre piú sopra la scrivania e i ragazzi fanno qualche risatina di scherno.

– A lei non piace questo lavoro. Non le piacciono gli orari, non le piace vederlo tornare a casa con la testa piena di bambini morti e tutto il resto. Difficile darle torto, no? McCann pensa che stia per arrivargli un ultimatum: o chiede di essere trasferito dalla Omicidi, o lei lo sbatte fuori di casa.

Io continuo ad annuire. Sono tutte stronzate di copertura. Nella squadra si spettegola come in una sala di bingo, ma nessuno si prende mai il disturbo di mettermi al corrente. Loro due stavano parlando di me: o di come convincermi a chiudere il caso o di come farmi uscire dalla squadra. L'unica domanda è perché. – Caspita, – dico. – E cosa pensa di fare?

– Be', ovvio che non gli piace nessuna delle due opzioni. Gli ho detto che con la sua signora ci parlo io, per calmarla. Siamo tutti amici da molto tempo. Lei sa che ho a cuore l'interesse di tutti e due –. Fa il sorriso benevolo di un uomo che ha a cuore l'interesse degli altri. – Devi darmi la tua parola di non parlarne in giro, Conway. Mc-Cann non vuole che la sua vita privata diventi argomento di pettegolezzi nella squadra. Non avresti dovuto sentire questa conversazione, – agita un dito con aria di rimprovero, un tocco da professionista, – ma visto che è successo, rispetta la sua privacy.

– Io non spettegolo, – ribatto. – Lo lascio fare ai ragazzi –. Ho una voglia matta di dargli un pugno sulla sua doppia faccia, ma volevo fare due chiacchiere con lui ed ecco l'occasione. – Pensi di sistemare tu la faccenda?

– Oh, sí. Sotto sotto, loro sono pazzi l'uno dell'altra; hanno solo bisogno di qualcuno che glielo ricordi. Tornerà tutto normale molto presto. McCann è solo preoccupato.

– Sí, avevate tutti e due un'aria preoccupata.

Breslin si blocca e mi fissa. – Io? Cosa vorresti dire?

Alzo le mani. – Dicevo tanto per dire.

– Questa secondo te è un'espressione preoccupata? – Si indica la faccia, tra incredula e disgustata. – Forse il tuo radar ha bisogno di essere ricalibrato, Conway. Per cosa dovrei essere stressato?

Scrollo le spalle. – Come faccio a saperlo?

Breslin non si muove. – No. Non puoi gettarmi in faccia una cosa e poi fare marcia indietro quando ti chiedo di spiegarti. Per cosa dovrei essere stressato?

Stressato e sulla difensiva al massimo grado. Interessante. Ma decido di non farglielo notare. – Le solite cose. Il lavoro. I soldi. La vita.

– La mia vita va benissimo, grazie. E amo il mio lavoro, a differenza di altri. Se credi che bastino un paio di giorni con te e il ragazzo dai capelli rossi per farmi cambiare idea, ti sopravvaluti. Dal punto di vista finanziario va tutto bene. Anzi, benissimo. Sono un uomo felice. Capito?

– Ehi, – dico. – Dicevo tanto per fare conversazione.
Breslin mi fissa per un lungo momento. Poi: – Va bene.
Riprende a scendere le scale, costringendomi a seguirlo. – Te lo dico gratis, Conway. Ognuno di noi ha il suo
forte. Fare conversazione non è il tuo.

– Probabilmente no –. Ecco dove è andato a finire il mio
cuore a cuore con Breslin. – C'è qualcosa che vuoi dirmi,
riguardo a ieri sera?

– I fratelli maggiori di Rory sono venuti a parlare con me.
I rapporti sono sulla mia scrivania, se vuoi dare un'occhiata, ma non è emerso nulla di utile. Tutti e due sostengono
che Rory sia l'Uomo Nuovo, che rispetta le donne e non
gli verrebbe mai, ma proprio *mai* in mente di picchiarne
una. È già stato lasciato diverse volte – che grande sorpresa
– e non si è mai mostrato arrabbiato, solo depresso. I fratelli sanno che la libreria non è nelle migliori condizioni,
tuttavia credono che se Rory avesse avuto bisogno di un
prestito si sarebbe rivolto a loro, non certo alla sua nuova
ragazza. Ma anche loro sono al verde, quindi non capisco
perché lui avrebbe dovuto prendersi il fastidio. Li ho vi-
deoregistrati, cosí possiamo farli vedere a Comesichiama,
lí a Stoneybatter, ma sarei sorpreso se li identificasse. Io
credo che siano davvero ingenui come sembrano.

– Va bene, – dico. – Hai chiamato Sophie Miller, per
farti dare i dati digitali di Aislinn?

Lui si volta a guardarmi, sopracciglia alzate in segno di
avvertimento. – Sí. È un problema?

– Avevo detto che ce ne occupavamo io e Steve.

Breslin si ferma sul pianerottolo, per fissarmi con un'occhiata seria. – Ah, Conway, per favore. Capisco che vo-
gliate tenere per voi la roba migliore, ma qui non siamo
all'asilo. Non hai il diritto di portare via i tuoi giocattoli. Questo è il mondo reale. L'importante è fare il lavoro.

– Sí. E noi siamo capaci di farlo.

– Ieri notte no. Eravate tutti e due a casa a farvi il vostro sonno di bellezza. Lo so, lo so, avevate fatto un doppio turno, ma resta il fatto che non eravate qui. Mentre
io sí. Ho finito con i fratelli di Rory, ho buttato giú una
lista di appuntamenti per gli altri suoi conoscenti, ho fatto una telefonata per avere i suoi tabulati telefonici e mi
sono trovato con un po' di tempo libero. Cosí ho deciso di
usarlo. Dovresti ringraziarmi, invece di prendertela.

– Hai trovato qualcosa di utile?

Breslin mi guarda. – Sophie Miller non aveva ancora
pronto nulla.

– Già. Per questo non ti ringrazio. E anche perché mi
piace sapere chi fa che cosa, nella mia indagine, cosí evito
di sembrare una stupida quando faccio una telefonata per
sapere delle cose e mi dicono che ha già chiamato qualcun altro.

Breslin muove la mandibola, prima di parlare. – Conway.
Rilassati. Tieni a mente che io ho molta piú esperienza di
te. Se faccio qualcosa, spero che tu possa fidarti che è per
il bene dell'indagine.

– No, – dico. Sento in testa la voce di Steve che ripete: «Dobbiamo andare d'accordo con Breslin», ma voglio
vedere cosa succede. – Non tengo a mente nulla. A meno
che tu sia stato promosso a mia insaputa, siamo nella stessa squadra e questa è la mia indagine. Il che significa che
sei tu quello che sta passando il segno, con una bella faccia tosta, e sei sempre tu quello che deve tenere a mente
i ruoli, in questo caso.

Per un secondo penso di essermi spinta troppo oltre, ma
Breslin si costringe ad assumere un'espressione di stanca
rassegnazione, come un insegnante che avrebbe dovuto
sapere di non potersi aspettare di meglio da quella stu-

dentessa problematica. – Va bene, Conway. La prossima volta che penserò di dare un contributo alla *tua* indagine, ti chiederò prima il permesso –. Alza gli occhi al soffitto. – Questo ti fa sentire meglio?

– In realtà, sí.

– Bene. Allora puoi toglierti quel bastone dal culo e rilassarti?

– Io… oh, Gesú –. Faccio marcia indietro, con aria imbarazzata. – Non intendevo mica… – Mi volto a guardare in corridoio, per assicurarmi che nessuno abbia udito il mio numero da piccola detective cattiva. – Non è facile, per me, capisci? Avere a che fare con uno come te. È un po'… intimidatorio. E non sempre riesco… sí, non sempre riesco a gestirlo nel modo giusto.

– Be', – dice Breslin. Si prende il tempo di pensarci su, per darmi una lezione, ma è gonfio di soddisfazione. – Direi che posso capirlo. Ma non è una scusa per stare sempre sulla difensiva. Siamo nella stessa squadra, no?

– Sí, lo so. Scusami –. Non farei mai la leccaculo per accattivarmi le simpatie di un cazzone, ma se è per fare il culo a un cazzone, so leccare anch'io. – Apprezzo l'aiuto, e i consigli. Anche se non sono molto brava a dimostrarlo.

Breslin annuisce. – Va bene, – dice, magnanimo. – Non parliamone piú.

– Grazie, – rispondo. – Dove stai andando?

– Ho alcuni appuntamenti con altri conoscenti di Rory. Sempre se sei d'accordo.

Sorride, ma sotto c'è un tono tagliente.

– Fantastico, – dico. – Un milione di grazie. Ci vediamo dopo.

Chino umilmente la testa in segno di saluto e torno a salire verso la centrale operativa. McCann non è piú sul pianerottolo. Sono già al piano di sopra, sul punto di svoltare

in corridoio, quando sento di nuovo i passi di Breslin rie-
cheggiare lungo le scale, come un applauso lento e freddo.

In sala operativa va tutto avanti benissimo senza di me,
il che dovrebbe farmi piacere. Le reclute sono api operose e fanno in modo che si noti. Gaffney scrive sul taccuino, Meehan sta concludendo una telefonata, Kellegher e
Reilly sono chini sui propri monitor e fissano video a circuito chiuso saltellanti in modalità «Avanti veloce». Stanton e Deasy non ci sono, presumibilmente sono andati sul
posto di lavoro di Aislinn. Steve ha la nostra scrivania di
comando tutta per sé, l'ha trasformata in una tana di fogli stampati al computer e barrette di KitKat, e fischietta
tra sé mentre legge le pagine. Ha un'aria felice.

– Buongiorno a tutti, – dico, gettando la mia roba sulla scrivania. Le reclute mi sorridono come se mi amassero
tutti. Se alcuni di loro lavorano per conto di Breslin – ne
sono quasi sicura: qualsiasi cosa Breslin abbia in mente,
ha bisogno di avere dalla sua almeno una recluta – lo nascondono bene.

– Come stai? – dice Steve. – Sistemato tutto?

– Sí –. Gli ho detto solo che avevo bisogno di qualcos'altro dal nostro testimone delinquente, senza entrare
in particolari, e lui non ha chiesto altro. – C'è qualcosa
che devo sapere?

– Sophie ci ha mandato qualcosa via e-mail proprio adesso –. Solleva una pagina.

– Sí, ho parlato con lei –. Butto il cappotto sullo schienale della sedia. – Uno dei suoi ci procurerà la documen-
tazione delle sue e-mail. Tu hai i tabulati telefonici?

– Sí, il mio contatto alla Meteor li ha già mandati –.
Steve esamina i suoi fasci di carte, tocca quello a destra.
– Breslin ha preso quelli di Rory; dice che non c'è nulla

che salta all'occhio, sabato sera non ha chiamato nessuno a parte Aislinn, non ha chiamato la polizia di Stoneybatter ieri mattina e non c'è nulla che lo colleghi a Lucy Riordan. Breslin sta cercando di farsi dare tutti gli sms, per vedere se lí trova qualcosa.

– Gaffney, – dico. – Novità sulla telefonata alla polizia?

Gaffney sobbalza. – Sí; ci ho pensato io, sí. Ho avuto il numero che ha chiamato, ma è un numero non registrato.

Steve dice: – Non vedo nessun motivo per cui Rory dovrebbe avere un cellulare non registrato, che tra l'altro non è venuto fuori durante la perquisizione in casa sua.

Al contrario, molti malavitosi hanno piú cellulari non registrati di quanti ne possano tenere in tasca. – Non si sa mai, – dico. – Ma sí, tutto sembra indicare che la telefonata alla polizia non l'abbia fatta Rory. Facciamoci dare i tabulati completi di quel telefono e vediamo se c'è qualcosa che può portarci al suo proprietario. Moran, te ne occupi tu?

Steve annuisce, mentre prende appunti. Gaffney ha un'aria dispiaciuta ma non posso fare altrimenti: se quel cellulare è pieno di chiamate a spacciatori o trafficanti di droga, io e Steve dobbiamo saperlo prima di chiunque altro.

– Meehan, – dico. – Dovevi prendere i tempi della strada che Fallon dice di aver seguito a Stoneybatter. Com'è andata?

– Secondo la sua dichiarazione, – risponde lui, ruotando la sedia per guardarci, – Fallon è sceso dall'autobus appena prima delle sette e mezzo e ha bussato alla porta di Aislinn poco prima delle otto; questa parte è confermata dal testimone che portava a spasso il cane. Perciò resta mezz'ora per l'intera camminata, dalla fermata dell'autobus fino in cima a Viking Gardens, poi al Tesco per comprare i fiori e ritorno a casa della vittima. A un passo normale ci ho messo ventisette minuti. Al passo piú veloce possibile senza mettermi a correre, ci ho messo sei minuti in meno.

– Quindi Rory può aver avuto a disposizione quasi dieci minuti, – dico.

– Di piú, – dice Steve. – Ecco la parte interessante: Stanton ha preso i video a circuito chiuso sulla linea 39A e li ha esaminati stamattina presto. Rory è salito sull'autobus alle sette meno dieci, non quasi alle sette, come ci aveva detto, ed è sceso alle sette e un quarto, non appena prima delle sette e mezzo. Forse ricordava male, o ha fatto un conto del tempo a spanne, ma...

– Ma era ossessionato dalla possibilità di arrivare in ritardo all'appuntamento, – dico io. – Per paura che lei si offendesse e lo mandasse al diavolo, rovinandogli la vita. No, non ricorda male e non ha valutato i tempi in modo approssimativo. C'è un periodo di tempo che può arrivare anche a venti minuti in cui non sappiamo cosa ha fatto, e lui ha tentato di confondere le acque perché non vuole che lo scopriamo –. L'odore del sangue mi torna nelle narici. Rory è una tentazione, tutto morbido e con gli occhi grandi, e pronto a farsi incriminare. Sarebbe una soddisfazione battere alla sua porta, trascinarlo qui e gettargli in faccia i tempi registrati dai video. – Bene. Quando lo porteremo di nuovo qui, farà meglio ad avere una spiegazione inoppugnabile per quello che ha fatto. Abbiamo trovato dei video della zona?

– Sí, – dice Kellegher, staccandosi dal monitor. È lungo, lentigginoso, rilassato e piuttosto utile: prima o poi entrerà nella squadra. – La cattiva notizia è che non ci sono telecamere tra la fermata del 39A e Viking Gardens, o tra Viking Gardens e Tesco. Perciò non possiamo verificare che strada ha fatto, e neppure i tempi. Ma lo vediamo quando compra i fiori. Ha pagato alle 19.51, e corrisponde con la sua dichiarazione.

– Non mi sorprende, – rispondo. – Doveva sapere che lí ci sono delle telecamere, e non avrebbe mentito su questo punto. Dobbiamo allargare la zona di Stoneybatter da esplorare alla ricerca di telecamere a circuito chiuso. Qualsiasi cosa abbia fatto Rory in quei minuti, può averlo portato fuori dall'itinerario che ci ha detto di aver seguito. Reilly, puoi occupartene tu? – Meehan apre il registro di lavoro.

Reilly guarda fuori dalla finestra (sta per mettersi a piovere), poi di nuovo il suo monitor. – Non ho ancora finito di guardare le riprese che abbiamo.

Reilly era un anno dietro di me in accademia. È molto meno bravo di Kellegher, ma anche lui entrerà in squadra, prima o poi, perché sembra fatto per adattarsi perfettamente al gruppo.

– Può finire Kellegher, – dico. – Con venti minuti in piú, Fallon può essersi allontanato... diciamo di mezzo chilometro dall'itinerario che ci ha dato. Comincia da un raggio di cinquecento metri, e vediamo se trovi qualcosa. Ci vediamo piú tardi.

Reilly muove il mento e mi lancia un'occhiata suina, ma si tira su dalla sedia e prende il soprabito. – Kellegher, – dico. – Mi hai dato la cattiva notizia, ora dimmi che ce n'è anche una buona.

– C'è. Abbiamo immagini di Fallon in quattro punti tra Stoneybatter e Ranelagh, mentre torna a casa. Le ho riportate sulla mappa –. Indica la lavagna bianca, dove c'è una nuova mappa completa di x, frecce e un'aureola di foto sgranate che riportano l'ora in cui sono state scattate. – Coincide con la sua dichiarazione.

Do un'occhiata. Il tizio snello in cappotto nero tiene la testa bassa contro la pioggia, ma è Rory. Nella prima foto,

sui viali del lato nord, un mazzo di fiori tutto sciupato gli
sporge da sotto un'ascella; quando arriva al Temple Bar
dopo aver attraversato il fiume, i fiori sono spariti.

– Abbiamo un'immagine in cui si vedono le mani? –
chiedo.

– No. Le tiene in tasca.

– Meehan, – dico. – Ho bisogno che controlli i tempi
dell'itinerario seguito da Fallon per tornare a casa. Voglio capire se può aver fatto una deviazione, per esempio
per andare a casa di un amico. Kellegher, a che passo va,
sui video?

– Vivace, lo definirei, – risponde lui, guardando la foto del Temple Bar, dove Rory viene spinto giú dal marciapiede da un party di addio al celibato, con uomini che
portano tette finte e agitano lattine di birra. – Non correva e non andava troppo in fretta, ma si vede che voleva
arrivare a casa presto. Sí, un passo vivace.

– Sentito? – dico a Meehan. – Da Viking Gardens al
Wayward Bookshop, a passo vivace, e prendi i tempi nei
punti in cui le telecamere hanno ripreso Rory.

– Con questa indagine mi metterò in forma, – dice Meehan, spingendo indietro la sedia.

– Tieni un'andatura abbastanza rapida e forse ce la fai
prima che venga a piovere. Grazie. Kellegher, quanta roba ti resta da guardare?

– Non molta.

– Quando hai finito, va' a fare due chiacchiere con le
persone che erano alla presentazione dove Aislinn e Rory
si sono conosciuti. Fatti dire le loro impressioni: se uno
dei due ha abbordato l'altro, se uno dei due ha detto qualcosa di interessante sull'altro, qualsiasi cosa che ti sembri
utile, va bene?

Meehan lo scrive sul registro prima di uscire. Kellegher

mi fa il gesto del pollice alzato e preme il tasto «Avanti veloce». Piccole figure scure saltellano lungo la strada come
giocattoli a molla. Torno alla nostra scrivania e guardo da
sopra la spalla di Steve.

– Questi sono i tabulati telefonici di Aislinn, – dice lui,
toccando una pila di carte, – e questa è la roba che ci ha
inviato Sophie, cioè quello che c'era sul telefono. Voglio
fare un controllo incrociato per vedere se qualcuno ha cancellato qualcosa.

– Le grandi menti pensano allo stesso modo, – dico.
– Era proprio quello che volevo chiederti di fare –. Abbasso la voce: – Dobbiamo parlare. Non qui –. Dovermi
rifugiare fuori della mia sala operativa per poter parlare
mi fa incazzare, ma non posso sapere quali reclute sono
in tasca a Breslin.

Steve annuisce. – Tanto dobbiamo comunque dare
un'occhiata in casa di Aislinn.

– Giusto. Andiamo.

Steve getta nel cestino le carte dei KitKat, perché è stato educato bene. – Mentre siamo a Stoneybatter, ti va di
mostrarmi i locali che conosci?

– Perché?

– Forse ci andavano a farsi una pinta ogni tanto.

Le reclute sembrano tutte assorte nei loro compiti, ma
parlo ugualmente a bassa voce. Sta diventando un'abitudine. – Chi? Aislinn e il suo amichetto? Un uomo che ha
una relazione segreta secondo te va a pomiciare con la sua
ragazza in un pub?

– Si sono visti per circa sei mesi, stando a quello che
dice Lucy. Non puoi passare sei mesi sempre in casa a
scopare –. Steve fruga sulla scrivania, trova una foto di
Aislinn e la infila in una tasca della giacca. – I pub aprono
tra poco. Dài, andiamo.

Io non mi muovo. – Anche se quest'uomo esiste, di sicuro non andavano in uno dei miei locali. A Aislinn piacevano i club di lusso, secondo Lucy; un pub di Stoneybatter non è esattamente quell'ambiente, per usare un eufemismo.

– Proprio per questo ci sono meno possibilità di farsi notare. Se lui è sposato, scopavano a casa di lei. E se a un certo punto erano stufi e uscivano a farsi una pinta, di sicuro andavano in qualche posto nei dintorni –. Steve si mette il giaccone, guardando la finestra. – L'aria fresca ci farà bene.

– Non ce l'abbiamo, l'aria fresca, a Stoneybatter. Siamo troppo fighi per quelle stronzate da campagnoli. E tu credi che un barman ricordi una bionda che somigliava alla metà delle bionde di venti e qualcos'anni di Dublino?

– Tu te la sei ricordata. E i barman hanno una buona memoria per le facce –. Steve prende il mio cappotto e lo tiene aperto, come un valletto. – Dammi retta.

– Da' qua –. Gli tolgo di mano il cappotto, ma me lo metto addosso. – E sistema quelle carte, – gli dico, con un'occhiata di avvertimento. Lui comincia a impilare i fogli.

Gaffney guarda verso di noi. – Gaffney, – gli dico. – Spargi la voce: riunione generale alle cinque e mezzo. E va' a cercare Breslin. Tu dovevi essere la sua ombra, che cosa ci fai qui?

– Ma lui ha detto... – Gaffney è pietrificato, come se contemplasse la sua carriera spiaccicata sulla moquette. – Ho accompagnato il detective Breslin tutto ieri sera e stamattina. Ho preso appunti per lui e lui mi ha spiegato come lavoriamo e tutto il resto... È stato solo quando stava uscendo... Ha detto che ormai ero in grado di lavorare da solo e che lei avrebbe avuto bisogno di me qui piú di quanto ne avesse lui fuori. Perciò... Voglio dire...

Breslin ovviamente ha ragione: Gaffney è piú che capace di esaminare dati finanziari e fare telefonate senza qualcuno che lo tenga per mano, altrimenti non sarebbe nemmeno stato incluso tra le reclute disponibili. Ma è anche piú che capace di prendere appunti durante i colloqui, e Breslin non è il tipo da rifiutare il devoto assistente che pensa di meritarsi. A meno che non intenda spingere i testimoni in una direzione precisa senza qualcuno che possa notarlo.

Gaffney ha finito e mi fissa in modo patetico. Non ha senso mandarlo dietro a Breslin, che troverà una scusa per sfilarsi o semplicemente non risponderà al telefono. – Sei stato perfetto, – dico. – Non preoccuparti, hai un sacco da fare anche qui.

Gaffney apre la bocca per dichiararmi la sua gratitudine, ma io mi sono già diretta alla porta. Alle mie spalle, sento lo scatto della serratura del cassetto della scrivania, per quello che vale.

7

Io e Steve ci dirigiamo verso il parcheggio della polizia, per prendere la nostra brutta Kadett. La rete di stradine pedonali dietro il Dublin Castle è affollata: studenti con il doposbronza che si trascinano verso il Trinity College, tipi vestiti da uomini d'affari che parlano troppo forte con in mano telefoni troppo grandi, cosí possiamo tutti restare ammirati dai loro acquisti immobiliari in Bulgaria, mammine in giro per shopping e coatti in giro per soldi. Essere in strada, dove qualsiasi pericolo non è un fatto personale, è una bella sensazione, e per questo lo odio.

– Allora, – dico, non appena siamo al sicuro in mezzo alla gente. – Breslin oggi non vuole compagnia. Vuole condurre gli interrogatori solo soletto.

– Gli interrogatori, – dice Steve, facendo un giro per evitare una coppia nel pieno di un problema relazionale in russo, – o qualsiasi altra cosa stia facendo. Poco prima del tuo arrivo, lo hanno chiamato al cellulare. Ha fatto una faccia cosí –. Steve serra la mandibola e allarga le narici, imitando un Breslin incazzato che cerca di non darlo a vedere. – È andato a parlare fuori dalla sala. Ma mentre usciva l'ho sentito dire: «Non chiamarmi a questo numero».

Steve ha ragione. Forse non si tratta degli interrogatori. Forse deve fare cose, o incontrare persone, e non vuole Gaffney come testimone. La mia adrenalina schizza in alto.

– Vuoi sapere cos'ha fatto ieri sera? – dico. – Ha provato a lisciare Sophie per farsi dare i rapporti della scena del crimine e i dati digitali di Aislinn.

Steve solleva le sopracciglia.

Io dico: – Forse non è nulla. Ho appena parlato con lui, ha detto che si annoiava ed era in cerca di qualcosa da fare. Naturalmente è andato subito a pescare le informazioni che potevano trasformarlo nell'eroe della storia. Ma…

– Ma voleva proprio quella roba.

– Sí. Tanto da farlo di nascosto da noi, pur sapendo che l'avremmo scoperto.

– Ha ottenuto qualcosa, da Sophie?

– No. E comunque c'è poco da ottenere. Ci sono macchie sul materasso di Aislinn, ma anche se riusciamo a estrarne il Dna e non è il suo, potrebbero essere vecchie di anni, e non c'è modo di saperlo. Comunque non risalgono a sabato scorso, altrimenti si sarebbero macchiate anche le lenzuola, che invece erano pulite –. L'adrenalina dentro di me si muove a una velocità che spinge i tipi con i grossi telefoni a togliersi dalla nostra strada. – L'unica cosa interessante è questa: ricordi i posti che hai chiesto a Sophie di controllare, tipo la testiera del letto e la tavoletta del water? Sono troppo puliti. Niente impronte, solo macchie. Sophie pensa che il nostro uomo possa aver ripulito la casa…

– Bel colpo! – Steve agita il pugno. – Non c'è motivo per cui Rory avrebbe dovuto ripulire dalle impronte la testiera del letto, visto che era appena entrato in quella casa per la prima volta.

– Sí, sí, sei un genio. Oppure Aislinn era una maniaca della pulizia. Sophie dice che è possibile anche questo.

Steve non si toglie dalla faccia l'espressione compiaciuta. – C'è altro?

– Vuoi dire altri segni che l'uomo segreto di Aislinn sia reale?

– Sí.

– Finora no. Non c'è traccia di lui su Facebook, sul cellulare di Aislinn o nelle sue mail –. Un tossico ha bloccato due turisti con gli zaini dall'aria persa e li sta molestando per farsi dare dei soldi. Io gli schiocco le dita davanti al viso e gli faccio segno di allontanarsi, senza rompere il passo o mostrargli il tesserino. Lui ci guarda e si toglie di torno, obbediente. – *Se* esiste, prendevano appuntamento telepaticamente per vedersi.

– Oppure Aislinn cancellava tutti i loro messaggi, – dice Steve. – O l'ha fatto lui. Ho appena iniziato il controllo incrociato dei tabulati, e sto ancora aspettando per le e-mail.

– Ci sono un paio di cose interessanti sul laptop, – gli dico. – Non ti agitare troppo, ma Aislinn ha fatto ricerche online su un paio di casi relativi alla criminalità organizzata. Francie Hannon e il tizio con la lingua tagliata.

Steve si volta di scatto a fissarmi. – Erano della gang di Cueball Lanigan. Tutti e due –. Sento che anche lui è stato preso dall'adrenalina che mi spinge ad aumentare il passo sulla strada pedonale. Anche la sua mente si è messa a lavorare ad alta velocità. – Ed erano tutti e due casi di Breslin. Se lui è finito sul libro paga di Lanigan, e se Aislinn si vedeva con uno della gang e la storia è finita male, la prima cosa che farebbe Lanigan…

– Ti ho appena detto di non agitarti troppo. Ho cominciato a sondare il terreno. Se Aislinn usciva con qualcuno della gang di Lanigan, lo saprò presto –. Steve ci resta male perché non mi apro con lui, ma pazienza. – L'altra cosa interessante sul laptop è che c'è una cartella di foto protetta da password, creata lo scorso settembre. Il nome è «Mutuo»…

Steve fa una risata e anch'io sorrido. – Sí, ovviamente è un tentativo di depistare eventuali ricerche. Sophie e i suoi stanno ancora tentando di decifrare la password; ci terranno aggiornati.

– Ne ha parlato anche con Breslin?

– No. E nemmeno io. E non penso di farlo.

Steve dice: – Quindi, da settembre Aislinn ha cominciato a preoccuparsi che qualcuno potesse frugare nel suo computer. Non può essere Rory, perché si sono conosciuti a dicembre, e lui non era mai stato in casa sua prima di sabato scorso.

– Forse, – dico. – O forse nella cartella ci sono selfie di lei nuda, e non era preoccupata di una persona in particolare: voleva solo evitare che, se un tossico le avesse rubato il laptop, quelle foto finissero su internet.

– Selfie che si era scattata per chi?

– Forse per gioco, forse per fare un po' di soldi extra, o per uno dei suoi ex, o magari per ricordarsi di com'era bella, quando fosse diventata vecchia e piena di rughe.

– O si tratta di foto di lei con l'uomo segreto, – dice Steve. – E non voleva che nessuno, compreso lui, sapesse che le aveva. Almeno per il momento.

Anch'io ho pensato la stessa cosa. – Ricatto.

– O un'assicurazione. Se stava con un malavitoso, forse aveva abbastanza testa per capire che la situazione poteva farsi pericolosa.

– Se, – dico. – Da adesso in poi, mi darai un euro ogni volta che dici un «se» riguardo a questo caso. Prima del weekend sarò ricca.

– Pensavo ti piacessero le sfide, – dice lui, sorridendo. – Ammettilo, dentro di te speri che io abbia ragione.

– È vero. Sarebbe un bel cambiamento.

– Quindi lo speri.

Rallentiamo il passo, dietro una coppia di anziani chiacchieroni. – Sí. Vorrei tanto che fosse vero.

Finora non l'avevo mai detto ad alta voce per scaramanzia. Come una ragazzina scema, o uno di quei piagnoni convinti che l'universo ce l'abbia con loro e qualsiasi cosa gli capiti si trasformerà in merda alla minima opportunità. Non sono mai stata cosí. È una novità. E stupida. Deriva dal dovermi continuamente guardare intorno alla ricerca di trappole e cattiverie varie. La settimana scorsa ho lasciato il caffè in sala detective per andare a pisciare, e quando sono tornata stavo quasi per portarmi la tazza alle labbra senza vedere lo sputo che ci galleggiava sopra. E non ho nessuna intenzione di parlarne a Steve. Non mi piace diventare quello che mi costringono a essere; non mi piace per niente. Continuo a camminare e mi metto a contare gli uomini in cappotto nero.

Steve dice: – Ma?

– Ma niente. Non voglio attaccarmi troppo all'idea finché non avremo qualche prova solida. Questo è tutto.

Lui apre la bocca per dire qualcosa, ma io chiudo l'argomento. – L'altra cosa di cui volevo parlarti, – dico, superando i due anziani e accelerando di nuovo il passo, – è questa: ricordi che quando siamo usciti ti ho detto che avevo appena parlato con Breslin perché aveva telefonato a Sophie?

– Oh, Gesú. Com'è ridotto? Vivrà?

– Sí. Gli basterà coprire i lividi con il fondotinta.

– Sei stata gentile con lui, vero? Dimmi che lo sei stata.

– Rilassati, – dico. – Va tutto benissimo. La parte interessante è proprio questa: non sono stata gentile con lui, gli ho rotto i coglioni apposta, ma lui continuava a essere gentile con me.

– Quindi forse non ci prendeva per il culo, ieri sera –.
Steve si prova quell'idea addosso, per vedere come gli sta.
– Forse pensa sul serio che siamo in gamba.

– Credi? Gli ho detto che aveva una bella faccia tosta e
stava passando il segno, e che finché collabora alla mia indagine deve fare quello che dico io –. A Steve scappa una
risata secca e terrificata. – Sí, l'ho fatto per vedere come
reagiva. Credevo che mi avrebbe staccato la testa, invece
sai cos'ha fatto? Ha detto che va bene, e che d'ora in poi
mi comunicherà tutto quello che fa.

Steve ha smesso di ridere. Io dico: – Ti sembra il Breslin che conosci?

Dopo un momento di pausa, Steve dice: – Mi sembra
un Breslin che vuole restare in buoni rapporti con noi. Ma
lo vuole proprio tanto.

– Esatto. E il motivo è che cosí può controllare sempre
cosa stiamo facendo; ma non perché ha fede in noi ed è
convinto che bisogna fare gioco di squadra. Quando l'ho
trovato, stava parlando con McCann e appena mi hanno
visto si sono interrotti di colpo. Breslin mi ha raccontato
un sacco di stronzate sui problemi matrimoniali di McCann,
ma sono pressoché certa che stessero parlando del modo
piú rapido di liberarsi di me.

Steve mi dà un'occhiata che non riesco a interpretare.
– Credi? Cos'hanno detto?

Scrollo una spalla. – Non è che ho imparato le parole
a memoria. McCann non era contento e Breslin gli ha assicurato che avrebbe «sistemato» una certa donna al piú
presto e tutto sarebbe tornato normale. McCann voleva
che facesse in fretta. Era questo il succo.

– E sei sicura che non potrebbe trattarsi davvero della
moglie di McCann.

– Potrebbe. Ma non è cosí.

Un coglione con un portablocco e una giacchetta con sopra un logo si avvicina, apre la bocca, ci dà una seconda occhiata e fa marcia indietro. Sto ritrovando il mio incanto. Due giorni fa quello mi avrebbe seguita lungo la strada, chiedendomi soldi per combattere la psoriasi nel Terzo Mondo e consigliandomi di sorridere.

– Va bene, – dice Steve. – Ci siamo chiesti se Breslin fosse corrotto… – Anche cosí lontani dalla centrale, ci voltiamo automaticamente a controllare se qualcuno ci segue. – E se invece fosse McCann?

Non ci avevo pensato. Per un attimo mi sento stupida, per essermi lasciata distrarre dalla paranoia, ma l'eccitazione della sfida, del rischio che aumenta, spazza via tutto.

– Può essere, – dico. Intanto cerco di ricordare quello che so su McCann. Viene da Drogheda. Moglie e quattro figli adolescenti. Non di famiglia ricca, non come Breslin. Una volta gli ho sentito fare un commento amaro: diceva che per far scendere a zero il tasso di criminalità sarebbe bastato mandare tutti quei ragazzini viziati con gli smartphone a fare gli apprendisti a quattordici anni, come aveva fatto suo padre con lui. Niente banca di mamma e papà a cui chiedere soldi se si rompe la macchina, se bisogna rifare il tetto, se i ragazzi devono pagare le tasse del college. E uno stipendio da detective non basta. A un boss della malavita in cerca di un poliziotto addomesticato, McCann piacerebbe molto. – O forse si tratta di tutti e due.

– Per questo si è ciucciato senza protestare tutto quello che gli hai detto. Non può rischiare che andiamo dal capo a dire che vogliamo lavorare senza di lui.

– Se, – dico. – Se qualcosa di tutto questo è reale.

– Se, – dice Steve. – Come vi siete lasciati con Breslin?

– Mi sono scusata. Gli ho detto che mi sentivo troppo

intimidita dalla sua grandezza e non riuscivo a pensare in modo sensato. Gli è piaciuto.

– Pensi che ti abbia creduto?

Scrollo le spalle. – Non importa. Se non ci crede, penserà che io sia una stupida stronza ed è quello che pensava anche prima. Ma cercava una scusa perché potessimo restare amici e io gliel'ho data. Ora è tutto a posto.

Siamo al parcheggio. Durante questa breve passeggiata, ho contato undici uomini alti in cappotto nero. E ogni volta mi sono sentita un po' piú idiota e paranoica, ma non riesco a togliermi di dosso la sensazione di pericolo che ho avuto quando ho visto quel tizio vicino casa mia, in cima alla strada.

All'ingresso, Steve dice: – Cosa facciamo?

Quello che dobbiamo fare, tanto per cominciare, è controllare i dati finanziari di Breslin e McCann, i loro tabulati telefonici, chiedere a qualcuno di dare un'occhiata approfondita ai loro computer, per scoprire se hanno fatto ricerche che non dovevano fare. Ma non faremo nulla di tutto questo. – Continuiamo a lavorare al nostro caso. Continuiamo a parlare con loro. E teniamo la bocca chiusa –. Saluto con un gesto l'uomo che gestisce le auto, lui ricambia il saluto e si volta a cercare le chiavi della Kadett. – E voglio vedere se riesco a far ingoiare un rospo a Breslin.

La casa di Aislinn è stata passata al pettine fitto, ed è rimasta cosí. Quando in una casa dove c'è stato un delitto deve tornarci qualcuno, cerchiamo di non rovinarla troppo: spazziamo via la polvere per rilevare le impronte, rimettiamo a posto i libri sugli scaffali... a meno che non vogliamo scuotere in qualche modo gli inquilini. Ma quando la casa resta vuota, non dobbiamo preoccuparci di ferire la sensibilità di nessuno. I ragazzi di Sophie hanno coperto mezza casa di polvere nera e l'altra metà di polvere bianca; hanno tagliato un rettangolo di moquette nel punto in cui giaceva il cadavere, hanno segato un pezzo del gradino del caminetto, disfatto il letto e scavato buchi nel materasso. In una dimora familiare, cose del genere sembrano un incubo contro natura, ma la casa di Aislinn già da prima non sembrava quella di una persona reale; ora sembra un laboratorio di addestramento per la polizia scientifica.

Steve si prende bagno e soggiorno, io cucina e camera da letto. C'è silenzio. Lui fischietta tra sé e in casa entra qualche rumore dalla strada: un gruppetto di anziani che discutono con sentimento mentre camminano, un bambino che piange... Ma niente dalle case adiacenti. Questi vecchi muri sono spessi. Se non c'è stata una lite violenta, o un urlo, i vicini non possono aver sentito nulla. Un amante segreto, che era già stato prima in questa casa, doveva saperlo.

La nuova ricerca non mi fa scoprire nulla di rilevante. I classici nascondigli – la busta di piselli surgelati nel freezer, il barattolo di spezie vuoto in cucina, sotto il materasso, dentro una scarpa – sono tutti vuoti. Niente biglietti d'amore nel cassetto del tavolino da trucco tutto riccioli, niente mutande maschili da mattina dopo nel cassettone. Nel guardaroba, niente busta di contanti o scatola dentro carta da pacchi in attesa di essere ritirata. Il meglio che riesco a trovare sono alcuni album di foto di famiglia, spinti in fondo alla mensola più alta, dietro il piumone di scorta. Guardo le foto, sperando di trovare qualcosa che mi faccia ricordare dove avevo visto Aislinn in passato, ma niente. Da bambina non era bella: tozza, con le trecce tirate indietro, la fronte sporgente e un sorriso insicuro. Per una persona che aveva investito tanta palestra e sedano e prodotti per capelli nella propria trasformazione, questa è già un'ottima ragione per nascondere quegli album. Non ci sono foto di famiglia da nessun'altra parte, in casa. Stampe di fiori color vomito e polli a quadretti sono su tutti i muri, ma la famiglia si trova relegata in fondo all'armadio. Uno psicanalista ci andrebbe a nozze: Aislinn voleva seppellire i genitori per vendicarsi di essere stata abbandonata da loro, oppure voleva seppellire la vera sé stessa per potersi reinventare come una Barbie da sogno. A me, l'unica cosa che interessa è che nessuno, in quelle foto, ha un'aria familiare. Ovunque io abbia visto Aislinn, non ne troverò indizi in casa sua.

La cosa strana è che non trovo nulla in generale. Le perquisizioni fanno sempre uscire qualche sorpresa, perché chiunque ha almeno un paio di cosette che nasconde anche alle persone piú care; la questione è solo se le sorprese hanno qualcosa a che fare con il caso oppure no. Invece qui non c'è nulla che Lucy non ci avesse già detto. Anzi, visto che ho trovato zero indizi della presenza di un amante segreto, c'è ancora meno di quanto ci abbia detto Lucy. Niente pillole illegali per dimagrire comprate su internet, niente giocattoli erotici, non ho trovato neppure la copia di *Le regole* che giuravo ci fosse. La rivelazione piú grande è che Aislinn a volte indossava reggiseni imbottiti.

– Documenti e ricevute sono un disastro, – dice Steve, apparendo sulla soglia della stanza da letto. – Tutto gettato alla rinfusa in una scatola sotto il tavolino: estratti conto della banca, bollette, fatture…

Rimetto gli album sulla mensola dell'armadio. – Dei dati finanziari se ne occupa Gaffney, ma guardiamoli lo stesso. Portiamoci dietro la scatola, quando andiamo via. Dobbiamo controllare le ricevute: chi lo sa, magari il tipo che le ha consegnato il divano si era fissato su di lei. Qualcosa di interessante?

– Il suo testamento. Una cosa fai da te, stampato su un modulo scaricato da internet. Lascia la metà di tutto ciò che ha a Lucy e l'altra metà è destinata a chi si occupa di assistenza ai bambini. Ma non so se reggerebbe, nel caso qualcuno volesse impugnarlo.

– Fortuna che Lucy ha un alibi.

– Già, – dice Steve. – Il testamento ha una data di due mesi fa.

– Quindi Aislinn forse cominciava a preoccuparsi di essersi messa in qualcosa di pericoloso, oppure ha deciso che doveva comportarsi finalmente da persona adulta e fare testamento. Qualcos'altro?

– Aveva compilato la domanda per ottenere il passaporto per la prima volta. Modulo, fotografie e tutto. Pronto per la consegna.

– Cioè, voleva farsi una vacanza al sole. Non lo vogliamo tutti?

Steve dice: – Oppure sapeva che presto avrebbe dovuto lasciare il Paese.

– Forse –. Sbatto la porta del guardaroba. – Questo è tutto? Niente agenda di appuntamenti da escort? Niente fascio di banconote dentro il divano? Niente deodorante maschile nell'armadietto del bagno?

Steve scuote la testa. – E tu?

– Un cazzo di niente.

Ci guardiamo, attraverso la moquette a margherite e il letto distrutto. – Be', – dice Steve. – Forse troveremo qualcosa nei pub.

Da quella visita abbiamo ricavato la scatola dei documenti, che lasciamo nella Kadett prima di metterci a setacciare i pub, e poco altro. Steve e io siamo in gamba nelle perquisizioni, eppure sento che Aislinn ci ha nascosto qualcosa proprio sotto il naso. Ma per quanto ci pensi, non riesco a capire cosa, o dove.

Avevo sottovalutato i baristi e Aislinn, e forse sopravvalutato il suo amante segreto. Nei primi pub Steve trova solo facce perplesse e cenni negativi, mentre io, con il taccuino in mano per prendere appunti inesistenti, alzo un sopracciglio da «te l'avevo detto». Ma da *Ganly's*, un postaccio in un vicolo, cosí malmesso che è riuscito a evitare i fighetti in cerca di atmosfera autentica e si è tenuto la sua clientela di vecchi in giacche cascanti, al barista basta una sola occhiata alla foto per dire: – Sí, è stata qui.

– Sicuro che fosse lei? – chiede Steve, lanciandomi un'occhiata trionfante.

Il barman è sulla settantina, un po' pelato e con gli occhi lucidi, con dei bracciali sulla camicia inamidata. – Oh, sí. Voleva una grappa alla pesca e al mirtillo rosso. Mi ha spiegato che stava provando tutti i cocktail piú assurdi, per scoprire quello che le piaceva di piú. Le ho detto che se cercava un po' di eccitazione questo non era il posto giusto. Alla fine si è accontentata di rum e ginger ale –. Inclina la foto per vederla meglio sotto quel po' di luce che c'è nel locale. – Sí, era proprio lei. L'ho guardata bene, dovevo approfittare dell'occasione. Ragazze come lei non entrano spesso qui dentro.

– Io non sono abbastanza bello per te? – domanda un anziano seduto al banco su uno sgabello alto. – Puoi guardarmi quanto vuoi, è gratis.

– Tu sei proprio il motivo per cui guardavo quella ragazza: per togliermi la tua faccia dalla mente.

– Quando è stata qui? – chiede Steve.

L'uomo riflette. – Qualche mese fa. In agosto, forse.

– Sola?

– Ah, no. Una come lei non credo passi molto tempo da
sola. Era con un uomo.

Altra occhiata trionfante di Steve a me. – Ricorda
com'era quell'uomo?

– Non mi sono concentrato molto su di lui, se capisce
cosa intendo. Piú anziano di lei, questo l'ho notato; sui
quaranta, magari anche cinquanta. Niente di speciale: né
grasso, né magro, forse un po' piú alto della media. E aveva ancora tutti i capelli, beato lui.

Corrisponde alla descrizione dell'uomo che aveva scavalcato il muro di cinta di Aislinn. E prima di potermi fermare, penso che corrisponde anche all'uomo che stamattina era in cima alla mia strada.

Steve dice: – Lo riconoscerebbe, se lo vedesse di nuovo?

Il barman fa spallucce: – Forse sí, forse no. Non posso
promettere nulla.

Io gli chiedo: – Le sembrava che stessero insieme? Si
tenevano per mano, si sono baciati? Oppure poteva essere un amico, uno zio, qualcosa del genere?

Il barman fa una smorfia e muove la testa. – Poteva essere l'una o l'altra cosa. Non si tenevano stretti, no, ma
ho pensato che erano troppo vicini per non essere una coppia. E che lei avrebbe potuto trovarsi un uomo migliore.

– Per esempio te, eh? – dice l'anziano al bancone.

– Cos'ho io che non va? Faccio ancora la mia figura.

– Forse era un milionario, – dice Steve. – Aveva l'aria
di uno pieno di soldi?

– Non in modo evidente. Come ho detto, non sembrava nulla di speciale.

– Che ci verrebbe a fare un milionario in un buco come
questo? – vuol sapere l'anziano.

– A bere una pinta come si deve, – ribatte il barman,
con dignità.

– Se l'avesse bevuta, sarebbe tornato.

– Ed è tornato? – chiede Steve.

– No, l'uno e l'altra li ho visti solo quella volta.

– E io? – gli chiedo. – Sono già stata qui?

L'uomo stringe gli occhi, mi guarda meglio e sorride.
– Sí. L'estate di due anni fa, dico bene? Con un gruppo
di donne e uomini. Vi siete seduti in quell'angolo a bere
e a farvi due risate.

– Giusto, – dico. È vero che mi si nota molto di piú di
Aislinn, ma è anche vero che è passato molto piú tempo da
quando sono stata qui. Il barman non racconta stronzate
solo per farci contenti; se la ricorda davvero.

– Cosa ho vinto?

– Legga questo, e se è tutto giusto firmi in fondo, – dico, allungandogli il taccuino. – Se è fortunato, vincerà la
possibilità di venire in centrale e raccontarci la stessa storia su nastro.

L'anziano al bancone allunga il collo per vedere la foto
di Aislinn. – La ragazza si è messa nei guai, eh? Ha fatto
qualcosa a qualcuno?

– Lascia perdere, Freddy, – gli dice il barman, senza alzare gli occhi dal taccuino. – Non voglio saperlo –. Firma
con un bello svolazzo alla fine, mi restituisce il taccuino e
prende lo straccio per asciugare i bicchieri. – Volete altro?

Fuori, Steve si rimette la foto nella tasca della giacca.
Pensa «te l'avevo detto» a un volume cosí alto che non ha
bisogno di dirlo. – Bene, – dice invece.

– Bene, – dico io. Il pensiero della centrale operativa
lasciata a sé stessa o agli ordini di Breslin mi dà un formicolio. – Con i locali abbiamo finito. Possiamo tornare
in centrale?

– Certo. Non c'è problema.

Ripercorriamo il vicolo pieno di pozzanghere e ci rimettiamo in strada. La pioggia ora scende decisa e cattiva, e minaccia di diventare nevischio. Spero che Meehan abbia tenuto un passo abbastanza vivace da permettergli di tornare in tempo. All'angolo, una piccola bolla di agitazione: ragazzi che hanno marinato la scuola e non possono tornare a casa. A parte loro, la strada è deserta. Una creatura disegnata a pennarello, tutta denti scoperti e occhi da insetto, ci fissa dalla saracinesca di un negozio abbandonato, tra il manifesto di un gatto scomparso e un altro che pubblicizza una passata fiera estiva, aquiloni danzanti e gelati con sorrisi assurdi sulla carta sbiadita.

L'autocontrollo di Steve finisce. - L'uomo segreto ha preso corpo.

È vero. Ma dico: - Forse era un collega di lavoro di Aislinn...

- Lei lavorava a Clondalkin, che è piuttosto lontano. Perché andare a farsi una pinta a Stoneybatter, a meno che avessero una relazione e non volessero essere notati?

- O un amico dei suoi corsi da sommelier o quello che diavolo faceva in agosto -. La Kadett è parcheggiata ad almeno sei pub di distanza. Affretto il passo. - I posti che frequentava lei sono pieni di giovani belli e ricchi. Perché avrebbe dovuto mettersi con un tizio di mezza età che non era nulla di speciale?

Steve scrolla le spalle. - Alcune donne preferiscono gli uomini maturi.

- Rory è della sua età, grosso modo.

- Ma prima di conoscerlo forse lei aveva un complesso paterno. Lucy ci ha detto che quando il padre di Aislinn se n'è andato di casa, le ha incasinato la vita. Forse cercava una figura paterna, ma poi non è andata come sperava e si è spostata verso uomini della sua...

- Cristo! - Per poco non sbatto contro un lampione, ci

pianto una mano sopra all'ultimo momento. – Ecco dove l'avevo vista!

– Cosa? Dove?

– Gesú Cristo! – La mano pulsa di dolore, contro la vernice appiccicosa del lampione. Sento ridere i ragazzi all'angolo, alle nostre spalle. – Era lei.

Persone scomparse, due anni e mezzo fa. Ero di turno all'accettazione all'ora di pranzo, in una giornata di sole, verso la fine del mio periodo in quella squadra; il venticello che entrava dalla finestra aperta odorava di campagna, sembrava che l'estate fosse arrivata, dolce e pulita, disperdendo i vari strati di aria di città. Stavo ascoltando un brano pop degli anni Novanta che usciva da un'auto con la capote aperta, mangiavo un sandwich di tacchino e pensavo al lieto fine di quella mattinata. Un bambino di dieci anni scomparso dopo una lite con i genitori: l'avevamo ritrovato che giocava al Nintendo in casa del suo migliore amico. Pensavo anche alla squadra Omicidi, dove avrei preso servizio un paio di settimane dopo. Sembrava che io e il mondo fossimo dalla stessa parte, quel giorno, ed era una bella sensazione.

Quando la ragazza dal tailleur orrendo apparve sulla soglia, misi via il sandwich, con il sorriso giusto e un caldo e incoraggiante: «Come posso aiutarti?» Funzionò: lei scaricò tutta la sua storia sulla mia scrivania.

Il padre, un uomo mite e meraviglioso, che le aveva insegnato a giocare a scacchi, la portava alla cascata di Powerscourt con il suo taxi e la faceva ridere fino a farle venire il singhiozzo. Il giorno in cui era scesa in soggiorno in divisa scolastica e la madre stava chiamando il cellulare di suo padre per la centesima volta. «Non è tornato a casa, stanotte, non riesco a trovarlo, Gesú, Giuseppe e Maria, è morto, lo so...» I detective che avevano preso le loro dichiarazioni, spiegando in tono rassicurante che la maggior parte delle persone scomparse tornano a casa entro pochi giorni, hanno solo bisogno di prendersi un momento per sé. Quei pochi giorni erano diventati settimane e ancora non c'era traccia del Superpapà, i detective passavano meno spesso a far loro visita e le rassicurazioni diventavano sempre piú vaghe. Uno di loro un giorno le aveva accarezzato la testa, dicendo: «Tu hai dei bellissimi ricordi di lui, e non vogliamo cambiare la situazione, no? A volte è meglio lasciare le cose come stanno».

«Questo vuol dire che lui sapeva qualcosa, giusto? – mi disse la ragazza. – O che aveva un'idea, almeno un'idea... Non sembra anche a lei che sapesse...?»

Era china sulla mia scrivania, le dita intrecciate cosí forte da sbiancare le nocche. Io feci spallucce: «Non credo di poter fare supposizioni su cosa pensava quel poliziotto. Mi dispiace».

E lei continuò a raccontare. Le settimane erano diventate mesi, poi anni; lei sobbalzava ogni volta che squillava il telefono, trascorreva i compleanni nell'attesa del postino, di un biglietto di auguri, e le notti ascoltando sua madre che piangeva continuamente. Mi raccontò delle volte che aveva pensato di vederlo camminare per strada e il cuore le era balzato nel petto, poi l'uomo si era voltato e non era lui e lei era rimasta lí paralizzata, guardando dissolversi in polvere l'unico momento che sognava di vivere. Le sarebbe bastato uno sguardo alla mia faccia per capire che non stava facendo breccia, ma andò avanti.

Succede, nella squadra Persone scomparse: gente convinta che vedendo quanto è sconvolta, sentendola piangere, tu farai meglio il tuo lavoro. Ci sono genitori che tornano ogni anno, nell'anniversario della scomparsa del figlio, per sapere se hai trovato qualche nuova informazione. E un po' funziona: ti segni l'anniversario in agenda, quando si avvicina fai qualche ora di straordinario, sperando di trovare una cosa qualsiasi da poter dire loro. Ma quella ragazza era un'altra storia. La mia intenzione di aiutarla a ritrovare il padre era zero.

Fu ciò che le dissi, con un po' piú di tatto, chiedendomi quanto ci avrebbe messo a capire che doveva togliersi dai piedi. I fascicoli delle indagini non possono essere aperti al pubblico, la legge sulla libertà d'informazione non si applica alle indagini della polizia, perciò mi dispiace, non posso aiutarti.

E a quel punto, naturalmente, lei ricorse alle lacrime. Per favore, non può almeno dare un'occhiata a quel fascicolo, non immagina com'è terribile crescere senza padre, e bla, bla, bla, piú una spruzzata di stronzate hollywoodiane tipo il bisogno di conoscere la verità in modo che quella storia non bloccasse piú la sua vita. Non posso giurare che abbia usato davvero espressioni come «scrivere la parola fine», o «riprendere il potere su me stessa», perché avevo smesso di ascoltare, ma sarebbero state in tema. Ormai la mia giornata felice era rovinata. Volevo solo che quella stronza tacesse e se ne andasse fuori dai coglioni.

Aislinn non cercava un sostituto del padre. Cercava il padre.

Dico a Steve: – Il papà di Aislinn non se n'è semplicemente andato di casa. È scomparso. Lei venne da me quando lavoravo alla Persone scomparse, per avere informazioni.

– Ah, – dice lui, riflettendo. – Lucy l'aveva detto che suo padre era sparito. Ma non ho mai pensato che intendesse «scomparso», in senso letterale. A Aislinn hai dato qualcosa?

– Niente. Lei piagnucolava, io non potevo guardare il

fascicolo e dirle cosa c'era scritto, «per favore, per favore» –. Provo di nuovo quella rabbia che sale dalla pancia
e si espande sotto le costole. Mi stacco dal lampione con
una spinta e riprendo a camminare. – Le ho dato il nome
di uno dei ragazzi piú anziani, che all'epoca della scomparsa era già nella squadra. Le ho detto di tornare quando
di turno all'accettazione ci sarebbe stato lui, poi le ho
indicato la porta.

Steve deve allungare il passo per starmi accanto. – E
lei è tornata?

– Non lo so. Non ho chiesto. Non poteva fregarmene
di meno.

– Hai dato un'occhiata al fascicolo di suo padre?

– No. Quale parte di «Non poteva fregarmene di meno» non ti è chiara?

Steve ignora il mio tono pungente. Scansa un gruppetto
di mamme blateranti in doposcí e passeggini e dice: – Mi
piacerebbe leggere quel fascicolo.

Questo attrae la mia attenzione. – Pensi ci sia un collegamento? Tra il padre scomparso e la morte di Aislinn?

– Penso che siano un bel po' di disgrazie nella stessa famiglia, perché si tratti solo di coincidenze.

– Ho visto di peggio –. Non sono piú sicura di volere
che questo caso diventi interessante, non piú.

– Se pensiamo alla storia dell'amante malavitoso…

Mi sembra che tutta Stoneybatter ce l'abbia con me.
«Noi non pagheremo», dice una scritta con vernice spray
sulla porta di un garage. Dal manifesto pubblicitario sotto
una pensilina dell'autobus una donna ride istericamen-
te con in mano un panetto di burro. Una vecchietta mia
vicina di casa mi fa un gesto di saluto dall'altro lato della
strada, e io ricambio e accelero il passo, prima che pensi
di attraversare per fare due chiacchiere. – Non abbiamo

nessuna prova dell'esistenza di questo amante, ricordi? Te
lo sei inventato tu.

– Certo, infatti ho detto «se». Stammi a sentire. Poi ti
darò un euro.

Non rido. – Se ci tieni.

– Diciamo che Aislinn pensasse che nella scomparsa del
padre fosse implicata una gang. E diciamo che rivolgen-
dosi alla Persone scomparse non avesse ricevuto molta
soddisfazione.

Lo dice con tatto, ma significa «diciamo che una stronza l'avesse mandata al diavolo».

– Ma perché avrebbe dovuto pensarlo? Con me non
parlò di nessuna gang. Era tutta presa a spiegare quanto
era perfetto il suo paparino. Avrebbe perso la testa se io
avessi soltanto suggerito che magari un giorno aveva preso una multa per divieto di sosta. E la criminalità organizzata non perde tempo a far sparire dei cittadini normali.

– Forse lei non lo sapeva. Sappiamo che era ingenua,
no? Forse pensava che le gang fossero come i cattivi delle
storie, in cerca di persone a cui fare del male solo per pura malvagità. O forse aveva scoperto che suo padre non
era il santo che pensava. Ci sono cittadini normali che finiscono immischiati con la malavita.

Dico, con riluttanza: – Credo fosse un tassista.

I malavitosi amano servirsi dei tassisti. Le loro auto sono tutte segnalate, sotto sorveglianza la metà del tempo,
qualche volta soggette a intercettazioni. Un tassista può
trasportare qua e là droga, armi, soldi, restando sotto il
livello dei radar.

– Lo vedi? – dice Steve, trionfante. Non molla, come
un cucciolo che ha adocchiato una chicca. – Si ritrova
immischiato con i cattivi, fa una mossa sbagliata, finisce
tra le montagne con due proiettili in testa. Alla Persone

scomparse non possono provarlo, ma sanno la storia e
quando Aislinn parla con il tuo collega lui si lascia sfuggire qualcosa. Lei decide di mettersi a indagare di persona, e prima di capire bene cosa sta facendo si ritrova
nei casini...

– La sua libreria, – dico. Vorrei tenere la bocca chiusa,
sperando che tutto si sgonfi da solo, ma Steve si è guadagnato la sua chicca. – C'era un libro sulle persone scomparse, proprio accanto a quello sul crimine organizzato in
Irlanda. E tutti e due erano pieni di sottolineature.

Lui fa quasi un saltello sul posto. – Lo vedi? Capisci
cosa voglio dire? Stava facendo la sua indagine personale.

– Sono stufa di tutti questi «può darsi», – dico, tirando fuori il cellulare. Questo è uno dei motivi per cui so di
non essere solo una stronza rompicoglioni e priva di senso
dell'umorismo con cui nessuna persona normale vorrebbe
lavorare. Lo so, qualsiasi cosa dicano quei bastardi della
Omicidi, perché alla Persone scomparse andava tutto benissimo. Non ho stretto grandi amicizie, ma sono uscita
con i colleghi a farmi qualche pinta e qualche risata, par-
tecipavo a un tormentone un po' disgustoso che riguardava uno dei ragazzi e un criceto di gomma; e posso ancora
telefonare a tutti quando ne ho bisogno. – L'avevo indi-
rizzata da Gary O'Rourke. Lo chiedo a lui.

Mi risponde la segreteria. – Gary, ciao, come stai? Sono Antoinette. Ho bisogno di un favore, poi ti pago una
pinta. Sto cercando un uomo che è scomparso intorno al
1998 o '97, quindi forse non è nei computer. Facciamo due
pinte. Si chiama Desmond Murray, abitava a Greystones,
tassista, età variabile tra i trenta e i cinquanta. Probabilmente la scomparsa è stata denunciata dalla moglie. Forse ricordi la figlia, Aislinn; un paio d'anni fa è venuta da
noi in cerca d'informazioni. Per favore, fammi avere tut-

to quello che hai, il piú presto possibile. E di' alla persona che manderai di consegnare la roba direttamente a me o al mio partner Moran, va bene? Grazie.

Riattacco. Dieci minuti fa mi stavo godendo questo caso; era un bel cambiamento. E ora, proprio come mi diceva quella vocina nella mente, sta trovando il modo di trasformarsi in merda.

– Quella stronza senza cervello, – dico.

Steve spalanca gli occhi. – Cosa?

– Vuoi sapere una cosa? Se lascio la polizia, apro uno studio di psicoterapia. Di nuovo tipo, specifico per gente come Aislinn. Per cento euro all'ora ti prendo a schiaffi sulla testa e ti dico di farti furbo.

– Lo dici perché lei si è trovata invischiata in una gang?

– Di quello non me ne frega un cazzo, sempre che sia successo, cosa di cui non mi hai ancora convinta –. Attraverso la strada cosí in fretta che lui deve quasi correre per starmi dietro; un'auto ci sfreccia a pochi centimetri dal culo. – No, lo dico perché aveva ventisei anni e cercava ancora il suo papà, sperando che sarebbe tornato e avrebbe rimesso a posto la sua vita. È patetico, cazzo.

– Dài, – dice Steve, tornandomi accanto sul marciapiede. – Non si tratta di una ragazzina viziata che chiama il papà per farsi cambiare una gomma bucata. Il fatto che suo padre sia scomparso le ha davvero cambiato la vita, e non in senso positivo. Noi non possiamo sapere cosa ha passato; non possiamo…

– Io posso eccome. Mio padre ha tagliato la corda prima che io nascessi. Ti sembra che io stia lí con la testa tra le nuvole, fantasticando di modi per ritrovarlo e gettarmi tra le sue braccia?

Steve tace di colpo. E pure io. Non sapevo che avrei detto quelle parole, finché non mi sono uscite dalla bocca.

Dopo un silenzio, lui dice: – Non lo sapevo. Non ne avevi mai parlato.

– Non ne ho parlato perché non ha importanza. È proprio questo il punto. È andato via, e questo lo rende irrilevante. Fine della storia.

Steve dice, con molta prudenza, sapendo che rischia di farsi male: – Mi stai dicendo che non hai mai pensato a lui? Seriamente?

– No. Ho pensato a lui, e molto –. Questo significa minimizzare, ma ci vorrebbe una parola speciale per un minimizzare di questo livello. Quando ero piccola pensavo a lui tutto il tempo. Gli scrivevo una lettera ogni settimana, raccontandogli che personcina fantastica ero, perché avevo fatto bene i compiti di Matematica e avevo battuto tutti i miei compagni di classe nella corsa. Cosí, quando finalmente avessi trovato un indirizzo a cui mandargliele, lui avrebbe capito che per una figlia cosí valeva la pena di tornare. Uscivo da scuola ogni giorno sperando di vederlo arrivare nella sua limousine bianca, che mi avrebbe portata via da quel cortile in cemento e dai bambini con gli occhi rabbiosi, con i posti già prenotati in prigione e nelle comunità di disintossicazione. Via, in qualche posto verde e azzurro e splendente, pieno di possibili vite scintillanti e io avrei solo dovuto sceglierne una. Ogni notte, a letto, le immaginavo: mi vedevo in camice e stetoscopio in un ospedale tutto bianco e cromato; o mentre scendevo una scalinata al suono di un valzer, in un vestito tutto pizzi e garze; oppure mi vedevo cavalcare su una spiaggia, mangiare frutta esotica a colazione in un grande patio, o seduta su una poltroncina in pelle, in un ufficio d'attico al quarantesimo piano, con vista mozzafiato. – Proprio come Aislinn, pensavo che solo con il suo ritorno la mia vita sarebbe cominciata davvero.

Steve, che Dio ci aiuti, sta cercando di trovare il livello giusto di espressione compassionevole. – Ma guardati, – dico. – Non mi fare gli occhioni tristi, per favore. Avevo otto anni. Poi sono cresciuta e mi sono resa conto che la mia vita reale è questa e che avrei fatto meglio a prenderne in mano le redini, invece di aspettare qualcun altro che lo facesse al posto mio. È quello che fanno gli adulti.

– E adesso? Non pensi piú a lui?

– Non ci penso da anni. Ho quasi dimenticato la sua esistenza. E se Aislinn avesse avuto un cervello grande almeno come un M&M avrebbe fatto cosí anche lei. E vale anche per sua madre.

Steve muove la testa in modo vago. – Non è la stessa cosa. Tu non hai mai conosciuto tuo padre. Lei conosceva e amava il suo.

Forse non ha tutti i torti, ma non m'interessa. – Il suo se n'era *andato*. Lei e la madre avrebbero potuto continuare, rimandando i ragionamenti e le domande fino al giorno in cui avessero avuto delle risposte. Invece hanno deciso di imperniare le loro vite intorno a una persona che non c'era. E questo io lo trovo patetico.

– Forse.

– Patetico, – ripeto. – Fine della storia.

Steve non ribatte. Continuiamo a camminare. Finalmente davanti a noi vedo la macchina, proprio dove l'avevamo lasciata. Meno male.

Voglio che Steve dica qualcosa. Voglio sentire se c'è qualche differenza in lui: nella distanza che tiene da me, nell'inclinazione della testa, nel tono della voce. Il motivo per cui non parlo mai agli altri di mio padre, a parte il fatto che non sono affari loro, è che appena sentono la storia cambiano la mia collocazione nella loro mente, e mi mettono o nel cassetto con scritto sopra «povera piccola» o in quello con l'etichetta «coatta». Steve è cresciuto piú o meno come me, forse stava appena un po' meglio, aveva una villetta a schiera popolare invece di un appartamento popolare, un padre con un lavoro e una madre che metteva quelle cose di pizzo sullo schienale del divano, ma di sicuro è andato a scuola con un bel po' di bambini che non conoscevano i loro padri. Non mi preoccupa l'idea che si metta a fare lo snob con me. Ma Steve è un romantico; gli piacciono le storie ben scritte, con alti livelli drammatici, un intreccio prevedibile e un bel finale dove tutti i nodi vengono sciolti. Sarebbe proprio da lui immaginarmi come una bambina tragicamente abbandonata, che combatte i propri demoni per farsi strada verso una vita migliore; e se lo fa gli do una botta in testa.

Non mi lancia occhiate mielose, perlomeno, non mi cammina piú vicino per sostenermi nel mio dolore. Con la coda dell'occhio, riesco solo a vedere che sta pensando. Dopo un po' dice: – E se lei l'avesse trovato?

– Di che parli? – Il sollievo mi fa sembrare spocchiosa.

– L'uomo segreto per il quale Aislinn continuava a dare buca a Lucy. L'uomo del pub –. Steve fa il giro dell'auto e mi parla da sopra il tettuccio, mentre cerco le chiavi. – Se alla fine non si trattava di un fidanzato, ma di suo padre? Riesce a rintracciarlo, provano a ricostruire un rapporto…

– Oh, Gesú, questo è troppo –. Voglio partire a tutta velocità, andare a casa di Rory Fallon e arrestarlo al volo, prima di dover sentire che Aislinn in realtà aveva emozionanti appuntamenti con il suo paparino, completi di particolari siropposi. – Mi devi già quattro euro. No, sul serio… – dico, mentre Steve ride. – Divento pazza a sopportare ancora questa sfilza di «se». Non voglio nemmeno *pensare* a Aislinn e suo padre, finché Gary non mi richiama per dirmi come stanno davvero le cose. Nel frat-

tempo, tu non sali su questa macchina se prima non mi
dài i miei soldi.

Gli faccio tintinnare le chiavi davanti agli occhi, finché
si mette una mano in tasca e mi allunga una banconota da
cinque attraverso il tettuccio. – Ehi, e il mio resto? – chiede, quando la intasco e sblocco le portiere.

– Quando arriveremo in centrale mi dovrai già un altro
euro, – dico. – Sali.

– Allora lo uso subito, – dice Steve, accomodandosi sul
sedile: – *Se* il padre vuole farsi perdonare per gli anni di
assenza, e vuole proteggere Aislinn e non gli piace la faccia di Rory...

– Oh, merda, – dico mettendo in moto e ascoltando le
proteste della Kadett per essere stata svegliata. – Che ne
dici se ti pago io, per *non* parlare piú di queste scemenze?
Può funzionare?

– Puoi provare. Accetto assegni.

– Accetti anche barrette Snickers? Perché mentre man-
gi almeno non parli.

– Affare fatto, – dice lui, tutto allegro. – Starò buono –.
Pesco la barretta nella mia cartella e gliela getto in grembo; lui si applica a demolirla.

Non sembra che stia pensando a quanto è tragica la mia
storia o a che grande modello di vita sono io. So che Steve
non è affatto il ragazzo semplice e lentigginoso che interpreta in televisione, eppure in questo momento sembra
davvero che pensi solo alla cioccolata.

– Cosa c'è? – chiede, a bocca piena.

– Niente. Un po' di silenzio ti farà bene –. Scopro di stare
sorridendo, mentre immetto l'auto nel flusso del traffico.

8.

Torniamo e troviamo una sala operativa piena di nulla. Breslin è ancora fuori, presumo a parlare con i conoscenti di Rory; le reclute entrano ed escono, cariche di altro nulla che depositano sulla nostra scrivania di lusso. Stanton e Deasy non hanno scoperto alcunché nella loro visita sul posto di lavoro di Aislinn: niente voci di una sua relazione con il capufficio o con nessun altro, niente amori non corrisposti, niente faide da ufficio, niente possibili clienti stalker. Meehan rientra dal suo controllo dell'itinerario seguito da Rory per tornare a casa e dice che i suoi tempi corrispondono a quelli dei video, quindi Rory non ha fatto nessuna deviazione di rilievo tra la casa di Aislinn e l'ultima volta che la sua immagine è stata ripresa da una telecamera. È anche vero che non abbiamo conferme dell'ora in cui è davvero rientrato, quindi non possiamo escludere una deviazione all'ultimo minuto o un'uscita notturna. Gaffney sta passando al database i nomi dei conoscenti di Aislinn, e vengono fuori multe stradali, un paio di piccole imputazioni per possesso di droga e un tizio che ha sfondato il parabrezza dell'auto del fratello con un aspirapolvere.

Reilly torna dal suo controllo con un nuovo carico di video da guardare e mi fissa senza dire niente. Si siede al suo posto e si mette all'opera, facendo ogni tanto un rumore a metà tra un colpo di tosse e un ruggito per ricordarci che c'è e che si annoia.

Ho una voglia matta di lanciare una ricerca sui ragazzi di Cueball Lanigan, ma mi trattengo. Mi sentirei un'idiota se prendessi cosí sul serio la storia della gang, e inoltre la ricerca resterebbe nel sistema a disposizione di chi volesse scoprirla, proprio come noi abbiamo scoperto la ricerca che qualcuno ha lanciato su Aislinn l'autunno scorso.

Perciò mi metto a rileggere, stavolta con piú attenzione, le dichiarazioni del porta a porta, in cerca dei piccoli dettagli che possono valere la pena di un approfondimento. Ma non ne trovo. Gaffney ha consumato un intero evidenziatore sulla dichiarazione di una donna che afferma di aver sentito il tizio che abita al numero 15 urlare che avrebbe ammazzato qualcuno, una o due settimane fa; ma visto che il suddetto tizio ha tre figli adolescenti, immagino che non sia ancora il momento di tirare fuori l'equipaggiamento da interrogatorio stile Guantánamo. Steve fa il suo controllo incrociato tra i tabulati e il cellulare di Aislinn e non trova discrepanze: nessuno ha cancellato messaggi o chiamate, né Aislinn, né il nostro uomo. Non ci sono telefonate o messaggi da numeri non identificati. Tutti i numeri da cui ha ricevuto delle chiamate sono nella sua rubrica – comunque li rintracceremo per assicurarci che siano chi la rubrica dice che sono – o altrimenti si tratta del servizio clienti di qualche ditta. Il lato buono di tutto questo è che significa un bel pugno in faccia alla fantasia di Steve sulla riunificazione tra Aislinn e il suo paparino. Ma darei molto anche per un sms da un cellulare non registrato, con scritto: «Vediamoci alle otto per una scopata al nascondiglio dell'eroina».

In ogni indagine raccogli una quantità di nulla; ne hai bisogno, è l'unico modo per restringere il campo e di solito è piacevole cancellare dalla lavagna tutte le piste morte, lasciando spazio a quelle vive e vegete. Stavolta però non c'è nessuna cancellatura, solo questo nulla che mi arriva sulla scrivania, come sputi da un burlone che non riesco a scoprire. Il ronzio della sala comincia a darmi sui nervi, spingendomi a dondolare un ginocchio e a sfregare la schiena contro la sedia per grattare pruriti immaginari. Ho bisogno di qualcosa che mi permetta di disintegrare la nuvola basata sui «se» di Steve, lasciandomi con roba abbastanza solida da stare in piedi da sola.

La sala operativa C sembra vuota fino al ridicolo. Sei persone in una stanza che può ospitarne facilmente una trentina, e in questo spazio dai soffitti alti con file di scrivanie lucide, noi sembriamo rimpiccioliti. Comincio a chiedermi se Breslin non volesse prenderci per il culo, facendoci assegnare la suite di lusso per un caso da due soldi per cui bastava e avanzava l'ex spogliatoio.

Alle due mandiamo Gaffney a prendere delle pizze e Stanton ascolta un talk show sullo smartphone, per pranzare in allegria. Nel programma c'è anche un pezzo su Aislinn, che sfocia nel solito festival del come mai la nazione sta diventando sempre piú pericolosa per i cittadini rispettosi della legge e alla polizia sembra non importare; il tutto condito da telefonate in diretta di anziani rapinati e lasciati in una pozza di sangue dalla polizia che era troppo impegnata a cercare il buco del culo di un politico da leccare. Non poteva mancare Crowley, con un intervento profondo sul fatto che il nostro atteggiamento sdegnoso riguardo all'omicidio di Aislinn e la nostra oppressione di geni come lui siano un simbolo del male che affligge la nostra società «a un livello quasi mitologico», qualsiasi cosa voglia intendere con questo. Per un minuto, mentre ridiamo tutti a crepapelle, dimentichiamo ciò che pensiamo gli uni degli altri.

– Mia cugina è uscita con lui, per un periodo, – dice Meehan.

– Tua cugina ha gusti di merda, – ribatte Reilly.

– Sono d'accordo. Comunque poi lo ha lasciato perché lui non voleva usare i preservativi. Diceva che sono un complotto femminista per sopprimere l'energia maschile.

Tutti scoppiano di nuovo a ridere. – Questa è bellissima, – dice Stanton, allungandosi a prendere un'altra fetta di pizza. – Voglio vedere se riesco a farla passare anch'io, con la mia ragazza.

– Non credo proprio, – dico io. – Se nemmeno una persona cosí ottusa da scoparsi Crowley si è fatta fregare... Senza offesa per tua cugina, eh, Meehan?

– Nessuna offesa. Lei è proprio ottusa. Gli ha prestato tremila euro per consentirgli di pubblicare la sua autobiografia con un editore a pagamento –. Di nuovo grasse risate in sala. – E non ha mai riavuto indietro un centesimo.

– Come l'ha intitolata? – chiede Kellegher. – *Johnny, I Hardly Knew Ye*, come la canzone popolare?

– *Free Willy*, – dico io, provocando una risata con un sottofondo sorpreso, come se le reclute non mi credessero capace di fare una battuta.

– Trovata, – dice Steve, strisciando il dito sullo schermo del telefono. – *Truth's Martyr*, il martire della verità, di Louis Crowley. No, sentite, c'è una recensione. «La feroce e compiuta dissezione dell'odissea affrontata da un uomo per rivelare le ombre nascoste della giustizia irlandese. Se vi interessa la verità...» E continua. Gesú, è piú lunga del libro.

– Qualcuno accetta scommesse su chi l'ha scritta?

– Come si rivela un'ombra nascosta? – vuol sapere Kellegher.

– Voi fate tutti parte del complotto, – ci dice Meehan. – Scommetto che andate in giro per strada a tentare di infilare preservativi a poveri ragazzi ignari.

Reilly gli fa cenno con un dito. – Vieni qui che te ne infilo uno.

– Dei tuoi ce ne vogliono tre.

– Tieni, – dice Stanton, gettandogli un tovagliolo di carta unto. – Sopprimi la tua energia maschile con questo.

Mcehan devia con un manrovescio il tovagliolo, che va a finire nel caffè di Kellegher e tutti cominciano a dirmi di scrivere una nota disciplinare a tutti gli altri, per molestie, per aver creato un ambiente di lavoro ostile, per portare cravatte di merda, perché scoreggiano nelle auto di lavoro. Per un minuto, la sala operativa sembra un bel posto.

«Sono certo che la maggior parte dei poliziotti siano brave persone, – ci dice Crowley, dal telefono di Stanton. – Ma quando una detective praticamente mi aggredisce solo perché voglio informare voi su come procede l'indagine sulla morte di una giovane donna, allora dobbiamo chiederci come mai questa persona è cosí preoccupata di controllare quello che a noi giornalisti è permesso di ascoltare. Dopotutto…»

Sotto il tono solenne si sente che sta quasi per avere un orgasmo dalla gioia: la sua storia sta prendendo una vita propria, parallela alla realtà e piú interessante per il pubblico. Reilly sta ancora ridendo, ma l'atmosfera è cambiata. – Basta cosí, – dico. Crowley mi dà la nausea. – Non siete un gruppo di scolari. Rimettiamoci a lavorare –. Stanton spegne la radio e tutti tornano ai loro computer, scambiandosi occhiate e sopracciglia alzate per sottolineare quanto sono stronza, e la sala operativa torna normale.

L'unico pezzettino di roba che non è un nulla è il referto del patologo. Cooper odia quasi tutti ma non me, forse solo perché è un bastian contrario. Cosí mi chiama quando ha i risultati dell'autopsia, senza farmi aspettare il referto.

– Detective Conway, – dice. – Mi spiace non averla incrociata sulla scena del crimine, ieri.

È il segnale per scusarmi di non essere arrivata in tempo. – Anche a noi dispiace non averla vista, dottor Cooper, – dico, schioccando le dita per attirare l'attenzione di Steve. – Siamo rimasti bloccati dai lavori stradali. Grazie di avermi chiamato.

– Il piacere è mio. L'indagine procede bene?

– Non c'è male. Abbiamo un buon indiziato. Sarei piú contenta se avessi qualche prova solida e meno «se è vero questo, allora forse è vero anche quell'altro». Lei mi può dare una mano?

– Le posso promettere di tenere al minimo i «se è vero questo, allora forse è vero anche quell'altro», – dice, ripetendo la mia frase con un tono leggermente sdegnato. – Non è il mio sistema.

– Sarebbe un bel cambiamento, – dico, restituendo una smorfia a Steve. Cooper fa un rumore scricchiolante che potrebbe essere una risata.

– Per quanto riguarda le prove solide, la maggior parte dell'autopsia non ha rivelato nulla di inaspettato. La vittima era in buona salute, non mostrava segni di colpi o ferite ricevute prima di sabato sera, non aveva avuto rapporti sessuali recenti, non era incinta e non aveva mai partorito –. Cooper fa una pausa e si schiarisce la voce: si vede che stiamo per arrivare alla parte interessante. – Come avevo già detto nell'esame preliminare, ha riportato due lesioni: una al viso, l'altra nella parte posteriore del cranio. Quella facciale può essere stata prodotta da un pugno. La cosa interessante è il livello del danno inflitto da quel pugno: la mandibola è fratturata e due incisivi inferiori sono stati quasi sbalzati fuori dagli alveoli. Per questo è necessaria una forza considerevole. Penso di poter dire con certezza

che il colpo è stato inflitto da un uomo di forza e muscolatura al di sopra della media.

Mimo le parole «uomo forte» a Steve. Lui inarca le sopracciglia. Significa: «Ti sembra Rory?»

– Tali lesioni, tuttavia, – prosegue Cooper, – per quanto serie, non avrebbero messo in pericolo la sopravvivenza
della vittima. La ferita fatale è quella sul lato destro posteriore del cranio. È lineare, della lunghezza approssimativa
di cinque o sei centimetri, prodotta da un oggetto ango-
lare, che corrisponde al gradino del caminetto dove è stata trovata la vittima. Il colpo ha causato una severa frat-
tura craniale, che ha provocato un ematoma extradurale.
In assenza di immediato intervento medico, l'aumentata
pressione sul cervello è risultata fatale.

– La vittima ha preso un pugno in faccia ed è caduta
all'indietro battendo la testa sul gradino del caminetto, –
riassumo. – Quanto può averci messo a morire?

– Impossibile dirlo. Un ematoma extradurale può causare la morte in pochi minuti o in qualche ora. A giudicare
dalla gravità della ferita, direi che qui si è trattato di un
progresso rapido; ma *quanto* rapido non è possibile dirlo
con precisione. Un indicatore, però, possiamo trovarlo
nella seconda lesione sul lato destro posteriore del cranio.

– Seconda lesione? – ripeto. Steve solleva di nuovo le
sopracciglia. Io avvicino la sedia alla sua, schiaccio il tasto
del viva voce e mi metto un dito sulle labbra. Cooper non
ha ancora un'opinione su Steve: basta una parola sbagliata da parte sua e la conversazione finisce qui. Provo una
specie di senso di trionfo idiota, come la ragazza cattiva
che per una volta si becca una carezza sulla testa al posto
del fratello perfetto. Ma lo scaccio subito.

– Trattenga l'eccitazione, detective, – dice Cooper. – Si
tratta di una lesione minore, solo una leggera contusione.

Ma nella forma è praticamente identica alla prima: cinque centimetri di lunghezza, prodotta con un oggetto angolato a destra. Le due lesioni sono parallele e distanti tra loro mezzo centimetro circa. Questo spiega perché non ho notato subito la seconda sulla scena –. Sembra seccato con la lesione perché si era nascosta.

– Quindi, – dico, – dopo la caduta, o la vittima ha sollevato la testa e poi l'ha lasciata ricadere sul gradino, o l'ha fatto il suo assassino.

– Mmh, – dice Cooper. Steve si è messo a scrivere sul suo taccuino. – Sono valide entrambe le possibilità. L'assassino può certamente averle sollevato la testa per controllare se era ancora viva, o lei può aver tentato di alzarsi, senza riuscirci. La lesione iniziale deve averla fatta svenire, perché era presente un'emorragia intraparenchimale, che di solito ha conseguenze immediate; ma è possibile che abbia ripreso brevemente conoscenza prima della morte.

Steve mi passa il suo bloc-notes. È praticamente l'unico poliziotto di mia conoscenza con una grafia leggibile, e anche bella, con lettere ben definite e vecchio stile, con svolazzi e trattini. Credo che si eserciti nel tempo libero. Sulla pagina c'è scritto: «Oppure: prima una spinta e poi il pugno quando era già a terra?»

Chiedo: – Le lesioni potrebbero essersi prodotte in sequenza inversa? L'assassino prima dà uno spintone alla vittima, lei cade all'indietro e batte la testa, ma non troppo forte. Mentre si trova a terra, confusa, l'assassino si china su di lei e le dà un pugno in faccia.

– Ah, – dice Cooper, in tono allegro. – Ah-ha. Interessante e possibile; anzi, possibilissimo. Impressionante, detective Conway.

– È per questo che mi pagano tanto, – ribatto. Steve fa

«Ehi!» con la bocca e si indica il petto. Io volto il palmo in alto e sogghigno: «Non posso farci nulla, mi dispiace».

– Mmh, – dice Cooper, e sento uno sfogliare di pagine. – Alla luce di questa nuova teoria, devo rivedere la mia valutazione della forza dell'assassino. *Se* il pugno è stato vibrato quando la vittima era già caduta sul gradino del caminetto, la forza necessaria per produrre le lesioni al volto è notevolmente minore, alla portata di qualsiasi adulto con una muscolatura normale.

Restituisco a Steve l'alzata di sopracciglia: quello sembra proprio Rory Fallon. – Mi spiace farle riscrivere il referto, – dico. Cooper scrive a mano; nessuno di noi ha le palle necessarie per invitarlo a entrare nel XXI secolo, perciò chiediamo alle reclute di battere al computer i suoi referti.

– Perdonerei peccati peggiori, per il piacere di sentire una teoria alternativa che combacia cosí bene con i fatti, – dice Cooper. – Le manderò il rapporto revisionato al piú presto e le faccio i miei migliori auguri di trovare solide prove.

Riattacca. Io e Steve ci guardiamo.

– Cosí non è omicidio colposo, – dice lui.

– No. Se è andata davvero cosí –. Le persone vengono gettate a terra durante una lite, si alzano e reagiscono; nessuno si aspetta che un pugno possa uccidere. Ma se dài un pugno in faccia a una donna mentre lei è stesa a terra con la testa contro un angolo in pietra, ci vuole una bella faccia tosta a sostenere che sei andato via perché eri convinto che si sarebbe rialzata.

– E a Breslin piace la tesi dell'omicidio colposo.

Ha abbassato molto la voce. Ha ragione. Breslin è saltato subito a piè pari sull'idea dell'omicidio colposo. Forse perché si adatta meglio a Rory Fallon, e Breslin vuole che sia lui il colpevole, per rendere piú semplice la vita di tutti. O forse sa che non si tratta di un omicidio colposo, ma pensa che noi abboccheremo piú facilmente a questa spiegazione. – Sí, – dico. – Vediamo che cosa pensa di questa nuova versione.

– Ce lo vedi Rory Fallon in questa veste? – chiede Steve. – Un pugno in un momento di collera, sí. Ma colpirla in quel modo dopo che era già a terra?

– Chiunque sia stato, era pieno di rabbia. Un raptus in piena regola, questo lo sapevamo già. E a questo punto non dobbiamo cercare King Kong. Potrebbe essere stato anche Rory, senza problemi.

– Certo. Ma non abbiamo ancora un motivo valido per cui dovrebbe aver avuto un raptus, e da ciò che sappiamo di lui, non ha alle spalle esperienze di violenza. Un pugno cosí non è facile per qualcuno che non ha piú messo le mani addosso a un'altra persona da quando a nove anni ha litigato con il fratello. Invece verrebbe abbastanza naturale a una persona con una certa pratica.

– No, no, no –. Mi do una spinta sulla sedia girevole per tornare sul mio lato della scrivania. Anche le rotelle nella centrale operativa C funzionano meglio. – Hai sentito anche tu Rory. Tutti gli eventi piú intensi della sua vita hanno luogo nella sua testa. Con persone simili, non puoi basarti su quello che vedi. Non abbiamo idea di che pratica abbia fatto, là dentro. Per quanto ne sappiamo, può essersi costruito nell'immaginazione un'intera vita alternativa, dove è un campione di combattimenti in gabbia. E quando la pressione è salita, quel personaggio è uscito allo scoperto e *bang!*

Tutti e due siamo attraversati dal pensiero di quel pugno, dell'osso che si spacca contro la pietra. Steve ha ragione, è difficile vedere Rory in questa veste, ma il motivo può anche essere che non vogliamo vederlo. – Perciò

continuo a ripeterti di tagliare il consumo di «se», – dico.
– Fa male alla salute.

– Tranquilla, – ribatte Steve, tornando alle sue scartoffie. – Nella mia vita immaginaria, io sono un superdetective
che non manca mai di risolvere un caso.

– Perfetto. Ora dobbiamo solo metterti addosso una pressione sufficiente a far uscire allo scoperto il personaggio.

Steve mi lancia uno sguardo secco, improvviso. Per un
attimo sembra che stia per dire qualcosa, poi scuote la testa e comincia a far scorrere la biro lungo una fila di numeri di telefono.

Per la cronaca, io so, e presumo lo sappia anche Steve,
visto che non è un idiota, che dovremmo metterci in ginocchio a pregare che il colpevole sia davvero Rory Fallon.
Se per caso troviamo delle prove che Breslin è corrotto,
siamo nella merda fino al collo.

Se scopri che un altro poliziotto infrange i regolamen-
ti, la legge o tutti e due, la prima opzione è quella di tenere la bocca chiusa. È quello che fanno praticamente
tutti, davanti a cose di poco conto, tipo togliere qualche
multa o usare i database della polizia per ricerche priva-
te; ti volti dall'altra parte perché non ne vale la pena e
perché prima o poi anche tu puoi aver bisogno che qualcun altro chiuda un occhio. Ma se noi volessimo prendere quella strada, cosa che non sono affatto sicura di voler
fare, in questo caso non sarà per niente facile, se quello
che scopriremo sarà legato alla nostra indagine sull'omicidio di Aislinn.

La seconda opzione, ciò che dovresti fare sempre, è rivolgerti agli Affari interni. Io non ci ho mai provato. Ho
sentito che a volte il problema si risolve. E forse una volta ogni tanto si risolve senza che la voce si sparga e ti tra-

sformi in una specie di scoria radioattiva costringendoti a passare il resto della vita sentendoti una merda.

La terza opzione è prendere da parte la persona interessata e dirgli di smettere, per amore della sua coscienza, della carriera, della famiglia o quello che sia. Anche questa opzione forse qualche volta funziona. Mi sembra di vedere la faccia di Breslin se vado da lui e agito un dito dicendogli che è stato un ragazzo cattivo. Se finisco annegata nello sdegno che mi vomiterà addosso, dovrò passare quello che rimane della mia carriera cercando di guardarmi intorno, dietro e davanti allo stesso tempo.

La quarta opzione è andare dal tuo capo, il quale ti darà probabilmente una paterna pacca sulla spalla dicendo che hai fatto la cosa giusta, e poi metterà in pratica l'opzione due o la tre. Visto il rapporto che ho io con O'Kelly e quello che lui ha con Breslin, direi che, anche se volessi, questa opzione è del tutto impraticabile.

La quinta opzione è far capire che sai qualcosa ed entrare nel gioco. Forse vuoi condividere l'azione, o vuoi soltanto una porzione della tangente del collega, come incentivo per tenere la bocca chiusa. Io non amo abbastanza il denaro da vendere me stessa, e non amo niente al punto da legare la mia vita a quella di un bastardo che ha già dato prova di non essere degno di fiducia.

La sesta opzione è trovare un giornalista con i coglioni grandi come angurie, a cui non importi essere fermato per guida in stato di ebbrezza ogni due giorni per il resto della vita, e vuotare il sacco.

Nessuna di queste opzioni mi sembra praticabile. Io amo questa caccia, la amo di piú ogni minuto che passa, e non me ne frega niente se significa che sono una persona cattiva. Ma so che ciò a cui stiamo dando la caccia, se davvero lo prendiamo, probabilmente ci esploderà in faccia.

Stare ferma mi costa una fatica tremenda. Ogni due minuti volto la testa a guardare Steve, chino sulla scrivania come uno studente, con le dita nei capelli arancioni e la fronte aggrottata mentre fissa quel mulinello di carte. Non riesco a capire cosa gli stia passando per la mente. Un paio di volte apro la bocca per chiedergli: «E se...? Cosa facciamo, se...?» Tutte e due le volte richiudo la bocca e mi rimetto a lavorare.

L'energia, in una centrale operativa, di solito cala a metà pomeriggio, come succede in qualsiasi ufficio, ma oggi resta alta. In parte è la sala, noi tutti vogliamo dimostrare che siamo all'altezza di questi standard, ma in parte dipende da me. L'umore è determinato dall'alto, e quella sfida mi attrae come un cattivo ragazzo, mi accelera le pulsazioni ogni volta che emerge in superficie, invitante e minacciosa, con un sorriso cattivo che mi tiene incollata al lavoro e, quando finisco di passare tutti i rapporti al pettine fitto, mi spinge ad alzarmi e a girare per la sala, aggiungendo informazioni sulla lavagna, afferrando i fogli delle telefonate alla linea dedicata dove, tra le varie, un uomo anonimo sostiene di aver visto Aislinn su un sito molto speciale, dove lei schiacciava insetti sotto i piedi; improbabile, ma ai ragazzi dei Crimini informatici toccherà controllare comunque. Controllo il lavoro delle reclute, distribuendo una serie di «bravo» e «prova a fare cosí»: sono perfettamente in grado di fare queste stronzate manageriali, quando ne ho voglia. Mi faccio una risata con Kellegher, dico a Stanton e Deasy che i loro colloqui con i colleghi di Aislinn sono perfetti. Breslin sarebbe fiero di me. E appena penso a lui, che ormai dovrebbe tornare da un momento all'altro, mi rimetto in movimento.

Anche Steve è contagiato: è al telefono che tenta di mettere il fuoco al culo al suo contatto alla Meteor, per avere i tabulati di quel telefono non registrato. Potremmo uscire e calmare l'agitazione andando a parlare con i testimoni, ma io non voglio andare da nessuna parte. Non voglio perdermi Breslin.

Gaffney ha finito l'elenco dei corsi serali di Aislinn, cosa che se non fossi di questo umore sarebbe deprimente al massimo grado. Lei ha davvero pagato dei soldi per un corso intitolato «Rinnova te stessa!» con tanto di punto esclamativo, poi per uno dove si impara ad apprezzare i vini e per un altro chiamato «Centro di addestramento per ragazze molto occupate». Gaffney sta telefonando in giro per ottenere i nomi degli altri iscritti. Gli prendo di mano i dati finanziari e li esamino in cerca di anomalie, mentre non c'è Breslin a controllare quello che faccio.

Non trovo nessuna entrata o uscita inspiegata sul conto corrente di Aislinn. L'unica cosa interessante è che Lucy ha ragione: Aislinn aveva un bel po' di soldi da parte. Quasi tutto il suo stipendio finiva dritto in un conto di risparmio che aveva aperto nel 2006, lo stesso mese in cui aveva cominciato a lavorare. Negli ultimi due anni aveva risparmiato meno e speso di piú in vestiti chic comprati online, ma le restavano comunque piú di trentamila euro. Non aveva debiti, la vendita della casa di Greystones aveva coperto l'acquisto del cottage a Stoneybatter e della Polo di seconda mano, e gli acquisti con la carta di credito li rimborsava tutti puntualmente con prelievo diretto dal conto corrente. Se avesse voluto fare un viaggio, o iscriversi all'università, ne era perfettamente in grado. Era in grado anche di fare un prestito di qualche migliaio di euro a un amico, se avesse voluto.

I dati finanziari di Rory sono piú complicati di quelli

di Aislinn, per via della contabilità della libreria, e molto meno in salute. Non c'è nulla di poco chiaro, nemmeno lontanamente; se in questo caso c'entra la criminalità organizzata, di sicuro non ricicla denaro attraverso il Wayward Bookshop solo per rendere la nostra vita più interessante. Ma la libreria riesce appena a tenere la testa fuori dall'acqua. Nei cinque anni trascorsi dall'apertura, le vendite sono calate di un terzo e Rory ha dovuto licenziare il commesso part time. Lo stipendio che si dà sembrerebbe scarso anche all'impiegato di un fast food. Breslin non sbagliava, quando ha detto che quella cena al *Pestle* aveva sfondato il budget.

Abbiamo già visto come Rory prende male le umiliazioni. Se ha supplicato Aislinn di fargli un prestito e lei ha rifiutato in modo secco, il suo Hulk interiore può essersi risvegliato, strappandogli il maglioncino buono.

Steve è alla lavagna; sto per chiamarlo a dare un'occhiata, quando un ragazzo magro con una zazzera di capelli biondi e un completo da due soldi si affaccia alla porta e dice: – Detective Conway?

– Sí.

Si dirige verso di me, passando tra le scrivanie come se si aspettasse da un momento all'altro di essere aggredito. – Mi manda il detective O'Rourke, Persone scomparse. Scusi se ci ho messo tanto, ho perso un po' di tempo giú perché un tizio, cioè, voglio dire, un altro detective, mi ha detto che lei era fuori. Ha detto che potevo dare tutto a lui, ma il detective O'Rourke mi ha detto di darlo a lei di persona, perciò ho aspettato. Poi ho pensato di salire a dare un'occhiata, nel caso che...

– Ora sono qui, – dico. – Dammi pure quello che hai.

Il ragazzo scompare di nuovo. Incrocio lo sguardo di Steve quando si volta dalla lavagna e con uno scatto della testa gli segnalo di venire da me. Le reclute non sembrano prestare attenzione a noi, ma non mi fido.

– Cosa c'è? – chiede Steve.

– Il fascicolo sul padre di Aislinn. Fa' finta di niente.

Il ragazzo ricompare con una scatola di cartone che probabilmente pesa piú di lui. Steve si china sulla sua metà della scrivania e si mette a guardare le sue carte, ignorandolo.

– Uff, – dice il ragazzo, posando la scatola sulla scrivania e barcollando all'indietro. – E c'è anche questa –. Estrae di tasca una busta e me l'allunga.

– Grazie, – dico. – Il collega che pensava che io non ci fossi, che faccia aveva?

Il ragazzo tenta di scomparire dentro il vestito, ma io aspetto. – Uhm, – dice alla fine. – Tipo quarantasette, quarantotto anni. Sul metro e settantacinque, corporatura media. Capelli neri, mossi, con un po' di grigio. Barba cortissima.

Somiglia parecchio a McCann.

E non c'è nessun motivo valido per cui a McCann dovrebbe fregargliene qualcosa di quello che qualcun altro mi manda.

– Grande, – dico. – Devo ricordarmi di dirgli che questa settimana sono in ufficio. Grazie.

Il ragazzo mi guarda speranzoso, in attesa di una carezza sulla testa. – Dirò al detective O'Rourke che hai fatto un ottimo lavoro, – gli prometto. – Arrivederci.

Lui si allontana sempre con quell'aria circospetta. Steve dice: – Quale collega pensava che tu fossi fuori?

– Qualcuno ha tentato di intercettare questo materiale –. Mi rendo conto di sembrare paranoica, ma non m'importa. – McCann, dalla descrizione.

Vedo la mente di Steve che segue gli stessi passi della mia. – Breslin non sa che stiamo controllando anche il padre di Aislinn.

– Esatto. McCann non voleva questo fascicolo specifico; voleva prenderlo solo perché era diretto a noi.

Steve dice: – Breslin sarà di ritorno presto. Vuoi portare questa roba da qualche altra parte?

– Al diavolo, – dico. Tanto non serve a niente. Se Breslin rientra mentre non ci siamo, qualcuno gli dirà che siamo usciti con una grossa scatola piena di carte. E inoltre
questa è la mia sala operativa. Col cazzo che penso di andare a nascondermi in qualche sgabuzzino. – Leggiamo in
fretta, – dico.

Sto già aprendo la busta. Steve avvicina la sedia alla mia,
in modo casuale, mentre guarda i messaggi sul telefono,
con l'aria di «non sta succedendo nulla di importante».

Il biglietto dice: «Ciao, Conway, ecco il fascicolo che hai
chiesto sul tizio scomparso. Un consiglio da amico: niente critiche, eh? Se trovi qualcosa che non ti piace, tieni la
bocca chiusa. Anch'io ho lavorato un po' a questo caso,
perciò se hai delle domande fammi uno squillo. G. O'R.»

– Eh? – dice Steve. – Tieni la bocca chiusa riguardo a
cosa?

– Non ne ho la piú pallida idea –. Mi infilo in tasca il
biglietto per poi passarlo nel tritadocumenti. – Forse lo
scopriremo leggendo i fascicoli.

Leggiamo insieme il rapporto iniziale, io sempre con
un occhio rivolto alla sala per vedere se una delle reclute
è interessata. Il detective incaricato era un certo Feeney;
ho visto il suo nome su vecchi documenti, quando ero alla
Persone scomparse, ma è andato in pensione anni prima
del mio arrivo. Probabilmente è già morto. Se avremo bisogno di consultare qualcuno che ha lavorato al caso, possiamo contare solo su Gary.

Nel 1998 Desmond Joseph Murray aveva trentatre anni, faceva il tassista, abitava a Greystones e lavorava in

centro a Dublino. Le foto allegate al fascicolo mostrano un uomo snello, di altezza media, bei capelli castani e un sorriso dolce un po' sghembo. L'avevo appena notato negli album di Aislinn. Ero cosí occupata a fissare lei, alla ricerca di qualcosa che facesse scattare il ricordo di dove l'avevo vista, che mi sono persa quello che avevo davanti agli occhi.

C'è anche una foto di famiglia. La moglie era una donna piccola, capelli neri, ben vestita e carina. Anzi, decisamente bella, il tipo dagli occhi grandi e dall'aria indifesa che mi fa venire voglia di vomitare. E c'è Aislinn, con le sue trecce troppo tirate e un gran sorriso, tutta stretta sotto il braccio protettivo del padre.

– Sai chi mi ricorda? – dice Steve. – Il nostro Rory.

Inclino la foto verso di me. Ha ragione; non direi che si somigliano, ma sono sicuramente dello stesso tipo. – Porca puttana, – dico. – Che cliché del cazzo. Ma quanto aveva bisogno di crescere, quella deficiente?

– Ci stava provando, riconoscile almeno questo.

Il cielo si sta rannuvolando e la luce che entra dalle finestre sta cambiando; la sala operativa sembra precaria e a rischio, una nave con il mare burrascoso o una casa su un'isola all'avvicinarsi di una tempesta. Qualcosa, forse quella luce o forse la voce calma di Steve che svanisce in questo spazio vuoto prima di raggiungere i muri, qualcosa dà alle sue parole una tristezza infinita. Io non ho voglia di riconoscere nulla a Aislinn, e di lei non me ne frega un cazzo se non in termini di orgoglio professionale; eppure solo per un momento tutto ciò che la riguarda sembra cosí zuppo di tristezza da gettarti a terra come un sacco.

Dico: – Ciò che penso io di lei non importa. Leggi e zitto.

Alle tre del pomeriggio del 5 febbraio, Desmond uscí di casa per il suo classico giro del sabato: andare a prendere a scuola Aislinn, che aveva nove anni, portarla a casa e poi recarsi a lavorare a Dublino fino alla chiusura dei locali verso l'una di notte. Andò a prendere Aislinn e la lasciò a casa come da copione. E quella fu l'ultima volta che i suoi familiari lo videro.

Verso le quattro del mattino sua moglie Evelyn si svegliò, rendendosi conto che non era tornato, e iniziò a preoccuparsi. Desmond aveva un cellulare, ma non rispondeva; alle sei Evelyn chiamò la compagnia di taxi per cui lui lavorava, ma risultò che il marito non rispondeva nemmeno alla radio. Alle dieci chiamò la polizia locale. Sul rapporto iniziale c'è scritto che il soggetto «era in condizioni di stress», che tradotto vuol dire «fuori di testa dall'agitazione». La polizia controllò ospedali e stazioni, non trovò nulla e le disse che Desmond probabilmente si era preso un po' di tempo per sé e che sarebbe tornato per cena. Ma non tornò, le condizioni di stress del soggetto arrivarono al punto che dovette venire il suo medico a darle un sedativo, e alla fine chiamarono la squadra Persone scomparse.

– Corrisponde alla storia di Lucy, – dice Steve. Prende un fascio di carte polverose dalla scatola, me ne allunga la metà e si sposta verso la sua parte della scrivania.

– Finora, – dico. – Fa' in fretta.

Steve comincia a scorrere i fogli con lo sguardo. Io poggio i piedi sulla scrivania e da sopra le carte do una rapida occhiata in sala, ma nessuna recluta guarda verso di noi; sono tutti al lavoro come scolari, in questa luce incerta.

Secondo la dichiarazione di Evelyn, la vita di coppia andava benissimo, due fidanzatini dai tempi della scuola che vivevano un matrimonio da sogno; le pagine grondano sentimentalismo; lui le portava ancora rose rosse, le diceva ogni giorno che era l'amore della sua vita. A me sembrano stronzate, ma le dichiarazioni dei vicini non la contraddi-

cono: nessuno li aveva mai sentiti litigare, né altro del genere. I dati finanziari erano a posto: Desmond e Evelyn
non erano ricchi, ma neppure al verde. I genitori avevano
lasciato loro abbastanza da pagare buona parte del mutuo
e la licenza da tassista di Desmond, e all'epoca una licenza
di taxi costava parecchio. Non c'erano altri debiti; il conto
corrente non mostrava né depositi sospetti, né strani pre-
lievi che potessero essere segno di una dipendenza dalla
coca o dalle scommesse. Desmond non aveva una storia di
malattie mentali e la sua fedina penale era pulita: qualche
multa per eccesso di velocità e divieto di sosta, tutto nella norma, per un tassista. Secondo gli amici era felice: allegro, lavoratore, contento del proprio lavoro. Non aveva
nemici e non era il tipo da farsene. La loro descrizione del
matrimonio non corrispondeva a quella di Evelyn: secondo
loro Evelyn praticamente lo teneva segregato. Non voleva
fare mai nulla, ma piangeva per giorni se lui faceva qualcosa senza di lei, e andava in panico se lui non rispondeva al
telefono abbastanza in fretta; ma nessuno aveva mai sentito Des parlare di lasciarla, anche se gli amici pensavano
che restasse in casa solo per via della bambina, e avrebbe
tagliato la corda il giorno stesso in cui lei fosse andata via
di casa. Questa scatola non mi sembra particolarmente misteriosa. In fondo a una pagina noto la firma di Gary, piú
precisa e giovanile di quella a cui sono abituata.

— La dichiarazione di Aislinn, — dice Steve. — Guarda.

La firma è infantile, con le lettere arrotondate. Il giorno
della scomparsa di Desmond, lui e Aislinn non parlaro-
no molto, tornando a casa da scuola; lei aveva un compito
a casa che non capiva ed era preoccupata di non riuscire a
svolgerlo, quindi pensava soprattutto a questo. Non notò
nulla di strano nel comportamento del padre, ma probabilmente non lo avrebbe notato comunque. L'unica cosa

che le sembrò strana fu il suo arrivederci, quando l'auto si fermò davanti al cancello e lei aprí la portiera per scendere. Il padre le disse che le voleva bene e di fare la brava, come sempre, ma poi la tirò a sé e l'abbracciò, cosa che non faceva parte della loro routine, e le disse di prendersi cura della mamma. La seguí con lo sguardo fino a casa ed era ancora lí quando Aislinn chiuse la porta.

– Ecco la risposta che cercavi, – dice Steve. – Lui ha tagliato la corda.

– Già. Allora tutta quella roba che diavolo è? – Indico la scatola, ancora piena per almeno un terzo. Il fascicolo dovrebbe chiudersi qui. Uomo adulto, nessun motivo per suicidarsi, niente malattie mentali, niente nemici, un addio abbastanza evidente alla figlia: normalmente, fai un ultimo comunicato stampa ai media e presumi che se ne sia andato di sua volontà e che tornerà a casa quando e se ne avrà voglia.

Ma la squadra Persone scomparse non si fermò lí. Esaminarono i tabulati del cellulare di Desmond, indagine che richiese qualche settimana: i cellulari allora non erano cosí diffusi e i detective non avevano contatti personali nelle aziende telefoniche, quindi dovettero seguire i canali ufficiali. Dopodiché rintracciarono tutte le persone che lui aveva contattato, tornando indietro di mesi. Quasi tutti i numeri risultarono appartenere ad amici o a clienti regolari, che lo chiamavano direttamente senza passare dal centralino; e tutti furono in grado di dare una spiegazione di dove si trovavano al momento della scomparsa.

La questione è come mai gliel'avevano chiesto. La Persone scomparse è cronicamente a corto di personale, come tutte le altre squadre; e di solito le risorse le impiegano per il bambino piccolo rapito da uno dei genitori durante una disputa per la custodia, o per ritrovare la nonna con l'Alzheimer che si è persa; non per una crisi di mezza età.

– Il modo in cui hanno gestito il caso, – dico, – non ti sembra strano?

– Sono stati fin troppo accurati.

– Già. Chiedere l'alibi ai suoi clienti? Sembrano aver pensato che si trattasse di omicidio.

– Se Des Murray era sul radar per qualsiasi cosa, anche di poco conto, collegata al crimine organizzato, aveva senso andare fino in fondo. Nel caso in cui Des fosse diventato un problema e qualcuno gli avesse piantato due proiettili in testa, scaricando il corpo tra le montagne.

– Finora io non ho trovato nulla di relativo alle gang. Tu?

Steve scuote la testa. – Nemmeno io. Ma è possibile che non l'abbiano messo nel fascicolo.

Possibilissimo. Se a Feeney non piaceva l'idea di cedere il caso alla squadra Crimine organizzato, si sarebbe tenuto per sé le sue idee, proprio come abbiamo fatto noi. Dico: – Continua a leggere.

Il taxi di Des Murray riapparve in una strada secondaria di Dún Laoghaire, cosa che fece salire di un paio di tacche la possibilità del suicidio (Dún Laoghaire è piena di moli), ma non c'era nessun biglietto all'interno della vettura. Né segni di lotta, o di rapina: sotto la leva del cambio c'erano trentaquattro sterline, che corrispondevano a ciò che segnava il tassametro quel pomeriggio. Se Des aveva lasciato moglie e figlia, aveva lasciato loro anche tutto il denaro che possedeva.

La linea calda squilla; Stanton si tuffa sul telefono, ascolta e spiega che riteniamo poco probabile che Aislinn Murray abbia potuto ordinare una Coca light con vodka in una discoteca di Waterford, ieri sera, visto che è morta, ma ringrazia la persona per aver chiamato. Un paio di reclute ridacchiano, chine sulle scrivanie, ma nessuno alza gli occhi.

– Ah, – dice Steve, piano, ma con un tono che attira la mia attenzione. – Eccoci.

Tolgo il piede da sopra la scrivania e avvicino la sedia alla sua. – Vediamo.

È un rapporto su uno dei contatti trovati sul cellulare di Desmond Murray. Il numero era registrato a nome di una certa Vanessa O'Shaughnessy, ma i detective ci misero un bel po' a rintracciarla, perché aveva lasciato il Paese. Il 6 febbraio aveva preso una traghetto per l'Inghilterra.

– Oh, certo, – dico. – Scommetto che ha fatto drizzare le orecchie a tutti –. A me di sicuro: il traghetto per l'Inghilterra parte da Dún Laoghaire.

Steve sfoglia le pagine e scorriamo in fretta il rapporto sulla donna. Ventotto anni, infermiera presso un dentista, abitava a Dublino con altre due donne. La foto mostra una rossa lentigginosa con un sorriso perfido e vivace. Non si avvicina nemmeno lontanamente alla bellezza di Evelyn, ma sono pronta a scommettere che con Vanessa ci si poteva divertire molto di piú. Quasi due anni prima della scomparsa di Desmond Murray, Vanessa O'Shaughnessy aveva cominciato a chiamarlo o a mandargli messaggi ogni domenica pomeriggio. Secondo le coinquiline, Desmond l'accompagnava a visitare la madre, che aveva il Parkinson e si trovava in una casa di cura a Dublino Ovest, dove gli autobus non arrivavano. Si trattava di un impegno regolare. I messaggi sui tabulati lo sottolineano: «Ciao des, vanessa. Solo per sapere se è tutto ok, passi a prendermi alle 3?» «Ciao vanessa, sí, ci sarò, a presto».

Dopo qualche mese, telefonate e messaggi si fecero piú frequenti: due volte alla settimana, poi tre, poi quasi ogni giorno. Le coinquiline dissero che la madre di Vanessa si era aggravata e lei andava a trovarla piú spesso. Ancora nulla di incriminante nei messaggi. «Ciao, siamo ancora d'ac-

cordo per domani sera?» «Sí, grazie, sarò pronta alle 7».
Ogni tanto uno smiley, nulla di piú intimo.

– Solo affari, – dice Steve.

– Ma non prova nulla. La moglie sapeva che lui aveva
un cellulare. E sembrava il tipo capace di controllare di
nascosto.

Il 2 gennaio, cinque settimane prima della scomparsa di
Desmond Murray, la madre di Vanessa morí. Dopo il funerale, lei disse alle coinquiline e al suo dentista che mollava
il lavoro e se ne andava in Inghilterra, per cominciare una
nuova vita. Il 6 febbraio partí e Des scomparve.

Dai controlli effettuati presso la casa di cura si scoprí
che la madre di Vanessa era morta inaspettatamente, che
non si era aggravata nell'ultimo periodo, e che la figlia non
era mai andata a trovarla piú di due volte a settimana. La
Persone scomparse chiamò un amico di qualcuno in Inghilterra, e venne fuori che Desmond Murray aveva fatto domanda per una licenza da tassista a Liverpool. Chiamarono un altro amico di qualcuno a Liverpool, il quale si recò
all'indirizzo di Murray, verificando che era vivo e vegeto e
conviveva con Vanessa O'Shaughnessy. Fine del fascicolo.

– Sorpresa, sorpresa, – dico. – Un uomo si stufa della moglie e la cambia per un modello piú recente. Niente
gang, e niente a che fare con il nostro caso, direi.

Steve dice: – Ma perché la polizia non l'ha detto alla
famiglia? Aislinn non ne sapeva nulla. Perché non l'hanno
semplicemente detto a Evelyn, all'epoca?

Se rintracci una persona scomparsa la quale non vuole che tu dica dove si trova – cosa che succede spesso –
devi tenere la bocca chiusa. Ma di solito fai in modo di
trasmettere l'idea, anche solo perché non vuoi che la madre di un ragazzo squillo si suicidi con il valium perché è
convinta che il figlio sia stato ucciso da un serial killer. E

quello era proprio il tipo di caso che richiedeva qualche allusione formulata con cura: «Naturalmente non possiamo rivelare i particolari, signora Murray, ma voglio dirle che probabilmente non la chiameremo mai per identificare un cadavere...» Invece, per qualche motivo, Feeney e i suoi ragazzi non l'hanno fatto.

– A meno che, – dice Steve, – ci fosse qualcosa di poco chiaro e i detective volessero proteggere la famiglia.

– O magari alla moglie l'hanno detto, ma lei non l'ha detto alla bambina.

– Per quindici anni? Anche quando la figlia era diventata adulta e voleva disperatamente sapere cosa era successo al suo papà?

Scrollo le spalle. – La gente è strana. Hai sentito Lucy: la madre di Aislinn si vergognava di essere stata abbandonata dal marito. E forse si vergognava anche di dire alla figlia il motivo dell'abbandono.

Steve si umetta un dito e sfoglia il suo fascio di carte, tirando fuori di tanto in tanto una o due pagine che mette su una pila a parte. – No. Il biglietto del tuo ex collega ti raccomanda «niente critiche». Si riferiva a questo: i detective non hanno detto nulla alla famiglia, e se pensi che avrebbero dovuto farlo, tienitelo per te.

– Infatti lo penso: avrebbero risparmiato a tutti un sacco di tempo e di problemi.

Steve alza gli occhi. – Avrebbero dovuto farlo, punto e basta. Anche se c'era di mezzo qualcosa di losco, avrebbero almeno dovuto far capire alla famiglia che Desmond era vivo.

– Forse, – dico, cominciando a impilare di nuovo la mia metà del fascicolo. – Dopo chiamo Gary per farmi dire tutta la storia.

– Non credi che avrebbero dovuto avvisare la famiglia?

– Non lo so. Ti sembro il papa? Le decisioni morali non sono compito mio.

– Cosa avresti fatto, se fosse stato un tuo caso? Avresti davvero tenuto la bocca chiusa?

– Mi sarei fatta trasferire alla Omicidi, dove cose del genere non succedono.

– Io glielo avrei detto, – dice Steve. Vado a rimettere la mia parte di documenti nella scatola, ma lui me li prende di mano, li aggiunge ai suoi e continua a sfogliare. – Non c'è dubbio. Moglie e figlia avevano il diritto di sapere. Se lo avessero saputo, forse le loro vite non sarebbero diventate un tale casino.

Sto per tirare fuori il cellulare, ma a quelle parole mi volto di scatto. – Sí? E per quale motivo? A meno di dire loro dove si trova Desmond, non hanno altra scelta che chiudersi in casa e ossessionarsi pensando a lui? Non c'è nessun altro modo di andare avanti con le loro vite?

Lo dico in un tono piú tagliente di quanto volessi. Steve smette di sfogliare carte. – Dài, non è quello che ho detto. È solo che… se passano metà del loro tempo aspettando che Des torni a casa, e l'altra metà immaginandosi il suo cadavere buttato tra i monti, allora sí, è possibile che vadano fuori di testa.

Faccio il numero di Gary e tengo d'occhio la porta per l'arrivo di Breslin. – Non sono stati i detective a costringerle a passare il loro tempo in quel modo. Potevano trovarsi un hobby, lavorare a maglia, o che so io.

Steve comincia, in tono prudente: – Non credo che… – ma lo fermo alzando un dito. Il telefono dall'altra parte sta squillando.

Di nuovo la segreteria. Mi rifiuto di pensare che Gary non voglia parlare con me. – Ciao, Gary, sono Antoinette. Abbiamo ricevuto il materiale; grazie. Abbiamo dato un'occhiata; il tuo ragazzo può venire a prendere la scatola quando vuole –. Non ho intenzione di metterla in mano a nessuna delle nostre reclute. – E fammi uno squillo quando hai tempo, per favore. Ho solo un paio di domande e preferirei farle a te, piuttosto che dover cercare qualcun altro. Ci sentiamo, eh?

– Questo è il materiale piú importante, – dice Steve, sollevando la pila di pagine che ha separato dal fascicolo. – Voglio delle fotocopie, tanto per stare sul sicuro. Prende delle carte a caso dalla scrivania, ci infila in mezzo quelle del fascicolo e si avvia con passo tranquillo, senza fretta; nulla di straordinario da notare.

Con un piede spingo la scatola sotto la scrivania, dove resterà finché Gary non manderà il ragazzo a ritirarla. Non c'è motivo perché Breslin non debba vederla – anche perché non c'è nulla da vedere, a quanto sembra – è solo che non voglio. Mi dico che è semplice buon senso: se nel fascicolo non c'è nulla di utile, preferisco che Breslin non rompa le palle sul fatto che sprechiamo il nostro tempo. Spargo di nuovo sulla scrivania i dati finanziari di Rory e fingo di esserne affascinata, a beneficio del cagnolino di Breslin, chiunque sia.

Io ho un buon intuito, senza falsa modestia: qualsiasi detective ce l'ha, specialmente se arriva a entrare nella squadra Omicidi. E io so usarlo. L'intuito mi ha dato una mano quando il solido e ragionevole lavoro d'indagine sarebbe servito solo a mandarmi a sbattere contro un muro. Ma stavolta non sta servendo a niente. Non che non si faccia sentire: tutti i sensori non fanno altro che lampeggiare e scampanellare, ma senza riuscire a individuare nulla di preciso. Rory nasconde qualcosa, ma non so se riguarda l'omicidio oppure no; Breslin sta cercando di fregarci, ma non riesco a capire perché. Ho la classica sensazione di non aver notato qualcosa di ovvio, ma piú ci penso, piú i segnali si fanno indistinti. C'è un'interferenza. Un detective con piú esperienza di me ci riuscirebbe. L'altra cosa in cui i detective sono bravi, oltre a usare l'intuito, è incasinare l'intuito degli altri. Gli indiziati non commettono errori perché sono degli idioti, almeno non tutti. Li commettono perché noi sappiamo come spingerli a farlo.

Qualcuno vuole che io commetta un errore. E io sono alla deriva in mezzo al mare, con tutti i sistemi di allarme fuori controllo.

Questo, in sé e per sé, non mi sconvolge piú di tanto. Non è il pericolo a incasinare i miei segnali; il pericolo è l'unica cosa che mi mantiene abbastanza attenta da darmi la possibilità di trovare una via d'uscita. Guardo Steve, di ritorno tra le scrivanie con una cartellina blu nuova che spunta fuori da una bracciata di carte varie, e spero tanto che lui funzioni nello stesso modo.

9.

Breslin rientra poco dopo. Spalancando la porta della sala e dicendo al mondo: – Gesú Cristo, che gente gli amici dell'indiziato! Tutti professori di Storia. Qualcuno vuole parlare della curva del tasso di omicidi dalla fondazione dello Stato libero?

È come quando sei adolescente e vedi la persona che ti piace: quella scarica elettrica attraverso lo sterno, fino al cuore. – Ehi, – dico.

Le reclute regalano a Breslin la risata che cercava, ma lui finge di non farci caso; i suoi occhi sono fissi su me e Steve. – Qualche aggiornamento?

– Ha chiamato Cooper, – dico.

– E?

– Due possibilità. O un culturista forzuto le ha dato un pugno della madonna, lei è caduta all'indietro e ha battuto la testa; oppure qualcuno che non deve essere per forza un culturista le ha dato una spinta, lei è caduta sul gradino del caminetto senza farsi troppo male, e lui le ha dato un pugno mentre era a terra.

Breslin si blocca di colpo e la sua faccia perde ogni espressione. Ma la sua mente va a mille. Proprio come me e Steve, fatica a immaginare Rory in quella veste spietata, e non è contento.

Ma si riprende in fretta. – Culturista, – dice, con una risata secca. – Con tutto il rispetto per Cooper, ma è proprio un'idea da topo di laboratorio. Se avesse passato un po' di tempo in trincea, saprebbe che anche un mingherlino come Rory può venirsene fuori con un gran pugno, se è abbastanza incazzato.

È la stessa cosa che ho pensato io, ma venendo da lui mi sembra di doverla contrastare. – Forse, – dico.

Breslin si fa strada tra le scrivanie verso di noi, dando una pacca sulla spalla a Stanton mentre passa. – Dobbiamo chiederlo a Rory, dico bene? Ci divertiremo, la prossima volta che lo faremo venire.

– Non saprà neppure cosa l'ha colpito, – dice Steve, annuendo. La cartellina blu è scomparsa tra le altre carte sulla scrivania.

– Proprio come Aislinn, – è l'inevitabile battuta di Breslin, ma detta senza partecipazione. – Ho sentito che avete ricevuto qualcosa. Niente che volete condividere con il gruppo?

Io e Steve ci guardiamo, perplessi. Steve dice: – Parli dei tabulati telefonici della vittima?

– Non credo, a meno che passasse la vita al telefono. McCann dice che si trattava di una grossa scatola, cosí speciale che il ragazzo che l'ha portata non voleva mollarla –. Tocca con una scarpa lucida l'angolo della scatola che sporge da sotto la scrivania. – Può essere questa?

Ha gli occhi fissi su di me, con un'aria fin troppo casuale. Non ha senso tentare di depistarlo, a meno che non voglia strapparlo fisicamente dalla scatola con un placcaggio da rugby; e comunque all'improvviso ne ho abbastanza di muovermi in punta di piedi intorno al grande Breslin, nascondendogli la mia indagine come una ragazzina nasconde la sigaretta mentre passa il professore. – Ah, quella? Il padre di Aislinn è scomparso quando lei era piccola, – dico, osservando il suo viso. – Moran pensava che forse c'era un collegamento. Tipo qualcosa collegato a una gang, o un ritorno improvviso del padre che è andato per il verso sbagliato.

Breslin spalanca gli occhi. – Una *gang*? Moran. Conway. Parlate sul serio? Pensate che una *gang* abbia rapito il padre di Aislinn e poi abbia deciso di ucciderle lei, vent'anni dopo? Mi piace. Ditemi di piú.

Trattiene a stento una risata. Steve china la testa e arrossisce. – Ah, no, non è che pensavamo davvero... Voglio dire, me lo ero solo chiesto –. È di nuovo in modalità nuovo arrivato un po' tonto, ma il rossore è reale.

Una parte di me è d'accordo con Breslin su questo, ma ho altre cose in mente. La sua faccia quando gli ho detto cosa c'era nella scatola: per un decimo di secondo ho visto la sua bocca rilassarsi dal sollievo. Quale che sia la cosa da cui vuole farci stare lontani, non si tratta del padre di Aislinn.

– Allora, non tenetemi in sospeso, – dice. – Chi è stato? Boss della droga? Contrabbandieri di armi? La mafia?

– Il padre ha tagliato la corda, – dico. – È andato in Inghilterra a vivere con una donna giovane. E niente ritorno in famiglia: tra i dati elettronici di Aislinn non c'è nessun contatto inspiegato.

Mi sembra di vedere di nuovo quella minuscola esplosione di sollievo sul viso di Breslin, ma prima di poterne essere sicura è già scomparsa, sotto un'espressione carica di finto stupore. – No! – indietreggia, con una mano sul petto. – Mi prendete in giro. Chi l'avrebbe immaginato?

Sta calcando la mano, ed è troppo furbo per farlo senza motivo. Vuole metterci in imbarazzo per distoglierci dall'idea della gang.

– Lo so, – dice Steve, annuendo e scrollando le spalle allo stesso tempo. – Lo so, sul serio. È solo che non volevo lasciare nulla di intentato, capisci?

– Scuotere gli alberi per vedere se cade qualcosa, – dice Breslin, asciutto. Il sorriso è sparito. – Non è cosí che si dice? Non credo sia il modo in cui i contribuenti vorrebbero vedere speso il loro denaro, ma non sono io che decido, qui. Continuate pure a scuotere, e fatemi sapere se cade qualcosa.

– Ma certo, – dice Steve. – Io speravo... – Si passa una mano tra i capelli, con una faccia da cane bastonato.

Breslin si sfila il soprabito e lo getta sullo schienale della sedia; ha scelto una scrivania molto vicina alla nostra, il che mi fa sentire speciale. – C'è una linea sottile tra la speranza e la disperazione, e bisogna sapere quando è il momento di mollare, come dice la canzone.

– Già mollato, – dico. – McCann vuole dare un'occhiata al fascicolo, prima che lo rispediamo alla Persone scomparse?

Breslin mi fissa. – McCann stava solo cercando di darti una mano, Conway. Si chiama gentilezza. Potresti imparare ad accettarla senza farti venire i tremori.

Steve avvicina la sedia alla mia, inviando onde di pace nel mio cervello. – Gli manderò un biglietto di ringraziamento, – dico. – Come se l'è cavata Gaffney, ieri sera?

– Bene. Non è la luce piú splendente sull'albero di Natale, ma ci arriverà, un po' alla volta.

– Allora come mai l'hai mandato via, oggi?

Breslin sta dando una spazzolata con le mani al soprabito, per evitare spiegazzature e per far notare l'etichetta Armani, ma alza la testa e mi fissa. – Cosa?

– Lui doveva essere la tua ombra. Ma ha detto che non avevi bisogno di lui per i colloqui con i conoscenti di Rory.

– È cosí. Sono in grado di scrivere e ascoltare allo stesso tempo, Conway. Si chiama multitasking, non è piú una cosa solo per signore.

– Buono a sapersi. Gaffney comunque aveva bisogno di
te. È per questo che gli ho detto di starti attaccato; non
voglio che una recluta combini un casino perché nessuno
gli ha spiegato bene il lavoro. Perché non te lo sei portato dietro?

Mi aspetto lo stesso finto cameratismo di stamattina. È
anche per questo che lo sto provocando: voglio che Steve lo
veda di persona. Ma Breslin si china verso di me con aria
complice, mentre un accenno di sorriso gli solleva un angolo della bocca. – Conway, dammi tregua, eh? Ogni tanto
un uomo ha un appuntamento a cui deve andare da solo.
Capisci cosa intendo? – E mi fa una strizzatina d'occhio.

Vuol dire che si è fermato lungo la strada per infilare l'uccello dove non dovrebbe. Il che spiega non soltanto l'aver abbandonato Gaffney, ma anche la persona che
stamattina non avrebbe dovuto chiamarlo a quel numero.

Non la bevo. In una squadra dove tradire le mogli ha la
stessa rilevanza di una chiacchierata in pausa caffè, Breslin
e McCann sono soprannominati «i monaci». Secondo le
voci, nessuno dei due ha mai lanciato neppure un'occhiata a un'agente carina, o tentato di attaccare discorso con
la donna della Scientifica che tutti tentano di abbordare.
Breslin probabilmente pensa che io e Steve siamo troppo
lontani dai pettegolezzi della squadra per saperlo. Dimentica che non siamo sempre stati dei reietti, e che i giovani
che desiderano entrare in squadra assorbono come spugne
ogni diceria riguardante le creature alte e splendenti che
anche loro un giorno potrebbero diventare.

– Non dire altro, – dice in fretta Steve, alzando le mani. Ha un sorriso a metà tra imbarazzato e impressionato,
ma sono certa che sia sulla mia stessa linea di pensiero.
– Un gentleman non rivela mai queste cose.

– No, infatti, Moran. Ti ringrazio.

– Va bene, – dico, con un sorriso come quello di Steve. – Alla fine Gaffney non può aver fatto molti danni, giocando con le carte qui dentro. Com'è andata con i conoscenti di Rory?

– Oh, benissimo –. Breslin si accomoda sulla sedia, accende il computer e stira le braccia. – Sono un mucchio di merde secche, i classici tipi che ti correggono la grammatica mentre parli e pensano che uscire a bere tre bicchieri sia una nottata da urlo. Ma direi che sono troppo spaventati da noi per mentire. Dicono tutti le stesse cose su Rory: è una mammoletta, non farebbe male a una mosca... Uno di loro mi ha detto che non guarda neppure gli incontri di boxe, perché li trova troppo stressanti. Che sfigato.

Corrisponde: Rory non ama vedersi davanti la realtà.

– Anche gli sfigati possono perdere la testa, – dico.

Breslin schiocca le dita. – Esatto, Conway. Proprio cosí. Stavo per dirlo io. E tutti i conoscenti concordano che Rory era innamorato cotto di Aislinn: da quando si erano conosciuti parlava solo di lei. Lo dicono come se fosse una buona cosa, tipo: «Era cosí affascinato che non le avrebbe mai fatto del male!» Non credo abbiano mai riflettuto che il confine tra affascinato e ossessionato è molto sottile –. Alza lo sguardo, mentre tira fuori di tasca il taccuino. – È bello sentire almeno uno di voi due ammettere che il fidanzatino ossessionato presente sulla scena del crimine potrebbe davvero essere un indiziato. Detective Conway, ho ragione se dico che scuotere gli alberi ti sta un po' stancando?

– No, è un buon esercizio, – rispondo. – Ma come hai detto, a meno che non cada giú qualcosa di veramente grosso, Rory è ciò che abbiamo. Ci basta qualche prova un po' piú solida e siamo pronti a incriminarlo. Hai fatto ascoltare le voci al poliziotto di Stoneybatter che ha risposto alla chiamata?

– Già, a proposito, Conway, una parola all'orecchio… – Lancia un'occhiata alle reclute e abbassa la voce. – Dovresti imparare a distribuire meglio le risorse. So che sembrano stronzate manageriali, ma ora dirigi un'indagine, e che ti piaccia o no sei una manager. E non ci vuole un detective della Omicidi con vent'anni di esperienza per schiacciare «Play» una mezza dozzina di volte.

L'ego di Breslin farebbe fatica a entrare dalla porta della stazione di Stoneybatter. Steve fa un movimento. – Capito, – dico, docile. – Ci mandiamo Gaffney? Tanto per fargli capire che non è sul tuo libro nero?

– Ora sí che pensi nel modo giusto. Sí, facciamo cosí. Diglielo tu, cosí lui capisce chi è il capo, qui; che te ne pare? – Breslin mi fa il suo sorriso da maestro saggio, gentile e con le rughe intorno agli occhi; mi scalderebbe l'anima, se fossi piú stupida di un pallone gonfiato.

– Grazie, – dico, con gratitudine. – Sarebbe perfetto –. Ruoto la sedia, senza guardare Steve per non mettermi a ridere, e dico, ad alta voce: – Gaffney. Vieni, c'è un lavoro per te.

Gaffney per poco non cade dalla sedia, per la fretta di venire da noi. – Prendi questo, – gli dice Breslin, lanciandogli un registratore. – Sono campioni vocali di Rory Fallon, dei suoi fratelli e di tutti i suoi amici maschi –. Solleva un sopracciglio verso di me e indica Gaffney con il mento, per chiarire che mi sta dando l'imbeccata.

Io dico: – Portalo alla stazione di polizia di Stoneybatter e vedi se una di queste voci suona familiare al poliziotto che ha preso la telefonata. Se lui dovesse avere dei dubbi, organizza un confronto vocale all'americana. Te la senti?

Gaffney stringe al petto il registratore come un oggetto prezioso. – Me la sento, certo. Senza problemi. Sí. Ci penso io –. È cosí preso a spostare lo sguardo tra me e

Breslin, nel tentativo di capire chi comanda, che fatica a mettere insieme le frasi.

– Grazie, – dice Breslin, tirando fuori di nuovo il sorriso. – Fammi un favore: quando torni prendimi un sandwich. Pane integrale, con prosciutto, formaggio e insalata, senza cipolla. Ho saltato il pranzo e muoio di fame –. Fa un'altra strizzata d'occhio a me e a Steve, tirando fuori i soldi per Gaffney. – Mi spiace, non ho spiccioli.

È una banconota da cinquanta, e io sono abbastanza vicina da vedere che nel taschino della camicia da dove l'ha presa ce n'è un fascio, in una busta bianca spiegazzata.

Il messaggio che ho lasciato a Gary in segreteria era la cosa giusta da fare: cinque minuti piú tardi lo schermo del cellulare si illumina e appare il suo nome. Non penso di rispondere con Breslin a meno di due metri da me, e non voglio andare a rispondere fuori, attirando la sua attenzione. Borbotto tra me: – Cristo, mamma, sono al *lavoro*, – passo il dito su «Rifiuta» e mi ficco il telefono in tasca con un gesto seccato. Mi guardo intorno, imbarazzata, per vedere se Breslin ha sentito; ha gli occhi fissi sulla dichiarazione che sta battendo al computer, ma le labbra accennano a un sorriso.

Aspetto quindici minuti, prima di uscire dalla sala operativa. Vorrei aspettare di piú, ma sono le cinque e alle cinque e mezzo abbiamo la riunione sul caso. Lascio dentro borsa e cappotto. Con un po' di fortuna, Breslin penserà che sono uscita per richiamare la mamma. Non guardo Steve, sperando che abbia capito.

Fuori è buio: la luce biancastra dei riflettori e il freddo compatto e qualche funzionario pubblico che si avvia verso casa con il bavero alzato fanno sembrare l'enorme cortile una specie di paesaggio futuribile nel quale sono finita per

sbaglio, senza poter capire come uscirne. Trovo un angolo
riparato, mi stringo addosso la giacca del tailleur e guardo
l'orario sul telefono. Quattro minuti dopo, la porta si apre
e ne esce Steve; tenta di tenere sotto controllo la bracciata
di carte che ha in mano e di chiudere allo stesso tempo la
porta alle sue spalle senza lasciarla sbattere.

– Era ora, – dico, afferrando al volo una pagina che stava per volare via.

– Muoviamoci. Ho detto che andavo a fotocopiare questa roba. Se Breslin viene a cercarmi...

– È il meglio che sei riuscito a pensare? Facciamo in
fretta –. Voltiamo l'angolo dell'edificio, ridendo come
scolari che hanno marinato la scuola; sempre meglio del
pensiero che la centrale operativa C è tutta mia, in teoria,
eppure mi trovo qua fuori a gelarmi il culo.

Dalle nostre finestre si vedono i giardini, e nel cortile
potremmo incontrare Gaffney di ritorno da Stoneybatter.
Perciò andiamo nella piazza davanti agli edifici principali
del castello, dove vanno solo i turisti – non che ci siano turisti in giro, con questo tempo – e troviamo un angolo al ri-
paro dal vento. I palazzi intorno a noi sembrano altissimi; i
riflettori tolgono loro colori e profondità: potrebbero essere fatti di qualsiasi cosa, metallo o plastica, o persino aria.

Steve posa a terra il suo fascio di carte, mettendoci sopra un piede per non farle volare via. È in maniche di camicia, rischia il congelamento. Io tengo il telefono tra noi
due, chiamo e metto in viva voce.

– Ciao, – dice la voce di Gary. – Hai ricevuto la roba,
giusto?

Gary ha dieci anni piú di me ed è perfetto per ciò che
fa. Buona parte del lavoro, alla Persone scomparse, con-
siste nel convincere a parlare con te persone che normalmente si tengono lontane dai poliziotti: prostitute di stra-

da, che ti dicono della nuova arrivata che corrisponde alla
descrizione dell'adolescente apparsa sui notiziari, un tossico senzatetto che menziona il tizio che ieri si era messo a dormire accanto a lui e somigliava molto alla foto su
quel manifesto, e quindi gli spetta una ricompensa, sí o
no? Tutti parlano con Gary e lui è disposto a parlare con
tutti, che è un altro motivo per cui avevo indirizzato Aislinn a lui. Un'altra buona parte del lavoro è gestire amici
e familiari degli scomparsi, e Gary ha un effetto calman-
te; una volta l'ho visto rintracciare una ragazzina idiota
scappata di casa in dieci minuti netti, convincendo la sua
migliore amica idiota a calmarsi abbastanza da ricordare
il nome del tizio con cui la ragazza scomparsa aveva iniziato una relazione su internet. Gary è un omone, sembra
il tipo capace di costruirti un capanno, se dovessi averne
bisogno, e ha una voce calma, profonda, con un tocco di
accento campagnolo, che ti fa venire voglia di chiudere gli
occhi e lasciarti cullare. Sentendo quella voce al telefono
anch'io mi calmo un po'.
  – Ciao, – dico. Gary si trova nella sala detective della
Persone scomparse: sento voci in sottofondo, qualcuno si
lamenta, qualcun altro ride, un cellulare squilla. – Sí, l'ho
ricevuta. Sei un tesoro. Ho solo un paio di domande veloci,
ma fammi un favore: puoi andare in un posto piú privato?
  – Non c'è problema, aspetta un att… – Il cigolio della
sedia, il commento di uno dei ragazzi, accompagnato da
un sorriso, immagino. Gary dice: – Sí, sí, sí –. Poi, rivolto a me: – Questo stronzetto vuol sapere se ho problemi
di prostata. I giovani d'oggi; senza rispetto.
  – Oooh, Gar. Io ti rispetto.
  – Almeno non prendi in giro la mia prostata. Mai bur-
larsi della prostata di un uomo. È una cosa sporca.
  – Un colpo sotto la cintura, eh?

– Cristo santo. È questa la vostra idea di umorismo? – Sento chiudersi una porta e le voci scompaiono: Gary è in corridoio. – Bene. Cosa vuoi sapere?

Steve tiene d'occhio i punti di ingresso nella piazza, ma ascolta con attenzione. – Prima di tutto, – dico, – per il caso di Desmond Murray c'è stato un bello spiegamento di forze. Gli indizi facevano pensare che avesse tagliato la corda volontariamente, poi si è scoperto che era proprio cosí, ma voi ci avete lavorato come se si trattasse di un omicidio. Come mai?

Gary sghignazza. – Questa è facile. Per via della moglie: hai visto la foto?

– Sí. Bella donna.

– La foto non le rende giustizia. Era bellissima. Non il tipo che vorresti vedere in calze a rete e reggicalze per scopartela fino a svenire, no; il tipo che vuoi proteggere. Il tipo a cui tieni aperta la porta per lasciarla passare, che ripari sotto il tuo ombrello –. La voce si fa confusa, sento acqua che scorre, acciottolio di stoviglie. Sta sciacquando una tazza nel cucinotto, con il telefono stretto tra collo e spalla. – E ci sapeva fare, anche. Ci guardava come fossimo supereroi; si diceva certa che avremmo trovato suo marito; era cosí *fortunata* ad avere noi, non sapeva cosa avrebbe fatto, se il suo mondo fosse stato nelle mani di persone di cui non poteva fidarsi come invece si fidava di noi. Piangeva nei momenti giusti, facendo attenzione a sembrare anche piú bella mentre versava le sue lacrime: suo marito era appena scomparso, ma lei andava lo stesso dal parrucchiere e si truccava e veniva ad aprirci la porta con un bel vestito addosso. Sapeva cosa stava facendo, te lo dico io.

Sembra che Aislinn avesse preso dalla madre. – Stai dicendo che era una recita? Che non gliene fregava nulla del marito e voleva solo ricevere attenzione?

Gary schiocca la lingua. – No, no. Al contrario, era ossessionata dall'idea di riavere il marito; non era un tipo molto socievole, non aveva amici, né un lavoro, non aveva nulla a parte il marito e la figlia, e senza di lui la sua vita era nella merda. E sapeva che dedicare del tempo a farsi bella e mostrarsi bisognosa di protezione era il modo migliore di convincere gli uomini a fare ciò che voleva.

– Interessante, – dico. Sento il ronzio della macchina del caffè. Invece di lamentarsi continuamente del caffè di merda, come facciamo alla Omicidi, i ragazzi della Persone scomparse hanno messo un po' di soldi ciascuno e si sono comprati una caffettiera decente. – E ha funzionato, direi.

– Già. Io non sono molto attratto da quel tipo di donne, ma alcuni dei ragazzi avrebbero usato l'esercito, se avessero potuto, per cercare suo marito. Rintracciare qualche cellulare, parlare con qualche testimone in piú... era roba da nulla.

Gary ricorda un bel po' di cose su quella donna, per uno che non ne era attratto. Ma tengo la bocca chiusa: lui fa emergere la parte gentile di me. – Quindi non era perché qualcuno sospettava che Murray fosse implicato in qualche storia di gang?

Gary ride. – Gesú, no. Nulla del genere. Puro come la neve fresca, quel Murray. Per quanto riguarda la legge, almeno.

Lancio un'occhiata a Steve. Lui fa una smorfia poco convinta. Ha le mani strette sotto le ascelle per tenerle calde.

Alzo gli occhi al cielo e dico al telefono: – Sei sicuro che se cosí fosse lo avresti saputo?

– Grazie della stima, Antoinette.

– Dài, Gar, sai che non si tratta di questo. Ma allora avevi... quanti anni? Ventisei, ventisette? Avevi lasciato la divisa da quante settimane? Tre? È probabile che i detective incaricati non ti dicessero tutto ciò che passava loro per la mente, no?

Dal telefono arriva il tintinnio del cucchiaino che gira nella tazza. Gary dice: – È questo che pensavi tu quando eri qui? Che io ti nascondessi delle cose per tenerti al tuo posto, visto che eri nuova?

– No, – rispondo. – So che non l'avresti fatto.

La squadra Persone scomparse non è come la Omicidi. Lí non lavori per catturare un cattivo; lavori per avere un lieto fine. Se c'è solo il sospetto che ci possa essere un cattivo di mezzo, non è piú un tuo problema: per esempio, viene fuori un cadavere sospetto? Passi il caso alla Omicidi. Puoi trascorrere tutta la carriera senza mai usare le manette. Lí arrivano persone diverse da quelle che sono attratte dalla Omicidi o dall'unità Crimini sessuali, dove il lieto fine non compare nel menu e quindi l'atmosfera è del tutto diversa. La Persone scomparse non è mai stata il mio posto preferito, ma per un attimo vorrei tanto essere ancora lí. Sento l'odore del caffè, rivedo Gary che canticchia *Bring Him Home*, «riportalo a casa», dopo un caso finito bene, mentre tutti gli urlano di chiudere la bocca e di presentarsi a *X Factor*. Mi vengono in mente nuovi posti in cui nascondere quel criceto di gomma. Come una bambina, voglio correre a casa dalla mamma non appena il gioco si fa duro. Mi do la nausea.

– Già, non l'avrei fatto, – dice Gary. – E allora era uguale: se i detective incaricati avessero pensato al crimine organizzato, me l'avrebbero detto. Da dove arriva questa idea del coinvolgimento di una gang?

Evito di voltarmi verso Steve, nel caso che quel momento di debolezza mi si legga in faccia. – Ricordi la figlia di Murray, quella che mandai da te quando venne a chiedere di suo padre? È appena stata ammazzata.

– Ah, – dice Gary, sorpreso ma non scioccato. – Riposi in pace. Sembrava una brava bambina all'epoca, ed era una ragazza dolce quando tu la mandasti da me. Credi che fosse finita immischiata in una gang?

– Non esattamente. Piú che altro sembra che il suo ragazzo abbia perso la testa e l'abbia uccisa, ma ci sono alcuni capi sciolti che vogliamo legare, per stare sul sicuro. E ci siamo chiesti se lei, continuando a cercare il padre, non avesse pestato i piedi a qualcuno.

– Non aveva motivo di cercarlo in quegli ambienti. Nel caso Murray non c'era nulla che indicasse qualcosa di losco.

In realtà avrei voluto tanto che mi dicesse il contrario; Me lo sento nelle ossa insieme al freddo, il desiderio disperato che ci fosse qualcosa di losco, una cosa qualsiasi. Ma forse sapevo dall'inizio che Gary non me l'avrebbe detto.

Steve sussurra: – I detective. Perché hanno tenuto la bocca chiusa?

– Altra domanda, – dico. – C'è un motivo per cui non diceste alla famiglia dov'era andato Desmond?

Gary fa una specie di sospiro esasperato, mentre beve un sorso di caffè. – Antoinette. Non scherzavo, quando ti ho detto «niente critiche». Non era un tuo caso, e il modo in cui ci hanno lavorato loro non è un problema tuo. Se ti metti a blaterare delle cose che tu avresti fatto in modo diverso, riuscirai solo a far incazzare delle persone. Credi di potertelo permettere?

Significa che si è sparsa la voce. La squadra Persone scomparse è stata informata che io sono un boccone avvelenato. Anche se volessi tornare, il capo probabilmente non mi prenderebbe. Sa che sono in gamba, ma nessuno vuole una detective che si porta dietro dei problemi, non importa se quei problemi sono causati da lei o da altri.

– Perciò non costringermi a blaterare con nessuno. Smetti

di fare il misterioso, dimmi che cosa è successo realmente
e non dovrò andare a parlare con gli altri detective.

– Non c'è nessun mistero. Quando hanno ritrovato
Murray io non lavoravo piú al caso. Ci ero entrato solo
all'inizio, per dare una mano durante lo sforzo iniziale,
quindi non conosco tutti i particolari. Ho sentito che lo tro-
varono in Inghilterra, dove si era costruito un nido d'amore con l'amante. Uno dei ragazzi andò a parlarci: lo trovò
contento come un maiale nella merda; non aveva nessuna intenzione di tornare a casa e non voleva che dicessero nulla alla moglie e alla figlia. Perciò non glielo dissero.

Gary sembra prendere il mio silenzio per disapprovazione, ma non è cosí: anch'io non mi sarei voluta immischiare
in quel pasticcio. È solo la parte piú testarda di me, che
spera ancora che questa non sia tutta la storia. Gary dice: – Noi non facciamo gli psicologi della famiglia, lo sai.
Non era compito nostro trovare una soluzione al triango-
lo amoroso; il nostro compito era trovare quell'uomo e i
ragazzi l'hanno trovato. Dopodiché hanno chiuso il caso
e sono andati avanti.

Steve fa una faccia scontenta, guardando le finestre buie;
ancora non è convinto. Chiedo: – Senza nemmeno dire alla moglie che Desmond era vivo? Hai detto che li teneva
tutti sulla corda, disposti a gettarsi nel fuoco per portarle
delle risposte; e poi, quando ne trovano finalmente una,
si allontanano del tutto da lei?

– Ti sto solo dicendo ciò che ho sentito. E ti consiglio
di non andare in giro a parlarne con nessuno. Cosa c'entra con il tuo caso, in ogni modo?

– Probabilmente nulla. Come ho detto, sto solo cercando
di legare i capi sciolti. Di scuotere gli alberi –. Guardo
Steve alzando un sopracciglio, e lui mi fissa con aria seccata, tipo «molto divertente». – Un'ultima cosa. So che

è passato qualche anno, ma ricordi cos'avevi detto a Aislinn, quando era venuta da te?

Gary beve un sorso di caffè e ci pensa. – Era piuttosto convinta che sapessimo piú di ciò che avevamo detto a lei e a sua madre. Disse che la madre era morta e che lei voleva disperatamente trovare il padre. Disse che la sua scomparsa le aveva rovinato la vita. Voleva trovarlo, guardarlo negli occhi e costringerlo a dirle perché l'aveva fatto. Non sapeva cosa sarebbe successo dopo. Disse che lui, vedendola, si sarebbe ricordato di quanto si erano voluti bene, e forse avrebbero potuto ricostruire qualcosa… Ma anche se non fosse andata cosí, pensava che una volta saputa l'intera storia per lei sarebbe stato possibile andare avanti e farsi una vita sua.

Oh, Gesú Cristo che salta sulla croce come fosse un pogo! Sento di essere del tutto dalla parte di Des Murray. Probabilmente aveva tagliato la corda perché l'alternativa era spaccare la testa al resto della famiglia con un attizzatoio. – E tu cosa le hai detto?

– Che le informazioni dell'indagine erano riservate e non potevo rivelarle nulla. Ma… l'avrai notato anche tu che era a pezzi. Faceva di tutto per mantenere il controllo ma era lí lí per scoppiare in lacrime. Mi supplicava, per un attimo ho temuto sul serio che si mettesse in ginocchio sul pavimento. Alla fine ho fatto una telefonata a un collega perché controllasse il nome di Desmond Murray sui database, solo per vedere se era vivo o morto. Per evitare a quella ragazza di cercarlo in mezzo mondo se nel frattempo era deceduto.

Aislinn era proprio figlia di sua madre; sembrava indifesa, ma sapeva come ottenere ciò che voleva. Persino io alla fine le avevo dato il nome di Gary e i giorni in cui sarebbe stato di turno. Aislinn mi piace sempre meno ogni momento che passa.

Gary dice: – E ho pensato che, se fosse stato ancora vivo, forse le avrei detto che la cosa migliore per lei era assumere un investigatore privato in Inghilterra. Perché no, in fin dei conti?

Squadra Persone scomparse: il lieto fine è la loro droga. – E?

– Ed era morto. Già da qualche anno. Nulla di sospetto, un infarto, credo.

Ed ecco che il papà esce dal quadro. Per poco non scoppio in una risata di sollievo. Do di gomito a Steve, mimando con le labbra la parola «Visto?» Lui scrolla le spalle, come per dire: «Valeva la pena provarci». Alzo gli occhi al cielo.

Gary dice: – Aveva lasciato tre figli e una vedova. Vedova per modo di dire, perché Murray non aveva mai sposato la donna con cui era fuggito, dato che non aveva divorziato dalla madre di Aislinn.

– Quanto di tutto questo hai detto a Aislinn?

Lui sbuffa: – Eh, non è stata una decisione facile. Immaginavo che sapere dell'amante e dei fratellastri sarebbe stato un mezzo shock, e visto che il padre era morto e non poteva piú parlarci, anche sapere tutta la storia non avrebbe portato alla ragazza ciò che cercava. Ma non potevo nemmeno sbatterla in strada senza dirle nulla: «Arrivederci, continua a cercare tuo padre e buona fortuna». Aveva almeno il diritto di sapere che il padre era morto.

Steve rovescia i palmi in alto con un gesto elaborato, per dire: «Esatto». Io mimo il gesto di farsi una sega. – Quindi gliel'hai detto.

– Sí. Solo quello: che nel sistema informatico Desmond Murray era riportato come deceduto. E che io non avevo altre informazioni.

– Come la prese?

– Non bene –. Vedo quasi la smorfia sul viso di Gary.
– A essere sincero, andò fuori di testa. Il che era anche
logico, immagino. Andò in iperventilazione, per un attimo pensai di dover chiamare un'ambulanza. Ma le dissi di
trattenere il respiro e lei riuscí a riprendersi.

– Non c'è una persona migliore di te, per queste cose, –
dico.

– Sí, certo, come no. Era ancora agitata, tremava, ge-
meva e tutto il resto. Voleva sapere come mai nessuno
gliel'aveva detto, se i detective avevano mentito a sua
madre o erano davvero un mucchio di incapaci, come avevano potuto non scoprire un'informazione che io avevo
trovato in dieci minuti? Io dissi che i detective erano in
gamba, ma a volte un caso va a sbattere contro un muro,
per quanto bravo tu possa essere, e informazioni provenienti da altre fonti possono metterci un bel po' a essere
inserite nel sistema...

Si tratta di un istinto automatico, come sbattere le palpebre quando ti vola un granello di sabbia in un occhio:
un civile accusa un altro poliziotto di incompetenza, e tu
lo neghi. Che abbia ragione o torto non c'entra. Apri la
bocca e ne esce una bella storia di copertura rassicurante e liscia come l'olio. Prima non mi avrebbe disturbato,
anche perché fare tante scuse a Aislinn non sarebbe servito a nulla, se non a sprecare un sacco di tempo; ma oggi tutto mi sembra sospetto, come se potesse scoppiarmi
in faccia al minimo tocco sbagliato; niente sembra stare
dalla mia parte.

– Lei ti ha creduto? – chiedo.

Gary fa un suono vago. – Non lo so. Ho solo continuato
a parlare, tentando di calmarla. Ho insistito molto sul fatto
che almeno ora poteva mettere un punto fermo e ripartire, perché aveva tutto il diritto di farsi una vita sua, e suo

padre sembrava davvero essere stato un brav'uomo e di sicuro le aveva voluto un mondo di bene, e abbandonarla, quale che fosse stato il motivo, gli aveva spezzato il cuore. Eccetera. Lei non sembrava convinta, non sono nemmeno sicuro che mi ascoltasse, ma alla fine si è calmata –. La voce di Gary ha sempre successo. Avrebbe potuto leggerle l'elenco dei turni e sarebbe stato lo stesso. – Quando si è ripresa abbastanza da poter guidare, l'ho mandata a casa. Questo è quanto. Come vedi, non c'è nulla che può averla spinta a pensare al crimine organizzato.

– Sono d'accordo, – dico, guardando Steve, il quale scrolla di nuovo le spalle. Ha gli occhi fissi su un tizio diretto a passo svelto verso il cancello principale; è troppo lontano per riconoscerlo, con questa luce, ma comunque è occupato a lottare contro il vento che tenta di strappargli la sciarpa e non guarda dalla nostra parte. – Grazie, Gar. Apprezzo molto l'aiuto.

– Allora, lascia stare l'idea di parlare con gli altri detective. Se non vuoi farlo per te, fallo perché mi devi un favore. Non ho proprio bisogno che mi saltino alla gola perché ti ho passato il fascicolo del loro caso.

Tradotto, Gary non vuole che gli attacchi la mia stessa malattia. Una parte di me lo capisce, nessuno vuole beccarsi i pidocchi. L'altra parte di me vuole prenderlo per il collo e dirgli di tirare fuori gli attributi.

– Va bene, – rispondo. – Puoi mandare di nuovo quel ragazzo a riprendersi la scatola?

– Nessun problema. Dovrebbe essere già quasi da voi.

– Perfetto. Grazie di nuovo. Ci vediamo la prossima settimana, cosí ti offro quella pinta?

– La prossima è un casino. Ti chiamo io quando si calmano un po' le acque, va bene? Auguri per il caso, mi spiace di non esserti stato di grande aiuto.

Riattacca e torna dalla sua squadra, con la sua tazza di vero caffè, a prendersi le battute sulla prostata, a cantare sigle musicali e a cercare un lieto fine dopo l'altro.

Non mi chiamerà, e scopro che mi fa male piú di quanto credessi. Fingo di aver bisogno di tutta la concentrazione possibile per rimettermi il telefono in tasca. Steve si china e fruga tra le sue carte. Se mi accorgessi che lo sta facendo per delicatezza verso di me, lo ucciderei.

– Allora, – dico in tono pratico. – La teoria della gang esce di scena, almeno per quanto riguarda Des Murray. Se i detective avessero avuto dei sospetti che non volevano scrivere nel fascicolo, Gary lo avrebbe saputo. Desmond Murray è scappato con l'amante. Fine della storia.

– Certo, – dice Steve, raddrizzandosi. – Ma Aislinn non lo sapeva.

– E allora? Gary ha ragione: aveva zero motivi per pensare al crimine organizzato. Zero assoluto.

– Certo, se avesse pensato in modo logico. Ma non... No, Antoinette, stammi a *sentire* –. Si china verso di me, parla in fretta. – Aislinn si lasciava trasportare dalla fantasia. Ricordi quello che ci ha detto Lucy, di quando erano piccole? Se le cose andavano male, Ash inventava storie assurde in cui sistemava tutto. E doveva farlo, no? Nella vita reale, era solo spinta qua e là dalle decisioni di altri. L'unico posto dove aveva un potere, l'unico in cui era lei a decidere, era la sua immaginazione.

Steve ha dimenticato il freddo. – Perciò si è costruita questa fantasia: si sarebbe messa alla ricerca del padre, poi si sarebbe gettata tra le sue braccia e la sua vita sarebbe andata di nuovo a posto. Questa fantasia era ciò che le consentiva di andare avanti. E poi il tuo amico Gary gliel'ha tolta di colpo.

– Messa cosí, sembra che Gary abbia incendiato la bam-

bola preferita di una povera bambina, – dico. – Aislinn
ormai era adulta e sua madre era già morta. Poteva fare
ciò che voleva della propria vita. Non aveva bisogno delle
fantasie sul papà; al contrario, quelle fantasie le impedi-
vano di crescere. Gary le ha fatto un favore.

Steve scuote la testa. – Aislinn non aveva idea di cosa
fare della sua vita. Le mancava l'esperienza. Hai sentito
Lucy: Aislinn aveva cominciato a giocare alla vita solo da
un anno o due, ed era comunque tutta roba di fantasia:
si vestiva come se fosse uscita da una rivista, frequentava
discoteche alla moda... Perciò, quando Gary le ha ucciso
la fantasia della riunione con il padre, ha avuto bisogno
di crearsene subito un'altra. E una storia con un malavitoso era perfetta.

Gli si illumina il viso mentre ne parla, come se vedesse
tutto in diretta. È impossibile non volergli bene: dove io
vedo un binario morto, lui vede una svolta brillante del
suo grande intreccio. Vorrei poter fare le mie vacanze nella testa di Steve.

– Forse aveva deciso che suo padre era stato testimone
di un omicidio tra gente della malavita, e aveva dovuto
lasciare la città in fretta, prima che loro lo trovassero. O
qualcosa di simile, con molto dramma, un motivo importante per la fuga del padre e anche per spiegare come mai
non era mai tornato a cercarla.

– Ma non spiega perché lui non l'ha nemmeno mai cercata, su Facebook per esempio, – gli faccio notare. – «Ciao,
tesoro, papà è vivo, ti voglio bene, addio».

– Aveva paura di farlo, nel caso che la gang controllasse
il profilo Facebook di Aislinn: non voleva che le facessero
del male. Sí, *io* lo so che sono un mucchio di stronzate, –
aggiunge quando faccio una risata, – ma lei forse non lo
sapeva. Ci sono un milione di modi in cui poteva spiegare

a sé stessa ogni cosa per farla quadrare con la sua fantasia. E vuoi sapere qual è il capitolo seguente? Aislinn, la figlia coraggiosa, entra nel mondo della malavita per scoprire il segreto di suo padre. Garantito.

– Scoprirlo come? Entrando in un pub di infimo livello a chiedere se qualcuno sapeva qualcosa di Desmond Murray?

Steve annuisce in fretta. Un altro funzionario pubblico passa poco lontano da noi, ma lui non ci fa caso, tanto è ipnotizzato dalla sua storia. – Qualcosa di non troppo diverso. Chiunque legga i giornali è in grado di trovare i nomi di alcuni pub che servono da ritrovi per la malavita. Aislinn entra, chiede qualcosa da bere...

– Credi davvero che avesse le palle per farlo? *Io* non lo farei, e so cavarmela molto meglio di lei –. Questa idea mi sta irritando: due detective professionisti ridotti a inseguire in giro per la città la fantasia alla Nancy Drew di una giovane idiota. Il mio lavoro è occuparmi di storie che sono successe davvero, afferrandole per il bavero e trascinandole verso il finale giusto, anche se scalciano e mordono. Le storie che succedono solo dentro la bella testolina di qualcuno sono come nuvole bianche, non c'è modo di afferrarle. E occuparmi di loro non dovrebbe essere un problema mio.

– Non si tratta di avere le palle, ma di quanto lei fosse immersa nella propria fantasia. Se quello è il posto dove aveva il controllo, non avrebbe mai creduto che qualcosa potesse andare storto. Come una bambina. È quello che ha detto Lucy, ricordi? Nella testa di Aislinn, lei è l'eroina, quella che può trovarsi in situazioni difficili ma ne viene sempre fuori.

– E poi cosa? Si siede nel pub sperando di essere avvicinata dall'uomo giusto?

– Visto il suo aspetto, *qualcuno* prova ad abbordarla. Questo è certo. Lei si mette a flirtare, poi torna un'altra sera, conosce gli amici del tizio; e non appena ne trova uno promettente, lo punta. Ehi... – Steve alza una mano e schiocca le dita. – Forse è proprio questo il motivo del suo nuovo aspetto. Abbiamo pensato che si fosse messa a dieta e avesse rinnovato il guardaroba perché voleva una nuova vita; ma se invece fosse stato tutto parte di un piano piú grande?

– Oh, – dico, riflettendoci sopra. Per la prima volta provo un vago senso di rispetto per Aislinn. Una donna che tenta di trasformarsi in Barbie perché quello è l'unico modo in cui sente di valere qualcosa, ha bisogno di un calcio in culo. Ma se lo fa per una missione di vendetta, guadagna dei punti almeno per la determinazione.

– I tempi quadrano, – dice Steve. – Secondo Lucy, Aislinn ha cominciato la sua trasformazione un paio d'anni fa. Cioè, non molto dopo aver parlato con Gary ed essersi trovata a dover cambiare i suoi piani –. Schiocca di nuovo le dita. Praticamente saltella sul posto. – Gesú: la sua casa. Hai presente che non c'erano foto di famiglia? Questo può essere il motivo. Non voleva che l'amante segreto riconoscesse suo padre –. Gli brillano gli occhi. Forse è meglio che non ci capiti mai un caso davvero buono: per l'eccitazione potrebbe pisciarmi su una gamba. – Ed ecco perché lo aveva lasciato per Rory: aveva finalmente capito che non poteva dirle nulla di utile. Tutto quadra, Antoinette, non lo vedi?

– Oppure, – dico, – tutta la storia della malavita è una stronzata dall'inizio alla fine. Lei parla con Gary, capisce che la riunione con il padre a base di abbracci, baci e cioccolata calda non avverrà, e toglie le foto di famiglia dai muri di casa perché decide di voler vivere una fantasia da vissero felici e contenti. Quel tipo di fantasia dove il brutto anatroccolo si rifà il trucco e diventa un bel cigno e si trova un bel principe azzurro. Che però in questo caso si rivela essere un grosso orco cattivo. Anche cosí quadra.

Ma ormai non c'è modo di spegnere l'entusiasmo di Steve. Scuote la testa già prima che io finisca. – E Lucy, allora? Credi che si sia inventata dal nulla la storia dell'amante segreto? E tutto il suo nervosismo era solo una finta?

– Forse, – dico. La scintilla di rispetto per Aislinn si sta spegnendo; tutta questa teoria comincia a farmi incazzare sempre di piú. Premo un piede a terra per evitare di agitare un ginocchio. – Io ho messo in giro la voce tra i miei contatti: se Aislinn frequentava dei malavitosi, verrò a saperlo. E quando Lucy troverà il fegato di venire in centrale a parlare con noi, la spremeremo di piú e vedremo cosa ne esce. A quel punto sarà una dichiarazione ufficiale, e non credo che lei se la sentirà di tenere per sé delle informazioni. Fino ad allora...

Steve sta tamburellando due dita sul muro come un picchio; è frustrato dal fatto che io non voglia capire. – Fino ad allora cosa? E se Lucy non viene?

– Le lasciamo un altro paio di giorni per accumulare lo stress, poi andiamo noi da lei. Fino ad allora, lavoriamo con ciò che abbiamo. Non con ciò che forse potremmo trovare chissà dove.

Lui non ha l'aria contenta. Gli dico: – Che vorresti fare? Andare in tutti i pub noti per essere ritrovi di delinquenti e chiedere ai ragazzi se qualcuno di loro si scopava la nostra vittima?

– Voglio prendere le foto segnaletiche dei ragazzi di Cueball Lanigan e mostrarle al barman del *Ganly's*. Potrebbe ricordare piú di ciò che pensa.

Scrollo le spalle. – Fa' come credi. Io preferisco concentrarmi su come quello che abbiamo saputo di Aislinn può

portarci a qualcosa di utile –. Ho già in mano il telefono
e faccio il numero di Sophie.

– Cosa? Chi?

Mi risponde la segreteria. – Ciao, sono Antoinette. Se
il tuo uomo non ha ancora trovato la password per quella
cartella, digli di provare con variazioni di Desmond Murray, Des Murray e tutto ciò che può avere a che fare con
«papà», «papi», «cercando papà», «papà scomparso». Il
padre della vittima è andato via di casa quando lei era piccola, e secondo le informazioni che abbiamo forse lei lo stava cercando. Vale comunque la pena provare, no? Grazie.

Riattacco. – Ottima idea, – dice Steve. Ha già un'espressione piú contenta. – Se quella cartella contiene foto di facce losche, in *tal* caso, tu...

– Oddio, – dico, spalancando gli occhi. – E se Aislinn
pensava che suo padre fosse *diventato* un malavitoso? Magari
aveva fatto trovare il cadavere di un povero cristo qualsiasi
con addosso i suoi documenti e lui invece era vivo e vegeto, sotto una nuova identità. Che ne pensi? – Steve resta a
bocca aperta, tentando di capire se parlo sul serio. Aggiungo: – Piantala, eh? Ora andiamo a fare la nostra riunione.

Dobbiamo tornare nella sala operativa separatamente,
dopo esserci tolti di dosso il freddo e l'odore di fuori. Io
vado in bagno e mi sciacquo con acqua e abbondante sapone fino a profumare di finte erbe naturali; Steve va a farsi
una tazza di caffè nella caffetteria. Quando torniamo con
aria casuale alle scrivanie, Breslin sta adulando una delle
ex di Rory al telefono e non alza quasi gli occhi.

Solo che le mie carte sono nell'ordine sbagliato. Avevo
lasciato in cima l'estratto conto di Rory, ora però il foglio
è coperto da un angolo del mio taccuino, che avevo lasciato chiuso, mentre ora è aperto sugli appunti che ho preso

durante la telefonata di Cooper. Guardo Breslin, ma è tutto impegnato a convincere la ex di Rory a lasciarlo andare da lei in serata per fare due chiacchiere, e non incrocia il mio sguardo. Piú cerco di ricordare con precisione cosa avevo lasciato dove, meno ne sono sicura.

Gaffney arriva di corsa giusto in tempo per la riunione, con gli occhi umidi e paonazzo per il freddo, e ci racconta com'è andata a Stoneybatter: ha fatto ascoltare all'agente le voci registrate di Rory, dei suoi fratelli e di tutti i suoi amici, e l'uomo si è mostrato piuttosto sicuro che la telefonata non fosse stata fatta da nessuno di loro.

– Ah, pazienza, – dice Breslin. – Grazie comunque. Anche di questo –. Comincia a scartare il sandwich. – È fantastico.

– Temo di aver fatto piú male che bene, – spiega Gaffney, preoccupato. – Dà a Breslin il suo resto, una manciata di banconote e monete. – Dopo aver ascoltato tutte le voci, l'agente ha cominciato a non ricordare piú bene quella dell'uomo che aveva telefonato. Capite cosa voglio dire? Ora, se gli portiamo altre voci da ascoltare, non sarà piú in grado di...

– È una cosa che capita, nei confronti di questo tipo, – lo interrompe Breslin, onorandolo con un sorriso. – Non è colpa tua, figliolo; rischi del mestiere. Tu hai fatto un buon lavoro.

– Sí, – dico io. – Grazie –. Mi viene fuori come una specie di grugnito sgarbato, ma non importa: Gaffney è troppo preso dall'ammirazione per Breslin per notare la mia esistenza. L'unica cosa che riesco a pensare è che *ovviamente* il confronto vocale ha rovinato le nostre possibilità di identificare la persona che ha fatto la chiamata. Ogni volta che abbiamo qualcosa in mano, appena la tocchiamo si sbriciola, trasformandosi in nulla. Ancora altro nulla che si deposita come polvere fine e appiccicosa sulle scrivanie, rendendo opachi gli eleganti computer.

Prima di tornare a casa, Steve e io andiamo ad aggiornare O'Kelly. Ci riceve in piedi davanti all'alta finestra, dandoci le spalle, con le mani nelle tasche del completo di tweed. Si dondola sui talloni e guarda verso i giardini bui, come se ascoltasse solo a metà, ma vedo i suoi occhi nel vetro, che si spostano rapidi tra il mio riflesso e quello di Steve.

Quando finiamo, il suo silenzio significa che vuole qualcosa di piú. Il riflesso di Steve guarda verso di me, ma non mi volto.

O'Kelly dice, senza girarsi: – Sono andato a fare un salto nella vostra sala operativa, verso mezzogiorno, e non vi ho visti. Dov'eravate?

È passato molto tempo dall'ultima volta che ho dovuto rendere conto a un capo del mio tempo, come se fossi una ragazzina. Prima che apra bocca, Steve dice, tranquillo: – Abbiamo effettuato la perquisizione in casa della vittima. Poi abbiamo mostrato una sua foto in giro per Stoneybatter, chiedendo nei pub e in locali vari, per vedere se qualcuno la riconosceva, non si sa mai che l'avessero notata mentre faceva qualcosa di interessante.

– E?

Steve alza una spalla. – Niente di che.

O'Kelly lascia quella risposta nell'aria per qualche secondo, prima di parlare. – Questo pomeriggio avete ricevuto qualcosa da un ragazzo che si è rifiutato di darla a qualcun altro. Di che si trattava?

Bernadette ha da sempre una cotta per il capo, e tutti sanno che approfitta di ogni scusa per parlargli all'orecchio. Può essere stata lei a fargli la soffiata, ma anche no.

– Il padre della vittima è scomparso quando lei era piccola, – risponde Steve. – Ci sembrava una strana coinciden-
za e abbiamo dato un'occhiata al fascicolo.

– Qualche risultato?

– No. Lui se l'è filata con l'amante giovane. È morto
qualche anno fa.

O'Kelly infine si volta. Poggia la schiena contro la finestra e ci esamina. La rasatura di stamattina non è andata
molto bene, ha il viso rosso e screpolato, come se si stesse
sfaldando lentamente. – Sapete come vi state comportando? – chiede.

Aspettiamo.

– Vi state comportando come se non aveste un indiziato.
Vi agitate in ogni direzione, seguite ogni movimento che vi
passa davanti agli occhi. Un detective agisce cosí quando
non ha in mano nulla –. Sposta lo sguardo da Steve a me.
– Ma voi avete un indiziato perfetto. Quindi, c'è qualcosa che non so? Cosa non va in Rory Fallon?

Rispondo io. – Tutto ciò che abbiamo su Fallon è circostanziale. Non abbiamo nulla di solido che lo colleghi
all'omicidio: niente sangue sulla sua roba, niente sangue
suo o capelli sulla vittima, niente sbucciature sulle nocche.
Non siamo neppure in grado di provare che sia entrato in
casa. Non abbiamo un movente. Stiamo ancora lavorando
su tutto questo, e se la Scientifica mi chiama dicendo che
hanno trovato fibre della moquette di Aislinn sui pantaloni di Rory, allora sí, non presterò piú tanta attenzione
ad altre possibilità. Ma finché si tratta solo di prove circostanziali, intendo esaminare altri scenari in modo da
poterli escludere. Non voglio portare Fallon in tribunale
e scoprire solo allora che esiste un testimone, trovato dalla difesa, che ha visto la ragazza litigare in modo violento con un uomo che non somiglia affatto a Rory Fallon.

O'Kelly ha tirato fuori di tasca una manciata di oggetti: una graffetta, un fazzoletto accartocciato, un sassolino, e se li rigira in mano lentamente, senza guardarmi. Poi chiede: – Perché non lo avete richiamato qui per interrogarlo, oggi?

È passato molto tempo anche dall'ultima volta che ho dovuto rendere conto a un capo delle mie decisioni, in un caso che non sta affatto deragliando. Se fossi sicura che si tratta solo di una strategia di O'Kelly per spingermi ad andarmene, sarei piena di collera. Ma non ne sono affatto sicura. Penso al rotolo di banconote da cinquanta di Breslin, rivedo O'Kelly che dice: «Breslin è di turno stamattina. Prendete lui». L'aria di questo posto si sta trasformando in qualcosa di diverso, che acquista velocità e può cambiare direzione in qualsiasi momento; qualcosa che dovrei valutare con piú freddezza che amore.

Rispondo, con appena una nota aggressiva nella voce: – Perché non ho voluto. Quando avremo tutti i rapporti dalla Scientifica, allora lo porteremo qui e colpiremo duro. È un tipo nervoso; lasciarlo cuocere a fuoco lento per un paio di giorni non creerà nessun problema. Anzi.

O'Kelly mi fissa con occhi acutissimi per un secondo, poi distoglie lo sguardo. Dalla roba che ha in mano prende una pasticca per la gola ammaccata e la fissa con leggero disgusto. – Non so cos'hai da sentirti soddisfatta, Conway.

Come ho detto, O'Kelly è molto piú intelligente di quello che finge di essere. Mi tolgo l'espressione dalla faccia. – Capo?

– Non importa –. Allunga la mano sopra il cestino e la apre. La spazzatura cade con un suono secco. – Andate pure. Ci vediamo domani. E tentate di arrivare da qualche parte.

Guidare in genere mi calma piú di qualsiasi altra cosa, ma stasera non funziona. Il vento fa cose strane, smette per darmi il tempo di rilassarmi, poi sbatte di colpo contro la macchina come un placcaggio di rugby, gettando una pioggia violenta sui vetri. Il traffico è nervoso, tutti sono troppo pronti a suonare il clacson e ripartono dai semafori troppo presto, cosí i pedoni non sanno che fare e si gettano tra le auto nei momenti sbagliati.

Prima di attraversare il fiume vengo fermata da una pattuglia. Sono appena passata con il giallo e immagino che anche l'agente in divisa abbia avuto una brutta giornata, ma la sua faccia sorpresa quando tiro fuori il tesserino mi dice che c'è qualcosa sotto. Infatti lui vuota subito il sacco: qualcuno ha chiamato dando il mio numero di targa per guida pericolosa, probabilmente in stato di ebbrezza. Un altro automobilista forse ha letto male il numero di targa, tra la pioggia e il traffico, solo che la descrizione dell'auto corrisponde al cento per cento: un'Audi TT nera del 2008. Quello l'hanno letto bene.

L'agente ha l'aria di voler fuggire a gambe levate, ma gli chiedo di farmi la prova del palloncino e di scrivere tutto, per evitare che qualcuno chiami il Bieco Crowley e gli dica che ho usato il distintivo per evitare una multa per guida in stato di ebbrezza. Potrei provare a rintracciare il numero della telefonata, ma so già che sarebbe un numero non registrato. Molti poliziotti si servono di cellulari usa e getta, per tante evenienze. Trascorro il resto del mio rilassante viaggio in macchina guardando nello specchietto alla ricerca della prossima luce blu sul tettuccio di un'auto. Non la trovo, il che significa che posso aspettarmi di incontrarla domani mattina.

Almeno non c'è nessuno in cima alla strada, stavolta; è già qualcosa. Apro la porta, accendo la luce, poso la cartella, chiudo la porta. Mentre mi volto verso il soggiorno, tre cose mi colpiscono, l'una dopo l'altra, in un batter d'occhio. Odore di caffè. Silenzio invece del suono dell'allarme. Movimento, appena un fruscio, in cucina.

Estraggo la pistola, con movimenti che sembrano lenti come in assenza di gravità, anche se so di muovermi a gran velocità, e la punto verso la porta della cucina. – Polizia, – dico. – Getta ogni arma, tieni le mani dove posso vederle ed esci lentamente.

Per il primo secondo vedo solo un tipetto mingherlino in tuta da ginnastica blu che appare sulla soglia con le mani sopra la testa. Penso sia un tossico che ha scelto di entrare a rubare nella casa sbagliata; ho il dito ben appoggiato sul grilletto e non riesco a trovare un motivo valido per non premerlo. Poi lui dice: – Hai bisogno di un sistema d'allarme migliore.

– Pulci! – dico, scoppiando a ridere. Se fossi il tipo da abbracci lo abbraccerei. – Pezzo d'idiota, mi hai quasi fatto venire un infarto. Non potevi semplicemente rispondere alla mia mail?

– Così è piú sicuro. E comunque non ci vedevamo da troppo tempo.

Sulla faccia ha un sorriso grande come un piatto da portata, uguale al mio.

– Piú sicuro? Per poco non ti ho sparato, lo sai? – rinfodero l'arma. Sento ancora la scarica di adrenalina. – Gesú Cristo!

– Non ero preoccupato, ho fiducia in te –. Pulci torna in cucina. – Ti faccio un caffè?

– Sí, grazie –. Lo seguo e gli do uno scappellotto in testa, non troppo forte. – Non farmi mai piú una cosa del genere. Se un giorno ucciderò qualcuno, non voglio che sia tu.

– Aaah! – Si massaggia la testa, con aria ferita. – Non volevo spaventarti. Avrei aspettato in soggiorno, ma pensavo che magari saresti rincasata con un uomo.

– Sí, certo. Mi piacerebbe averne la possibilità, qualche volta –. Ho ancora quel sorriso stampato in faccia. Non riesco a togliermelo. – Hai fame?

– Tu non hai nulla in casa. Ho controllato.

– Che faccia tosta. Ci sono dei bastoncini di pesce nel freezer. Vuoi un sandwich ai bastoncini di pesce?

– Letale, – risponde lui, allegro, e si mette a schiacciare tasti sulla macchina del caffè. – Questa è roba seria. Dovrei comprarne una anch'io.

– Se la mia sparisce, vengo a cercarla da te –. Accendo il forno e apro il freezer. Pulci poggia i gomiti sul piano di lavoro e osserva affascinato il caffè che scende.

È un piccoletto che sembra non aver avuto abbastanza latte dalla madre quando era neonato, il che, visto il quartiere da dove viene, è probabilmente vero. Il soprannome gli è rimasto dai tempi dell'accademia – che ha frequentato nei miei stessi anni – perché non riesce a stare fermo. Persino mentre aspetta il caffè salta da un piede all'altro come se avesse le pulci. All'accademia andavamo d'accordo. Io non ero lí in cerca di affetto e non volevo che qualche idiota dicesse che mi ero trovata un maschio che mi proteggesse; ma se non fosse stato per questo, saremmo diventati amici.

A metà del secondo anno, Pulci scomparve. Ci dissero che si era fatto beccare con dell'hashish addosso – con tanto di battutine sul fatto che un coatto in divisa sempre coatto resta – ma io non ci credetti. Pulci era troppo furbo per questo. E qualche anno dopo, quando mi tolsero da dietro una scrivania per interpretare il ruolo di Rachel, una cugina di Pulci felice di portare una valigia piena di soldi provenienti dal narcotraffico a un amico del suo capo, a Marbella, scoprii di aver avuto ragione. L'operazione funzionò alla grande, alcuni cattivi finirono in manette e io e

Pulci ce la spassammo un mondo. Prima che tornassi alla mia scrivania, creammo un indirizzo e-mail sotto il nome di Rachel, per tenerci in contatto se ne avessimo mai avuto bisogno. Finora non ne avevamo avuto bisogno.

Portiamo sandwich e caffè in soggiorno e ci sediamo ai due capi del divano, con i piedi sul tavolino e i piatti in grembo. Ho acceso il fuoco; i muri spessi trasformano l'urlo del vento in un sussurro quasi piacevole. – Ahhh, – dice Pulci, muovendo le spalle per accomodarsi meglio contro i cuscini. – Bel posticino, proprio. Me ne devo trovare uno cosí, prima o poi. Tu puoi mostrarmi come sistemarlo per bene.

Il che mi porta a chiedere: – Come sapevi dove trovarmi?

– Ma dài. Come potevo non saperlo? – Mi sorride di nuovo. – Alla Omicidi, ora, eh? La squadra top. Come sta andando?

Significa che ha chiesto di me, ogni tanto, quando ne ha avuto la possibilità. – Alla grande. Meglio che togliere punti dalle patenti.

– Come sono i ragazzi? Tutto a posto?

Non capisco cosa voglia dire. Il suo viso a bocca piena non rivela nulla.

– Tutto a posto, sí, – rispondo. – Tu di cosa ti occupi, in questo periodo?

– Lo sai anche tu: un po' di questo, un po' di quello. Ricordi quel tipo, Occhiali? Il piccoletto senza collo?

– Gesú, quello –. Mi viene da ridere. – Sai che continuava a tentare di attaccare discorso con me? Ogni volta che mi lasciavi sola, me lo trovavo lí a dirmi che gli piacevano le ragazze alte e che i fantini piú bassi avevano il frustino piú lungo. Era sempre cosí convinto che continuava a dimenticare di averci già provato prima senza risultato.

Pulci sorride. – Sí, proprio lui. L'abbiamo dovuto arrestare. Non volevamo nemmeno farlo, perché era ancora utile, ma quel babbeo… Lui e il suo amico Fonzie erano in un bed and breakfast a Cork. Dovevano dividere in pacchetti un carico di ecstasy appena scaricato da una nave –. Pulci ha la ridarella, e me l'attacca, anche se non so ancora di cosa stiamo ridendo. – Occhiali assaggia la merce per vedere se è buona, solo che esagera. Alle tre del mattino è in giardino, in mutande, e *canta*. Mi hanno detto che la canzone era *I Kissed a Girl*, di Katy Perry.

Adesso rido sul serio, rilassata sul divano. È una bella sensazione.

Quando il padrone del bed and breakfast esce a vedere cosa succede, Occhiali lo abbraccia, gli dice che è bellissimo, poi corre dentro, salta nel letto con la moglie dell'uomo e comincia a fare il gioco del cucú sotto le coperte. Arriva la polizia, gli agenti lo accompagnano in camera sua dicendogli di farsi una dormita perché gli passi la sbronza, e trovano Fonzie addormentato in poltrona, dato che il letto era occupato da una quantità di ecstasy per un valore di centomila euro.

– Oh, Gesú, – dico, asciugandomi gli occhi. – Non potevate sequestrare il carico e lasciarli andare?

– Ci abbiamo provato. Il capo ha messo al lavoro mezza squadra per cercare qualche errore commesso dagli agenti in divisa, che so, perquisizione illegale, una cosa qualsiasi. Ma avevano fatto tutto a regola d'arte. Il povero Occhiali finirà in galera. Ehi, – aggiunge, indicandomi con il sandwich. – Dovresti andare a trovarlo, in carcere. Gli solleverebbe il morale.

Scherza, ma c'è un fondo di serietà nel suo tono.

– Gli chiederò di cantarmi Katy Perry, – dico. – Tirerà su il morale a tutti e due.

– Da ciò che ho sentito, non basterebbe.

– A proposito dei ragazzi, – dico. – Il «Courier» continua a pubblicare la mia foto. Questo ti crea dei problemi?

Pulci è il motivo per cui non lascio circolare foto della mia faccia. Per quel lavoro mi avevano truccata per bene (boccoli, grossi orecchini ad anello, trucco a palate, canottiere rosa con scritte tipo «Sfacciata» o «Il tuo ragazzo vuole me»), ma è sempre meglio stare sul sicuro. Pulci scrolla le spalle. – Finora no. Vediamo in seguito, cosa succede –. Ci vuole ben piú di questo per spaventare un agente sotto copertura. – Non credo che qualcuno ti abbia riconosciuta, soprattutto cosí ben vestita –. Accenna al mio tailleur, tra divertito e impressionato. – E francamente, sono passati diversi anni.

– Sí, fammelo notare, grazie.

Pulci mi esamina con sguardo critico, masticando. – Ti trovo bene, ma non benissimo; hai l'aria di aver bisogno di una vacanza.

– Sono a posto, anche se un po' di sole non mi dispiacerebbe. Quali sono le probabilità?

– O di cambiare ambiente.

Alzo la testa di scatto dal panino, ma lui si è chinato in avanti per posare la tazza sul tavolino e non vedo i suoi occhi. Gli agenti sotto copertura sono cosí. Non riescono ad affrontare nulla in modo diretto. Ma ho ricevuto il messaggio. Pulci sa che la Omicidi per me non sta funzionando. Pensa che gli abbia scritto perché metta una buona parola per me, per farmi tornare a lavorare in incognito.

Per un attimo penso di raddrizzare di scatto la gamba e piantargli un piede nella pancia. Invece dico: – L'ambiente attuale va benissimo. Ma ho bisogno della tua opinione su qualcosa.

– Sí? – Il suo tono non è cambiato, ma gli passa un'ombra sul viso, un'ombra che somiglia al rimpianto. – Di cosa si tratta?

– Da' un'occhiata –. Tiro su la schiena, allungo un braccio per prendere la cartella, trovo una foto di Aislinn versione 2.0 e gliela passo. – Si chiama Aislinn Murray. Ventisei anni, un metro e settanta, probabile accento da ceto medio di Greystones. L'hai mai vista in giro?

Pulci mastica, dondola un ginocchio e guarda la foto con attenzione. – Difficile a dirsi. Molte hanno questo aspetto. Direi di no, ma... Chi è?

– Vittima di omicidio.

Il ginocchio smette di dondolare. – È lei? Quella sui giornali?

– Sí. La sua migliore amica dice che aveva un uomo segreto, negli ultimi sei mesi. Pensiamo che potrebbe trattarsi di un criminale. Forse della gang di Cueball Lanigan.

Pulci guarda di nuovo la foto, piú a lungo. Scuote la testa. – No. Non stava con nessuno dei ragazzi di Lanigan.

– Sicuro? – Ma ho già sentito la sicurezza nella sua voce. La piacevole sensazione di calore si allontana in fretta. Vorrei prendermi a calci per averlo fatto venire fin qui inutilmente.

– Al cento per cento. In quel caso l'avrei incontrata. E anche se fosse stata con qualcuno di Crumlin o Drimnagh, probabilmente.

– Forse no. Se lei teneva segreta la relazione, forse lo faceva anche lui.

Pulci ride. – No, no, no. Una ragazza cosí? Chiunque se la scopi vuole che si sappia. L'avrebbe esibita al pub, alle feste, in ogni occasione.

– Anche se è sposato?

– No problem. Nessuno si aspetta che i ragazzi siano dei monaci, capisci? Nemmeno le loro mogli. Ora, se la moglie è la sorella di un altro dei ragazzi, allora è diverso, l'uomo in questione non esibisce l'amante davanti al cognato. Ma se ne vanterebbe lo stesso con gli altri. E sono tutti pettegoli come vecchie comari. Tutti sanno delle amanti degli altri –. Sta ancora scrutando la foto, ma il ginocchio ha ripreso a muoversi: sta perdendo interesse. – Aveva qualche oggetto di lusso di provenienza ignota? Rolex, gioielli, vestiti firmati?

– Niente che io abbia notato, – rispondo. – Tutta roba di prezzo medio, che avrebbe potuto comprarsi da sola. Nulla suggeriva che ricevesse regali. Ma forse non le piaceva fare la mantenuta.

Pulci ride. – Contanti extra?

– Niente. I suoi dati finanziari sembrano puliti.

– Viaggi? A un giglio come lei, l'amante non resisterebbe alla tentazione di chiedere di trasportare qualcosa. E se lei è il tipo da stare con uno della malavita, non dice certo di no.

Scuoto la testa. – La sua migliore amica sostiene che non era mai uscita dall'Irlanda. Abbiamo trovato un modulo per la richiesta del passaporto. Era una prima volta, non un rinnovo. Quindi non aveva il passaporto.

– Allora hai la tua risposta, – dice Pulci, restituendomi la foto. – Non posso giurarlo sulla mia vita, ma se fossi un patito delle scommesse punterei i miei soldi sul fatto che lei non avesse nulla a che fare con l'ambiente.

E ormai la sensazione calda è finita in cenere.

Dico: – Non puoi giurarci, quindi lei poteva avere almeno dei collegamenti.

Lui fa un'alzata di spalle. – Sí. Come poteva averli anche mia madre.

Pulci non è come Steve. Non costruisce niente sui se e sui forse. Se dice una cosa, è perché ne è sicuro.

Quindi la nostra bella teoria sul crimine organizzato finisce nel cesso con il risucchio dello sciacquone come colonna sonora. Credevo di essere pronta ad accettarlo.

Ho passato un giorno e mezzo come un cecchino nella giungla, spostando il mirino tra Breslin e McCann, il sangue che diventava adrenalina pura mentre aspettavo di capire quale dei due abbattere. Idiota, cretina a cinque stelle. Niente affatto diversa da Occhiali, che si fa arrestare durante un'azione sotto copertura e diventa bersaglio di battute a vita. L'unica cosa giusta che ho fatto, dal momento in cui ho preso in mano questo caso, è stata quella di tenere la bocca chiusa. Quasi tutto quello che ho pensato era un'idiozia.

Rimetto la foto nella cartella. Non voglio piú vederla.

– Puoi tenere le antenne dritte, comunque? Tipo se qualcuno questa settimana ti sembra un po' fuori fase, o qualcun altro passa piú tempo del solito al pub, ubriacandosi piú del normale? – Il sottofondo supplichevole della mia voce è patetico. – Lei è stata uccisa sabato sera, perciò chiunque sia stato, dovrebbe sentirsene addosso l'effetto.

Pulci è tornato al suo sandwich. – Forse sí, forse no. Molti di loro sono degli psicopatici; potrebbero far saltare la testa alla loro nonna senza pensarci due volte.

– Qualcuno che non è un totale psicopatico è al corrente di quanto è successo. Un uomo ha chiamato la stazione di polizia locale per dire di mandare un'ambulanza. Se non è l'assassino, è un suo amico con il quale il nostro uomo si è confidato.

– Capisco. Terrò gli occhi aperti per notare se qualcuno è fuori forma.

Lo farà solo per farmi contenta, ma lo farà. – Se noti qualcosa, – dico, – mandami un'e-mail prima di comparire qui. Giuro su Dio che se domani sera ti scopro sotto il mio letto ti sparo in quel culo ossuto.

– Comparire qui, – dice Pulci, togliendosi la maionese dalla guancia con il dorso della mano. – Non scherzavo, quando ho detto che hai bisogno di un sistema di sicurezza migliore. Ho disabilitato il tuo allarme in venti secondi, e ci ho messo forse un altro minuto ad aprire le serrature. E probabilmente lo sai già, ma c'è un tizio che sorveglia la tua strada.

L'aria nella stanza s'indurisce, mi graffia come carta vetrata. – Sí, – rispondo. – Mi era sembrato. Dove l'hai visto?

– Ho fatto un giro fino in cima alla via, per farmi un'idea del posto prima di entrare in casa tua. Lui era lí come se aspettasse qualcuno, solo che ho sentito... quella vibrazione, hai presente?

– Sí –. Tutti noi conosciamo la vibrazione. – Hai potuto vederlo bene?

– Ci ho provato. Volevo scroccargli una sigaretta –. Pulci si sporge in avanti, con lo sguardo vuoto da tossico, e dice in tono lamentoso: – Ehi, amico, ce l'hai una paglia? – Poi torna normale. – Ma lui mi ha visto andargli incontro e si è allontanato. Forse è solo che non gli piaceva trovarsi vicino uno come me, ma... – Scrolla le spalle. – Di mezza età, alto, corporatura media, cappotto costoso, un bel nasone. Non ho visto altro. Era tutto coperto, cappello trilby e sciarpa che gli nascondeva mezza faccia. Di nuovo, è normale, con questo tempo. Ma.

– Esatto. Ma –. Questo comunque esclude il Bieco Crowley, che è bassino, e il suo schifoso impermeabile. Peccato. Mi sarebbe piaciuto fingere di scambiarlo per uno stalker. – Io credo che sorvegli questa casa.

Pulci annuisce, niente affatto sorpreso. – Direi anch'io. Qualche idea su chi può essere?

Scuoto la testa. – Pensavo a un malavitoso che volesse

spaventarmi. Dopo quella foto sul «Courier», chiunque può avermi aspettato fuori dal lavoro per seguirmi fino a casa. Ma se, come dici, la pista della gang è un binario morto... – La parola «gang» ha un suono piú stupido ogni volta che la ripeto. Allungo meglio le gambe sul divano, tentando di recuperare almeno in parte la sensazione rilassata di prima. Ma è sparita. Avverto alle mie spalle la finestra del soggiorno, con il vento buio che spinge contro i vetri.

– Sono dei pezzi di merda, quelli del «Courier», – dice Pulci. – E solo perché non è un malavitoso, non significa che non sia l'uomo che ha ucciso quella ragazza.

– Ci avevo già pensato. Ti sembro cosí scema?

– Dicevo solo per dire che faresti meglio a cambiare sistema d'allarme in fretta. Perché non ti fai mettere Phone Watch, o qualcosa di simile?

– No, grazie –. Se Phone Watch non riceve risposta da te in caso di interruzione dell'allarme, chiama automaticamente la polizia. E io preferirei essere fatta a pezzi da un serial killer piuttosto che far sapere alla squadra che ho chiesto aiuto alla polizia come una civile qualsiasi. – Sto bene cosí. Te, ti ho beccato subito, no?

– Io non ti aspettavo per ucciderti, – specifica lui. – Non è la stessa cosa. So che sai badare a te stessa e compiango il povero cretino che ti si troverà davanti, ma qualche volta devi anche dormire, giusto?

– Farò cambiare la serratura domani mattina.

– E l'allarme.

– E l'allarme, sí, mamma.

Pulci mi osserva da sopra la tazza. Per una volta è immobile. Dice: – Resto, stanotte?

Ci sono vari significati, per questa frase. Stanotte, mi sembrano tutti buoni. E se non fosse per il tizio in cima alla strada, e per la merda che mi tocca prendermi al lavoro, direi di sí in tutti i modi.

Ma non voglio che nessuno di noi due pensi che ho bisogno di lui in casa. – Sei la persona giusta, e ti ringrazio dell'offerta.

– Ma nessuno sentirà la mia mancanza.

– Oooh, povero piccolo.

– Sei sicura?

– Sí. Ti chiedo solo, se vedi quel tizio quando esci, mandami un messaggio, va bene?

– No problem, – dice lui. Si alza dal divano, si tira su i pantaloni della tuta e prende piatto e tazza. – Allora mi tolgo di torno.

– Lascia lí, ci penso io –. Volevo fare un altro caffè per tutti e due, ma ormai è tardi per dirlo.

– Ah, no. La mamma mi ha insegnato a pulire ciò che ho sporcato –. Va in cucina. – Grazie per avermi dato da mangiare. Il tuo sandwich ai bastoncini di pesce è fantastico, sai?

Lo seguo e lo trovo già chino sulla lavastoviglie, intento a sistemare il piatto.

– Da' qua, – dice, tendendo la mano.

Gli passo il mio piatto. – Sono contenta che tu sia venuto, – dico. – È bello vederti.

– Stessa cosa per me –. Chiude la lavastoviglie e si raddrizza. – Se uno dei ragazzi si comporta in modo un po' stressato, te lo faccio sapere. Giuro su Dio che ti mando prima un'e-mail. Altrimenti...

– Altrimenti, – dico, – ci vedremo quando ci vedremo.

Lui sorride e mi dà un rapido abbraccio con un braccio solo. Il suo braccio magro e duro, il suo odore di deodorante spray che mi riporta ai miei quindici anni, mi provocano una sensazione di debolezza, e sono contenta che se ne stia andando. Pulci spegne l'interruttore della luce a sensore di movimento, apre la porta posteriore e scompare oltre il muro di cinta, preciso e silenzioso come una volpe. Chiudo a chiave la porta e aspetto, ma non mi manda nessun messaggio.

10.

La mattina dopo, mi sveglio e penso di restare a letto. Non ho dormito granché. Dopo aver chiamato mia madre per raccontarle del sangue raggrumato e dei denti spezzati di Aislinn («Ah»), ho passato metà della notte ad alzarmi per controllare rumori sospetti – con questo tempo ce n'erano in abbondanza – e l'altra metà a letto tentando di decidere chi si merita di piú un pugno sul muso, Steve per aver tirato fuori la teoria della gang o io per avergli dato credito. Alle sei del mattino mi sento tutta rigida. Non ho mai marinato il lavoro, ma oggi non riesco a capire perché non dovrei. Due cose mi impediscono di telefonare: se non vado a lavorare, andrò a correre finché mi cedono le gambe, e passerò il resto del tempo a impazzire in casa; e se non vado a lavorare oggi, significa un giorno in piú da passare sopra questo caso di merda.

Mi vesto per andare a correre senza accendere la luce. Poi spengo le luci a sensori di movimento, esco nel patio e scavalco il muro di cinta. È ancora buio, quell'oscurità piatta prima dell'alba, quando anche le cose che popolano la notte, volpi, pipistrelli, ubriachi e pericoli, hanno finito le loro attività e dormono; persino il vento si è ridotto a un debole soffio. Mi muovo senza rumore nel vicolo e mi nascondo nell'ombra per guardare da dietro l'angolo verso la strada; non c'è nessuno né in alto, né in basso, per quanto la luce giallastra mi permette di vedere.

Normalmente, la mia corsa mattutina mi lascia con una sensazione di forza nei muscoli, pronta ad affrontare qualsiasi cosa. È ciò che mi consente di andare avanti per tutto il turno. Oggi la forza non c'è. Barcollo qua e là come una principiante, trascino le gambe come se ci avessi legato intorno dei sacchi di sabbia bagnata, mi cadono le braccia e non riesco a trovare un ritmo per il respiro. Spingo piú forte, finché mi fa male il petto e comincio a vedere rosso. Mi appoggio a un lampione, piegata in due, e aspetto che passi.

Torno verso casa a passo di jogging: qualcosa dentro di me mi dice che se rallento fino a camminare sono fregata, in un modo che non so ben specificare. Quando arrivo nella mia strada, le gambe hanno smesso di tremare. I primi strati di oscurità stanno scomparendo e le finestre si illuminano. Non c'è ancora nessuno.

Ho detto a Pulci che avrei fatto sistemare serrature e allarme, e al momento ne ero convinta. Ma ho cambiato idea. Il tizio che sorveglia casa mia è l'unica cosa con un minimo di potenziale che resta in questa settimana del cazzo. Se vede tecnici e fabbri al lavoro capirà di essere stato notato e si troverà un'altra persona da spiare o un altro hobby, o magari sparirà e aspetterà settimane o mesi prima di tornare. Ho bisogno di lui ora.

Faccio la doccia, mi butto nello stomaco un po' di cereali ed esco per andare al lavoro. Fuori non vedo ancora nessuno.

Arrivo in centrale senza essere fermata da nessuna pattuglia... Anche gli stronzi ci mettono un po' a prepararsi, al mattino. Fuori dal nostro edificio, nello strano chiarore fatto di luce dell'alba e luce di riflettori, McCann fuma una sigaretta con la schiena contro un muro.

– 'Giorno, – dico, senza fermarmi. Lui alza il mento ma non dice nulla, né io mi aspettavo che dicesse qualcosa.

Ha un aspetto di merda. McCann non è mai tirato a lucido, come Breslin; è uno di quegli uomini che sembrano sempre in lotta contro una naturale tendenza a lasciarsi andare: ombra di barba già a mezzogiorno, riccioli grigi che non stanno a posto. Di solito vince la battaglia, perché non molto tempo fa era ancora un bell'uomo, prima che cominciassero a cascargli le guance e la pancia, e perché i suoi vestiti sono sempre immacolati e stirati cosí bene che potresti pattinarci sopra. Stamattina, però, la battaglia la sta perdendo. L'ombra di barba è ben piú che un'ombra, la camicia è spiegazzata, ha qualcosa di marrone e appiccicoso su una manica della giacca e le borse sotto gli occhi sembrano due lividi.

Mentre io e Steve scolpivamo le nostre teorie del complotto, come due deficienti totali di quelli che girano negli angoli piú tristi di internet, Breslin diceva la verità: McCann è finito sul libro nero della moglie. Dorme sul divano e deve stirarsi i vestiti da solo. Mi verrebbe da ridere, se l'oggetto della risata piú grossa non fossi io.

Ho la mano sulla porta quando lui dice: – Conway.

Mi fermo, a dispetto di me stessa. Voglio sentire, solo per conferma, quello che so già che dirà. McCann sta per farmi capire, con una precisa allusione, che lui e Breslin prendono tangenti.

– Sí? – rispondo.

Lui ha la testa contro il muro e guarda i giardini invernali spogli, non me. Dice: – Come sta andando con Breslin?

– Bene.

– Lui dice cose lusinghiere su di te.

Sí, con il buco del culo. – Mi fa piacere, – dico.

– È un bravo detective, Breslin. Il migliore. È bravo

anche come partner: ti protegge a qualsiasi costo. Finché non gli dài una fregatura.

– McCann, io sto solo facendo il mio lavoro. Non ho nessuna intenzione di fregare il tuo amico. È chiaro?

Questo gli fa storcere la bocca in un sorriso senza allegria. – Meglio cosí. Ha già troppe cose per la testa.

Ed eccoci al punto. In venti secondi. – Sí? E quali?

McCann scuote la testa, con un breve scatto. – Lascia perdere. Non ti interessa.

Ieri mi sarei sbavata addosso. Ora provo solo un piccolo moto di rabbia, troppo sfiatato per durare. Quale che sia il gioco di Breslin, deve aver capito che il suo sistema non sta funzionando, perciò ha mandato McCann a tentare un altro approccio, come farebbe con un indiziato qualsiasi. Le cicche sparse ai piedi di McCann dicono che mi stava aspettando da chissà quanto, solo per recitare le sue battute da film di serie B. – Come vuoi, – dico. – Te lo restituirò tutto intero, il piú presto possibile, credimi.

Sto per voltarmi di nuovo quando lui dice, con la sigaretta tra i denti: – Aspetta.

– Cosa c'è?

McCann osserva la cenere spostarsi sui ciottoli. Poi dice: – È stato Roche a fregarti la dichiarazione.

– Di cosa parli?

– La rissa di sabato notte. Ti è scomparsa l'ultima pagina della dichiarazione di un testimone.

– Non ricordo di avertene parlato.

– No. Ma Roche ci stava ridendo sopra con i ragazzi, in sala detective, ieri –. McCann infila una mano nella tasca della giacca, ne estrae un foglio piegato e me lo allunga. Lo apro: è la pagina mancante. – Con le scuse di Roche, piú o meno.

Gli tendo il foglio. – Ormai ho già fatto firmare al testimone un'altra dichiarazione.

McCann non lo prende. – Lo so. Ma non è questo il punto –. Indica il foglio. – Strappalo, ficcalo in culo a Roche, facci quello che vuoi.

– Allora qual è il punto?

– Il punto è che non tutti nella squadra sono come Roche. Io e Bres non abbiamo nulla contro di te. Non sei uno spreco di spazio, come invece sono alcuni di loro; hai la stoffa della detective e noi saremmo felici di vederti fare carriera.

– Grande, – dico. Sembra proprio la verità, tono pratico con appena una sfumatura di calore, il vecchio cane burbero che rifiuta i sentimentalismi ma vuole il meglio per la giovane studentessa che si è guadagnata il suo rispetto. Se non avessi visto McCann fare questo numero in una dozzina di interrogatori, e se non avessi imparato la lezione, potrei anche caderci. – Ti ringrazio.

– Perciò, se Breslin ti dice di fare qualcosa, è per il tuo bene. Anche se a te non sembra; anche se pensi che si sbagli. Se hai un po' di buon senso, ascoltalo. Mi capisci?

Ora ha gli occhi fissi su di me, arrossati dal vento e dalla stanchezza. La voce è condensata, concentrata. Questa è la parte importante, il motivo che lo ha tenuto qui al freddo ad aspettare di vedermi arrivare nella luce confusa, per portarmi dove vuole lui.

– Capisco benissimo, – dico. – Non mi è sfuggito nulla –. Appallottolo il foglio di carta e lo infilo nella tasca del soprabito. – Ci vediamo.

– Sí, – dice McCann. – Ci vediamo –. Si volta di nuovo verso i giardini, un profilo scuro e un po' floscio contro la luce crescente. La puzza della sua sigaretta mi segue dentro l'edificio.

Io e McCann siamo arrivati in anticipo. La donna delle pulizie sta ancora passando l'aspirapolvere in corridoio. In sala detective, gli unici suoni sono quelli di una conversazione tra due uomini e lo strillo di un programma radiofonico. La centrale operativa C è deserta, a parte Steve, tutto scompigliato e chino sulla scrivania con una tazza di caffè tra le mani.

– Sei venuto presto, – dico.

– Non riuscivo a dormire.

– Nemmeno io. Qualche segno di Breslin?

– No.

– Meglio –. Non sono dell'umore giusto per sopportare Breslin. Sulla scrivania davanti a Steve c'è una pila di album: foto segnaletiche. Le indico con un cenno del capo:
– E quelle, per cosa sono?

– Malavita, – risponde lui, sbadigliando. – Ragazzi di Lanigan, principalmente. Voglio mostrarle al barman del *Ganly's*, e anche ai vicini di casa di Aislinn, per vedere se qualcuno di loro riconosce...

Lo interrompo. – La teoria della gang è morta –. Suona come un pugno in faccia.

Steve mi guarda senza capire. – Aspetta. Cosa?

– Chiusa. Finita. Non voglio piú sentirne parlare. Sono stata abbastanza chiara?

– Un momento –. Steve ha alzato le mani e poi se le è dimenticate in aria, mentre cerca di capire cosa succede. – Un momento. Allora Breslin a cosa giocava, ieri, quando si è liberato di Gaffney? Non dirmi che credi davvero che sia andato a scopare.

Getto la cartella sul pavimento e mi lascio cadere sulla sedia. Mi fa bene vedere Steve che riceve il colpo. – Forse è andato a fare la manicure, o forse non è andato da nes-

suna parte e voleva solo farci capire che non prende ordini
da noi. Non mi interessa.

– E l'hai visto quando ha dato a Gaffney il denaro per
il suo sandwich, giusto? Quel rotolo di biglietti da cinquanta. Cosa ci faceva?

– Non mi hai sentito? *Non mi interessa.* Se vuole portarsi in tasca tutto il suo fondo di risparmi per impedire
che cada nelle mani degli Illuminati, è un problema suo,
non nostro.

– Va bene, – dice Steve, in tono prudente. Mi guarda
come se avessi preso la rabbia. – Va bene. Cosa è successo ieri sera?

– Ieri sera, – rispondo, – ho fatto una chiacchierata con
un tizio che conosce l'ambiente della malavita come le sue
tasche, e mi ha detto che possiamo escludere quella pista.
Aislinn non aveva nulla a che fare con nessuna gang. Fine della storia. C'è una *minima* e vaga possibilità che non
sia cosí, e se lui trova qualcosa in tal senso ce lo farà sapere, ma è inutile trattenere il fiato nell'attesa. E dobbiamo
essere solo grati di averlo scoperto prima di fare la figura
dei cretini davanti a tutta la squadra.

Steve ha un'aria come se il suo criceto fosse finito sotto
un camion. – Conosci bene questo tizio?

– Piuttosto bene. E da molto tempo.

– Sei certa di poterti fidare di lui?

La sua faccia; come se una cosa del genere non potesse
succedere, non alla sua idea preferita. – Se non mi fidas-
si di lui, cazzo, gli avrei chiesto la sua cazzo di opinione?

– No. Sto solo…

– No. E ti sembro una cerebrolesa?

– No…

– No. Perciò, se dico che possiamo credergli, probabilmente significa che possiamo credergli.

– Va bene, – dice Steve. Ora ha un'espressione neutra; si è ritratto in sé stesso, come fa quando è incazzato.
– Crediamogli.

Lo lascio a smaltire la delusione e mi metto a lavorare,
o almeno ci provo. Non ci riesco; devo leggere ogni frase tre volte, prima di capirla. Di solito sono in grado di
concentrarmi malgrado tutto, avere una scrivania in sala
detective ti insegna a farlo, specialmente la sala detective
dove lavoro io; ma ciò che ha detto Steve mi rode.

Pulci sa molte cose su di me e sulla mia carriera, per uno
che vive sotto copertura profonda da anni. Pensavo che
fosse una bella cosa, che si fosse preso il disturbo di infor-
marsi su di me. E infatti può essere proprio cosí; o forse no.

All'improvviso mi ritrovo a guardare sotto un'altra luce ogni passo della nostra calda conversazione, in cerca di
crepe attraverso le quali intravedere il suo obiettivo segreto. Vuole che faccia marcia indietro per evitare che metta
in pericolo un'operazione antidroga, o magari perché non
vuole i miei germi su quello che sta facendo; o perché è
passato dall'altra parte della barricata e vuol proteggere
il suo nuovo capo. Analizzo anche me stessa, chiedendomi se davvero avevo bisogno di parlare con lui per scopi
di lavoro o se stavo solo cercando una scusa per farmi un
sandwich e quattro chiacchiere con una persona che non
mi considera un'intoccabile. Non credo nei giudizi con il
senno di poi e non credo nelle analisi introspettive e mi
scoccia parecchio ritrovarmi a fare entrambe le cose. Vorrei aver maltrattato Steve piú a lungo, già che c'ero. Spero
che si senta una merda.

Do una scorsa ai miei messaggi, quelli che sono riusciti ad arrivare fino alla mia scrivania o alla mia segreteria
telefonica. Se qualcuno ha cancellato quelli davvero inte-

ressanti, ha fatto un ottimo lavoro. C'è il referto corretto dell'autopsia di Cooper; un paio di segnalazioni che dovremo controllare: qualcuno ha visto una donna somigliante a Aislinn, qualche settimana fa, litigare in un night club con un tizio che sembrava un giocatore di rugby; sabato pomeriggio qualcun altro ha visto in Viking Gardens tre adolescenti maschi con atteggiamento sospetto, qualsiasi cosa voglia dire. Il rapporto della Scientifica: le macchie sul materasso di Aislinn non sono di sperma, il che significa che probabilmente sono di sudore. I tecnici stanno cercando di rilevare il Dna, ma non promettono nulla: Aislinn teneva una temperatura elevata in casa, i materassi non sono sterili e il calore e i batteri possono aver degradato il Dna fino a renderlo inservibile. Fatico a credere che faccia una grande differenza, in un modo o nell'altro.

Una grossa pila di carte contiene tutte le e-mail di Aislinn, da confrontare con quelle presenti sul suo account, nel caso qualcosa sia stato cancellato. Questo ci terrà occupati fino a farci esplodere il cervello. Stronzate di questo tipo sono il motivo per cui Dio ha creato le reclute, ma se c'è una minima possibilità di trovare qualcosa di utile per questo caso, il posto dove cercare sono i dati digitali di Aislinn. Perciò divido in due la pila di carte e ne spingo la metà verso Steve. Lui dice: – Grazie, – senza guardare e la spinge di lato. Penso di dargli un calcio sotto il tavolo, ma lascio perdere. Spargo sulla scrivania gli stampati delle e-mail di Aislinn e quelli del contenuto delle sue caselle di posta e inizio il controllo incrociato, lavorando all'indietro. Domenica, ore 3.18, ricevuta di pagamento da un sito di cosmetici. Ore 3.02, spam da una inesistente ragazza russa in cerca di compagnia; entrambe le mail sono ancora nella casella di posta in arrivo. Vorrei posare la testa sulle carte e dormire.

Le reclute arrivano una alla volta, scattano fuori dall'annebbiamento mattutino non appena vedono me e Steve e si mettono a svolgere i compiti che gli sono stati affidati nella riunione di ieri. Do a Gaffney il referto di Cooper da battere al computer. Ce l'ho ancora con lui per non essere tornato da Stoneybatter con una identificazione vocale. Breslin entra canticchiando, saluta tutti con un allegro: – Ehi, *camperinos*! – e dice a me e Steve: – Due ex di Rory fatte, due ancora da fare. Chi è l'uomo per questo compito?

– Sei tu, – risponde Steve in automatico, voltando una pagina. – Hai ottenuto qualcosa di buono?

– Nessuna sorpresa. Rory è un bastardello prevedibile. Vediamo se le altre due avranno qualcosa di interessante da dirmi –. Breslin si china verso la nostra scrivania e cerca di leggere, alla rovescia, quello che sto facendo. – Che cos'è tutto questo?

– Sono le e-mail di Aislinn, – rispondo.

– Ah. E?

– E se vuoi uno sconto del settanta per cento su un favoloso vestito da dea, posso consigliarti a chi rivolgerti.

– Un gran divertimento, mi sembra –. Mi fa il suo sorriso da star del cinema, prende la pila della posta inviata di Aislinn e sfoglia rapidamente le pagine. – Gesú, capisco cosa intendi. C'è da invecchiare, prima di finire. Volete che ci pensi io?

– No, tranquillo –. Non mi prendo il disturbo di insospettirmi. Breslin sembra fatto apposta per sollevare i miei sospetti, ma ho finito di stare al suo gioco. – Io ho cominciato, io finisco.

– Conway –. Il sorriso di Breslin si fa un po' triste. – Sto solo cercando di mostrarti che so chi è il capo, in questa indagine. Se hai bisogno di qualcuno che faccia un po' di lavoro noioso, mi sto offrendo per farlo.

– Grazie, – dico. – Va bene cosí.

Dopo un paio di secondi, Breslin fa spallucce. – Come vuoi –. Da' un'altra scorsa alle e-mail, con piú calma, poi le molla sulla mia scrivania. Volta dalla sua parte anche la pila di carte davanti a Steve e dà una buona occhiata. Si tratta delle altre e-mail di Aislinn, anche se Steve le stava ignorando, finché non è entrato Breslin.

– Ah, no, – dice Steve. – Ormai ho quasi finito. E se non sono morto di noia fino a ora…

Breslin scrolla di nuovo le spalle e rimette giú le carte.
– Ricordati, – dice, rivolto a me, – che mi sono offerto.

– Me lo ricorderò. Goditi le ex.

– Mah, non coltivo grandi speranze. Avreste dovuto vedere le prime due –. Si siede alla sua scrivania, fa un paio di telefonate untuose per ottenere gli appuntamenti e si alza di nuovo. – E non ho bisogno di aiuto nemmeno oggi, – dice uscendo, con una strizzatina d'occhio a me e Steve. Noi rispondiamo con sorrisi automatici.

– Perché è venuto in ufficio? – commenta Steve, appena è uscito. – Avrebbe potuto fare quelle telefonate in qualsiasi posto.

Ha ancora un tono piatto, ma almeno mi parla, il che dovrebbe farmi sentire tutta felice. – Non riesce a stare lontano dal tuo bel visino, – dico.

– Sul serio. Voleva solo controllare quello che stiamo facendo. E provare un'altra volta a prendersi l'esame dei dati digitali. Cosa teme che troviamo?

– Non mi interessa –. E quando Steve apre di nuovo la bocca, lo ripeto: – Non mi interessa.

Lui alza gli occhi al soffitto, spinge via le e-mail e torna a fare quello che stava facendo prima. Provo a riprendere da dove avevo lasciato, ma ho perso la concentrazione; tutta la spam mi si confonde davanti agli occhi, diventando un'unica, infinita, offerta di viagra. Le mie gambe non stanno ferme, vorrei solo alzarmi e muovermi.

L'unica cosa che ancora cerca debolmente di farsi sentire, nella mia testa, è la storia di Lucy sull'uomo segreto di Aislinn. È da lí che è partita tutta la stronzata delle gang, ma ora che l'abbiamo esclusa, la storia è ancora lí e chiede una spiegazione. Penso, e avrei dovuto pensarlo due giorni fa, che Lucy può aver avuto altre ragioni per mostrarsi reticente. Forse quell'uomo è un suo collega di lavoro, sposato. Dopotutto, Aislinn ha conosciuto Rory attraverso Lucy. Se ha incontrato un altro uomo, è piú che possibile che sia successo nello stesso modo. E Lucy non vuole drammi sul posto di lavoro, se l'uomo scopre che è stata lei a creare l'occasione. O forse, come avevo pensato all'inizio, quest'uomo non esiste. Sono tentata di andare a prendere Lucy a casa, portarla qui e torchiarla come si deve, finché non mi dirà se la storia dell'amante segreto è una sua vendetta contro un ex di Aislinn o un modo per spingerci a non scartare nessuna possibilità. Dopodiché potrò finalmente chiudere questa pista del cazzo e non pensarci piú.

In quel momento Steve alza la testa di scatto. – *Antoinette*, – dice. Ha dimenticato che ce l'ha con me.

– Cosa?

Spinge un foglio verso di me. Ha le sopracciglia alzate fino a metà della fronte.

Si tratta di una delle fotocopie che ha fatto ieri: la dichiarazione giurata di un cliente di Desmond Murray, che fornisce il proprio alibi. La firma del poliziotto che ha preso la dichiarazione è uno scarabocchio, ma il nome scritto sotto a macchina è chiarissimo: detective Joseph McCann.

Incrocio lo sguardo di Steve. Lui dice, pianissimo: – Che diavolo…?

L'Irlanda è piccola, i detective non sono moltissimi, sarebbe piú strano se almeno uno dei detective del caso Murray ora non lavorasse alla Omicidi. Questo spiega perché Gary ha insistito tanto che tenessi la bocca chiusa: se mi metto ad agitare le acque, i guai scoppieranno molto vicino a casa. A parte questo, non so dire, tra la luce incerta che entra dalle finestre e quello che è successo negli ultimi mesi, se si tratti di un'altra manciata di nulla o se i miei campanelli di allarme debbano scattare a tutto volume.

Dico: – Bisogna controllare il resto delle fotocopie che hai fatto dal fascicolo. Dammi la metà dei fogli.

Leggiamo in fretta, con un occhio alla porta. Quella firma scarabocchiata è dappertutto. Se ieri non avessimo avuto tanta fretta, non avremmo potuto mancare di notarla: McCann, McCann, McCann. Non è stato tirato dentro per dare una mano solo durante lo sforzo iniziale, come Gary. McCann era proprio al centro del caso.

Rivedo Aislinn china sulla mia scrivania, tutta occhi grandi e dita intrecciate, che mi racconta del detective che le aveva accarezzato la testa, dicendo: «Tu hai dei bellissimi ricordi di lui, e non vogliamo cambiare la situazione, no? A volte è meglio lasciare le cose come stanno». Poteva trattarsi di McCann.

Steve solleva un fascio di carte che rappresenta circa un terzo di quelle che si era preso da esaminare. Dice piano: – Tutti questi.

– Sí, – dico, sollevando un fascio piú o meno uguale. – E questi.

Steve mi prende di mano i fogli, li rimette nel fascicolo e chiude il tutto nel cassetto della scrivania, con aria tranquilla. Non so se accusarlo di essere paranoico o dirgli di fare in fretta.

– La grande domanda, ora, è questa, – dice. – McCann e Breslin hanno capito subito che il papà di Aislinn era la persona scomparsa di cui si era occupato McCann?

Intreccio le mani dietro il collo per tenerle ferme. Nessuna recluta guarda dalla nostra parte. – Non lo so. Ho osservato Breslin, quando gli ho detto che in quella scatola c'era il fascicolo della scomparsa del padre di Aislinn. Giuro che mi è sembrato sollevato. *Se* c'è qualcosa che non vuole che scopriamo, non si tratta di quello.

– Gli hai detto che avevamo guardato il fascicolo senza trovare nulla di utile. Forse era sollevato perché non avevamo notato il nome di McCann.

– Ma perché? In che modo avrebbero fatto il collegamento?

– Breslin parla a McCann del nostro caso, menziona il nome della vittima…

– Come ho già detto, devono esserci decine di Aislinn Murray, là fuori. Davvero credi che McCann ricordasse un nome tanto comune? Dopo diciassette anni? Non era lei la persona scomparsa, o il referente di famiglia. Era solo una bambina sullo sfondo.

– McCann ha lavorato duro a quel caso, – dice Steve. – Forse gli è rimasto in mente.

– E anche se fosse? Nella scomparsa di Desmond non c'è nulla di losco. Non c'è neppure *spazio* per questo. Cosa gliene importa se la colleghiamo al nostro caso?

Steve scuote la testa. – Nulla di losco, a parte il fatto che non hanno detto nulla alla famiglia. Diciamo che Breslin e McCann sanno che McCann ha combinato qualche casino, riguardo a quel caso. Forse pensano che questo abbia giocato un ruolo nella morte di Aislinn. O forse semplicemente non vogliono che il casino venga fuori. Perciò

tentano di farci inghiottire a forza Rory Fallon, sperando
che vada giú in fretta.

Forse è la stanchezza, il riscaldamento e il poco caffè
che ho preso, ma ho il cervello avvolto da uno strato di
nebbia; non riesco a capire se la storia sembra buona di per
sé o per il modo in cui la presenta Steve. Lui continua:
– Probabilmente avrebbe anche funzionato. Se tu non fossi
stata di turno, il giorno in cui Aislinn si è presentata alla
Persone scomparse, non avresti avuto quel ricordo. Forse non avremmo mai nemmeno saputo che suo padre era
scomparso e che lei aveva tentato di ritrovarlo.

Mi piacerebbe tanto crederci. Se Breslin sta solo cercando di confondere le acque sul caso e non ce l'ha con
noi, cioè con me, personalmente; se non ci sono di mezzo
gang o poliziotti corrotti, ma solo qualche pasticcio combinato da McCann diciassette anni fa, che lui non vuole
si venga a sapere, allora li abbiamo in mano tutti e due. E
c'è un'ottima possibilità di trovare un accordo che accon-
tenti tutti. Per un attimo me lo sento dentro, nel corpo: il
peso della stanza si solleva dalle mie spalle, una scarica di
forza ossigena ogni cellula. «Vediamo se ora proverete ancora a prendermi per il culo, stronzi figli di puttana». Ho
finalmente in mano le carte vincenti, e le ficcherò cosí a
fondo nel culo di Roche che sputerà assi per mesi. Ed ecco che la squadra Omicidi si trasforma alla fine nel posto
in cui sognavo di venire a lavorare tutti i giorni.

Solo che non ci credo, per quanto ci provi. La stanza torna a pesarmi addosso, l'aria spessa e surriscaldata,
Reilly che batte sui tasti come se volesse sottomettere la
tastiera. E la forza esce da me, per finire appallottolata e
buttata via da qualche parte.

– Sí, – dico. – Sarebbe bello. Ma per quale motivo a
Breslin e McCann dovrebbe importare qualcosa? Forse

non è stato bello che i detective abbiano tenuto all'oscuro Evelyn Murray, ma hanno rispettato il regolamento. Mettiamo che adesso si venga a sapere, cosa può succedere? «Ehi, ecco una copia della nostra politica su come rispettare la sensibilità delle vittime, leggila quando hai tempo». Non rischiano certo di tornare a lavorare in divisa, soprattutto non dopo tutto questo tempo.

– Dipende dal *motivo* per cui hanno tenuto all'oscuro Evelyn. Anche se il tuo amico Gary non è d'accordo, questa storia è strana, Antoinette. Quando eri alla Persone scomparse, hai mai fatto questo a una famiglia? Trovare una risposta e non dare loro neppure un minimo accenno? Mai?

La testa di Steve vicina alla mia e l'urgenza nella sua voce sono ridicole; mi fanno sentire come una bambina che gioca alla polizia, con distintivi di cartone e un mucchio di parole tecniche imparate alla tivú. Mi allontano da lui.

– E allora? McCann non era neppure il detective incaricato del caso. Se anche ci fosse qualcosa di poco chiaro dietro quel comportamento, la responsabilità non è sua.

Steve dice: – Da quanto tempo è sposato McCann?

– Bernadette ha fatto circolare un biglietto di auguri per un anniversario, l'anno scorso. Le nozze d'argento, mi sembra. Perché?

– Quindi era già sposato quando lavorava a quel caso. Gary ha detto che i detective erano tutti infatuati di Evelyn. E se per McCann fosse stata piú di un'infatuazione? Se tirava in lungo il caso solo per avere un pretesto per continuare a vedere quella donna?

Il calore e il ticchettio di tasti continuano ad avvolgermi la mente in uno strato isolante. Immagino di prendere la tastiera di Reilly e di spezzarla in due su un ginocchio.

– Ma il caso non è stato tirato in lungo. L'hanno chiuso non appena hanno trovato Desmond.

– Certo, almeno ufficialmente, e noi abbiamo anche detto che era strano che non l'avessero chiuso prima, ricordi? Ma forse McCann ha detto a Evelyn che avrebbe continuato a indagare nel suo tempo libero, per poter restare in contatto con lei. Forse tra loro c'era davvero qualcosa, e forse no; ma in un modo o nell'altro, McCann non vuole che si sappia. Il suo matrimonio non è in gran forma, se non sbaglio. E ha diversi figli. Se la moglie dovesse scoprire che usava il lavoro come scusa per fare il filo a Evelyn Murray, potrebbe servirsene per…

Prima ancora di rendermene conto, dico: – Basta. Finiscila.

Mi viene fuori ad alta voce. Un paio di reclute alzano la testa. Gli lancio un'occhiata che li convince a riabbassarla immediatamente.

Steve mi sta fissando: – Cosa vuoi dire?

Ci vuole tutta la mia energia per tenere bassa la voce: – Tutta questa roba è *immaginaria*. Davvero non l'hai ancora capito? Praticamente ogni singola cosa che hai detto da quando abbiamo preso questo caso l'hai tirata fuori direttamente dal tuo buco del culo. Gang, relazioni segrete e tutto il resto, Cristo santo.

– Ho elaborato delle teorie, – ribatte Steve. Mi sta ancora fissando. – È il nostro lavoro.

– Teorie, sí. Favolette del cazzo, no.

– Non si tratta di…

– Invece sí, Moran. È quello che sono. Certo, tutto è possibile, ma non c'è uno straccio di prova a supporto di quello che dici. Continui a ripetermi che Aislinn era fantasiosa e inventava storie che le permettessero di sopportare la sua vita di merda, e tu stai facendo *la stessa cosa, cazzo*.

Steve si morde un labbro e scuote la testa. Mi chino verso di lui, con il bordo della scrivania che mi preme contro le costole, e gli getto le parole in faccia. – Rory Fallon ha ucciso Aislinn Murray perché hanno avuto una stupida lite e lui ha perso il controllo. Breslin e McCann cercano di incasinarmi il caso perché vogliono che me ne vada. Desmond Murray non c'entra nulla. Non c'è un thriller nascosto, in questo caso, Moran. Niente che possa trasformarti in Sherlock Holmes che insegue un maestro del crimine. Sei una scimmia addestrata che lavora a un classico caso di lite tra innamorati finita male, mentre la tua squadra di merda ti fa sentire di merda perché è composta da gente di merda. Fine.

Steve è impallidito sotto le lentiggini e respira forte dal naso. Per un attimo penso che stia per alzarsi e andarsene, poi mi rendo conto che non prova umiliazione, ma rabbia. Steve è furioso.

Fa per dire qualcosa, ma gli punto un dito in faccia. – Sta' zitto. Avrei dovuto capirlo dall'inizio. In realtà l'avevo capito, solo che come un'idiota mi sono lasciata trasportare da te e dalla tua bella storia. Se ci fosse stata anche solo una briciola di qualcosa di buono in questo caso, non l'avrebbero mai affidato a n...

Steve si fa indietro sulla sedia, di scatto. – Oh, Gesú, non cominciare. «Tutti vogliono solo fregarmi, il mondo è contro di me...»

– Non osare...

– È come lavorare con un'adolescente in crisi. Nessuno ti capisce, vero? Allora vuoi sbattere la porta, chiuderti in camera tua e tenere il broncio?

Non capisco come abbia fatto a vivere cosí a lungo; forse si inietta la candeggina nelle orecchie tutte le sere, per togliersi dalla testa la giornata appena trascorsa e mantenere la sua innocenza. – Piccolo bastardo viziato, – dico, e vedo che spalanca gli occhi. – Con tutta la tua immaginazione, non riesci a immaginare che qualcun altro possa avere una situazione meno facile della tua?

– Lo *so* che per te non è facile. Lavoro con te, ricordi? Lo vedo tutti i giorni. Ci sono persone che ti fanno brutti scherzi. Ma non significa che tutto ciò che succede sia sempre e solo una scusa per gettarti in pasto ai lupi. Non sei cosí importante, cazzo.

Stiamo entrambi facendo uno sforzo per mantenere un tono calmo. Da qualche metro di distanza, cioè dalle scrivanie delle reclute, la nostra può sembrare una normale discussione di lavoro. Ma questo la rende solo piú violenta.

– Capisco che a te piacerebbe sentirmi parlare in modo diverso, Moran. Lo capisco. La tua vita sarebbe molto piú facile se…

– A me *piacerebbe* solo una cosa: smettere di camminare sulle uova; mi *piacerebbe* smettere di fare le capriole per metterti di buon umore, cosí eviti di staccare la testa a morsi a chiunque ci si avvicina.

Le sue stupide battute quando sono incazzata, finché cedo e gli faccio il sorriso che sperava. Credevo fosse solo perché gli piaceva avere un rapporto cordiale, o addirittura pensavo di piacergli io, e per questo volesse farmi sentire bene. Le sue parole mi colpiscono come acqua di fogna in faccia: mi pilotava verso il buonumore cosí non avrei distrutto le sue possibilità di fare amicizia con i ragazzi. E io ci sono caduta, una volta dopo l'altra, ho riso con lui e il mondo mi è sembrato migliore. Steve faceva il suo balletto e io battevo le mani tutta contenta.

– Ora stiamo finalmente arrivando al punto, – dico. – Ti piacerebbe credere che ciò che fai è per salvarmi da me stessa, ma si tratta solo del fatto che vuoi restare nelle grazie di tutti.

Lui getta indietro la testa, esasperato. – Si tratta solo di non rendere ogni cosa dieci volte piú difficile. Per me o per te. È cosí terribile? Mi rende una persona orribile? – Non farlo per me. Tu desideri un bell'abbraccio di gruppo e un lieto fine, e forse li avrai, ma sappiamo tutti e due che per me non succederà.

– No, – dice Steve. – Non succederà –. La rabbia gli comprime le parole in schegge dure, che sbattono sulla scrivania tra di noi. – Perché tu sei sempre cosí decisa a esplodere che lo faresti anche se l'intera polizia ti amasse follemente. Saresti disposta a darti fuoco da sola, pur di poter dire a te stessa che lo sapevi dall'inizio. Congratulazioni.

Tenta di spingere la sedia verso la sua metà della scrivania, dove potrà mugugnare in pace su che razza di stronza sono, ma non glielo lascio fare. Gli afferro un polso, sotto il bordo della scrivania. – Stammi a sentire, – dico, in un sussurro, stringendogli il polso abbastanza da fargli male e sforzandomi per non stringere ancora di piú. Reilly ha smesso di pestare sui tasti e il silenzio mi entra nelle orecchie e nel naso, rendendomi difficile respirare. – Stronzetto leccaculo, stammi a sentire.

Steve non sussulta, non si tira indietro. Mi fissa, occhi negli occhi. Solo la linea sottile della sua bocca rivela che gli sto facendo male.

Dico: – Non hai idea di quanto io *volessi* che questo caso fosse una storia di gang. Non puoi nemmeno immaginarlo. Perché se lo fosse, spiegherebbe tutto. Breslin che ci spinge addosso Rory, il capo che ci rompe i coglioni, McCann che prova a farsi consegnare i fascicoli di quel vecchio caso, Gary che non vuol farsi beccare in mia compagnia. Starebbero tutti tentando di proteggere un'indagine piú grande, o un poliziotto corrotto, o magari il fatto che tutti loro sono sul libro paga di qualche boss. Ma il mio amico che lavora sotto copertura dice che non c'è nemmeno l'odore di un collegamento con una gang. Nulla di nulla.

Tenere la voce bassa mi fa male alla gola, come se mi fosse andato qualcosa di traverso. – Sai cosa vuol dire questo? Vuol dire che Breslin e McCann hanno fatto quello che hanno fatto in modo specifico e deliberato per fregare me. Non c'è un altro motivo. Tutte quelle stronzate, il rotolo di banconote da cinquanta, gli appuntamenti segreti, vuoi proprio sapere di che si tratta? Breslin e McCann non sono piú corrotti di quanto lo siamo noi. Volevano che io dessi loro la caccia, per poi trascinarmi davanti al capo: «Guarda, capo, lei ha controllato i nostri dati finanziari, ha messo cimici nei nostri telefoni, è una pazza, un pericolo per la squadra...» E il lavoro è concluso: io vengo sbattuta fuori –. Dirlo mi fa annodare lo stomaco. Me l'ero proprio bevuta. – E se siamo a questo punto, se persone come Breslin e McCann, a cui io non ho mai fatto niente, sono disposti a tanto pur di mandarmi via, sono fottuta, Moran. Fottuta. Non c'è la possibilità di fare marcia indietro. Tutto questo può finire solo in un modo.

Steve dice, piano e in modo chiarissimo: – Lasciami andare.

Dopo un momento, gli lascio il polso. Lo stringevo cosí forte che le dita mi restano bloccate in posizione. Gli sono rimasti segni bianchi sulla pelle.

Steve tira giú la manica, poi si mette il soprabito, prende i suoi album di foto segnaletiche ed esce.

Un paio di reclute alzano la testa, seguendolo con lo sguardo, poi guardano me, con vaga curiosità. Io li fisso senza nessuna espressione e ascolto il sangue che mi pulsa nelle orecchie. Da quanto posso capire, non ho piú un partner. Mi sembra che tutto, nella stanza, saltelli e mi faccia le boccacce, con un coro di «ah, ah, ah», perché avrei dovuto saperlo fin dall'inizio.

Chino la testa e mi metto a sfogliare carte senza vederle. Parole a caso, tipo «inconsistente», «campione», «tra», emergono e tornano a scomparire prima che capisca a cosa si riferiscono. La sala puzza di detersivo liquido, fumo di sigarette stantio che sale dal cappotto di qualcuno e mela marcia; qualcuno deve averne mangiato la metà, ieri, e lasciato il resto da qualche parte.

Non lo capisco tutto in una volta, ma lentamente, come il gocciolio di una flebo in vena.

Steve si è prodigato fin dall'inizio perché seguissimo la pista inesistente della criminalità organizzata, che poteva costarmi il caso e rendermi lo zimbello della squadra. Steve ama piacere e desidera tanto essere ben accolto nella squadra, e potrebbe avere entrambe le cose in un batter d'occhio, se solo io mi togliessi di mezzo. Steve, mentre andavamo sulla scena del delitto, mi ha chiesto se avrei approfittato dell'offerta del mio amico di lavorare per una ditta di sorveglianza.

Steve è andato da solo nella cucina di Aislinn Murray, da dove ha potuto inviare un messaggio al Bieco Crowley.

Ci sono delle storie, su Steve. Cose di poco conto, che risalgono a diversi anni fa, ma io me le ricordo. Quando eravamo ancora all'accademia, avevo sentito dire che Steve aveva scritto la metà dei compiti per il figlio di un ispettore e che faceva il leccaculo per assicurarsi una buona posizione di secondo piano. Avevo liquidato tutto, pensando che fosse solo astio: i ragazzi di campagna non accettavano di essere superati da un dublinese che era poco piú di un coatto. Non conoscevo Steve abbastanza perché me ne fregasse qualcosa. Ma poi, durante il nostro primo caso insieme, ho sentito dell'altro. Si diceva che Steve avesse fregato il detective incaricato di un caso per mettersi in luce e guadagnarsi favori, e uscire dalla melma delle reclute per entrare in una squadra. Il tizio che me l'ha detto aveva dei motivi suoi; io ho deciso di ignorarlo e di fidarmi di Steve. E ho avuto ragione, quella volta.

Quella volta, Steve aveva tutto da guadagnare, restando dalla mia parte. Stava cercando il modo di entrare alla Omicidi, e cominciava a temere che non l'avrebbe mai trovato. Dopo un solo giorno di lavoro insieme, quel modo gliel'ho offerto io.

Stavamo bene insieme, pensavo. Mi piaceva, per esempio, che quando uno dei due confutava un'idea dell'altro, veniva sempre fuori qualcosa di nuovo, e mai un binario morto. Mi piaceva come stavamo imparando a controbilanciarci: sapevamo istintivamente quale ruolo avrebbe assunto l'altro in un interrogatorio, io sapevo quando tirarmi indietro e lasciar fare a lui, quando entrare in gioco e cambiare musica. Mi piaceva come mi faceva notare quando avevo fatto una stronzata, non perché il suo ego non lo sopportasse, ma perché quella stronzata era di ostacolo all'indagine. Mi piaceva ridere con lui. Un paio di volte, anzi di piú, mi sono sorpresa a pensare al nostro futuro insieme, come una ragazzina sentimentale: un giorno avremmo avuto in mano i casi importanti, e avremmo elaborato piani geniali per catturare gli psicotici piú astuti; i nostri interrogatori sarebbero rimasti nella storia della squadra. La dura e feroce Conway si faceva venire gli occhi umidi. Come avrebbero riso, i ragazzi.

Che pollastra. Quando ho incontrato Steve, la Omicidi mi aveva già dato una bella ripassata; è bastato un po' di sollievo, un minimo di lealtà, e mi sono fatta in quattro, tutta felice, per far entrare Steve nella squadra. Ovviamente, lavorare insieme mi piaceva; lui aveva tutti i motivi per rendersi competente ai miei occhi. Sapevo che Steve era un campione nell'adattarsi a essere quello che tu preferivi vedere, glielo vedevo fare ogni giorno; ma in qualche modo ero riuscita a convincermi che tra noi fosse diverso. Mi do la nausea.

Ora invece non ha nulla da guadagnare a stare con me, e molto da perdere. Intanto le tastiere ticchettano, il vento scuote la finestra, ogni poro della pelle mi dà il formicolio. Quando mi passo le mani sulla testa, i capelli non mi sembrano miei.

Non riesco a pensare. Non capisco se si tratta di paranoia totale o dell'ovvio che finalmente mi è andato a sbattere in faccia. Dopo due anni passati a guardarmi le spalle, attenta a ogni passo e a ogni parola, sempre in assetto da combattimento, i miei istinti sono andati in tilt. Per un attimo penso sul serio di chiamare qualcuno per chiedergli un parere spassionato; ma anche se volessi farlo, e non voglio, l'opzione non esiste. Sophie, Gary, Pulci: tutti i nomi a cui penso mi sembrano scivolosi e doppi, immagini che scorrono via prima che riesca a metterle a fuoco.

Reilly dice qualcosa, e lui e Stanton scoppiano in una grassa risata, che in pochi secondi si trasforma in un vero e proprio attacco di risa. Non posso piú stare in questa stanza. Provo a chiamare il cellulare di Lucy, ma è spento. Frugo tra le carte finché trovo il foglio con i dati per contattare due degli ex di Aislinn – nessuno ha ancora seguito la sua avventura con lo studente spagnolo quando aveva diciassette anni – e me lo metto in tasca. Poi mi infilo il cappotto e vado via.

11

Aislinn sapeva proprio scegliere. I suoi ex fanno sembrare persino Rory emozionante come un giro sulle montagne russe. Il primo fa il ragioniere per una ditta di software che ha passato un brutto periodo durante la recessione, a giudicare dalla moquette consunta e dalle macchie di umidità sul soffitto, ma ora l'attività in ufficio suggerisce una ripresa. Aveva conosciuto Aislinn una volta mentre erano in coda per comprare un sandwich, quando avevano entrambi diciannove anni, ed erano usciti insieme per circa sei mesi. Tutti e due avevano chiarito fin dall'inizio che non erano in cerca di una relazione seria, e quando si erano stufati erano andati ciascuno per la propria strada, senza rancore e senza promesse di restare amici. Si ricorda di Lucy, vagamente, ma non ha mai avuto nessun problema con lei e non riesce a pensare a un motivo per cui Lucy potrebbe avercela con lui. È carino, in un modo un po' anonimo, e sembra un ragazzo per bene. Dice che Aislinn era simpatica, che sono stati bene insieme, ma ora ha una fidanzata, sabato scorso l'ha portata fuori a cena, e non ha mai cercato Aislinn nemmeno su Facebook.

Il secondo ex è forse un pelo meno noioso. Lavora in un call center, in un imponente edificio aziendale sorto in un campo nel mezzo del nulla; o un'idea geniale per un distretto d'affari che è rimasta schiacciata dalla crisi, o una perdita accuratamente pianificata per fini fiscali.

Quattro piani su cinque sono vuoti; al quinto ci sono varie decine di impiegati, intenti a chiacchierare a voce alta, tanto non rischiano di disturbare nessuno. Per parlare con me, il giovane mi conduce in un ufficio d'angolo da top manager, spoglio e con la scrivania enorme coperta di polvere. Aveva conosciuto Aislinn attraverso Lucy, cinque anni fa, durante un periodo in cui tentava di lavorare come tecnico delle luci. Si erano visti per otto mesi, e lui cominciava a pensare che fosse qualcosa di speciale, quando lei l'aveva mollato. Gli aveva detto, e lui le aveva creduto, che anche lei cominciava a pensare che la loro storia stesse diventando seria, e tra il lavoro e la madre malata, non aveva il tempo o l'energia di affrontare una relazione reale. Da allora avevano perso i contatti, e lui l'aveva rivista solo sui notiziari. Da quando aveva lasciato il teatro aveva perso di vista anche Lucy; non avevano litigato, solo che non erano mai stati particolarmente amici e non avevano avuto interesse a tenersi in contatto. Sabato sera lui era a un concerto. Controlleremo gli alibi, ma non mi aspetto sorprese. Lo shock, la tristezza, la sfumatura di nostalgia, sembrano autentici, ma lo sembra anche la distanza: Aislinn per questo ragazzo era il passato. Non le stava addosso, nel tentativo di riaccendere la fiamma, e non ha perso la testa quando l'ha vista prepararsi per un appuntamento che non era con lui.

Era esattamente ciò che mi aspettavo. I colloqui sono andati bene. Con la maschera della «donna di mondo» sono riuscita a far aprire gli ex su cose che non pensavano di rivelare. Solo che nulla di tutto ciò mi è di nessuna utilità.

Torno verso la macchina accompagnata dal sibilo del vento sull'erba alta, che arriva da lontano, da campi al di là della mia vista, mi passa sopra e continua per la sua strada. Normalmente mi sentirei a disagio, troppa natura mi innervosisce, ma alla fine ho ritrovato quella chiarezza mentale che cercavo quando sono andata a correre, stamattina. Per la prima volta da giorni, forse da mesi, riesco a pensare.

Non riesco invece a togliermi del tutto la sensazione che il motivo sia aver mandato via Steve. Senza di lui al mio fianco, che indica in ogni direzione e blatera una serie di cose che possono o meno avere senso, finalmente ho lo spazio necessario per vederci chiaro. E sotto tutti i forse e i miraggi, ci sono solo due cose che valgono la pena.

La prima: Rory Fallon, il triste smidollato. Lui è tutto ciò che c'è in questo caso; ecco perché continuano a venire fuori grossi grumi di nulla: perché non c'è nulla da trovare.

La seconda: questo è il mio ultimo caso alla Omicidi. Posso combattere e vincere contro le strategie di Breslin e McCann e Roche e tutti gli altri per un altro giorno, un'altra settimana, un altro mese. Ma prima o poi farò un passo falso e mi avranno. Mi viene in mente un pugile che schiva tutti i pugni, muovendo il busto e danzando sui piedi, sempre piú veloce, finché a un tratto, *bang*, c'è solo il buio.

Non aspetterò il knock out, per dare a Breslin o a Roche o a chiunque la possibilità di farsi quattro risate alle mie spalle quando mi avranno mandata via. Me ne andrò alle mie condizioni. Chiuderò questo caso e lo farò nel modo giusto, incastrando cosí bene Rory Fallon che il miglior avvocato d'Irlanda non riuscirà a trovare un buco per evitargli una condanna. Poi chiamerò il mio amico della ditta di sorveglianza e gli chiederò se l'offerta di lavoro è ancora valida. E in qualche momento, lungo il percorso, dirò a O'Kelly di andare affanculo e darò a Roche un bel cazzotto sui denti.

Per un attimo mi chiedo se, visto che ho capito tutto alla rovescia, magari ho giudicato male anche Steve. Mi chiedo, anche se ora non ha piú importanza, se lui non volesse solo distrarmi per non farmi notare che ormai sono finita. Mi chiedo se magari a quel povero bastardo ottimista piaceva davvero lavorare con me, se aveva i miei stessi stupidi sogni, quelli di catturare insieme qualche Hannibal Lecter senza nemmeno sudare, fargli scattare le manette ai polsi scambiandoci un cenno d'intesa e dirigerci verso il prossimo caso impossibile, di cui potevano occuparsi solo i migliori tra i migliori. Questo pensiero mi dà una stretta al cuore cosí forte che spero di sbagliarmi.

L'auto è gelida. Anche dopo aver chiuso la portiera sento ancora il rumore incessante del vento sopra troppa erba. Una parte di me vorrebbe allontanarsi a tutta velocità, ma non riesco a pensare a nessun posto dove abbia fretta di arrivare.

Quando rientro in sala operativa, Steve non è ancora tornato. Le reclute stanno pranzando e discutendo di un articolo di giornale che parla male dei poliziotti. Breslin è seduto con la sedia inclinata all'indietro e i piedi sulla scrivania; sta finendo un panino alla salsiccia e sfoglia il «Courier».

– Ah, – dice, portando giú le gambe della sedia e posando il giornale, appena mi vede. – Proprio la donna che aspettavo. Fatto qualcosa di interessante?

– Gli ex di Aislinn, – dico, mentre mi tolgo il cappotto. – Nulla che valesse la pena di sentire. Controlleremo i loro alibi per escluderli dalla lista –. Il titolo in prima pagina del «Courier» è: *Chi doveva venire a cena?* Qualcuno ha detto a Crowley dell'appuntamento di Aislinn.

Breslin toglie i piedi dalla scrivania. – Devo sgranchirmi un po' le gambe, dopo questo, – dice, dandosi un colpetto sullo stomaco. – Andiamo a fare una passeggiata.

– Ho degli appunti da battere al computer.

– Possono attendere –. Poi a bassa voce: – Ho qualcosa che invece non può.

Forse vuole farmi delle confidenze sulla sua amante immaginaria. Non mi disturbo a pensare se ha senso dargli corda, visto che non ha piú importanza, e comunque cosí ho la scusa per uscire dalla centrale operativa. – Perché no, – dico, godendomi la sua espressione sorpresa mentre mi volto e torno verso la porta.

– Allora, ho parlato con le ex di Rory, – dice Breslin, mentre usciamo in corridoio. Mi chiedo dove andremo, per fare questa chiacchierata. Per la prima volta, questa settimana, mi sono resa conto di quanta poca privacy ci sia qui dentro. In sala mensa, in sala detective, negli spogliatoi, c'è un andirivieni continuo. Nelle sale interrogatori ci sono falsi specchi e altoparlanti. Non avevo mai capito prima quanto è importante che la squadra sia parte di te, affidabile e intima come il tuo stesso corpo, se vuoi sopravvivere in questo lavoro.

– E? – chiedo.

Breslin sogghigna. – Come ha detto lui? Che le altre sue fidanzate erano tutte un po' «casual» comparate con Aislinn. Be', tutte brave ragazze, per carità, ma Dio, avrei voluto mandarle tutte a uno di quei programmi televisivi su trucco e cosmetici, raccomandando agli stilisti di portare l'artiglieria pesante –. Scende le scale a passo svelto. – Hai presente quelle maglie pelose che portavano gli studenti negli anni Novanta, per dare l'idea che un giorno sarebbero andati a fare un viaggio con lo zaino a Goa? Ti giuro che l'ultima ex ne indossava una.

– Hai avuto qualche buon risultato?

– Sí e no. Tutte sostengono che Rory sia un piccolo gentleman: mai uno schiaffo, mai un urlo, niente gelosia

ossessiva, o tentativi di controllarle, niente collera quando
non riusciva ad averla vinta, niente di tutto questo –. Si
volta e socchiude la porta della centrale operativa E, l'ex
spogliatoio. È vuota. – Mettiamoci qui.

Mi tiene aperta la porta per lasciarmi passare. Ricevo il
messaggio: qui, dove sarei già se non fosse per il suo aiuto. La stanza è surriscaldata e puzza ancora di sudore e di
roba da palestra; la lavagna bianca è minuscola e macchia-
ta in alcuni punti dove qualcuno ha usato un pennarello
sbagliato, e le sedie sembrano appicciccose. Resto in piedi.

– Ma ecco la parte interessante, – dice Breslin, chiudendo la porta. – Due di loro, tra cui l'ultima con cui ho parlato, dicono che lo hanno lasciato perché Rory era troppo
preso. Le parole esatte di una di loro sono state «un po'
fissato», mentre l'altra ha detto che voleva «andare troppo in fretta». Pensavo volesse fare la ritrosa, ma ho subito capito che non si riferiva al sesso: non ha avuto nessun
problema a scopare al secondo appuntamento, che Dio la
benedica. I giovani d'oggi non capiscono la fortuna che
hanno.

– E quindi a cosa si riferiva?

– Dopo qualche mese che uscivano insieme, Rory sembrava pensare che si trattasse di una grande storia romantica,
in cui la ragazza doveva decidere se voleva una relazione
seria. Lei aveva solo ventiquattro anni. Rory le piaceva,
ma in realtà voleva solo divertirsi e fare qualche conversazione intellettuale – studia Letteratura russa – con in
mezzo tutto il sesso possibile. Non si sentiva pronta a reggere uno che continuava a parlare di quanto sarebbe stato
bello girare il mondo insieme –. Breslin esamina la parete
accanto alla porta, toglie un pezzetto di qualcosa, poi ci si
appoggia contro. – Cosí l'ha lasciato. L'altra ragazza mi
ha detto la stessa cosa, all'incirca. Continuo a sentire che

le donne vogliono solo incontrare un uomo che non abbia
paura di impegnarsi, ma sembra che Rory gravitasse verso l'estremo opposto.

Il secondo ex di Aislinn mi ha detto che quando la relazione aveva cominciato a farsi seria, lei era scappata,
anche se aveva dato la colpa alla madre malata. – Perciò,
quando Rory ci ha detto che tra lui e Aislinn era stato
amore a prima vista, non significa che Aislinn la vedesse
allo stesso modo.

– Esatto. Ricordi quello che ha detto sulla loro cena al
Pestle? Ogni volta che tutto sembrava andare a gonfie vele,
lei smetteva di parlare e lui doveva far ripartire la conversazione. La versione di Aislinn, se potessimo sentirla,
forse sarebbe: «Era un po' fissato, ma era un bravo ragazzo, perciò ho provato a dargli tutte le chance possibili...»

– L'unico problema, – dico, – è che non quadra con ciò
che ci ha detto la migliore amica di Aislinn. Secondo lei
Aislinn era innamorata cotta. E quei messaggi sul suo cellulare, dove scrive quanto era eccitata perché era la prima volta che Rory veniva a casa sua? Non c'è da nessuna parte qualcosa che indichi una sua intenzione di fare
marcia indietro. Se Rory era partito a tutto vapore, a lei
andava bene.

Breslin tira fuori il cellulare, che è grande come la sua
testa e dentro un fodero d'acciaio inossidabile, e se lo rigira in mano. Dice: – Ho una cosa da farti vedere. È tutta la
mattina che cerco di decidere se condividerla con te o no.

Ieri potrei aver abboccato. Oggi, tengo la bocca chiusa e aspetto.

Quando si rende conto che non lo supplicherò, sospira,
ruotando di nuovo il telefono. La luce si riflette sul fodero
di metallo in grigi lampi oleosi. – Io faccio gioco di squadra, – dice. – La gente pensa che sia una specie di fuori-

classe, ma in realtà credo moltissimo nel lavoro di squadra. Questo però vale solo se anche le altre persone della squadra la pensano allo stesso modo. Capisci cosa voglio dire, Conway?

– Sono dura di comprendonio. Abbi pazienza e spiegamelo, per favore.

Breslin finge di pensarci su. Il calore e la puzza si stanno gonfiando come qualcosa di solido che ci preme addosso. – Sei sicura di volerlo sentire?

– Sei tu ad aver detto che hai qualcosa da dirmi. E sí, voglio che tu la dica chiara, senza girarci intorno o fare allusioni.

Breslin sospira di nuovo. – Va bene, – dice, come se mi stesse facendo un favore. – Ecco qua: tu interagisci sempre trattando l'altra persona come un nemico. Ora, sappiamo tutti e due che in alcuni casi avevi dei buoni motivi per farlo, ma anche quando non c'è nessun motivo sei sempre all'attacco. Questo crea un'atmosfera in cui anche la persona piú convinta del gioco di squadra ci pensa due volte, prima di condividere qualcosa con te.

In altre parole, è colpa mia se lui mi ha nascosto qualcosa, nonostante sia io la detective incaricata del caso. Anche se ci fosse ancora un motivo per stare al gioco, non mi resta nulla con cui giocare. – Sputa il rospo, – dico. – O non sputarlo, ma almeno dimmelo, cosí posso andare a battere i miei appunti.

Lui mi fissa, ma non mi prendo nemmeno il disturbo di fissarlo a mia volta. Me lo dirà, muore dalla voglia di farlo. Sta solo cercando di capire cosa può estorcermi in cambio.

– Conway, – dice, con tutta la pazienza messa a dura prova che riesce far trapelare dalla voce. – Capisci a cosa mi riferisco? Dimmi almeno che capisci questo.

– Sí. Sono una stronza. Lo sapevo già –. Mi muovo verso la porta.

– Va bene, – dice Breslin, in fretta. – Questa settimana ho avuto l'opportunità di conoscerti meglio, e non ho
dubbi a credere a tutto il resto.

– Come ti pare.

– Il nostro ragazzo, Reilly. Ricordi che aveva il compito di esaminare i video a circuito chiuso nella zona di
Stoneybatter?

Resto un attimo immobile, poi faccio un passo indietro.

– Bene, – dice Breslin, con un sorriso, per mostrare che
siamo di nuovo amici. – Reilly sta dimostrando di essere
un ragazzo intelligente. Già che c'era, si è fatto dare i video delle ultime quattro settimane, o comunque tutto il
possibile: in qualche posto i video erano già stati sovrare-
gistrati. Ed è rimasto qui fino alle cinque del mattino, con
il dito sul tasto «Avanti veloce».

Viscido bastardello. – Spero ci sia un ottimo motivo per
cui lo sto sentendo da te e non da lui.

– Ecco, volevo proprio chiederti di essere buona con lui.
Ho la sensazione che volesse impressionare me –. Breslin
riesce quasi a trattenere il sorrisetto compiaciuto. – Niente di grave, tra qualche anno le reclute saranno ansiose di
impressionare anche te.

Il messaggio è: se durerai ancora qualche anno. – E cosa ha trovato? – chiedo.

– Ne ho qui un campione. Solo una clip fatta con il telefono. C'è dell'altro, sul computer di Reilly.

Scorre il dito sul cellulare e me lo allunga. Lo prendo
in mano.

Il video è sgranato, ma riconosco subito il posto, perché ci vado spesso: il Tesco di Prussia Street. E riconosco
il tizio mingherlino che prende una bottiglia di Lucozade
dal frigo e la porta alla cassa fai da te. Il profilo delicato,
l'angolazione della testa, le spalle appena un po' ingobbite,

il modo in cui muove le mani. Ho passato ore a concentrarmi su ogni particolare della sua persona, solo due giorni fa.

– Quello è Rory Fallon, – dico.

– O il suo clone. E guarda qua.

Si china verso di me, ingrandisce la foto e zooma sull'o-
rario della ripresa. 21.08, 14/01/2015. Due settimane fa.

Dico: – Rory ci ha detto che ha dovuto cercare il Tesco
piú vicino sul cellulare, sabato sera.

– Infatti. Ci ha dato l'impressione precisa di non essere
mai stato prima a Stoneybatter.

Sullo schermo, Rory prende il resto alla cassa e si guarda intorno. Per un attimo fissa direttamente la telecamera. I suoi occhi, un po' mossi nell'inquadratura, ma aperti
e attenti, sembrano quasi fissare me.

– E come ho detto, – dice Breslin, – questa è solo la
punta dell'iceberg. Abbiamo altri video in cui lui compare a meno di tre minuti a piedi dalla casa di Aislinn come
minimo altre tre volte, questo mese. Giovedí scorso la sua
auto è passata davanti a una telecamera di Manor Street,
domenica 11 gennaio ha comprato il giornale all'edicola
all'angolo e il 5 ha bevuto una pinta da *Hanlon*.

Rory era nervoso quando abbiamo parlato della sua deviazione da Tesco. Pensavo fossero i tempi a innervosir-
lo, ma c'era ben di piú. Rory non aveva nessun bisogno
di cercare i negozi del posto sul cellulare. Li conosceva a
memoria.

– E non contiamo le volte in cui può essere sfuggito a
Reilly e le volte in cui non è passato davanti a qualche telecamera, e le volte che risalgono a piú di quattro settimane fa –. Breslin si riprende il telefono. – Altro che «un
po' fissato», – dice. – Questo è stalking.

– Sembra proprio di sí.

– E non stava portando i pasti agli anziani bisognosi della zona. Se fosse stata una cosa innocente, ce ne avrebbe parlato –. Si fa scivolare il telefono in tasca. – Ora, valeva o non valeva la pena di fare un po' di straordinari, per questo?

– Farò due chiacchiere con Reilly, – dico. – Poi voglio vedere il resto di quei video. Dopodiché faccio venire di nuovo Rory e sentirò cos'ha da dire.

– Perché non cambi quell'«io» in «noi»? Tu e io, insieme, sentiamo cos'ha da dire.

– Sono a posto da sola, grazie.

Breslin inarca le sopracciglia. – Da sola? E Moran?

– È fuori.

– Ah, – commenta Breslin. – Lo hai mandato a scuotere gli alberi per i fatti suoi? Avevo notato che stavi per perdere la pazienza.

– Moran è capacissimo di gestire le sue cose da solo. Non ha bisogno che io lo tenga per mano.

Breslin mi scruta, divertito. – Potevo dirtelo io, che tu e Moran non siete fatti l'uno per l'altra.

– Non te l'ho chiesto.

– Da' a quel ragazzo dodici testimoni, una corrispondenza del Dna e un video che riprende l'omicidio nel momento stesso in cui accade, e lui passerà un anno ad accertarsi che l'assassino non avesse un gemello segreto e i testimoni non fossero confusi e nessuno avesse sputato sul Dna. Non dico sia sbagliato, ci sono casi che richiedono un approccio simile. Ma tu, d'altra parte, sei il tipo che vuole risultati.

– Esatto. Per questo ora vado da Reilly a sentire cos'ha da dire e a guardare quei video, invece di starmene qui a parlare della vita. Ci vediamo piú tardi.

– Gesú Cristo, Conway, puoi rilassarti un attimo? Io *sto dalla tua parte*, lo capisci? Continui a comportarti come se fossi un nemico. Non so da dove hai preso questa idea, ma mi piacerebbe che te ne liberassi.

– Breslin, – dico. – Ti ringrazio di avermi mostrato quelle riprese. Ma io presumo che chiunque in questa squadra sia un nemico, a meno di non avere solide prove del contrario. Sono certa che puoi capire il perché.

– Oh, sí, – dice lui. Socchiude la porta e controlla il corridoio: è deserto. – Capisco perfettamente. Anzi, lo capisco meglio di te. Vuoi sapere la storia che ho sentito, su di te?

Pensa di avere un tono tentatore. – Non puoi presumere direttamente che sia una stronzata, e ripartiamo da lí?

– Sono *certo* che sia una stronzata. Ma tu hai bisogno di sentirla.

– Sono arrivata a trentadue anni senza mai dare spazio alle cattiverie degli altri. Penso di poter andare avanti ancora un po'.

– Invece no. Ogni volta che entri in sala detective, e magari pensi di star solo controllando le tue e-mail e bevendo un caffè, i ragazzi pensano a questa storia, e per quanto riguarda loro, sono convinti che tu sia cosí. E come ti sta andando, nella squadra?

Vuole a tutti i costi raccontarmi la sua storia. Lui e McCann hanno lavorato duro per convincermi che lui è solo un uomo dal cuore d'oro, ma quel tipo di offerta, «dammi una parte della tua vita che te la riscrivo a modo mio», non viene mai dalla bontà di cuore. Perciò rispondo: – Quando avrò bisogno di una mano, te lo farò sapere.

– Ti farà male, non voglio mentirti –. Breslin ha indossato l'espressione empatica, ma gliel'ho già vista addosso, durante gli interrogatori. – Posso capirti se non vuoi affrontarla.

– Infatti. L'unica cosa che voglio affrontare sono i miei casi. E voglio andare a fare quella chiacchierata con Reilly.

Faccio per aprire la porta, ma Breslin mi blocca la strada con un braccio. – Hai avuto un battibecco con Roche, la tua prima settimana qui. Te lo ricordi?

– Appena. È una notizia vecchia.

– Invece no. Lo hai sottovalutato. Pochi giorni dopo, lui ha raccontato a tutti che, quando eri ancora in divisa, hai combinato un casino grosso. Dovevi tenere a bada uno spacciatore, in strada, mentre il tuo partner andava a ispezionare la casa. Invece gli hai tolto le manette perché potesse andare a pisciare dietro una siepe, e lui se l'è filata. Dopodiché tu hai detto al tuo partner – Roche non ha fatto nomi, è troppo furbo per questo – che se l'avesse scritto sul rapporto tu lo avresti denunciato per aggressione sessuale, dicendo che ti aveva tastato le tette nell'auto di pattuglia.

Breslin abbassa il braccio e fa un deliberato passo di lato, liberando l'uscita. Io non mi muovo, come lui si aspettava.

– Il tuo partner lo scrisse ugualmente, – continua, – e tu hai dato seguito alla minaccia, rivolgendoti al capo squadra. La merda è schizzata fino al soffitto, il rapporto è stato riscritto a modo tuo, il tuo partner resterà in divisa per il resto della sua vita, mentre tu hai ricevuto una licenza pagata di tre settimane per riprenderti dal trauma. Qualcosa di tutto ciò ti suona familiare?

Le tre settimane che ho trascorso a fingermi la cugina di Pulci. E prima c'era stato un indiziato, un deficiente strafatto di coca – non ricordo neppure il nome, per dire quanta importanza avevo dato a quella storia – che se l'era filata davanti a me e al mio partner. Il mio partner dell'epoca era un bravo ragazzo, di quelli che hanno scritto in fronte «in divisa per tutta la vita» già dal primo giorno. Roche ha fatto la sua ricerca, si è assicurato che la storia avesse abbastanza attinenza con la verità, in modo da poterla dar da bere a tutti.

Breslin dice: – La metà della squadra ci crede. E voglio-no liberarsi di te, il piú presto possibile, prima che tu faccia un numero simile con qualcuno di loro. E sono molto, molto seri al riguardo.

Mi guarda a occhi socchiusi, in attesa di una lacrima, un tremito, un segno che voglio prendere Roche a calci nei denti. – Avevo ragione, – dico. – Potevo andare avanti benissimo senza saperlo. Grazie, comunque, lo terrò a mente.

Breslin spalanca gli occhi di scatto. – La stai prendendo molto alla leggera, Conway.

– Roche è un pezzo di merda. Non è esattamente una novità. Cosa dovrei fare? Svenire? Mettermi a piangere?

– Non è stato facile dirtelo, sai? Io sono un tipo leale, e molti nella squadra lo vedrebbero come un tradimento. E questa squadra significa molto, per me. Vorrei almeno un po' di gratitudine per ciò che ho fatto.

Ancora un minuto e avrà la schiuma alla bocca dall'indignazione, e io dovrò ripulirla prima di poter tornare al lavoro. – Ti sono grata, – dico. – Sul serio. Solo non capisco perché tu me l'abbia detto.

– Perché qualcuno doveva farlo. Il tuo partner avrebbe dovuto farlo mesi fa. Dài, Conway, è ovvio che Moran lo sa. Credi che Roche non l'abbia preso da parte, appena arrivato, per dirgli con chi era finito a lavorare? – Breslin sta ancora aspettando una mia reazione, con occhi freddi e attenti da poliziotto, dietro l'accenno di sorriso. Vuole che questa discussione finisca con me che piango sulla sua spalla o prendo a pugni i muri o entrambe le cose. Tutta l'energia che ci mette; che spreco. – Il tuo partner deve proteggerti. Non staremmo parlando di questo, se lui avesse fatto ciò che doveva.

– Forse non ha visto nessun motivo per cui dovessi saperlo.

– Cosa? Ma certo, che dovevi saperlo. E devi saperlo *ora*,
anzi, no, dovevi saperlo mesi fa. Ormai sei agli sgoccioli,
Conway. Mi *capisci*? – Breslin si avvicina troppo, incombe
su di me, è il sistema che usa con gli indiziati che sono lí
lí per confessare. – Hai ancora una possibilità, ma è l'ultima. Se smetti di trattarmi come un nemico, avrai chiuso
il caso per la fine di questa settimana. Io potrò garantire
per te in sala detective, e la mia parola ha un certo peso.
E se poi riesci a comportarti in modo civile con i ragazzi,
sei a posto, e sarai una ricchezza per la squadra, e come
ho detto, per me significa qualcosa. Ma se continui a bloccarmi perché hai il complesso della martire, il caso andrà
a puttane e io non sarò piú dalla tua parte, perché non mi
piace legare il mio nome a casi che sono andati a puttane.
E a quel punto, per dirla come va detta, tu sarai fottuta.

Si appoggia di nuovo contro il muro, mettendosi le mani in tasca. – Sta a te decidere –. Il cavaliere nella lucente
armatura, pronto a salvarmi se solo glielo lascio fare.

Io non accetto di farmi salvare. Accetto un aiuto, questo sí, come l'ho accettato da Gary e da Pulci. Il salvataggio, quando stai affondando per la terza volta, dopo aver
tentato di tutto senza successo, è una cosa diversa.

Se qualcuno ti salva, ti possiede. Non perché sei in debito con lui, questo lo puoi sistemare a colpi di favori o di
cassette di liquori. Il tuo salvatore ti possiede perché tu
non sei piú il protagonista della tua storia. Sei solo il povero perdente/damigella indifesa/spalla impavida, che è
stato salvato dal pericolo/disonore/umiliazione dal brillante e compassionevole eroe/eroina, il quale decide il ruolo
che devi avere, perché tu non sei piú al volante.

Ho giudicato male Breslin, evidentemente. Non vuole
affondarmi, non necessariamente. Vuole che diventi una
sua proprietà.

Questo è il motivo per cui McCann ha tentato di ammorbidirmi, con il foglio della dichiarazione recuperato e la storia del cuore d'oro. Forse Breslin ha anche un problema personale con Roche, e sta mettendo su la propria squadra. Forse ha saputo che il capo ha deciso di andare in pensione – Breslin è il suo preferito, se c'è qualcuno che sa queste cose è lui – e pensa che rimettere in riga la cattiva ragazza aumenterà le sue possibilità di ottenere quel posto. O forse non ha nulla di specifico in gioco, ma mi considera una facile occasione da prendere, di cui poi servirsi in futuro.

Riderei, se ne avessi la forza. Non servirò proprio a nessuno, non in questa squadra.

Breslin si tocca la tasca dove ha messo il telefono. – Conway, – dice, in tono piú gentile. – Non ero obbligato a condividere questo con te, lo sai. Sarei potuto andare da solo a prendere Rory per interrogarlo senza di te. Te l'ho detto perché è meglio per tutti se tu e io lavoriamo insieme. È meglio per il caso, per la squadra, per te, e sí, anche per me –. Sorride, con un misto perfetto di calore paterno e rispetto professionale. – Diciamolo, Conway, tu e io siamo una buona squadra. Domenica pomeriggio abbiamo fatto un ottimo lavoro con Rory. E con questo in mano, – tocca di nuovo la tasca, – possiamo fare molto meglio.

Mi sto caricando per dirgli dove può ficcarsi il suo tentativo di salvataggio, ma a un tratto capisco che non importa. Non ho bisogno di preoccuparmi che Breslin voglia salvarmi, possedermi, o affondarmi. Qualsiasi cosa abbia in mente per me, io non sarò piú qui. Ha ragione, lavoriamo bene insieme, e all'improvviso sono libera di servirmi di lui, senza avvitarmi su me stessa pensando alle conseguenze, come una Rory Fallon qualunque. La decisione di lasciare la squadra è divertente. Avrei voluto pensarci prima.

– Va bene, – dico. – Facciamolo. Ma non parliamo dei video finché non lo dico io. Voglio tenermelo come jolly.

– Non c'è problema, decidi tu –. Breslin fa un ampio sorriso. – Sarà divertente, Conway. Quando mostreremo queste immagini a Rory, se la farà nelle sue mutandine di pizzo.

– È anche meglio di questo, – dico. Breslin solleva un sopracciglio interrogativo. – Cercavamo un movente, o almeno qualcosa che potesse aver scatenato l'aggressione. Giusto?

Breslin sbuffa da un angolo della bocca. – Be', lo cercavi tu. A me non importa molto perché l'ha fatto, mi basta dimostrare che è stato lui.

– Rory arriva a casa di Aislinn, – dico. – Tutto eccitato per la grande serata. È un po' in anticipo, ma non è un problema. Lei lo fa entrare, sono felici di stare insieme; e a un tratto, in qualche modo, viene fuori lo stalking. Forse Rory si lascia sfuggire qualcosa che dimostra la sua conoscenza di Stoneybatter. O forse lei gli dice di averlo visto in zona e lui non trova subito una storia di copertura adeguata.

È bello trovare una storia che funziona. Capisco perché tutti siano cosí ansiosi di riuscirci. Vedo l'intera scena davanti agli occhi come un altro videoclip, ma si tratta di un video che posso manipolare qua e là finché diventa esattamente ciò che voglio. – In un modo o nell'altro, Aislinn ci resta male. Aveva già notato che Rory è un po' fissato, ma aveva messo a tacere i propri dubbi. Ma se c'è di mezzo lo stalking, Rory si qualifica come un vero e proprio pazzoide. A quel punto lei tenta di mandarlo via, e lui perde la testa.

Breslin ha le labbra in fuori e annuisce a tutto ciò che dico. – Mi piace, – dice. – Mi piace molto. Conway, credo tu abbia centrato il punto. Sapevo che c'era un motivo per cui avevo fiducia in te.

Io dico: – Vediamo cosa ne pensa Rory.

Breslin mi sorride, un gran sorriso caldo come se io fossi la cosa piú bella che abbia visto da mesi. – Andiamo, – dice. – Usciamo di qui, questa stanza puzza.

Infatti il corridoio sembra aria di montagna, a confronto. Breslin chiude la porta della sala operativa E con aria sprezzante, come per dire: «Non avrai piú bisogno di entrare qui dentro».

Di ritorno nella nostra sala operativa, chiamo Rory e gli chiedo, in tono casuale e amichevole, se vuol darci ancora una mano e tornare in centrale per un'altra rapida chiacchierata. Immagino che tirerà fuori un mucchio di scuse, tipo che non può lasciare il negozio, che ha un appuntamento, che non si sente bene, e sono pronta a buttarle giú l'una dopo l'altra. Ma Rory si mostra disponibilissimo a venire subito. Vuole farci vedere che è dalla nostra parte, ma io sono cosí poco abituata alle cose facili che mi sembra innaturale, quasi inquietante, come se il mondo fosse uscito leggermente dai binari e non volesse tornare nella realtà. Ho una voglia pazzesca di andare a dormire.

Steve non è rientrato. Una parte di me spera ancora nel suo ritorno prima dell'arrivo di Rory. Devo per forza iniziare l'interrogatorio con Breslin, visto che mi ha portato i video, eccetera, ma posso portare dentro Steve per la spinta finale: facciamo confessare Rory, quello scemo di Steve capisce che avevo ragione io, si scusa e andiamo a farci una pinta e tutto torna normale. In quel momento il mio cervello ricorda che le cose non torneranno normali, mai piú. La sala operativa ondeggia, le luci lampeggiano, il ronzio dei computer sale come l'urlo di una sirena.

Quando chiamo Reilly alla mia scrivania, lui non fa
nemmeno finta di scusarsi, mette su un'espressione vuota e guarda oltre la mia spalla in attesa che io abbia finito.
Ero pronta a dargli una bella lavata di capo e a rimandarlo
alla scrivania, ma vedendo il sorrisetto sprezzante che riesce a stento a trattenere, mi viene in mente Steve. Steve,
che in quel vecchio caso, anni fa, ottiene un'informazione chiave e se ne prende tutto il merito, senza informare
il detective incaricato. Reilly mi dà la nausea. Non voglio
piú farlo a pezzi, voglio solo che scompaia dalla mia vista.
Quando gli dico di lasciare la sala e tornare nel gruppo di
reclute a disposizione, il suo viso – il sorrisetto è scomparso, sostituito da rabbia e umiliazione – non mi dà neppure
una goccia di soddisfazione. Le altre reclute fanno finta
di concentrarsi sul loro lavoro, mentre Reilly raccoglie la
sua roba ed esce, sbattendo la porta. Breslin, seduto alla sua
scrivania, mi osserva con le palpebre mezze abbassate e la
penna tra i denti, pronto a dirmi se ho fatto la cosa giusta
oppure no. Non glielo chiedo.

I video mostrano proprio quello che aveva detto Breslin: Rory che se ne va in giro per Stoneybatter quando
non avrebbe dovuto. Mando Meehan a tentare di avere
tutti i video di sorveglianza di dicembre che riesce a ottenere – non ne saranno rimasti molti – e di cominciare a
guardarli. Poi isolo le migliori inquadrature di Rory, con
tanto di orari in fondo a destra, e le stampo.

Squilla il telefono fisso: Bernadette mi dice che Rory
Fallon è al pianterreno. – È arrivato, – dico a Breslin.

– Andiamo, – dice lui, spingendo indietro la sedia. – Ci
vediamo dopo, ragazzi. Vi porteremo un bello scalpo.

Le reclute alzano gli occhi e annuiscono, troppo in fretta. Temono che io possa azzannare alla gola il primo che
incrocerà il mio sguardo. Sul monitor del mio computer,

una strada di Stoneybatter, sgranata e in bianco e nero, procede a salti: un corridore bloccato in un angolo dello schermo, teletrasportato all'angolo opposto in un batter d'occhio; un alsaziano ripreso mentre piscia e poi scomparso. Premo stop. I computer, la lavagna bianca e le reclute ondeggiano e si curvano ai bordi come un tessuto leggero sott'acqua, che si allontana sempre di piú.

12.

L'aspetto di Rory è peggiorato rispetto a domenica. I capelli hanno ancora quell'aria appiccicosa, gli occhi sono arrossati e la pelle è di un bianco malato. Odora di vestiti lasciati troppo a lungo in lavatrice. Sorride quando ci vede, ma si tratta di un riflesso meccanico. Sarà divertente convincerlo a calmarsi fino al punto da poter essere utile.

Cominciamo portandolo nella saletta piú bella, quella che usiamo per i testimoni traumatizzati e i parenti delle vittime: colori pastello, sedie che non ti odiano, un bollitore e un cestino stile hotel con bustine di tè e di caffè istantaneo. La Mia Prima Sala Colloqui, la chiamiamo. Nonostante sia sconvolto, Rory nota la differenza; si rilassa al punto da togliersi il suo secondo miglior soprabito e appenderlo con attenzione sullo schienale della sedia. Indossa jeans e un ampio pullover beige che trasuda depressione tessuta a mano.

– Togliamo prima di mezzo le scartoffie, – dice Breslin, spingendogli davanti un modulo dove si dichiarano i suoi diritti e una penna. Poiché il ruolo del capobranco è intimidatorio, si è armato di un grosso fascicolo con dentro tutto ciò che può venire utile, piú un bel po' di carta che serve solo da imbottitura. La donna di mondo invece sta dalla parte di Rory, perciò ho con me solo penna e taccuino.

– Mi spiace, – continua Breslin. – So che l'hai già fatto, Rory, ma ce ne serve uno nuovo ogni volta. Non sei obbligato a dire nulla se non vuoi, ma tutto ciò che dirai sarà trascritto e potrà essere usato come prova. Proprio come l'altra volta. Va bene?

Rory firma senza leggere. – Grazie, – dice Breslin, sbadigliando e stirando le braccia per mettere in mostra i pettorali. – Io ho bisogno di un vero caffè, niente schifezze solubili. Rory? Antoinette? Cosa vi porto?

Normalmente gli rificcherei in gola il suo «Antoinette», ma so cosa sta facendo. – Oh, Dio, sí, un caffè vero, – dico. – Niente latte e zucchero. E vedi se riesci a trovare due biscotti, per favore. Muoio di fame.

– Farò una razzia nella riserva segreta di O'Gorman, – dice Breslin, con un ghigno. – Lui compra solo roba buona. Rory, per te?

– Mmh, io… – batte le palpebre, tentando di analizzare le potenziali implicazioni delle varie bevande calde. – Un tè sarebbe… No, un caffè. Con un po' di latte. Per favore.

– I tuoi desideri sono ordini, – ribatte Breslin, e si solleva dalla sedia con un gemito. – Potrei dormire per una settimana intera. È questo tempo. Datemi un po' di sole decente e sarò un uomo nuovo.

– Già che ci sei perquisisci la scrivania di O'Gorman, – dico. – Magari ci trovi due biglietti per Barbados.

– Se li trovo, tagliamo la corda. Rory, ce l'hai il passaporto? – Rory capisce la battuta con qualche secondo di ritardo e ride. Breslin sorride a entrambi mentre esce dalla stanza.

Mi faccio indietro sulla sedia, allungando le gambe, e mentre aspettiamo mi tolgo l'elastico dai capelli, per rifarmi lo chignon. – Uffa, – dico. – Sono state giornate lunghe. Lei come sta?

– Bene. Ma non è facile, è stato un brutto colpo –. Ha la guardia alta, non ha dimenticato che sono la poliziotta cattiva che non gli ha detto che Aislinn era morta. Steve lo avrebbe messo a suo agio in un secondo.

Ma Steve non è l'unico a saper usare la cordialità. – Lo immagino, – dico. – Vuole che la metta in contatto con il Sostegno vittime? È il loro lavoro, aiutare le persone che stanno passando momenti come questi. Sono bravi.

– No, grazie.

– Sicuro?

– Sí. Andrà tutto a posto. Vorrei solo... sapere com'è successo. Ho davvero bisogno di saperlo.

– Ah, – dico, con un sorriso triste. – Ne abbiamo bisogno tutti.

Rory si arrischia a guardarmi in faccia, rapidamente. – Non... non lo sapete ancora?

Sospiro e mi massaggio la testa, mentre ho ancora i capelli sciolti. – Sinceramente, no, non lo sappiamo. Abbiamo seguito una quantità di piste, non posso rivelare i particolari ma in pratica nessuna si è rivelata utile. Per questo stiamo richiamando le persone che erano piú vicine a Aislinn: speriamo che qualcuno ci dia una nuova idea, per rimettere in moto l'indagine.

Rory dice, ancora diffidente: – Io la conoscevo solo da un paio di mesi.

– Certo, lo so. Ma un contatto come quello che c'era tra voi conta piú di anni passati a parlare di gattini su Facebook con il collega della scrivania accanto –. Il mio tono è quello giusto, non sciropposo, diretto, pulito, pratico. – Questo era evidente, l'altra volta che abbiamo parlato. In Aislinn lei non vedeva una bionda truccata, ma quello che c'era sotto. Vedeva la persona che lei era davvero.

Rory dice piano: – Era quella la mia sensazione.

– E questo ha un valore, capisce? Io non conoscerò mai Aislinn. Perciò devo appoggiarmi a persone come lei che

mi mostrino chi era. Cosí potremo capire cosa le è successo –. Ho dimenticato di rifarmi lo chignon; questa conversazione è troppo importante, parlo come se fossi fuori
servizio. – E direi che lei non ha pensato ad altro, negli
ultimi due giorni. Giusto?

Rory si morde un labbro, poi dice: – Piú o meno. Sí.

– E nelle ultime due notti.

Lui annuisce.

– So come ci si sente, – dico, in tono gentile. – All'inizio sembra che ciò che è successo abbia inghiottito tutta
la tua vita. E che non riuscirai mai a tirare di nuovo la testa fuori dall'acqua.

Rory fa un sospiro che si porta via la sua diffidenza. Le
spalle cadono in avanti, infila le dita sotto gli occhiali per
massaggiarsi gli occhi. – Non ho dormito. La mancanza di
sonno non mi fa bene, ma… non ci riesco. Non ho fatto
altro che camminare avanti e indietro nel soggiorno, ore
e ore. Mi fanno male le gambe. Ieri notte sul tardi è successo qualcosa in strada, un uomo ha gridato e ho pensato
mi venisse un infarto. Sul serio, ho pensato di morire lí,
appoggiato contro il muro. Non sono andato ad aprire
il negozio, non mi sono nemmeno azzardato a uscire, per
non rischiare di svenire se qualcuno sbatte forte la portiera dell'auto –. Mi rivolge un'occhiata che dovrebbe essere
di sfida. – Immagino che lei lo trovi patetico.

Infatti, ma piú che patetico lo trovo utile. – Io? – dico, sorpresa. – Dio, no. Ho visto passarci tante persone.
Sentirsi cosí… fa parte del pacchetto.

– Quando mi ha chiamato… mi sono sentito *sollevato*,
lo sa? È ridicolo, naturalmente, ma ho solo pensato che
cosí non dovrò passare la giornata… – Gli trema la voce.
Si preme la punta delle dita sulla bocca.

– Anche lei sta facendo un favore a me, – dico, con la

giusta dose di simpatia. – Con questo tempo, sto meglio qui dentro che fuori, a fare il porta a porta.

– Io non faccio altro che pensarci. A come può essere andata. Ho immaginato *decine* di scenari. Per questo non riesco a dormire. Quando chiudo gli occhi, vedo solo quelle scene.

– Grazie a Dio, – dico, con sentimento. E quando Rory mi fissa, a occhi spalancati, aggiungo: – È quello che facciamo noi. Immaginiamo teorie sul modo in cui può essere successo, e poi cerchiamo di abbinarle ai fatti. Solo che stavolta i fatti non corrispondono, e devo ammettere di aver finito la scorta di teorie. Sono impazzita, nel tentativo di trovarne altre. Se lei ne ha una nuova, per l'amor di Dio me la dica.

Questo farebbe ridere Steve: io che supplico di sapere tutte le fantasie basate sui se e sui forse che Rory può immaginare. Il pensiero di Steve è come un colpo tra le costole, abbastanza forte da farmi mancare il fiato.

Rory riesce a mettere insieme un sorriso, con gli angoli della bocca all'ingiú. – Quanto tempo ha?

– Facciamo cosí. Cominci con la sua teoria migliore: quella che, dentro di sé, sa che può essere proprio ciò che è successo. Se è buona… Gesú, sarò in debito con lei. Se invece non quadra, e il mio collega non è ancora arrivato con il caffè, può passare alla prossima.

Mi guarda come temendo che lo stia prendendo in giro, solo per ridere di lui. – Sul serio?

– Certo, sul serio. Gliel'ho detto, le abbiamo telefonato perché abbiamo bisogno di tutto l'aiuto che riusciamo a trovare. Qualsiasi cosa lei abbia in mente, è sempre meglio del nostro nulla totale. Sempre che non pensi che siano stati gli alieni, o roba simile.

Stavolta il sorriso è quasi reale. – Niente alieni, – dice Rory. – Promesso –. Mi siedo dritta e prendo il taccuino, pronta ad annotarmi le sue perle di saggezza. – Bene, c'è questa che continua a tornarmi in mente. La questione, con Aislinn...

Pronunciare il nome gli fa male. Si toglie gli occhiali, li pulisce, e intanto io e la stanza diventiamo confusi, e gli è piú facile parlare. – La cosa che deve capire di lei, è che era il tipo di persona che ti faceva sognare. Quando eri con lei, cominciavi a raccontare storie –. Sta già seduto piú dritto, l'ho portato su un terreno familiare. – Pensavo che fosse perché anche lei era una sognatrice, l'avevo capito perché i simili si riconoscono, ma c'era qualcosa di piú. Era il fatto che a lei non dava fastidio entrare nel tuo sogno a occhi aperti, farsi un giro con te. Anzi, le piaceva.

Questa mi sembra una vera stronzata. A nessuno piace sentirsi un ingranaggio nella fantasia di qualcun altro. Se ciò che penso mi si legge in faccia, Rory non può vederlo, senza occhiali, ma dice, come se avessi parlato ad alta voce: – È la verità. Per darle un'idea, durante la nostra cena fuori le ho detto che mi sembrava di conoscerla da anni. E lei ha risposto che aveva la stessa sensazione. Ha detto: «Forse ci siamo davvero già incontrati, è una nazione piccola». E io ho risposto: «Forse abbiamo giocato insieme da bambini. A sei anni, in un giardino pubblico, d'autunno. Forse tu avevi portato la tua bambola...» Aislinn ha sorriso e ha detto che si portava davvero sempre la bambola ai giardini, un giocattolo rovinato che si chiamava Caramel. Allora io ho detto: «Forse hai messo Caramel su una panchina, perché potesse guardarti mentre facevi l'altalena, e io ero sull'altalena accanto alla tua. E poi è arrivata un'altra bambina, ha pensato che Caramel fosse stata abbandonata, e l'ha presa...»

Ricordare il nome della bambola sarebbe stato adorabile, nel discorso dello sposo al matrimonio; in questo contesto è inquietante. Rory sorride al ricordo di Aislinn. – Le ho raccontato tutta la storia. Noi due vediamo l'altra bambina che porta via Caramel, allora sfuggiamo alla sorveglianza dei nostri genitori e seguiamo lei e sua madre sull'autobus, fino in città, correndo loro dietro giú per O'Connell Street, dentro Clerys; una guardia prova a fermarci, ma noi la schiviamo nascondendoci dentro un enorme ombrello, e poi facciamo arrestare un borsaiolo mettendogli lo sgambetto con la punta dell'ombrello... Si scopre che il borsaiolo aveva appena rubato il portafogli alla madre della bambina, e tutte e due sono piene di gratitudine verso di noi. La bambina restituisce volentieri la bambola a Aislinn e la madre ci riaccompagna a casa in una carrozza trainata da un cavallo.

Santo Gesú. A quel punto io sarei già uscita dal ristorante per tornare a casa di corsa, e nel frattempo avrei chiamato la mia amica Lisa, ridendo al punto da farmela addosso e giurando che avrei lasciato perdere l'amore per tutta la vita. – Capisco cosa intende, eravate in perfetta sintonia, – dico, sorridendo. – Dev'essere stata una bellissima serata.

– È cosí. So che pare sciocco, ma sembrava... – Alza il mento, con uno sguardo di sfida. – Sembrava una magia. Come se tutta quella storia fosse successa davvero, ma noi l'avessimo dimenticata e in quel momento, raccontandola, l'avessimo riportata in vita. Aislinn rideva e aggiungeva dei pezzi qua e là. Diceva: «Sicuramente morivamo di fame, forse l'uomo del chiosco su O'Connell Street ci aveva regalato dei krapfen, e mentre eravamo sotto l'ombrello si avvicina un cane e gli gettiamo un pezzetto di krapfen per farlo andare via...» Come ho detto, le piaceva sentirmi inventare storie. Mi incoraggiava a farlo, faceva venire fuori quella qualità nelle persone.

Sentendolo parlare, tutta la storia sembra bella e spontanea come un sorriso; Aislinn che saltellava tra le margherite, seminando sogni felici ovunque andasse. Io non ne sono tanto sicura. La rivedo quel giorno alla Persone scomparse; mi ha bombardato con tutto ciò che poteva, per far sí che la mia mente si mettesse a fabbricare storie: mistero, lacrime, particolari su com'era suo padre, ritagli di ricordi d'infanzia. Se avessi abboccato – ed era piú che possibile, se tutta la manfrina sul paparino non mi avesse preso dal lato sbagliato – forse avrei finito per darle ciò che cercava: «E poi la geniale detective risolse il problema della povera orfana e vissero tutti per molti anni felici e contenti». Con Gary ha funzionato. Aislinn sapeva come usare le sue abilità.

Ma io non ci sono caduta. Le mostro mentalmente il dito e dico a Rory: – Sta pensando che questo abbia qualcosa a che fare con ciò che le è successo?

Rory annuisce con forza. – Sí. Sí. Il problema, con i sogni a occhi aperti, è che non durano. Basta un colpetto di realtà ed è la fine. So che devo sembrarle stralunato, ma so di cosa parlo.

Un lampo improvviso, nella voce e negli occhi; scompare in fretta, ma io ero attenta e l'ho visto. Rory non è tutto nuvole morbide e finali felici; ha un nucleo solido e spigoloso. Proprio come Aislinn. Questa combinazione li rendeva una coppia perfetta, ma poi gli si è rivoltata contro.

– Per uno come me, – dice Rory, – non è un problema. Passo la metà del tempo dentro la mia testa, sono sempre stato cosí. So bene anche questo –. Di nuovo quel bordo duro. – Perciò, quando vado a sbattere contro la realtà e la mia bolla scoppia, non è la fine del mondo. Ci sono abituato. Dentro di me, l'avevo sempre saputo.

Sembra proprio una spiegazione indiretta: «Ecco perché non posso essere stato io, sul serio, detective». Capita spesso. Di solito lo fanno gli omicidi. Continuo ad annuire, concentrandomi su tutti questi dettagli importanti.

Rory dice: – Ma tante altre persone non sono cosí. Ci ho messo del tempo a capirlo, da ragazzo: alcuni passano le loro giornate concentrati solo su ciò che succede nella realtà.

– So cosa vuol dire, – dico. E aggiungo, in tono confidenziale: – Molti poliziotti sono cosí. Privi di immaginazione.

Lui fa un mezzo sorriso automatico, ma è troppo immerso nella sua storia per prestarmi attenzione. – Perciò, se un uomo del genere avesse incontrato Aislinn, non avrebbe saputo come prepararsi al fatto che la sua bolla sarebbe scoppiata. E quando è successo...

– Capisco, – dico, concentrata, aggrottando leggermente la fronte. – Almeno credo. Mi dica cosa ha immaginato. Nei particolari.

Rory traccia delle forme sul tavolo con la punta di un dito. Dice, lentamente: – Credo sia stato qualcuno che non è apparso sul vostro radar, perché ha frequentato Aislinn per pochissimo tempo. Si sono conosciuti in un night, o forse per motivi di lavoro, e si sono messi a parlare. Lui è riuscito a farsi dare il suo numero e si sono visti per bere qualcosa, o invece non sono arrivati neppure a questo. Ma quell'uomo ha già cominciato a immaginare storie, ed è una sensazione che gli dà ebbrezza, anche perché, per lui, è del tutto nuova.

Ormai Breslin deve essere nella stanza di osservazione, mi sembra di vederlo che alza gli occhi al soffitto e borbotta che mi dia una mossa, perché il caffè si raffredda. Ma può fare qualche respiro profondo e calmarsi. Se Rory ha bisogno di tutto il giorno per parlare fino a incriminarsi, avrà tutto il giorno.

– E poi, per un motivo qualsiasi, Aislinn decide di non andare oltre, con la relazione –. Rory alza gli occhi a guar-

darmi, con le dita premute sul tavolo. – Se non sei abituato a queste iniezioni di realtà, è una tragedia. È come si
sentirebbe, immagino, un tossicodipendente in crisi d'asti-
nenza. Uno sconvolgimento fisico, oltre che psicologico.
Corpo e mente vacillano.

   – Quindi lui decide di vendicarsi? – chiedo.

   Rory scuote la testa con forza. – No. Non è cosí. Un
uomo capace di aggredire una donna solo perché lo lascia
dopo una sera o due, è un mostro. Uno psicopatico. E
Aislinn non si sarebbe mai sentita attratta da un mostro.
Anche se le piaceva sognare, non significa che non vedesse
la realtà. Quest'uomo dev'essere una brava persona. Ma a
un tratto ha perso il controllo.

   Di solito, il fidanzato innocente di una ragazza che è
stata uccisa, immagina l'assassino come una bestia rabbio-
sa, che merita sette volte la sedia elettrica. Rory non può
permetterselo. – Sí, ha senso, – dico, annuendo e prendendo appunti. – Quindi cos'ha fatto?

   – Se non può avere Aislinn, ha almeno bisogno di altro
materiale per i suoi sogni a occhi aperti. Qualcosa con cui
nutrirli. Lei gli ha detto dove lavora, cosí lui comincia a
starsene là fuori in attesa che esca. Una sera la segue a casa –. Una carica elettrica si accende sotto la voce di Rory,
dandole energia, potenza. Non ho piú bisogno di esortar-
lo. – E quando sa dove abita, diventa una specie di droga.
Non riesce a starle lontano. Ci prova, ma bastano pochi
giorni e prima di rendersene conto si trova di nuovo diretto verso Stoneybatter. Cammina per le strade e pensa
ai piedi di lei che toccano quegli stessi marciapiedi; compra barrette al cioccolato che non ha voglia di mangiare,
solo per fare la spesa negli stessi negozi di lei. E si trova
davanti casa sua, e la osserva mentre si prepara una tisana
o stira i suoi vestiti.

Rory si tiene vicino alla verità, quasi toccandola. È una buona idea, dà un senso di realtà alla storia.

– Diventa un'abitudine; si ritrova sempre lí al buio, muovendo le dita dei piedi per evitare di congelare. Osserva le finestre illuminate, si immagina nell'atto di aprire quella porta, di entrare in quel calore, mentre lei viene ad accoglierlo con un bacio. Immagina di preparare da mangiare insieme a lei in quella cucina luminosa. Diventa una routine, nella quale trova una specie di equilibrio, di soddisfazione. Potrebbe vivere cosí all'infinito.

Rory è cambiato. Non è piú un timido gerbillo; ha il busto in avanti, muove le mani con gesti rapidi, precisi, sicuri. Quella carica sotto la sua voce è cresciuta, e ora vibra in tutti gli angoli della stanza. Per la prima volta riesco a capire cosa ci trovava Aislinn in lui. In quanto a me, una roba del genere è l'ultima cosa che vorrei, in un uomo, ma riconosco che ha un potere. Rory non è piú raggomitolato su sé stesso, è diventato un uomo che quando entra in una stanza ti spinge a voltarti a guardarlo. E a continuare a guardarlo.

– E poi, – dice, – sabato sera. Quest'uomo va a osservare Aislinn, come al solito, ma vede qualcosa di diverso. Lei è tutta agghindata e truccata, splende come uno scrigno di gioielli. La vede preparare una cena per due; Aislinn prende due calici da vino dalla credenza e li porta in soggiorno, canta con il cavatappi in mano come fosse un microfono, danza, scuote i capelli e ride tra sé. Lui vede quanto è felice, quanto è impaziente.

«Canta con cavatappi in mano come ragazzina», scrivo. L'odore di sangue impregna l'aria, spesso come in una macelleria. Rory ha una buona immaginazione, ma non è chiaroveggente. Sabato sera ha osservato Aislinn.

– Deve essere rimasto senza fiato. Ormai credeva cosí

tanto nel suo sogno a occhi aperti, da essere certo che fosse diventato reale. Non sapeva che la vita non funziona cosí –. Su un lato della bocca di Rory si disegna una piega amara. – Deve aver pensato che Aislinn avesse indossato quel vestito per lui, che stesse preparando la cena per lui. E quando ha finalmente ripreso a respirare, è uscito dal buio e si è spazzolato via la pioggia dal cappotto e ha bussato alla porta.

Un bel finale. Rory mette giú le mani, fa un respiro profondo e mi guarda, pieno di aspettativa. Vuole concludere qui.

Mi piace un sacco questo colloquio. Non solo perché sta andando bene; lo amo perché è pulito. Niente se e forse che lampeggiano negli angoli, rendendo l'aria appiccicosa e facendomi prudere i vestiti addosso. Niente strati e strati di possibilità e ipotesi da prendere in considerazione ogni volta che apro la bocca o che ascolto una risposta. Siamo solo io, Rory e quello che sappiamo entrambi: che è stato lui. Questa consapevolezza è sul tavolo tra noi, solida e scura e lucente come un meteorite, che il vincitore si porterà a casa.

Dico: – E poi?

Rory gira il collo. Io continuo a guardarlo, con le sopracciglia alzate e un'espressione interrogativa, e alla fine dice: – Be', ovviamente Aislinn non si stava preparando per lui, ma per me. Da mesi non pensava nemmeno piú a lui. Deve essere rimasta sbigottita, vedendoselo davanti. Deve avergli detto di andare via. E a quel punto lui ha perso il controllo.

Mantengo l'espressione interrogativa. – E?

A voce bassa, fissando il tavolo: – E le ha fatto del male –. La sua carica si sta esaurendo, gli scompare dalla voce e dal viso, lasciandolo di nuovo beige e mingherlino. La sua bella storia è andata a sbattere, proprio come ha

detto, contro la dura realtà della morte di Aislinn. Quando
il silenzio diventa troppo lungo, aggiunge, a voce ancora
piú bassa: – L'ha uccisa.

– Ma in che modo?

Rory scuote la testa.

– Rory, mi dia una mano.

– Non lo sapete già?

– Le sto chiedendo un favore, – dico, in tono gentile,
chinandomi in avanti per incrociare il suo sguardo. – Faccia finta che sia una storia del tutto inventata, come quelle che raccontava a Aislinn. E la concluda.

– Io non... tutto quello che so è che di sicuro non poteva avere un'arma con sé. Né un coltello, né altro. Non
avrebbe mai pensato in anticipo di farle del male. Forse
ha afferrato una lampada, o qualcos'altro che era già lí... –
Si passa una mano tremante sul viso. – Non ce la faccio.

Non vuole lasciarsi sfuggire che sa com'è morta. Non
c'è problema, me lo aspettavo. – Caspita, – dico, facendomi indietro sulla sedia. Mi passo una mano tra i capelli e
lascio andare un lungo sospiro. – Questa storia è notevole.

– Può... – Rory fa un respiro profondo. Si rimette gli
occhiali e mi guarda, cercando di rimettere tutto a fuoco.
– Può essere utile? Secondo lei?

– Sí, – rispondo. – Potrebbe esserlo. Naturalmente non
le dirò nei particolari ciò che sto pensando, ma c'è una
possibilità che lei oggi ci abbia dato qualcosa di realmente valido. Grazie. Grazie davvero.

– Non c'è di che. Crede...

– Oooh, sono tornato! – grida allegramente Breslin, spalancando la porta con il sedere ed entrando con le tazze
tra le mani. – Scusatemi per l'attesa; quegli incivili non si
prendono mai il disturbo di riportare le tazze in sala mensa,
e non parliamo poi di lavarle. Queste sono dovuto andare

a recuperarle qua e là. La buona notizia, però, – distribuisce le tazze ed estrae dalla giacca un pacchetto di biscotti, con un gesto elaborato, – è che la riserva di O'Gorman non mi ha deluso. Signore e signori, ecco a voi degli Oreo ricoperti di cioccolato. Chi è il vostro paparino?

– Ah, sei tu, stella, – dico. – Sto morendo di fame.

– Al vostro servizio –. Breslin getta un Oreo a me e uno a Rory, il quale naturalmente sbaglia la presa, lo fa cadere sulla moquette e deve chinarsi a raccoglierlo. Poi lo fissa come se non sapesse bene cosa farne. – Mettilo in bocca, – gli suggerisce Breslin. – Prima che O'Gorman venga qui a cercarlo.

– Sta' a sentire, – dico io, inzuppando il mio biscotto nel caffè. – Rory ha una teoria.

– Grazie a Dio, – ribatte Breslin. – Meno male che qualcuno ne ha una. Ed è buona?

– Potrebbe esserlo, – dico, a bocca piena. – Per farla breve, lui pensa che Aislinn avesse la capacità di stimolare in un uomo delle fantasie da «vissero felici e contenti», in un modo molto piú veloce del normale. Ora, c'era un uomo con cui lei si era vista per un po', una storia cosí breve che non è mai apparsa sul nostro radar; lei lo ha mollato, lui non smetteva di pensare a lei. Ha cominciato a tenerla d'occhio, a osservarla. Quando ha visto che si preparava per la cena con Rory, si è convinto che invece stesse aspettando lui. Ha bussato alla porta, è rimasto scioccato scoprendo che lei non era affatto felice di vederlo e ha perso la testa.

– Interessante, – commenta Breslin. Si mette in bocca il suo biscotto e mastica in modo meditativo. – Mi piace. Quadra con molte delle cose che sappiamo.

Rory non sembra sentirsi incoraggiato. È raggomitolato sulla sedia e toglie fibre di moquette dal suo biscotto.

Appena è entrato Breslin si è ristretto come un maglione lavato con l'acqua bollente.

– Esatto, – dico. – In questo lavoro, impari a riconoscere quando qualcosa ti dà la sensazione di essere giusta. In senso sia pratico, sia psicologico.

– Noi amiamo quella sensazione, – spiega Breslin a Rory. – Le abbiamo dato la caccia per tutta la settimana. Devo ammetterlo, figliolo: la tua teoria ci va abbastanza vicino. Metteremo delle persone al lavoro sulle conoscenze occasionali di Aislinn, nei night club, in ufficio, eccetera. Se questo tizio viene fuori, ti dovremo davvero pagare quel biglietto per Barbados.

Si spinge indietro sulla sedia e beve un lungo sorso di caffè, sfogliando il suo fascicolo. – Nel frattempo, – dice, – già che ormai siamo qui, ti andrebbe di chiarirci un paio di cosette? Cosí possiamo escluderle dalla nostra lista?

– Oh, Gesú, tu e le tue liste, – dico, alzando gli occhi al soffitto. – Rory, non gli dia retta. Quest'uomo fa la lista anche di quello che si mette in tasca, per poter controllare di non aver perso nulla. Non si faccia risucchiare, se ne vada finché è in tempo.

– Ehi, non parlar male delle mie liste, – dice Breslin, puntandomi contro un dito. – Quante volte ci hanno salvato il culo?

– Sí, sí, sí.

– Rory? Per te va bene? Ci vorrà solo qualche minuto.

Sappiamo tutti che Rory non se ne andrà: non farebbe altro che tornare a camminare avanti e indietro nel suo appartamento e nella sua mente. Dice: – Immagino...

– Visto? – dice Breslin a me. – A Rory non dispiace farmi un favore. Giusto, Rory?

– Sí. Voglio dire...

– Dispiace a *me*, – dico. – Se devo sopportare un'altra...

– Perfetto, – mi interrompe Breslin. – Abbozza, Conway –. Sfoglia le sue carte. Io sospiro e mi rifaccio lo chignon. Siamo tornati a lavorare.

Breslin aveva ragione, siamo bravi nei colloqui. E il messaggio arriva forte e chiaro: lavorare bene insieme vale piú
di tutto il resto. Con la coda dell'occhio vedo il riflesso
del falso specchio, e mi chiedo se Steve ci sta osservando.

– Ah, – dice Breslin. – Ecco la famosa lista. Domanda numero uno, Rory: sabato sera, Aislinn e una sua amica parlavano del tuo invito a cena. Sembra che lei fosse impaziente
di vederti –. Gli sorride, finché Rory ricambia piú o meno
il sorriso. – Carino, no? E l'amica ha detto a Aislinn... –
finge di guardare i suoi appunti, – «Sta' attenta, capito?»
Perché avrebbe dovuto farlo?

Rory ci fissa, confuso. – Chi è questa persona?

– Chi potrebbe averlo detto, secondo te?

– Io non... non conosco gli amici di Aislinn. Chi...?

– Un momento, – lo interrompe Breslin. – Ci stai dicendo che, se gli amici di Aislinn avessero saputo chi eri,
avrebbero avuto un motivo per consigliarle di stare attenta? Quale motivo?

– *No*. Non è ciò che ho detto. Non avrebbero avuto
nessun...

– Ma una di loro pensava di sí.

– Non è possibile. Nessuno poteva avere *nessun* motivo.

– Deve essersi trattato di un malinteso, – dico io. – C'è
qualcosa che l'amica può aver capito male? Quando entra
in scena un nuovo compagno, gli amici diventano protet-
tivi, vedono segnali d'allarme dappertutto...

– O diventano gelosi, – suggerisce Breslin. – Forse l'amica è una racchia, non riesce a trovarsi un uomo, è invidiosa
e cerca di fare in modo di allontanare Aislinn da te. Cosa
avrebbe potuto usare?

Rory si passa una mano sugli occhi e tenta di riflettere. Ha abbandonato il suo biscotto intatto. Ha capito che
non stiamo piú giocando a quel gioco. Io e Breslin siamo
ancora tutti sorrisi, ma l'aria nella stanza è cambiata; il
ritmo è piú rapido ed è Breslin a stabilirlo, ora, non Rory.

– L'unica cosa che mi viene in mente… – Noi aspettiamo, incoraggianti. – Ve l'ho già detto l'altra volta, prendere appuntamenti con Aislinn era complicato. Ma io con-
tinuavo a provarci, anche dopo che lei ne aveva annullati
vari. Immagino che questo possa avermi fatto apparire…
Non lo so. Invadente? Voglio dire, so che Aislinn non lo
pensava, altrimenti avrebbe chiuso con me, ma forse poteva pensarlo una sua amica.

– Piano, – dice Breslin. – Rallenta. Hai appena detto
che continuavi a spingere per avere degli appuntamenti
con lei, anche dopo che li aveva annullati. Ma allo stesso
tempo dici che se lei ti avesse mandato al diavolo te ne saresti andato di buon grado. Quale delle due?

– Ma… No. Non è la stessa cosa. Lei non ha *mai* detto
che non voleva vedermi piú. Se lo avesse fatto, *naturalmente* avrei battuto in ritirata. Dire: «Giovedí ho da fare»
non è la stessa cosa, è completamente…

Rory si sta facendo indignato e difensivo. – Ehi, guardi che non deve convincere noi, – dico io. – Quella preoccupata era l'amica di Aislinn. Noi stiamo solo cercando
di capire perché.

– Questa è l'unica cosa che mi viene in mente. Non
c'è altro.

Breslin si alza e si mette a camminare avanti e indietro,
costringendo Rory a guardare da due parti diverse. – A
me sembra un po' poco.

– Anche a me, – dico. – L'amica non è un tipo isterico.

Se pensava che Aislinn avesse bisogno di stare attenta, doveva averne motivo.

– Forse... – Rory si schiarisce la voce. – Ecco, se ho ragione sul tizio che spiava Aislinn... Forse Aislinn lo aveva notato e ne aveva parlato all'amica? E l'amica temeva che lui potesse arrabbiarsi, se mi avesse visto in casa di Aislinn?

Breslin si ferma e rivolge a Rory una lunga occhiata interrogativa. Rory regge lo sguardo, pur battendo spesso le palpebre. Poi Breslin dice: – Aislinn non ti ha mai parlato di un ex che la inquietava?

Rory scuote la testa.

– Ad alta voce, per la registrazione.

– No. Non l'ha fatto.

– Guarda che le donne non parlano del loro ex al nuovo fidanzato, – gli faccio notare. – Ti fa sembrare una psicopatica stile *Attrazione fatale*.

Breslin fa spallucce. – Allora lo dico in un altro modo. Ha mai accennato a uno stalker?

La parola fa trasalire Rory. – No.

– Nemmeno una volta?

– No. Ma forse non voleva... non lo so, spaventarmi...

– Cosa? Pensava che saresti scappato a gambe levate solo perché uno spostato le stava intorno? Lo avresti fatto?

– Certo che no! Io...

– Lo so, lo so. E visto che Aislinn non era stupida, lo sapeva anche lei. Credi che si sarebbe messa con te, se avesse pensato che eri uno smidollato del genere? Conway, tu lo vorresti uno che si spaventa cosí in fretta?

– No, – dico. – Preferisco che di palle ne abbiano almeno una.

– Esatto. E scommetto che era cosí anche per Aislinn.

Rory sposta lo sguardo tra noi. – Va bene, forse non

lo pensava, e forse non sapeva che questo tizio la teneva d'occhio.

– Forse è cosí, – dice Breslin. Si china all'improvviso verso il tavolo e Rory scatta indietro, ma Breslin vuole solo un altro sorso di caffè. – Però siamo di nuovo al punto di partenza: quando l'amica ha detto a Aislinn di stare attenta, non poteva riferirsi all'ex che si era trasformato in stalker, perché quest'uomo esiste solo nella tua testa.

Invece no. La sensazione mi disturba come un dente guasto che credevo di aver messo a posto: un ex era entrato nella testa di Lucy. E secondo ciò che ci ha detto, era proprio il motivo per cui ha inviato quel messaggio.

Breslin mette giú la tazza con un tonfo duro, preciso.

– Allora, – chiede. – A cosa si riferiva l'amica?

Rory scuote la testa. È tornato a raggomitolarsi su sé stesso.

– Ad alta voce, per favore.

– Non so a cosa si riferisse.

– Peccato, – dice Breslin. – Mi sarebbe davvero piaciuto trovare una spiegazione. Ma se sei sicuro di non poterci aiutare… – Fa una piccola pausa per dare il tempo a Rory di intervenire, ma lui non ne approfitta. – Lasciamo perdere, per il momento. Andiamo avanti con la mia lista, va bene?

Abbassa la testa e scorre i suoi appunti. – Ah, già, – dice. – Ecco la seconda domanda.

Estrae un foglio dalla tasca della giacca, dispiegandolo con un fruscio secco che fa trasalire Rory. Si fa un altro giretto per la stanza leggendo il foglio con calma, mettendosi alle spalle di Rory per costringerlo a voltarsi sulla sedia.

– Dimmi che non si tratta di un'altra lista, – dico io, con un'occhiata esasperata a Rory. Ma lui non reagisce.

– Questa, – dice Breslin, dando un colpetto alla pagina, – è la cronologia di ciò che ha fatto Rory sabato sera.

Rory si irrigidisce.

– Ah, sí, – dico. – Ma non è una cosa importante come
vuoi farla sembrare.

– Forse hai ragione. Cerchiamo di capirlo.

– Qual è...? – a Rory manca la voce. Se la schiarisce di
nuovo e ci riprova. – Qual è il problema?

– Ah, – dice Breslin. – È un po' complicato, Rory, perciò fermami se non riesci a seguirmi. Secondo la tua dichiarazione, sei salito sul 39A poco prima delle sette, e sei
sceso a Stoneybatter quasi alle sette e mezzo. Sei andato
a piedi fino a Viking Gardens per controllare l'itinerario,
e questo ci porta, diciamo intorno alle sette e trentadue.
Poi sei andato da Tesco a prendere i fiori: abbiamo controllato e si tratta di una camminata di sette minuti, quindi devi essere arrivato alle sette e quaranta.

Rory ha smesso di seguirlo con lo sguardo mentre cammina. È rigido, con i piedi piantati a terra e fissa davanti a sé.

– La tua dichiarazione dice che hai passato al Tesco
«un paio di minuti», diciamo che sei uscito intorno alle
sette e quarantatre. Altri sette, otto minuti per tornare a
Viking Gardens, forse meno, visto che avevi fretta: sarai
stato alla porta di Aislinn alle sette e cinquanta. Mi segui?

– Se non riesce a seguirlo, – dico a Rory, – glielo faccia
scrivere. Cosí almeno si guadagna lo stipendio.

Rory dice, senza guardarmi: – Lo seguo benissimo.

– Naturalmente, – dice Breslin. – Solo che ci hai detto di essere arrivato da Aislinn appena prima delle otto.
Cos'hai fatto negli otto o nove minuti che mancano?

Rory rilassa le spalle. Pensa di essersela cavata, è sollevato. – Non ne ho idea. Voglio dire, forse sono sceso
dall'autobus un po' piú tardi di quanto pensassi, o ci ho
messo un po' di piú a scegliere i fiori, o sono arrivato a casa
di Aislinn qualche minuto prima di quello che credevo. O

tutte queste cose insieme. Non faccio troppo caso ai tempi esatti; non sono addestrato a farlo, come voi. Non saprei dirvi, con un'approssimazione di otto minuti, neppure che ora è *adesso*, o da quanto tempo siamo qui.

Breslin si sfrega il naso, imbarazzato. – Be', se la metti cosí...

– Visto? – dico, a tutti e due. – Non era importante.

– Deformazione professionale, – dice Breslin, con una risata triste. Rido anch'io e Rory emette una risatina isterica. Ridiamo tutti insieme. – Lo giuro su Dio, – continua Breslin. – A volte dimentico cosa significa essere normali. Voglio dire, una persona normale non perderebbe traccia di un tempo piú lungo, tipo un'ora, giusto? O anche mezz'ora? Di sicuro non saresti arrivato da Aislinn alle otto e mezzo pensando che fossero le otto. Una variazione di dieci minuti potrebbe essere il limite, no?

– Suppongo di sí, – dice Rory. Si ricorda del suo caffè e beve un rapido sorso, coprendosi la bocca con la mano. – Probabilmente.

– Ah, – dice Breslin, voltando il foglio. – Qui ho un'altra cronologia. Bevi un altro po' di caffè, ne avrai bisogno.

– Ne ho bisogno anch'io, – dico, alzando la tazza e strizzando l'occhio a Rory. – Tenga duro, la lista arriverà alla fine, prima o poi.

– Sí, sí. Prima la piantate di lamentarvi, voi due, prima finiamo –. Breslin torna dalla mia parte del tavolo, in posizione di fuoco. – Quest'altra cronologia è basata sui video a circuito chiuso che abbiamo controllato. E dice questo, Rory: tu sei salito sull'autobus alle sette meno dieci, e sei sceso a Stoneybatter alle sette e un quarto. Non corrisponde a quello che ci hai detto, ma hai ragione: qualche minuto qui, qualche minuto là, per una persona normale... – Sorride a Rory, il quale è ancora abbastanza rilassato da ricambiare il sorriso. – Solo che la volta successiva che possiamo confermare la tua presenza è quando sei stato ripreso dalle telecamere di Tesco mentre pagavi i fiori, alle sette e cinquantuno.

Rory ha smesso di sorridere. Sta cominciando a capire.

La voce di Breslin si fa piú pesante, le parole rotolano sul tavolo con una serie di tonfi sordi. – Come abbiamo detto, da casa di Aislinn al Tesco è una camminata di sette minuti. Ora, se tu hai pagato i fiori alle sette e cinquantuno, devi essere andato via da Viking Gardens intorno alle sette e quaranta. Questo lascia una finestra temporale, dalle sette e un quarto, quando sei sceso dall'autobus, fino alle sette e quaranta. Venticinque minuti, Rory. Abbiamo appena convenuto che anche una persona normale non può perdere traccia di *venticinque minuti*. Vorresti dirmi cos'hai fatto, in quei *venticinque minuti*?

Rory fissa il vuoto, nello spazio tra me e Breslin. È tutto contratto, e la sua bocca si muove appena, quando dice: – Ve l'ho già detto.

– Era quello che credevo anch'io, – dico, seccata. Il pensiero di perdere la sua alleata gli fa accelerare il respiro, ma non mi guarda. – Ora invece sembra che lei ci abbia dato a bere un mucchio di stronzate. Vuole riprovarci, prima di spingerci a pensare che potrebbe avere un motivo per non volerci dire esattamente cos'ha fatto quella sera?

– Vi ho già detto cosa ho fatto. Mi dispiace se non corrisponde alla vostra cronologia.

Non è una cattiva strategia: scegli una versione, punti i piedi e non ti sposti da lí, a nessun costo. Se ti muovi noi possiamo farti perdere l'equilibrio, e spingerti un passo alla volta fin dove vogliamo farti arrivare. Perciò bisogna far muovere Rory.

Breslin avvicina la sedia al tavolo e si siede, tutto in

un solo movimento. Io mi faccio indietro e lo lascio lavorare, mentre Rory si chiede se sto ancora dalla sua parte. Breslin dice: – Come sapevi che Aislinn non aveva le tende in cucina?

Il colpo va a segno: Rory sussulta e lo fissa. – Cosa?

– E il vicolo dietro la casa. Come sapevi che c'era?

– Il... Non lo sapevo. Di quale vicolo...

– Hai descritto il nostro ipotetico stalker che spiava Aislinn mentre preparava la cena e tirava fuori i calici da vino: queste cose le avrebbe fatte nella cucina, che si trova nella parte posteriore della casa. Non hai detto che lui l'ha osservata mentre apparecchiava la tavola, che è in soggiorno, nella parte anteriore. In altre parole, sapevi che lo stalker sarebbe stato in grado di osservare da dietro la casa.

Rory batte le palpebre a raffica, confuso. Breslin dice, sorridendo: – Amico, lo vedi quello specchio? Io ero là dietro, e ho sentito tutto quello che hai detto. Antoinette è una brava detective, ma... come posso dirlo, senza beccarmi un pugno?

– Attento a te, – gli dico.

– Calma, tigre, – dice Breslin allontanando il busto e alzando una mano per bloccarmi. – Diciamo solo che Antoinette è un po' piú propensa di me a credere che tu sia dalla nostra parte, Rory. Lei è un'ottimista, capisci? Spera fin dall'inizio che questo caso si riveli un grande e affascinante mistero –. Mi guarda con la coda dell'occhio e con un lievissimo accenno di sorriso che può significare qualsiasi cosa. – In quanto a me, faccio questo lavoro da piú tempo di lei. E sono un tipo sospettoso. Un'altra deformazione professionale, se preferisci. Perciò tengo d'occhio ciò che succede. Ho sentito ogni parola che hai detto. E ora ti sto chiedendo: come sapevi che lo stalker avrebbe osservato Aislinn in cucina, a meno che quello stalker non fossi tu?

– Stavo solo facendo delle *ipotesi*. È... voglio dire, è semplice buon senso: se lui non voleva essere notato dai vicini, ovviamente sarebbe andato sul retro –. Rory non riesce a respirare bene. – E la cucina è il posto dove lei avrebbe preparato la cena, se io fossi venuto. Voglio dire, io stavo arrivando, il mio «se» non significa...

Sta perdendo la presa sulla sua storia sicura. Dico, con una sfumatura preoccupata, per nulla contenta della direzione che il caso sta prendendo: – C'è un'altra cosa. Ha detto che lo stalker guardava Aislinn cantare con il cavatappi in mano. Dai suoi messaggi, sappiamo che Aislinn ha fatto proprio questo, quella sera. Come faceva lei a saperlo, a meno che non l'abbia vista?

Breslin dice, prima che Rory riesca a inalare abbastanza aria per rispondere. – Fammi un favore, non dire che si trattava di un'ipotesi. A meno che tu non sia un sensitivo, è impossibile fare un'ipotesi tanto precisa. Sei un sensitivo, Rory?

– Cosa? No! Come potrei... Io non...

– Be', è un sollievo saperlo. Allora dicci come sapevi del cavatappi.

Rory scuote la testa e ansima, senza parole.

– Allora te lo spiego io, – dico, cominciando anch'io a dargli del tu. – Quella sera hai osservato Aislinn dal vicolo dietro la casa. Ho ragione?

Dopo un lungo momento, la sua testa cade in avanti: è un sí.

– È stato cosí che hai trascorso quei venticinque minuti mancanti.

Un altro cenno d'assenso. Il falso specchio mi riflette di nuovo la luce in un occhio. Spero proprio che Steve sia là dietro. Spero che sia arrossito fino alla radice dei capelli.

– Ad alta voce, per la registrazione, – dice Breslin.

Rory trova un po' di voce. – Volevo solo... mi stavo solo prendendo un momento. Per rendermi conto che stava
succedendo davvero. Questo è tutto.

– E l'unico modo per farlo, – dice Breslin, – era spiare
Aislinn dalla finestra dietro casa.

Lo fa sembrare qualcosa di sporco. Rory trasalisce. – Io
non... Ero solo lí, la guardavo e mi sentivo felice. Non so
come spiegarlo...

– Io credo di capire, – dico, dubbiosa. – Piú o meno.
Non è che la stavi spiando mentre si faceva la doccia, no?
O l'hai fatto?

– No! Anche se avessi voluto, e *non* volevo, sarei andato via, piuttosto che...

Breslin fa una risata nasale. Rory lo ignora, concentran-
dosi su di me. Dire la verità gli ha permesso di riprendere
a respirare. – E comunque, la finestra del bagno ha il vetro opaco. Aislinn era in cucina. Aveva acceso la musica,
c'era troppo vento per capire cosa stesse ascoltando, ma
era qualcosa di vivace, lo capivo dal modo in cui ballava,
cantando... sí, con il cavatappi in mano –. Mi lancia un'occhiata, troppo triste per essere di sfida. – Indossava un
pullover rosa e un paio di jeans, prendeva cose dal frigo,
le apriva, le metteva in casseruole e padelle e nel frattempo non smetteva di ballare. Poi è uscita dalla cucina. Io ho
aspettato, e quando è tornata indossava quel vestito blu.
Era come... tutta coperta di blu e oro, era come se fosse
apparsa in cucina, come una di quelle visioni di santi che
le persone avevano secoli fa. E non riuscivo a credere che,
dopo qualche minuto, sarei stato in casa con lei. Quel sorriso sarebbe stato rivolto a me.

Il dolore è profondo, gli impregna la voce. Ma non significa nulla. – In quel momento ho pensato ai fiori e ho
deciso di andare da Tesco. Se non l'avessi fatto... – Re-

spira in fretta dal naso, come se avesse ricevuto un colpo. – Se non mi fossi ricordato di comprare quella pianta di azalea, se fossi rimasto lí a guardarla... Sarei stato presente, quando lui è arrivato. E avrei potuto...

Torce la bocca, ci preme sopra le nocche. Avverto, piú che vedere, Breslin che trattiene un sorriso sprezzante, all'idea di Rory che indossa mantello e calzamaglia e pesta a sangue il cattivo. Rory deve aver immaginato almeno duecento variazioni di quella scena.

Dice, da dietro le dita sulla bocca: – Ma non l'ho fatto. Sono corso al Tesco come un idiota, e mentre ero via è arrivato qualcuno e ha ucciso Aislinn. Forse l'ho anche *visto*, ma non ci ho fatto caso, perché ero tutto chiuso nella mia bolla di felicità. E quando lei non è venuta ad aprire, ho aspettato e aspettato, perché non riuscivo a credere che avesse cambiato idea; solo pochi minuti prima si comportava come se fosse felice del mio arrivo. Sono rimasto lí al freddo, cercando di capire come fosse possibile, e intanto lei era stesa a terra in casa, morta o morente. E alla fine, invece di capire che qualcosa non andava e sfondare la porta, me ne sono tornato a casa a compatirmi. *Questo* è ciò che è successo.

– Gesú, Rory, – dico, in tono di riprovazione. – Perché non ce l'hai detto subito?

– Perché so come mi fa sembrare! Una specie di... Non potete capire com'era davvero.

– Io sto facendo del mio meglio. Sarebbe molto piú facile se ci avessi detto la verità dall'inizio.

– Ve la sto dicendo ora.

Sotto il tavolo, tocco la caviglia di Breslin con un piede. Lui dice, senza perdere il ritmo: – Be', parte della verità, almeno. Quella non è stata l'unica volta che hai spiato Aislinn, vero?

Rory fissa prima lui, poi me, poi un angolo della stanza. Capisce in fretta. – Invece sí, era la prima volta.

– Non credo.

Io dico: – Per questo avevi bisogno di prenderti quel momento per guardarla, da fuori. Per renderti conto che era tutto reale. Perché l'avevi già osservata tante volte, in quella cucina, sognando di essere tu quello per il quale lei cucinava. Giusto?

– Proprio come l'uomo del tuo racconto *ipotetico*, – dice Breslin.

– Era davvero ipotetico. Mi era stato chiesto di immaginare...

– Quel momento deve essere stato fantastico, eh? – dico io. – Dopo tutte le volte in cui a un certo punto non ti restava che voltarti e tornare a casa, al freddo...

– Sí, sí, è stato meraviglioso. Ma non perché io avessi fatto con Aislinn una specie di stalking. Non era nulla di...

Sta ricominciando a farfugliare. – *Shhh*, – dice Breslin.

– Cosa?

– Sta' zitto –. Breslin prende il suo fascicolo. – Voglio mostrarti una cosa.

Si mette a sfogliare le pagine con calma, interrompendosi ogni tanto per inumidirsi il pollice. Rory lo osserva stringendo il bordo del tavolo con le mani, come se fosse pronto a scattare in piedi, ma tiene la bocca chiusa. Non ha perso del tutto l'autocontrollo.

– Ecco qua –. Breslin getta sul tavolo una manciata di foto, ingrandimenti venti per venticinque. Rory allunga una mano, sparpagliandole. Ne afferra una, la guarda ed emette una specie di guaito sorpreso.

Breslin dice: – Prendi anche le altre.

Rory non si muove. Ha la testa china sulla foto, ma gli occhi non mettono a fuoco.

– Prendile.

Rory si muove in automatico, impilandole l'una sull'altra. Gli tremano le dita.

– Guardale.

Lui fa uno sforzo e comincia a guardarle, battendo le palpebre a ogni immagine. Breslin dice alla telecamera: – Ho appena mostrato al signor Fallon delle immagini riprese da varie telecamere di sorveglianza durante l'ultimo mese.

Scende un silenzio.

– Rory, l'uomo in quelle foto sei tu. Su questo siamo d'accordo, dico bene?

Un altro silenzio. Poi Rory muove appena la testa in segno d'assenso.

– Per la registrazione.

– Sí.

Breslin si china verso di lui, facendolo sussultare, e pianta un dito sulla foto in cima alla pila, sul viso che guarda verso la telecamera del Tesco. – Questo sei tu. Il 14 di questo mese.

– Sí, stavo solo comprando qualcosa. Ero entrato per…

È alla ricerca disperata di una nuova storia. Io dico: – Ci avevi detto di non essere mai stato a Stoneybatter prima di sabato sera. E di aver dovuto cercare sul cellulare l'indirizzo del Tesco.

Rory muove la bocca e tenta di deglutire.

Il dito di Breslin è ancora schiacciato sul suo viso nella foto. – Allora, – dice, in tono cordiale, – la tua storiella sull'uomo che aveva preso la mania di spiare Aislinn era basata su fatti realmente avvenuti, come dicono in tivú. Giusto?

– Non la… no. No! Non la parte dove… – Comincia a perdere di nuovo il fiato. – Io non ho mai… mai…

Se va in iperventilazione e sviene, ci metteremo tutta la notte. Dico, calma ma ferma: – Rory. La parte sull'uomo che andava in giro per Stoneybatter per sentirsi vicino a Aislinn. Quello l'hai fatto, no?

– Sí, ma...

– Aspetta. Una cosa alla volta. La parte sull'uomo che osservava Aislinn dal vicolo. Hai fatto anche quello, no?

– Ho solo... – Rory si sfrega il dorso di una mano sulla bocca, cosí forte da lasciare dei segni rossi. – No. Io...

– Rory, – insisto. – Per favore. Vuoi davvero farci credere che sei andato in giro per *settimane* qua e là per Stoneybatter, senza mai avvicinarti alla casa di Aislinn, a parte la sera in cui lei è stata uccisa? Perché se è questo che stai dicendo, non mi piace affatto come suona.

– No, no –. Alza le mani in fretta. È cosí facile spingerlo un passo alla volta, fino all'angolo da cui non uscirà piú. – L'ho guardata, qualche volta. Ma...

Breslin ha preso la foto e la sta esaminando. – Ma sabato sera Aislinn ti ha beccato.

Quella voce. Tranquilla, un po' strascicata, quasi amichevole. Ma riempie la stanza, senza lasciare spazio per nient'altro. – Com'è successo? È uscita in cortile per qualche motivo e ti ha visto affacciato al muro di cinta? O forse hai detto qualcosa sul tuo giretto da Tesco che le ha fatto capire che conoscevi bene la zona? Forse hai detto che la cucina era piú bella con il nuovo quadro, o che adori il filetto alla Wellington. E a un tratto... – Breslin alza una mano e la lascia ricadere sulla foto con un suono secco. – Il tuo segretuccio sporco non è piú un segreto.

Sul viso di Rory si è formata una sottile patina di sudore. – No. Io non sono mai, mai entrato in casa sua.

Breslin lo ignora. – Sei entrato in quella casa pensando di entrare in paradiso, e nel giro di cinque minuti tutto è andato in merda. Gesú, che botta. Arrossisco solo a pensarci –. L'accenno di sorriso sadico a un angolo della bocca rende quella frase una battuta. – Come l'ha presa Aislinn?

– Lei... *no*. Non l'ha presa in nessun modo, perché non è successo niente del genere. Io...

– Scommetto che ricordi esattamente la sua espressione. Scommetto che non riesci a togliertela dalla testa. Era disgustata? Spaventata? Ha detto che eri un mostro, o uno psicopatico? O un patetico fissato? Cos'ha detto, Rory?

Rory tenta di continuare a negare, ma Breslin non gliene dà la possibilità. È chino su di lui attraverso il tavolo, cosí vicino da fargli sentire l'odore del suo fiato, del suo dopobarba, il calore della sua pelle. – Cos'ha detto? Ha riso di te? Ti ha detto di andartene? Ha minacciato di chiamare noi? Cos'è stato a farti scattare? Cosa ti ha fatto perdere il controllo?

– Io non ho fatto nulla!

Viene fuori come un latrato. Breslin lo fissa. – Ma di che cazzo parli? L'hai spiata, l'hai sottoposta a un vero e proprio stalking, e lo chiami nulla?

– No...

– Secondo Aislinn non era nulla?

– Lei non lo sapeva! Io...

– Stai dicendo un mucchio di stronzate. Continui a ripetere che avevi «bisogno di un momento», ma venticinque minuti non sono un momento. Venticinque minuti sono un tempo sufficiente per prenderti il tuo *momento* dietro la casa, poi suonare alla porta, darti la zappa sui piedi, perdere la testa, uccidere Aislinn, ripulire le tue tracce, renderti conto della necessità di giustificare quel periodo di tempo e correre da Tesco. Ed è questo che hai fatto.

Il viso di Rory è una strana mescolanza di orrore e di qualcosa che somiglia al sollievo. Ha già visto nella sua testa questa scena almeno cento volte. Ora che sta pren-

dendo forma nella realtà gli sembra qualcosa che conosce
già, tutti gli spigoli sono già stati smussati dalla sua immaginazione. Stavolta è anche piú facile: stiamo facendo
noi il lavoro al suo posto. Tutto ciò che deve fare lui è recitare le sue battute.

Dice: – Non le ho mai fatto del male.

Dopo la voce di Breslin, la sua non ha peso, è una vibrazione filiforme che galleggia nell'aria surriscaldata.

– Ma sei entrato in casa sua, – dico.

– No. Lo giuro.

La Scientifica sta analizzando i vestiti che indossavi
quella sera. Cosa dirai quando troveremo le fibre della
moquette di Aislinn sui tuoi pantaloni?

– Non le troverete. Non *potete* trovarle. Io non sono
entrato in casa sua.

Breslin dice: – Non ci è entrato nessun altro.

– Ma l'uomo, lo stalker…

– Ma dài. Credi davvero di non essere stato il primo ad
avere l'idea di controllare la vita sociale di Aislinn? Noi
abbiamo controllato ogni uomo che le abbia anche solo
fatto un sorriso. E li abbiamo dovuti escludere tutti, l'uno
dopo l'altro. Hai un motivo, anche minimo, per cui io dovrei credere che questo stalker esiste?

Rory ha un sussulto improvviso, alza di nuovo le mani.
– Un momento. Sí. C'era un uomo, sabato. Ho visto un
uomo in strada…

Sembra un distributore automatico. Appena apre la bocca, ne esce una nuova storia. Alzo gli occhi al cielo. Breslin
scoppia a ridere, una risata forte che fa accasciare Rory
sulla sedia. – Certo. Solo che dopo sei stato rapito dagli
alieni e loro ti hanno cancellato la memoria, che curiosa-
mente ti sta tornando solo in questo momento.

– No…

– Allora ti è caduto in testa un pianoforte e hai avuto un'amnesia.

– Non è...

– Domenica tu ci hai detto testualmente che non ricordavi di aver visto nessuno a Stoneybatter, a parte un gruppetto di ragazzi che giocavano a pallone e alcune ragazze che uscivano per una serata fuori. Non hai parlato di nessun uomo, Rory.

Rory tenta di dire qualcosa, ma la voce di Breslin cozza contro la sua e la sbriciola. – Ci sei solo tu. Ogni tessera di questo rompicapo, quando la voltiamo, ha la tua faccia stampata sopra. Lo stalker eri tu, Rory. Lo sappiamo tutti. Ogni cosa che ci hai detto di lui sei stato tu a farla. L'unica parte che hai lasciato fuori è quando lui bussa alla porta di Aislinn e tutto va a puttane. Ma indovina? Verrà fuori che anche in quel caso si trattava di te.

– No, è impossibile. Io non sono mai entrato in casa sua. Mai.

Dà l'impressione di essere dieci volte piú piccolo di Breslin, ma è tutto mento e occhi furiosi. Ormai non è piú tanto facile spingerlo. Abbiamo trovato il punto da cui non vuole spostarsi.

Mi muovo sulla sedia. – C'è un'altra cosa importante, – dico a Breslin.

– Non abbiamo bisogno di nient'altro, Conway. Abbiamo piú che abbastanza –. Breslin allunga una mano, allontana le foto da Rory e le mette l'una sull'altra con gesti bruschi. – Arrestiamolo, andiamo a mangiare qualcosa e torniamo a occuparcene dopo.

Alla parola «arrestiamolo» Rory apre la bocca, ma ne esce solo aria. I suoi occhi, bianchi di paura, si spostano su di me. La merda che aveva immaginato è appena diventata realtà.

– Aspetta, – dico a Breslin. – Lasciami parlare.

– Sei tu il capo, – dice lui, con un sospiro. Lascia le foto e inclina la sedia all'indietro, disponendosi ad ascoltare.

– Bene, – dico. – Aislinn aveva il forno acceso in cucina, giusto? Perché stava preparando la cena per Rory.

– Sí. E allora?

– E Rory, prima di uscire, ha spento il forno.

Rory comincia a dire: – Io non… – Ma Breslin lo zittisce con un gesto. – Esatto. E perché sarebbe importante, a questo punto?

– L'unico motivo per spegnere il forno, – dico, – è perché non voleva che scoppiasse un incendio. Ora, se Rory sapeva che Aislinn era morta, o se non gli importava che sopravvivesse… Lasciami finire, – dico a Rory, che fa di nuovo per parlare, – allora lasciar bruciare la casa sarebbe stata la cosa migliore, per lui. Con un incendio, ogni prova della sua presenza lí finisce in fumo: fibre, impronte, Dna, tutto. Lo sa chiunque abbia visto un poliziesco alla tivú. Ho ragione?

– Ti sto ascoltando, – dice Breslin. Poi, rivolto a Rory, che sta quasi per saltare dalla sedia: – Faresti bene ad ascoltare con attenzione anche tu, caro mio. Sembra una cosa a tuo favore, e sinceramente non puoi permetterti di ignorarla.

Rory ricasca a sedere. Il suo petto si alza e si abbassa come se avesse corso. Breslin gli dice: – Hai intenzione di lasciar finire alla detective Conway quello che stava dicendo?

– Sí, certo –. Poi, interpretando il sopracciglio alzato di Breslin, aggiunge: – Scusate l'interruzione.

– Voglio dire solo questo, – spiego. – L'unico motivo per cui Rory poteva voler evitare un incendio, è perché pensava che Aislinn non fosse morta e non voleva che morisse. Il che significa che fin dall'inizio non aveva intenzione di ucciderla.

– Ah, sí, – dice Breslin, annuendo lentamente. – Ora capisco dove vuoi andare a parare, e hai ragione: è importante. Tutte le altre prove in nostro possesso puntano verso un omicidio tout court, e anche brutale, se vuoi la mia opinione. Ma se hai ragione sul motivo per cui è stato spento quel forno, a quel punto si tratta di omicidio colposo.

– Esatto, – confermo. – *Se* ho ragione.

– *Se*. Ci sono un bel numero di motivi per cui qualcuno può aver spento il forno. Prima di tutto, forse è stata proprio Aislinn. O forse Rory soffre di una lieve forma di disturbo ossessivo compulsivo e non può uscire da una casa senza aver spento tutto. Ma *se* hai ragione tu…

Tutti e due guardiamo Rory. Lui ha lo sguardo offuscato. Troppe storie si affollano nella sua mente, e sta perdendo la presa su tutte. Fino a un certo punto, a noi conviene: se l'indiziato non riesce piú a tenere traccia di cos'ha detto e quando l'ha detto, commetterà degli errori. Ma se la presa sulla realtà si fa troppo debole, comincia a dire cose senza senso. Se vogliamo tirargli fuori qualcosa di utile, il momento è adesso.

– Io ho finito, Rory, – dico. – Ora puoi parlare.

Breslin lascia che apra la bocca e lo interrompe subito: – Ma prima rifletti. Stai per dirci di non essere mai entrato in quella casa, e al tuo posto io ci penserei bene, prima di dirlo. Omicidio vuol dire automaticamente una condanna a vita, Rory. Ma se aggiungi la parola «colposo» puoi prenderti sei anni e uscire dopo quattro. E se non ci dici perché hai spento il forno in cucina, non abbiamo nulla, ma proprio nulla, per parlare di colposo, mentre un bel po' di prove dicono che è omicidio e basta. Perciò, per il tuo bene ti consiglio di prenderti cinque minuti per riflettere, Rory, prima di dire anche una sola

parola –. Rory fa per aprire la bocca e Breslin lo blocca
di nuovo: – Cinque minuti, ho detto. Ti avviso quando
saranno passati –. Tira indietro il polsino e guarda l'orologio. – A partire da ora.

Rory si arrende. Fissa il vuoto, ondeggiando un po' per
la stanchezza.

– Uno.

Lentamente, i lineamenti del viso di Rory si fanno piú
solidi. Smette di ondeggiare. Dentro la sua testa si sta
muovendo qualcosa.

Breslin ha adottato la strategia sbagliata. Spera che il
peso di quel silenzio forzato e della paura riescano a spezzare Rory, ma era con il nostro fuoco di fila di parole che
ci stavamo riuscendo. Costringere uno come Rory a rin-
chiudersi nella sua testa significa dargli il tempo di concentrarsi e trovare il modo di raddrizzare ciò che ha detto.
Lo stiamo perdendo.

– Due.

– Lascia perdere, – dico, sbattendo le mani sul tavolo.
– Gli abbiamo dato abbastanza tempo. Rory, guardami –.
Gli schiocco le dita davanti al viso. Lui sbatte le palpebre.
– Perché hai spento il forno?

Troppo tardi. Rory dice: – Non l'ho fatto. Non sono
mai entrato in casa di Aislinn. Non le ho mai fatto del male, in nessun modo. E ora voglio tornare a casa.

Si alza in piedi, malfermo sulle gambe, e fa per togliere
il cappotto dallo schienale della sedia, ma gli tremano le
mani e perde la presa.

– Piano, piano, – dice Breslin. – Non abbiamo finito.
Siediti.

– *Io* ho finito. Sono in arresto?

Breslin apre la bocca per dichiararlo in arresto, ma io
lo precedo. – No, – dico, ignorandolo quando si volta di

scatto verso di me. – Non in questo momento. Ma se vuoi che crediamo alla tua storia, uscire di qui non è la cosa giusta da fare. Hai bisogno di restare e lavorare con noi.

– No. Se non sono in arresto, vado a casa –. Riesce a togliere il cappotto dalla sedia ma lo lascia cadere.

– Facciamo cosí, – dico, chiudendo il taccuino. – Va' a casa, a dormire un po'. Noi parleremo con i vicini di Aislinn e vediamo se qualcuno di loro ha guardato dalla finestra e ti ha visto in quel vicolo, diciamo tra le otto e trenta e le otto e quaranta. Se ti hanno visto, sei scagionato, perché non avresti avuto il tempo per tutto il resto –. Ovviamente, abbiamo già parlato con i vicini, e se loro avessero visto un tipo strano nel vicolo ce lo avrebbero detto senz'altro, ma Rory non lo sa. – Torna da noi domani per firmare la tua dichiarazione, e ne riparliamo come si deve. Cosa ne dici?

Rory si getta il cappotto sulle spalle, senza nemmeno provare a infilare le braccia nelle maniche. – Sí. Va bene.

– Veniamo noi a prenderti, – dice Breslin, con appena un accenno di minaccia nel tono. Si alza in piedi e stira le braccia. – Non pensi di andare da nessuna parte, se non a casa e alla tua libreria, dico bene?

– Non vado da nessuna parte.

– Buona idea, – gli dice Breslin. Apre la porta e lo invita a uscire con un gesto della mano e un piccolo inchino. – Dopo di te.

Steve è sulla soglia della stanza di osservazione, la giacca sul braccio, le maniche della camicia arrotolate per il caldo. Incrocia il mio sguardo per un secondo che sembra lunghissimo. Poi noi proseguiamo lungo il corridoio, Rory affrettandosi verso la corrente d'aria fresca che arriva dalla tromba delle scale, Breslin canticchiando sottovoce.

Io e Breslin seguiamo con lo sguardo Rory che si allontana sull'acciottolato. Sembra piccolo e malmesso, il vento gli fa svolazzare il soprabito e gli scompiglia i capelli, facendolo barcollare. È praticamente buio. Mi basteranno solo un paio di mesi, lavorando come guardia del corpo, per risparmiare abbastanza da farmi una vacanza in un posto caldo e pieno di colori brillanti e lontanissimo da qui.

– Illuminami, – dice Breslin, in tono cordiale. – Perché lui sta tornando a casa?

– Ci siamo quasi. Stavamo per chiudere, poi quella pausa gli ha dato la possibilità di rimettere ordine nei pensieri. Ma se siamo riusciti una volta a portarlo quasi al punto di confessare, possiamo riuscirci di nuovo. Se però lo arrestiamo, chiama un avvocato e possiamo dire addio alla nostra confessione.

– Non ci *serve* una confessione, Conway. Abbiamo abbastanza prove circostanziali da seppellirlo vivo.

Probabilmente è cosí, ma non m'interessa. È il mio ultimo caso di omicidio, e non mi accontento di prove circostanziali e ragionevoli inferenze. Questo caso finirà con un paletto piantato nel cuore, morto come la terra.

– Io la voglio, – dico. – Possiamo permetterci di lasciargli tempo fino a domani.

– Sempre se non si butta nel Liffey.

– Non lo farà. Pensa ancora che io potrei finire per credergli. E vuole che gli creda.

Breslin mi osserva. – E ha ragione di pensarlo?

– No –. La scarica di adrenalina si sta esaurendo; sento il down da post-interrogatorio che sta per cadermi addosso, lasciando un brutto vuoto che, se non stai attento, può sembrare una perdita. Ho bisogno di caffeina, zucchero e di un bell'hamburger farcito di tutto. – È lui il nostro uomo, ne sono convinta.

– Infatti. E spero tu sappia che l'aver spento il forno non basta a farlo diventare un omicidio colposo. Non è possibile che quel frocetto, dopo aver *ammazzato* una persona, abbia avuto la freddezza di pensare a evitare un incendio. Aveva il cervello in pappa. Deve aver spento il forno perché il cibo si stava bruciando e l'odore lo infastidiva. Il referto di Cooper è ancora valido: potrebbe essere omicidio colposo se Rory avesse avuto la forza di vibrare un pugno del genere, ma non se ha deliberatamente sbattuto la testa di Aislinn sul gradino mentre lei era a terra. E piú guardo quelle sue braccine sottili...

– Non è un problema mio, – dico. – Possono pensarci la giuria e gli avvocati. Io voglio solo un'accusa a prova di bomba che dimostri che l'ha uccisa lui.

– Bene, – dice Breslin, cosí cordiale che per un attimo mi aspetto una pacca sulla spalla. – Non dovrebbe essere un problema. Metteremo ogni uomo disponibile alla ricerca di prove di rinforzo, che getteremo addosso a Rory tutte insieme, e lui si piegherà come una sedia a sdraio. E se non si piega, abbiamo sempre abbastanza prove circostanziali da chiudere il caso come si deve. Giusto?

– Giusto –. Rory è scomparso dietro l'angolo che porta al cancello. Le pozze di luce gialla sui ciottoli li fanno sembrare scivolosi di pioggia, pericolosi.

Le rotelle nella mente di Breslin girano con tanta forza che mi sembra di sentirle. Tengo gli occhi fissi nel punto in cui Rory è scomparso, finché, finalmente, sento Breslin allontanarsi e chiudersi la porta alle spalle.

Telefono a Lucy dal bagno delle donne. Stavolta mi risponde, ma in un sussurro e con voce nervosa. Qualcuno in sottofondo sta dando ordini e c'è un improvviso scoppio di musica country, interrotto da uno strillo irritato. Al teatro è la serata d'apertura di un nuovo show, ci sono problemi tecnici e Lucy deve proprio andare (in sottofondo: «Luce! Novità su quelle lampade paraboliche?») Mi giura che sarà a casa tutto domani, ma non capisco se è vero o se me lo sta dicendo per liberarsi di me.

Domattina busserò alla sua porta prima che si alzi dal letto per andare a farsi passare il doposbronza da qualche altra parte. Spero che mi dica di essersi inventata l'amante segreto di Aislinn per stimolarci a effettuare un'indagine accurata. Spero, non appena uscirò dall'appartamento di Lucy, che Sophie mi chiami per dirmi che la cartella protetta nel computer di Aislinn era piena di foto del papà, scannerizzate e digitalizzate per tenerle più a portata di mano ogni volta che lei desiderava piangerci sopra.

Sto praticamente pregando che le mie piste più interessanti si riducano in cenere. È quasi contro natura, come se mi fosse entrato in testa un parassita che mi sta mangiando il cervello. Ma Lucy e quella cartella sono gli ultimi due capi sciolti che mi impediscono di chiudere il caso con un bel fiocco, lasciarlo sulla porta dell'ufficio di O'Kelly con sopra il mio distintivo, e andarmene per sempre.

Steve è seduto alla scrivania. Sta controllando le e-mail. Mi siedo accanto a lui e comincio a sfogliare le pile di carte che si sono materializzate mentre non c'ero. Le reclute cercano di non farsi beccare mentre mi lanciano occhiate furtive, chiedendosi quando la stronza pazza colpirà di nuovo.

La spessa coltre di silenzio tra me e Steve è tagliente come un pezzo di lamiera strappata. Dico: – Allora hai visto Rory, là dentro.

– Ne ho visto un bel po', – risponde lui, senza alzare gli occhi. – Un buon interrogatorio.

Non sembra un complimento. – Grazie, – dico. Noto che Breslin ci guarda e mi tornano in mente le sue parole: «Tu e Moran non siete fatti l'uno per l'altra». – Dove sei stato?

– A far vedere le foto segnaletiche al barman e ai vicini di Aislinn. Nessuna corrispondenza –. Aspetta che io dica: «Te l'avevo detto», ma resto zitta, e lui continua: – Allora sono andato a fare quattro chiacchiere con alcuni ragazzi che hanno lavorato alla scomparsa di Des Murray. Non preoccuparti, l'ho fatto con discrezione.

– Non sono preoccupata.

Steve mi lancia un'occhiata di lato, cercando di capire cosa significa veramente quella frase. – In ogni modo, – riprende. Il suo tono è preciso, neutro, distante; l'ho già sentito, ma rivolto ad avvocati difensori e a giornalisti insinuanti, mai a me. – Secondo loro McCann aveva davvero una cotta per Evelyn Murray. Era lui a spingere per continuare l'indagine; era molto eloquente quando parlava di quella povera donna fragile dalla vita distrutta, e McCann non è un tipo eloquente, per questo i ragazzi se lo ricordano. McCann trovò persino qualcuno disposto ad acquistare la licenza da tassista di Des, al prezzo più alto possibile, in modo che Aislinn e sua madre non si trovassero in ristrettezze. Ma i ragazzi sono convinti al cento per cento che la cotta non sfociò mai in una relazione. Anche allora McCann era noto come Joe il Santo: nessuna possibilità che si scopasse la moglie di qualcun altro. Hanno riso di me solo perché ho accennato a questa possibilità.

Lascia un'altra pausa per un mio eventuale «te l'avevo detto». Non ce la faccio più a stare seduta accanto a lui, con questa cortesia fredda, sotto lo sguardo divertito di Breslin. Gli chiedo: – Hai trovato un motivo qualsiasi per pensare che questo abbia a che fare con il nostro caso?

– No.

– Bene. Allora facciamo la riunione di aggiornamento.

Mi alzo in piedi. Ancora prima che arrivi davanti alla scrivania, le reclute hanno mollato quello che stavano facendo e siedono dritte e attente, senza tuttavia incrociare mai lo sguardo con l'animale rabbioso.

– Bene, – dico. – Buone notizie. Ormai sembra definitivo che il nostro uomo sia Rory Fallon. I video dicono, e lui lo ha ammesso, che ha sottoposto Aislinn a stalking almeno per tutto il mese scorso. Ed è cosí che ha trascorso i venticinque minuti prima del loro appuntamento, o almeno parte di essi: spiandola dalle finestre.

– Piccolo pervertito, – dice Stanton, sogghignando. – Forse bisogna controllare i muri per vedere se ci sono campioni di Dna.

Seguono varie risatine. – Buona idea, – dico. Lo sperma di Rory non sarà una prova di omicidio, ma di sicuro può darci una mano al processo: le giurie odiano i segaioli. – Lui dice di essere rimasto a guardare dal vicolo dietro il cortile posteriore, perciò di' ai tecnici di dare una bella ripassata a quel muro, e anche a quello sotto la finestra della cucina, nel caso in cui Rory abbia trovato il coraggio per un'azione a raggio ravvicinato.

Stanton annuisce; Meehan lo scrive nel registro di lavoro. Io riprendo a parlare. – La nostra nuova teoria è questa: Rory è entrato in casa di Aislinn, lei in qualche modo si è resa conto di essere stata spiata e ha tentato di mandarlo via. A quel punto, lui ha perso la testa.

– Rory non ha ancora confessato, – dice Breslin, – ma ci è andato vicino. Speriamo che domani sia il grande giorno.

– Prima di riportarlo qui, – dico, – scopriamo da quanto

tempo la spiava. Voglio che due di voi mostrino la sua foto in giro per Stoneybatter, per vedere se qualcuno ricorda di averlo visto negli ultimi due mesi. Ha una libreria da gestire, quindi ci sarà andato di sera e di domenica. Provate dappertutto: case, negozi, pub, uffici i cui impiegati possono averlo incrociato uscendo dal lavoro. Per quanto riguarda sale bingo, club sportivi e comunità varie, rintracciate i membri –. Kellegher alza un dito. – Kellegher, ve ne occupate tu e Gaffney. E voglio sapere cos'ha fatto il cellulare di Rory negli ultimi due mesi: quando ha agganciato le celle intorno a Stoneybatter, e se si è inserito in qualche rete wireless della zona. Stanton, mentre fai le tue telefonate, fai anche queste.

Il caso è cambiato. Prima pescavamo a strascico, setacciando i risultati e sperando di trovare qualcosa di buono. Ora si tratta di una caccia. Abbiamo la preda nel mirino e la stiamo braccando, e tutto ciò che facciamo serve a inchiodarla contro un muro per il colpo fatale.

Questa sensazione non è solo una figura retorica del cazzo. Vive dentro di te, piú profonda, piú antica e piú reale di tutto il resto, a parte il sesso, e quando sale in superficie si appropria del tuo corpo. È un odore di sangue che avverti nel naso, è il braccio che pulsa perché vuole scoccare la freccia, è un rullo di tamburi nelle orecchie e un urlo di vittoria che sale dalla pancia. Mi godo tutto questo per l'ultima volta. Me lo bevo, ne gusto ogni secondo, ne faccio una scorta che mi durerà per il resto della vita.

– Voglio sapere dove Rory va a bere, – dico. – E cosa pensano di lui il barista e i clienti regolari; per esempio, se ha la reputazione di fissarsi su qualche ragazza, di non accettare un no, se va in collera facilmente… tutto ciò che può esserci utile –. Meehan alza la mano. – Meehan, pensaci tu. Cosí cambierai ambiente, dopo Stoneybatter. E voglio sapere che cosa pensano di Rory gli altri negozianti di Ranelagh. Se per esempio sanno di qualche volta che ha maltrattato un cliente della libreria, o se si metteva di vedetta davanti alla panetteria aspettando che la commessa carina finisse il turno.

– Questo lo faccio io, – dice Breslin. – Moran, ti va di venire con me?

Steve alza gli occhi, sorpreso, ma vede il sorriso mite di Breslin e dopo un attimo dice: – Sí, certo.

– Grande, – dice Breslin, strizzandogli l'occhio. – Buttiamo giú Rory.

Non ho voglia di illustrare i miei piani per l'indomani, perciò dico solo: – Come prima cosa, domattina, chiamo la Scientifica per vedere a che punto sono con le corrispondenze di fibre e Dna –. E con la cartella protetta di Aislinn, di cui ugualmente non voglio parlare. – Nel frattempo, qualcuno deve tenere d'occhio la casa di Rory, solo per stanotte e parte di domani, finché non saremo pronti a portarlo di nuovo qui –. Breslin mi lancia un'occhiata divertita. Io non credo che Rory si getterà nel Liffey o tenterà la fuga, o proverà a liberarsi di prove che ci sono sfuggite, ma non intendo rischiare solo per risparmiare alcune ore di sorveglianza. – Deasy, fallo tu, o se vuoi fallo fare a un paio di agenti, ma niente divise: di' loro che devono essere in borghese e in un'auto senza insegne.

Deasy annuisce. – Bene, – dico. – Se non riusciamo a ottenere una confessione, questo è il materiale per costruire il caso in tribunale. Perciò fate del vostro meglio. Grazie e a domani.

Un secondo prima che mi volti verso Steve, per fingere che siamo ancora partner e andare con lui a fare rapporto al capo, la sala operativa mi afferra la pancia. Per quel secondo, risplende del calore di un futuro che sarebbe potuto esistere. Tutte le volte, nei prossimi vent'anni, che sarei potuta entrare qui con Steve, ridendo; ogni grido di trionfo ricevendo i tabulati o l'analisi del Dna che aspettavamo; ogni discorso di ringraziamento che avrei potuto fare alla fine di un caso importante; tutte queste cose mi invadono la mente, ora che sono irraggiungibili.

Io non faccio queste stronzate, e ho già una serie di scuse per spiegare tutto: mancanza di sonno, mancanza di cibo, stress, grossa decisione da prendere, e bla, bla, bla. Ma intanto quel sentimento contronatura mi punge la pelle come un attacco di orticaria.

– Andiamo, – dico a Steve. – Dal capo –. Esco dalla sala senza aspettarlo, per non dover camminare in corridoio di fianco a lui.

O'Kelly sta spolverando la sua pianta ragno con una di quelle pezzuole che si usano per pulire gli occhiali. – Conway. Moran, – dice, alzando a malapena gli occhi. – Ditemi che siete a buon punto.

– Sí, – rispondo. – Sembra di sí.

– Era ora. Sentiamo.

Gli faccio il riassunto. Lui ascolta, gira la pianta sotto la luce per accertarsi di averla spolverata bene. – Ah, – dice, quando ho finito. – E siete contenti cosí.

Mi lancia un'occhiata di lato, con un occhio solo. Io dico: – Domani proviamo di nuovo a ottenere una confessione. Non si preoccupi, non manderemo il fascicolo ai pubblici ministeri finché il caso non sarà chiuso come si deve.

– Non intendevo dire se siete abbastanza contenti da mandare il fascicolo. Voglio sapere se siete convinti che sia stato Fallon.

– Sí, – rispondo. Quell'occhio, arrossato e umido dove la palpebra comincia a cascare, come quella di un vecchio.

Non lo capisco, e non m'importa piú tanto; non voglio nemmeno sapere se anche lui fa parte del gioco di Breslin. – È
stato lui –. Sento Steve spostare il peso sui piedi, accanto
a me, ma non dice nulla.

Il capo mi fissa con quell'occhio per un altro lungo momento, prima di tornare alla sua pianta. Sposta una foglia
per esaminarla, dà un'altra passatina con il panno in un
punto specifico. – Avevo capito che volessi aspettare fino
a trovare qualcosa che non fosse circostanziale.

È quello che gli ho detto ieri sera, quando questo caso era un mezzo disastro che sparava possibilità in tutte
le direzioni. Sembrano trascorsi anni. – O quello, oppure
escludere tutto il resto. Ed è ciò che abbiamo fatto.

– L'avete fatto.

– Ci sono zero motivi, – dico, – per pensare che sia implicata una persona diversa da Rory Fallon.

O'Kelly testa la punta di una foglia con il polpastrello
del pollice. – Va bene, – dice. – Va bene.

Sembra essersi dimenticato di noi; non capisco se siamo
stati congedati o no. – Ci servirebbe un'altra recluta, – dico.
– Ho rispedito Reilly nel gruppo di reclute a disposizione.

Questo attira la sua attenzione. – Perché?

– Ha trovato delle prove e, invece di portarle a me o a
Moran, le ha date a Breslin.

– Non possiamo accettarlo, – dice O'Kelly. Non tenta
di nascondere una lunga occhiata a Steve. – Va bene, ve
ne mando un altro. Tenetemi aggiornati.

Ci dà le spalle di tre quarti e infila delicatamente le dita nella pianta, scostando le foglie per inserire la pezzuola
fino alla base.

In corridoio, Steve dice: – Zero motivi per pensare che
sia implicata una persona diversa da Rory Fallon.

La sua voce ha ancora quel tono remoto. – Sí, – rispondo. – Esattamente zero motivi.

– E l'uomo misterioso di cui ci ha parlato Lucy? E la cartella protetta sul computer di Aislinn?

– Vado da Lucy domani, dopo aver telefonato a Sophie. Se una di loro ci dà qualcosa di solido, rivediamo il caso –. Avverto i segnali di pericolo che mi salgono nella voce. – Ma in questo momento, zero motivi. Zero.

– Il Dna sul materasso di Aislinn.

– Non è finito lí sabato sera, altrimenti sarebbe stato anche sulle lenzuola. Non ha nulla a che fare con il nostro caso.

Steve si è fermato. Sta guardando fuori dalla finestra del corridoio, il cielo nero con strati giallastri di vapore dovuto all'inquinamento. Non guarda me.

Gli dico: – Hai visto anche tu Rory, da dietro il vetro. Non dirmi che hai ancora dei dubbi.

Lui ci mette troppo a rispondere. Lo lascio lí e me ne vado.

Mi sto infilando il cappotto quando mi rendo conto all'improvviso che Breslin è riuscito ad andare avanti per tutto il pomeriggio senza mai lasciar cadere un indizio qualsiasi che sia un poliziotto corrotto.

Dovrebbe farmi piacere, invece mi penetra come un ago sotto un'unghia. Non c'è nessun motivo per cui Breslin, nel paio d'ore che ho impiegato per parlare con gli ex di Aislinn, possa aver deciso di abbandonare all'improvviso il suo piano elaborato per tendermi una trappola. Stava facendo un buon lavoro: un altro paio di spintarelle e, se non fosse stato per Pulci, mi sarei ritrovata in posizione pronta per il colpo di grazia. E a un tratto lui lascia cadere tutto e se ne va. Ripercorro mentalmente la giornata, il mio incontro con McCann, i rapporti delle reclute, e cerco qualsiasi cosa che possa averlo indotto a cambiare direzione: qualcosa che possa avergli fatto capire che lo avevo sgamato, o qualcosa che lo abbia indotto a decidere che in fondo non valeva la pena possedermi. Non trovo nulla.

Resta una sola possibilità, che mi infastidisce non poco: Breslin sa, in qualche modo, che non ha piú importanza andare avanti con il suo piano. Le parole che dirò al capo puzzano di capelli bruciati, mi segnano la faccia con le loro ombre. Breslin mi ha guardata e ha capito, con il suo istinto da detective allenato in vent'anni di lavoro, che il colpo di grazia era già stato sparato. Ha capito che ormai non valgo piú nulla.

13.

Per tutta la strada fino a casa, aspetto qualcosa o qualcuno: un altro agente che mi faccia segno di fermarmi, il
tipo sotto il lampione che mi salta davanti alla macchina
mentre svolto sulla mia strada. Pulci che fa capolino dalla
cucina buia. Non succede nulla. La mia strada è deserta,
e appena entro in casa so istintivamente che non c'è nessuno. Ma controllo lo stesso.

Ho un bisogno pazzesco di dormire. Dormire a lungo.
L'ideale sarebbe avere un uomo armato e fidato di guardia
davanti alla porta della mia stanza, ma comunque non penso di mettermi a letto finché non sarò talmente distrutta
da addormentarmi non appena toccherò le lenzuola. C'è
tutta una lista di cose alle quali non intendo pensare, ma
è cosí lunga e io sono cosí stanca che la mia mente continua a confondersi e a lasciarne passare alcune parti. Per
mezzo secondo, prima di bloccarmi di scatto, mi chiedo
che cosa starà facendo Steve.

In frigo non c'è un cazzo di niente, e con Pulci ci siamo già mangiati i bastoncini di pesce d'emergenza. Chiamo
mia madre e le parlo del vaso di Sophie, coperto di sangue perché due delinquenti si sono introdotti in casa di
una donna anziana e l'hanno presa a pugni nello stomaco
finché la poveretta ha vomitato sangue. Il commento di
mia madre: – Ah –. Non accenna al caso di Aislinn e non
lo faccio nemmeno io. Mentre lei fuma la sua sigaretta, io

preparo il caffè, metto a tostare del pane, tolgo la parte
con la muffa verdastra da un vecchio pezzo di formaggio
e porto il tutto in soggiorno.

Niente vento contro le finestre, stasera; si è calmato,
lasciando al suo posto un freddo spesso e immobile. Guardo nel buio e penso: «Avanti, figlio di puttana. Vieni a
prendermi». Lascio le tende spalancate.

Ho un'e-mail di Pulci. «Ciao, Rach! È bello sentirti.
Qui nessuna novità, tutti quelli della banda stanno bene,
nessuno fa nulla di speciale. In questo periodo ho un po'
da fare, ma vediamoci qualche volta, quando siamo liberi
tutti e due. Stammi bene, bellezza. Baci». Significa che
nessuno nel suo angolo di mondo malavitoso sembra improvvisamente triste o nervoso, e nessuno è andato a piangere sulla spalla di Pulci riguardo alla fidanzata morta. E
significa anche «Vediamoci, qualche volta». Forse.

La squadra di Sophie non ha trovato nessun sito di appuntamenti sul laptop di Aislinn, ma non hanno ancora i
risultati del computer che usava al lavoro. Do un'occhiata agli account che ho aperto con la foto della bionda presa a caso da Google Immagini. Riscuote successo, ci sono
decine di messaggi. Un quarto circa sono foto di cazzi, il
cui obiettivo è presumibilmente farla impazzire di desiderio, piuttosto che dare inizio a una relazione significativa,
anche se non si può mai dire. Quasi tutti gli altri sono il
solito blablabla online, uomini che cercano di abbordare
tutte le ragazze carine che si iscrivono al sito, sperando
che una finisca per abboccare. Due messaggi meritano un
controllo piú approfondito. Niente foto, fraseggio preciso che parla di discrezione e assenza di secondi fini: uomini
sposati in cerca di un'amante. La cosa interessante è che
hanno scelto una che somiglia a Aislinn.

Sto lavorando alla risposta quando noto qualcosa con la

coda dell'occhio. Mi volto di scatto, ma non abbastanza in fretta. Una grossa forma scura si allontana dalla finestra prima che possa vederla bene.

Afferro le chiavi e corro alla porta. Quando la apro la strada è deserta.

Vado verso la macchina, sforzandomi di tenere un passo rilassato: devo solo prendere qualcosa che ho dimenticato, niente di che. Il mio fiato si condensa in nuvolette davanti alla bocca, ma il freddo non mi tocca. Sento odore di fumo di torba e le auto sfrecciare in cima alla strada, e avverto pulsare i muscoli delle gambe.

Sto aprendo la portiera quando la luce cambia leggermente. C'è un tizio sotto il lampione in cima alla strada: un uomo alto. Sbatto la portiera e faccio un passo in quella direzione e lui scompare nel buio dietro l'angolo, a passo svelto.

Sono certa di essere piú veloce di lui, ma Stoneybatter è piena di svolte e vicoletti, e se lui conosce la zona non si farà trovare. O può anche fermarsi in un pub e fissarmi con aria curiosa insieme a tutti gli altri, quando entro di corsa; e non potrò fargli nulla. Devo beccarlo sul mio territorio.

Rientro in casa, tiro le tende fin quasi a chiuderle e resto a spiare la strada dalla fessura.

Se avrò un'altra occasione, sarà l'ultima. Basta che si ripeta una situazione come questa e lui saprà di sicuro di essere bruciato.

Non ho modo di farlo da sola. Esamino mentalmente tutte le persone a cui potrei chiedere una mano: Pulci, Sophie, Gary, la mia amica Lisa, tutti gli altri miei amici, i vicini di casa. Mi viene in mente persino mia madre. E giuro su Dio, per una frazione di secondo penso anche a Breslin.

Ma niente. Non c'è nessuno, in tutta la lista, che mi sento di chiamare per dirgli: «Ciao, senti, c'è una cosa che non posso fare da sola, vieni a darmi una mano». Per tutti loro, dopo quella telefonata sarei una persona diversa. Il vuoto intorno a me si fa cosí pesante che rischia di far crollare la casa.

Quell'uomo in ogni modo ha un discreto autocontrollo: passano venticinque minuti, prima che un'ombra piú densa si muova tra le altre ombre fuori dal cerchio di luce del lampione. In quell'attimo di pulsazioni accelerate, capisco che sapevo già da prima che cosa avrei fatto.

L'ombra piú densa si ferma e resta immobile. Io prendo il cellulare, respiro a fondo e chiamo Steve.

Lui risponde dopo vari squilli. – Ciao, – dice.

– Ciao. Stai facendo qualcosa d'importante?

– Niente di che.

Non aggiunge altro. Quella voce prudente, neutra, mentre cerca di capire, o di decidere, se siamo ancora partner.

Non ho tempo per il balletto dei preliminari. – Steve, – dico, – ascolta, ho bisogno di una mano –. Faccio fatica a dirlo, ma quando guardo fuori dalla finestra l'uomo è ancora lí, immobile appena fuori dalla pozza di luce del lampione.

C'è un lungo secondo di silenzio. Chiudo gli occhi.

Poi Steve dice: – Va bene. Cosa succede?

La sua voce si è ammorbidita di due o tre tacche. È ridicolo che io mi senta cosí sollevata, ma non ho il tempo di pensare nemmeno a questo. – C'è uno stronzo che sorveglia casa mia da diversi giorni, – dico, – e ne ho abbastanza. Non posso uscire e andarlo a prendere, perché ha una buona visuale su tutte le strade possibili, e se mi vede taglia la corda.

Steve dice, e sembra che abbia messo da parte tutto il resto: – Ma non si aspetta di vedere me.

– È quello che spero.

– Dov'è adesso?

– In cima alla mia strada –. Steve sa dove abito. Non è mai entrato in casa, ma siamo passati da qui insieme un paio volte, perché dovevo prendere qualcosa. – Poco fa era fuori dalla mia finestra, altre volte l'ho visto nel vicolo sul retro, ma di solito se ne sta all'angolo della strada. Alto, di mezza età, corporatura solida, cappotto nero, cappello tipo trilby.

Sento che Steve traccia mentalmente la corrispondenza con l'uomo che ha scavalcato il muro di cinta di Aislinn.

– Bene, – dice. – Cosa vuoi che faccia quando lo prendo?

– Portalo qui. Voglio scambiare due parole con lui.

– Sarò lí tra quindici minuti al massimo –. Lo sento muoversi; si sta mettendo scarpe e soprabito.

– Chiamami quando sei quasi arrivato. Fa' squillare una volta, poi riattacca.

– Va bene –. Tintinnio di chiavi; Steve è già pronto. – Sta' attenta.

– Grazie, – rispondo. – Ci vediamo presto.

Mi infilo il telefono in tasca, vado a sedermi sul divano e guardo il laptop cliccando su file a caso. La finestra è come un tamburellare di unghie su un lato della mia testa, ma non mi volto a guardare. Quando il cellulare squilla una volta sembra passata un'ora. Riesco a non sobbalzare.

Stiro le braccia, mi alzo e vado verso la porta di casa, fuori vista dalla finestra. Tiro fuori la pistola e premo l'occhio contro lo spioncino.

Il buio e la porta gialla dall'altro lato della strada prendono forme assurde, nella lente grandangolare dello spioncino. Il cagnolino dei vicini ha un attacco di latrati. Delle ragazze lanciano strilli, in lontananza. Poi un rumore di passi rapidi che si avvicinano sui ciottoli.

Giro il pomello e mi costringo ad attendere, finché qualcosa di grosso e nero riempie il campo dello spioncino. Allora spalanco la porta e due uomini stretti l'uno all'altro quasi mi cadono in casa. Chiudo la porta alle loro spalle.

I due inciampano sul tappeto, riprendono l'equilibrio e restano finalmente immobili in mezzo al soggiorno. Steve tiene l'altro per il colletto con una mano e gli torce un braccio dietro la schiena con l'altra. È un uomo imponente, capelli neri striati di grigio, lungo cappotto nero; il cappello deve averlo perso lungo la strada. – Lasciami andare...

– Lo tengo sotto controllo io, – dico, e punto la pistola alla testa dell'uomo. Steve lo lascia andare e fa un salto indietro.

– Per l'amor di Dio, – dice l'uomo, e poi si volta verso di me e tutti e tre restiamo immobili.

Lui non si aspettava la pistola. Io non mi aspettavo lui. Ero pronta a tutto, da un serial killer a un collega poliziotto, ma non a lui.

Non l'ho mai visto prima d'ora, ma vedo tutto di lui ogni giorno: la curva forte del naso, gli occhi scuri e un po' infossati, le due linee nere delle sopracciglia. Per un attimo mi sembra una burla perversa; la mia mente sbanda, rischia di perdere la presa, mi chiedo se sono stati quegli stronzi della squadra a organizzare tutto per farmi andare fuori di testa. È l'immagine sputata di me.

Steve sposta gli occhi avanti e indietro tra noi due. Ha le mani aperte ai lati del corpo, come se non sapesse cosa farsene.

– Steve, – dico. – Puoi andare –. La bocca fatica a muoversi.

L'uomo dice: – Antoinette...

– Chiudi quella cazzo di bocca o ti sparo –. Stringo con piú forza la pistola e lui tace. – Steve, va' a casa.

Steve fa per dire: – Sei sicura di...

– Va'. Ora.

Un attimo dopo esce, praticamente in punta di piedi, chiudendosi piano la porta alle spalle. Io e l'uomo restiamo a fissarci.

Lui si aggiusta il bavero nel punto in cui Steve lo ha afferrato. – Grazie, – dice. – Non so chi era quello, ma...

– Gli ho chiesto io di portarti in casa, – rispondo. – Ne avevo abbastanza di vederti qua intorno.

Lui non si scompone. – In tal caso, mi avete fatto un favore. Non so quando avrei trovato il coraggio di bussare alla tua porta.

Ha un accento colto, con una sfumatura del Nord, forse di Belfast. Non ha trascorso gli ultimi trentadue anni in un palazzo d'Egitto o in un night club in Brasile. Li ha passati a poche ore di treno da qui.

– Guardati pure intorno, – dico. – Vuoi che ti faccia fare il tour completo?

Lui scruta la mia faccia con un'intensità che mi mette a disagio; ho voglia di spaccargli il naso con il calcio della pistola per farlo smettere. Dice: – Mi somigli molto, l'hai notato?

– Non sono cieca, – rispondo. – E nemmeno stupida.

Lui accenna un sorriso, come se il fatto che io non sia un'idiota fosse in qualche modo merito suo. – Non ho mai pensato che lo fossi.

Tutti quei compiti di Matematica che tenevo pronti per farglieli vedere. Scende il silenzio, mentre lui aspetta che dica qualcosa, o magari che mi getti tra le sue braccia. Non faccio nessuna delle due cose.

– Questo è un momento molto strano, per me, – dice. – Ti ho cercata per quasi un anno.

– Caspita. Un anno intero, eh?

– Ho pensato di cercarti, all'inizio. Ti do la mia parola che l'ho fatto. Ma non conoscevo il tuo nome e tua madre era scomparsa dal radar in un modo molto efficace. E all'epoca, a causa di varie complicazioni presenti nella mia vita, ho pensato che saresti stata meglio senza...

– E ora cos'è successo, hai bisogno di un rene?

– Due anni fa, mia madre e mio padre sono morti, a pochi mesi di distanza l'uno dall'altra –. Ancora una pausa, perché io possa dire che mi dispiace o chissà che altro. – Perdere i genitori causa un grande cambiamento nelle priorità di una persona. Ho compreso l'importanza della loro presenza nella mia vita, in un modo che non avevo mai capito prima: l'importanza di avere delle radici in una storia piú grande di quella tua personale. Mi sono reso conto, per la prima volta, di che cosa ti avevo tolto. E appena ci sono arrivato, ho cominciato a cercarti.

Quegli occhi scuri, intensi, urgenti, espressivi. Nessuna meraviglia che mia madre si sia lasciata abbindolare; aveva solo vent'anni. Io non ci casco. La verità è che lui all'improvviso si è sentito vulnerabile, ha capito di essere il prossimo della lista, e voleva qualcuno che gli desse la sensazione che la sua vita non sarebbe svanita nel nulla. – A un certo punto ho persino assunto un detective privato, – dice. – Ma l'unica cosa che potevo dargli era il nome di tua madre, e...

– Ora mi hai trovata.

– Appena ho saputo dove abitavi sono venuto. Ho preso una stanza in albergo a Dublino e sono venuto quel giorno stesso.

La sua faccia dice che si aspetta di vedermi commossa. – Peccato che tu non l'abbia scoperto qualche settimana prima, – dico. – Saresti arrivato in tempo per lo shopping natalizio.

– Quella è proprio necessaria? – Indica la pistola con un cenno del capo. – Non aiuta la conversazione. Tanto ora sai che non ho intenzione di farti del male.

Ha un accenno di sorriso all'angolo della bocca, e si aspetta che funzioni. È un vero incantatore, quest'uomo. Peccato che il gene dell'incanto abbia saltato una generazione.

– Non c'è nessuna conversazione, – dico. Se Steve ha
avuto il buon senso di fare ciò che gli ho detto ormai sarà
lontano, e lui non può inseguirlo per tentare di cavargli
informazioni su di me. – Tu stai andando via.

Quelle parole gli cancellano il sorriso dalla faccia. Dice,
in tono cauto: – Capisco che tu sia arrabbiata con me...

– Non sono arrabbiata. Non ho niente da dirti. Vattene –. Indico la porta con la pistola.

– No, – dice lui. – Lasciami restare. Per favore. Solo
per un po'; un'ora. Mezz'ora. Se poi vorrai mandarmi via,
me ne andrò.

– Fuori. Adesso.

– Aspetta –. Non si è mosso, ma è come se la sua voce
fosse saltata a sbarrare la porta. – Per favore. Non voglio
ficcare il naso. Puoi dirmi solo quello che vuoi, o anche
niente, come preferisci. Io ti dirò tutto quello che vuoi
sapere: devi avere delle domande. Qualsiasi cosa. Ti basta chiedere.

Eccolo qui: il mio lato piú oscuro e profondo, quello
che nessun amico o partner o amante conoscerà mai. In
un attimo vedo ciò che aveva visto Aislinn. Vedo il momento che lei voleva raggiungere, attraverso il fango e gli
ostacoli, anche oltre la morte. Mi esplode in casa come
un lampo e canta davanti a me, a portata della mia mano.
«Come ti chiami, come vi siete conosciuti tu e mia madre,
dov'eri sparito, dove sei stato, cos'hai fatto, dimmi tutto,
tutto...» Mi vedo planare come un falco nell'aria calda,
mentre sotto di me lui srotola tutti i miei «forse, chissà,
se fosse...» e io potrò esaminarli a mio agio finché ogni
deviazione, ogni affluente, sarà stampato in modo preciso

nella mia testa, sarà mio. Lo vedo mentre apre il mantello
per mostrarmi le pagine perdute della mia storia, scritte
in argento sul cielo notturno.

– Va bene, – dico. Abbasso la pistola. – Sí, ho delle domande –. Faccio fatica a respirare.

– E io posso restare. Mezz'ora.

– Va bene. Perché no.

Lui annuisce. Aspetta, fissandomi senza battere le palpebre, in attesa delle mie domande come se fossero il miglior regalo che gli possa mai fare.

E lo sarebbero, infatti. Era quello che voleva dirmi mia
madre, con tutte le sue favolette del cazzo. Se lascio che
mi dia le risposte, mi possederà. Tutto, nella mia vita, il
passato e il futuro, sarà suo: sarà ciò in cui lui deciderà di
trasformarlo.

– Come hai fatto a trovarmi? – chiedo.

Sbatte le palpebre.

– Hai detto «qualsiasi cosa», no?

Lui guarda il divano. – Posso sedermi?

– No. Prima comincia a rispondere, poi vediamo.

Solleva un sopracciglio, come se avesse deciso di dare
corda a una ragazzina troppo agitata. È un'espressione che
a volte uso anch'io con i testimoni. – Va bene. Sono andato
al mio solito negozio domenica pomeriggio, per comprare
il giornale. Mentre facevo la fila, ho dato un'occhiata agli
altri giornali esposti. Su uno c'era la tua foto in prima pagina. Ti ho riconosciuta appena ti ho vista.

Vedo rosso. Lui non ha il diritto di riconoscermi. – E
cos'hai fatto?

– Ti ho cercato sulla guida telefonica, ma non ci sei. Ero
sicuro che se ti avessi cercata al lavoro non mi avrebbero
detto nulla. Perciò ho telefonato al giornale e ho chiesto di
parlare con il giornalista che aveva scritto l'articolo. Gli ho

detto chi ero, altrimenti non credo che mi avrebbe detto nulla, e gli ho spiegato che desideravo contattarti ma che non ero sicuro di essere il benvenuto –. Un rapido sguardo alla pistola. – E avevo ragione, sembra.

– E lui ti ha semplicemente dato il mio indirizzo? – Non è possibile. Crowley non fa niente per niente. – Cosa gli hai dato in cambio?

– Non gli ho dato nulla.

Conosco anche quel modo deciso di negare. Lo conosco troppo bene per caderci. – Ancora no, forse. Cosa gli hai promesso?

Lui pensa di mentire, ma è troppo intelligente per correre il rischio. – Il giornalista mi ha detto che poteva darmi il tuo indirizzo. In cambio di un'intervista dopo il nostro incontro.

Vedo già i titoli: *L'angoscia infantile della poliziotta*; con a fianco foto del mio quartiere di merda e della villetta nel verde del mio papà. «"Tutto il tempo in cui cercava la verità nel suo lavoro, in realtà stava cercando me", singhiozza il padre perduto». Non in prima pagina, ovviamente, ma come parte di qualche porcata sentimentale sulle donne cresciute senza padre. Solo pensarci mi dà la nausea. Crowley non ha neppure bisogno di pubblicarlo. Gli basta sventolarmi quell'intervista sotto il naso e chiedere in cambio tutte le informazioni che vuole, sapendo che obbedirò.

Dico: – E tu gli hai risposto: «Certo, come no, senza problemi».

– Non ero felice all'idea di mettere a nudo l'anima su un tabloid. È una cosa che non avrei mai pensato di fare. Ma avrei fatto questo e altro per trovarti.

Non si presenta come un idiota, anche se non si può mai sapere. Gli dico: – Oppure avresti semplicemente potuto chiamare in centrale e chiedere di parlare con me. O magari avresti potuto scrivermi una lettera.

– Sí, è vero –. Si passa una mano sul viso e sospira. – Sarò sincero: volevo la possibilità di osservarti per un po', prima di farlo.

In altre parole, voleva la possibilità di decidere se io ero abbastanza buona per lui, prima di contattarmi. Se avessi avuto un marito in tuta da ginnastica, una mezza dozzina di bambini urlanti e una sigaretta appesa all'angolo della bocca, si sarebbe voltato e se ne sarebbe tornato a casa: occhio non vede, cuore non duole, storia finita prima di cominciare.

Forse lui crede davvero che ciò che mi ha detto sia la verità, ma io no. So esattamente a cosa stava giocando. Se avesse seguito l'iter classico, farmi prima arrivare la notizia, poi provare qualche telefonata prudente per iniziare a conoscerci, e infine incontrarci in territorio neutro, quando tutti e due fossimo stati pronti, io avrei avuto la possibilità di decidere il quando e il se. Ma lui non voleva giocare cosí. Voleva creare questa situazione, in cui avrebbe potuto dettare le regole dall'inizio alla fine. Sfortunatamente per lui, *quel* gene non ha saltato una generazione.

– Quindi, – dico, – hai trascorso gli ultimi tre giorni spiandomi come un guardone.

Lui allarga le narici. – Non sono orgoglioso di doverlo ammettere, ma avevo detto che avrei risposto a tutte le tue domande. Spero che ora tu abbia capito che dicevo sul serio.

– Al tuo amico giornalista non devi dire nulla. Domani mattina lo chiami e gli dici che hai sbagliato persona. E fa' in modo di essere convincente.

Lui alza la testa. L'espressione orgogliosa gli dona, e lo sa. – Gli ho dato la mia parola.

Vuole che lo supplichi, o che pesti i piedi e gli ricordi che a me deve molto di piú di quanto debba a uno scri-

bacchino qualsiasi. Faccio una risata secca: – E cosa fa se
non la rispetti, ti querela?

– Ovviamente no. Ma preferisco rispettare gli impe-
gni che ho preso –. Io sollevo un angolo della bocca e lui
aggiunge: – Inoltre, non credo che nessuno di noi due lo
voglia come nemico.

– Credimi, ti conviene avere lui come nemico piuttosto
che me. Pensi che non abbia amici nella polizia dalle tue
parti? Vuoi passare il resto della vita a essere fermato per
la prova del palloncino ogni volta che sali in macchina?
O venire portato in commissariato per un interrogatorio
ogni volta che un ragazzino dice che l'uomo cattivo aveva la pelle scura?

La sua bocca, tutta curve ampie come la mia, si è stretta. Dice: – È evidente che questo per te significa molto.

Lascia uno spazio perché io morda l'esca, ma non abbocco.

– E va bene. Dirò al giornalista che mi sono sbagliato –.
Indica il divano. – Ora posso sedermi?

Il bastardo sfacciato si sta già muovendo verso il mio
divano. – Ora te ne puoi andare, – dico, puntandogli di
nuovo addosso la pistola.

Lui fa una faccia stupita. – Ma le tue domande? Non
vuoi sapere…

– No. Ora vattene.

Non si muove. – Avevamo detto mezz'ora.

– Ho finito prima.

– Mezz'ora. Era questo l'accordo.

Scoppio a ridere. – Avresti dovuto chiederlo in copia
scritta. Fuori, e non tornare.

Lui stringe i denti. – Se stai cercando di farmi del male…

– Sto cercando di mandarti via da casa mia. Se vorrò
farti del male userò questa –. Indico la pistola con il mento. – Muoviti.

Per un attimo penso che dovrò usarla davvero. Quell'uomo non è abituato a fare marcia indietro. E guarda un po': nemmeno io.

Vedo il momento in cui capisce che sto per farlo. Spalanca gli occhi e fa un passo verso la porta, ma non ha ancora finito. – Capisco che quest'incontro sia stato uno shock. Credimi, non è il modo che avrei scelto... Posso lasciarti il mio biglietto da visita? Cosí quando ci avrai pensato su...

Sta per infilare la mano nella tasca interna della giacca. – No, – dico, e alzo la pistola, finché lui non ferma la mano. – Abbiamo finito. Se ti rivedo, ti ammazzo. Poi spiegherò che ero terrorizzata da uno stalker, il mio amico Steve confermerà, e venderò la storia del nostro tragico malinteso al tuo amico giornalista per una bella cifra.

Lui allontana lentamente la mano dalla tasca. – Non sei quella che immaginavo.

– Ma guarda, – dico. – Addio.

Per un attimo resta immobile in mezzo al soggiorno, fissando il divano senza vederlo, come se non sapesse cosa fare o come farlo. Non sembra piú la mia immagine sputata. Sembra un tizio di mezza età che ha passato troppo tempo al freddo, negli ultimi giorni, immaginando ipotesi.

Alla fine si muove. Apre la porta, si volta e penso stia per dire qualcosa, ma mi fa solo un cenno del capo ed esce nella notte.

Resto sulla soglia a guardarlo salire in cima alla strada. Il suo cappello è sotto il lampione, e il vento lo fa rotolare qua e là. Si china a raccoglierlo come se gli facesse male la schiena, lo spolvera e continua a camminare, finché sparisce dietro l'angolo, senza voltarsi nemmeno una volta.

Aspetto cinque minuti, poi altri cinque, per essere sicura che se ne sia andato. Mi tremano le mani, ho un gran freddo e sto attenta a puntare la pistola verso l'interno della casa. Quando sono certa che non proverà a tornare, rimetto la pistola nella fondina e chiamo Steve.

Risponde subito. – Stai bene?

– Benissimo. Dove sei?

– Nel pub all'angolo. Il *Comesichiama Inn*. Ho pensato... nel caso... Voglio dire, so che sei piú che in grado, ma... Lui è... ancora lí? Oppure...

Vuol sapere se c'è un cadavere sul pavimento del soggiorno. – È andato via. Potresti tornare qui?

– Certo, – risponde lui, troppo in fretta. Ora quel cretino pensa che voglia piangere sulla sua spalla. – Ci metto cinque minuti.

Ma lo vedo arrivare nella mia strada in tre minuti, a passo svelto, si tiene la sciarpa con le mani contro il vento. – Gesú, rilassati, – dico, aprendo la porta. – Non sta andando a fuoco la casa.

– Stai bene?

– Come ho detto, sto benissimo. Hai lasciato la tua pinta sul tavolo?

– Sí. Ho pensato...

È tutto urgenza, i capelli arancioni che spuntano qua e là. – Sei proprio la primadonna di un dramma teatrale, – gli dico. – Vuoi qualcosa da bere, per sostituire quella pinta?

– Sí. Grazie.

Vado in cucina e apro l'armadietto dei liquori. – Whisky va bene?

– Sí –. Steve se ne sta sulla soglia della cucina e si guarda intorno per evitare di guardare me. Dice, rivolto alla finestra: – L'ho visto. La sua faccia, voglio dire.

– Sí, – rispondo. – Pure io.

Steve aspetta che io inizi a parlare. Dico: – Ghiaccio?

– Sí, grazie –. Mi osserva mentre preparo i bicchieri e verso il whisky. Ho di nuovo le mani fermissime. – Avete...? Voglio dire, lo vedrai di nuovo?

Gli passo un bicchiere. – Credo di no. Gli ho detto che se lo rivedo gli sparo.

A Steve scappa una risata sorpresa e mi rendo conto di come suona la frase, e all'improvviso sto ridendo anch'io. – Gesú Cristo, – dice Steve, ridendo forte. – Non credo sia andata nel modo che immaginava.

Il mio attacco di risa si fa piú forte. – Povero bastardo. Mi dispiace quasi per lui, sai?

– Sul serio?

– No. Spero che se la sia fatta addosso –. Questo ci lascia distrutti dalle risate, appoggiati contro i muri. Mi asciugo gli occhi, bevo il mio whisky in un sorso solo e me ne verso un altro. – Da' qua, – dico, tendendo la mano verso il bicchiere di Steve. – Te lo sei guadagnato. Da come hai risposto, pensavi che volessi una mano per disfarmi del cadavere, vero?

Steve rischia di strozzarsi e si piega in due dal ridere, e io gli vado dietro. Metà del suo drink finisce sul pavimento, e il mio whisky è troppo buono per fare quella fine, ma non m'importa. Era tanto tempo che non mi sentivo cosí bene. – In che stato sei, – gli dico, togliendogli di mano il bicchiere. – Devi imparare a reggere l'alcol. Ecco qua –. Gli restituisco il bicchiere, di nuovo pieno, e mi avvio verso il divano.

– Stai bene sul serio, – dice Steve, smettendo di sorridere e squadrandomi, – vero?

– Te l'avevo detto –. Mi appoggio ai cuscini e bevo un sorso, stavolta assaporandolo come si deve. Sento del movimento, negli angoli piú remoti della mia testa: cambiano alcune luci, il peso delle cose trova nuovi equilibri. Forse domani racconterò a mia madre come ho passato la serata. Forse stavolta otterrò una reazione.

Steve dice: – Ma allora...? – Significa: «Ma allora che ci faccio qui?»

Mi metto a sedere piú dritta e dico, anch'io di nuovo seria: – C'è qualcosa, riguardo al nostro caso, che mi ha fatto pensare.

Prima, quando all'improvviso ho visto ciò che Aislinn stava cercando, in tutto il suo splendore miracoloso, in quel momento ho visto ciò che io e Steve avremmo dovuto notare almeno ventiquattr'ore fa. Aislinn, dopo aver parlato con Gary, ha visto il suo sogno a occhi aperti spiaccicarsi sul pavimento. Quando la voce profonda di Gary l'ha raggiunta nel mezzo di quel naufragio, ha subito visto il posto seguente dove cercare.

Steve si siede all'altro capo del divano, con il bicchiere tra le dita, senza bere. E mi guarda.

– Ricordi cos'ha detto Gary al telefono? – dico. – Quando ha detto a Aislinn che il suo paparino era morto, lei è andata in pezzi. Allora lui ha continuato a parlare, per calmarla. Le ha detto che suo padre le voleva tanto bene, che evidentemente era una brava persona. Questo ti sembra il tipo di discorso che poteva farle dimenticare il padre? Tipo, «Ah, va bene, smettiamola con questa storia»?

– No. Per una come lei, sarà stato il contrario: non poteva smettere, doveva esserci dell'altro che valeva la pena trovare. È quello che continuo a dirti.

– Ricordi cos'altro le ha detto Gary? Le ha parlato dei detective che avevano lavorato al caso. Erano uomini in gamba, sapevano fare il loro lavoro, se ci fosse stato qualcosa da trovare, l'avrebbero trovata.

Steve scuote la testa, aggrottando le sopracciglia. «E allora?» sembra dire.

– Se io fossi Aislinn, – dico, con il cuore che mi martella nel petto. – Se fossi una come lei, non mi metterei a correre dietro a una fantasia stravagante che implica la malavita, senza che nulla punti in quella direzione. Andrei da qualcuno in grado di darmi delle informazioni reali. Andrei a cercare uno di quei detective.

Cala il silenzio. Un vento leggero fischia nel camino.

Steve dice: – Come faresti a trovarlo?

– Scommetto quello che vuoi che Gary ha fatto dei nomi. Tipo: «Conosco Feeney e McCann. Sono grandi detective. Sono certo che hanno fatto tutto il possibile…»

Steve dice, come se avesse smesso di respirare. – McCann.

Un altro silenzio, e il vento.

Dico: – Aislinn telefona alla Persone scomparse e chiede di parlare con Feeney o McCann. Al centralino le rispondono che Feeney è in pensione, e McCann si è trasferito alla Omicidi. Lei non ha modo di rintracciare Feeney, mentre invece è facilissimo scoprire la sede della Omicidi e aspettare fuori all'ora in cui cambia il turno. Non aveva nemmeno bisogno di chiedere in giro per farselo indicare. Con tutto il tempo che aveva passato a pensarci, poteva riconoscerlo da sola. Anche dopo quindici anni.

– E poi? Diciamo pure che lo ha trovato, dopodiché cosa è successo?

Scuoto la testa. – Non lo so.

Steve si passa una mano tra i capelli, tentando automaticamente di rimetterli a posto. – Stai pensando che fosse lui l'amante segreto?

– Ci ho pensato, ma non vedo nessun motivo per cui lei avrebbe dovuto volerlo. Siamo daccapo: perché una ragazza come lei dovrebbe cadere ai piedi di un poliziotto di mezza età con una pancetta da birra? Flirtare con lui per farsi dire tutta la storia su suo padre, questo sí. Ma diventare la sua amante per sei mesi? Perché?

– Vuole sentirsi vicina al padre, McCann è l'unico legame con lui…

– Gesú… – Faccio una smorfia. – È troppo assurdo, non ce la vedo. Anche Gary era un legame con suo padre, e Aislinn non ha tentato nulla del genere con lui. Me lo avrebbe detto.

– Forse era una di quelle fissate con il distintivo –. Steve continua a passarsi la mano tra i capelli. – Va a parlare prima con te, poi con Gary, si guarda intorno, le piace la vibrazione…

Esistono persone cosí. Soprattutto donne, ma anche alcuni uomini. Puoi avere la faccia di un facocero e non gliene frega niente. Nemmeno ti vedono. Quello che cercano è una scarica di adrenalina di seconda mano, un potere di seconda mano, la storia che non finisce con: «E lavorò per sempre nel call center felice e contento». Dimmi chi hai arrestato oggi, tieni la divisa addosso in camera da letto e tira fuori le manette. Sono tipi facili da individuare, e ci sono anche poliziotti a cui queste persone piacciono, perché li fanno sentire come rockstar, come campioni dei pesi massimi anche se sono pesi piuma.

McCann comunque il suo peso ce l'ha. – Se era questo che cercava, – dico, – le bastava un poliziotto qualsiasi, e poteva sceglierene anche uno giovane e bello. Perché proprio lui?

– Non voleva un poliziotto che passasse la giornata a multare le persone perché non hanno rinnovato il bollo dell'auto. Come abbiamo già detto, dopo la vita che aveva avuto, voleva emozioni forti. Voleva un detective della Omicidi.

Questo posso capirlo. Alla Omicidi si fa la caccia grossa; passiamo le giornate a dare la caccia ai predatori piú importanti, e quindi per queste persone diventiamo noi le prede piú importanti.

Se Aislinn cercava questo, Steve può aver ragione: non c'erano molte opzioni. La squadra è piccola: siamo due dozzine, all'incirca. La metà sono uomini dell'età di McCann o anche piú vecchi, e nessuno è un supermodello.

Ciò nonostante, non credo che lei avrebbe scelto McCann. A giudicare da Rory e dai suoi ex, il tipo duro e silenzioso non era il suo preferito. Avrebbe cercato piuttosto qualcuno con meno spigoli, qualcuno in grado di affascinarla con le parole; qualcuno...

Come Breslin.

Breslin, con moglie e tre figli. Breslin, che ha tutto da perdere se la fissata del distintivo diventa fissata e basta.

Breslin, che non fa altro che spingere per arrestare Rory Fallon e chiudere il caso.

– Oh, Gesú, – dico.

– L'unica cosa sono i tempi, – dice Steve. – Se hai ragione e Aislinn ha saputo il nome di McCann da Gary, è stato due anni e mezzo fa. Secondo Lucy, la storia con l'amante segreto è cominciata sei mesi fa. Cosa è successo nel frattempo?

– Proviamo cosí, – dico. – Aislinn va da McCann in cerca di informazioni; lui tenta di liberarsene, ma lei non molla. Ogni tanto torna e lo infastidisce per sapere altro. Un giorno si presenta alla Omicidi, McCann non se la sente proprio di affrontarla e chiede al suo partner di parlarci lui e mandarla via. Aislinn si trova davanti Breslin e le piace quello che vede.

Il viso di Steve si è fatto immobile. È un'espressione che lo cambia, togliendogli quella vivacità da studente, e per una volta riesco a dare una buona occhiata a ciò che c'è sotto. All'improvviso è un adulto, duro, intelligente, uno che è meglio non far incazzare.

Dico: – Ricordi il vicino di casa che ha detto di aver visto un uomo scavalcare il muro di cinta di Aislinn? Corporatura media, cappotto scuro, sembrava di mezza età e probabilmente biondo.

– Breslin il Monaco, – dice Steve. – Con un'amante? Lo credi sul serio?

– Tutti dicono che Aislinn era speciale, quando si trattava di risucchiare le persone nelle sue fantasie. Aveva talento, e aveva avuto il tempo per svilupparlo. Breslin, dal canto suo, sopravvaluta sé stesso e sottovaluta gli altri. Sono proprio quelli come lui che inciampano e cadono. Se Aislinn aveva deciso che voleva lui…

– Sí, ma mettersi in qualcosa di tanto rischioso? Breslin sta molto attento ai rischi.

– È stato attento, infatti. Niente telefonate, niente sms, niente e-mail, niente di niente. E ricordi che qualcuno ha fatto una ricerca su Aislinn nei database? Lo scorso settembre, poco dopo che era iniziata la relazione con l'amante segreto? Breslin voleva assicurarsi che lei non fosse mai stata denunciata per stalking, molestie, ricatto… In poche parole, che non fosse una psicopatica.

Un lampo passa sul viso di Steve. – Ricordi quando hai detto a Breslin di portare a Stoneybatter le registrazioni dei conoscenti maschi di Rory? Per vedere se l'agente riusciva a identificare la voce di quello che aveva fatto la telefonata?

– Sí, e quel presuntuoso del cazzo ha passato il compito a Gaffney… – e mi fermo di botto.

Steve dice: – Ho pensato che si sentisse troppo importante per i lavori di manovalanza.

– Già. Pure io.

– Era quello che voleva farci credere, ma non c'entrava nulla. Semplicemente, non poteva rischiare che l'agente udisse la sua voce.

Quella voce da trailer di un film. «In un mondo lontano...» Anche l'agente in divisa meno brillante ricorderebbe una voce cosí. A meno di non bombardarlo di possibilità fino a confondergli del tutto la memoria.

È stato Breslin a fare la telefonata. La mia mente si blocca su quel punto come un disco incagliato, la puntina che torna sempre sullo stesso solco. È questo che è successo. Breslin ha fatto la telefonata.

Dico: – Nessuna meraviglia che non abbia chiamato il 999. Non poteva rischiare una registrazione.

– E nessuna meraviglia che l'amante segreto sia invisibile. Breslin non è cosí scemo da lasciare biglietti d'amore o messaggi su Facebook. A meno di non trovare qualcosa di solido in quella cartella protetta, non abbiamo in mano nulla.

– Abbiamo Lucy. Lei potrebbe confermare la relazione. Se deciderà o no di farlo, è un altro paio di maniche.

– Lucy –. Steve getta indietro la testa. – Cristo, e noi ci chiedevamo come mai era cosí evasiva. Stava cercando di capire se eravamo amici di Breslin.

Il whisky in bocca ha un sapore feroce, pericoloso. – Perché pensa che sia stato lui a uccidere Aislinn, – dico.

Un silenzio, breve, stavolta. Il cuore mi batte forte e lento nelle orecchie.

Steve dice: – Non significa che abbia ragione.

– Aveva paura di noi, – dico. Era tutto un «non so nulla dell'uomo segreto di Ash, lei non mi ha detto niente, non siamo poi tanto amiche...» – Temeva che fossimo la squadra pulizie, e se avessimo pensato che sapeva qualcosa...

– Ma ha comunque accennato a un amante segreto. Nel caso fossimo dei poliziotti onesti, voleva che continuassimo a cercare, senza fissarci su Rory.

– Sí. È una ragazza con del fegato.

Steve beve un sorso di whisky con l'aria di averne bisogno. – Già, ma abbastanza fegato da uscire allo scoperto e rilasciare una dichiarazione? Sono passati due giorni e lei non ci ha contattati. Non vuole avere nulla a che fare con noi.

– Ma noi abbiamo bisogno di lei. Senza Lucy non abbiamo un cazzo per collegare Aislinn a Breslin o a McCann. Non è che possiamo andare in giro per la squadra a mostrare la sua foto, chiedendo se qualcuno l'ha vista in compagnia di uno dei due.

– Il barista del *Ganly's*? Lui ha visto Aislinn con il suo uomo.

– Non ha visto *loro*. Ha visto *Aislinn*, in compagnia di un tizio di mezza età, vagamente sullo sfondo. Non sarà mai in grado di identificarlo.

– C'è Rory, – dice Steve. – Non ci ha ancora detto tutto: in quella famosa mezz'ora, dopo il suo arrivo in anticipo a casa di Aislinn, è successo qualcosa. Forse ha visto qualcosa, o Aislinn ha detto qualcosa…

– Merda, – dico. – Tu eri nella stanza di osservazione, quando Breslin gli ha chiesto le prove che Aislinn avesse uno stalker?

– Gesú –. Steve lancia un sibilo. – Sí, l'ho visto. Rory ha cominciato a dire che aveva visto un uomo, sabato sera, e Breslin lo ha zittito.

– Lo abbiamo zittito tutti e due, – dico. – Io ero con Breslin, a dargli una mano come un'idiota. Ma ascolta: l'uomo visto da Rory non può essere Breslin. Altrimenti Rory lo avrebbe riconosciuto, domenica, o almeno oggi, quando

ha parlato con lui. E se avesse riconosciuto Breslin, tu e io
ce ne saremmo accorti. Non ci sarebbe sfuggito. L'uomo
che era a Stoneybatter sabato sera non era Breslin.

– Ah, – dice Steve. È di nuovo immobile, si muove solo la sua mente, che sposta e risistema elementi come se
il caso fosse un cubo di Rubik. – Proviamo cosí: Breslin
era l'amante di Aislinn. Nelle ultime settimane comincia
a sospettare che lei abbia un altro. Forse controlla il suo
cellulare, lei non aveva una password, ricordi? E trova i
messaggi tra lei e Rory. E la settimana scorsa viene a sapere dell'invito a cena.

– Breslin non avrebbe sopportato di essere sceso in seconda posizione, – dico. – Al suo ego ipertrofico non sarebbe piaciuto affatto.

– Ma non è stupido e capisce che non può fare da sé il
lavoro sporco –. Steve alza gli occhi a incrociare i miei.
– Sai anche tu chi avrebbe coinvolto.

– McCann, – rispondo. Il pensiero di consegnarti in
questo modo nelle mani del tuo partner mi mette a disagio. Guardo Steve e mi sembra diverso da prima: le sue
lentiggini sono piú vivide, le linee della bocca piú definite, mi sembra quasi di vedere il calore che emana dalla sua
pelle. Mi sembra piú reale.

– Già, – dice. – McCann.

– Breslin intanto si prepara un bell'alibi, per stare sul
sicuro. Quanto vuoi scommettere che lui e la moglie hanno avuto amici a cena, sabato sera, o sono andati in un bel
ristorante affollato? Mentre McCann andava a Stoneybatter per sistemare la puttana traditrice.

– Ma il modo in cui è andata... – dice Steve. – Non poteva essere quello, il piano.

C'è un punto interrogativo nella sua voce. Quello che
intende dire è: volevano davvero uccidere Aislinn?

– No, – dico. – Solo perché aveva un altro a parte Breslin? Lui può essersela presa a morte, ma per quanto amici siano lui e McCann, non c'è nessuna probabilità che McCann commetta un omicidio solo perché Breslin non riesce a tenere in riga la sua amichetta.

– Quindi McCann voleva solo parlarle. Accennare al fatto che non è una buona idea ingannare un poliziotto. Magari parlare anche con Rory, per spaventarlo e allontanarlo da lei. Solo parlare.

Vuole crederci con tutto sé stesso, e vuol crederci anche una parte di me, una parte più grande di quanto immaginassi. – Forse, – dico. – Probabilmente. Solo che qualcosa va storto. Forse Aislinn si mette a strillare e McCann va in panico, una cosa del genere.

– E le dà un pugno. O la getta a terra e poi le dà un pugno –. Steve ha la mano stretta intorno al bicchiere. Sono parole difficili da dire, fisicamente difficili. Quasi contro natura. La nostra gola vorrebbe rifiutarsi di pronunciarle.

– Quando si rende conto di cosa è successo, – dico, – ripulisce le impronte, taglia la corda e contatta Breslin. Quando Breslin finisce di tremare e ha il tempo per pensare, fa la telefonata alla polizia di Stoneybatter. Calcola i tempi in modo che Aislinn venga trovata quando lui è di turno, in modo da poter tenere d'occhio l'indagine. E qui entriamo in scena noi.

Per molti minuti sembra non ci sia altro da dire. È come se non ci sarà mai più nulla da dire; come se l'unica cosa che possiamo fare sia starcene seduti su questo divano a bere whisky, mentre un uomo grida in lontananza e quel venticello insistente sibila nel caminetto.

La casa diventa fredda e alla fine devo alzarmi ad accendere il riscaldamento. – Tu prendi Rory, – dico, quando torno. – Andavate d'amore e d'accordo, domenica. Io prendo Lucy.

Steve gratta il bicchiere con un'unghia. Riflette. – Prima Rory. Domattina presto.

– Sí. Cosí se ci dà qualcosa, possiamo usarla per far parlare Lucy.

– Breslin, – dice Steve. Alza gli occhi a fissarmi. – Cosa facciamo con lui?

Non riesco neppure a pensare a cosa vorrei fare davvero con Breslin. Dico: – Tu hai appuntamento con lui per controllare la reputazione di Rory nel quartiere, ricordi? Fatto questo, bisogna parlare con il resto delle persone che hanno frequentato quei corsi serali con Aislinn. Se se ne occupa Breslin non può fare danni.

– Se Lucy o Rory identificano lui o McCann…

– Sí, – dico. – Allora la storia si fa interessante.

– Merda, – dice Steve. Si sta rendendo conto che tutto questo è reale e noi ci siamo in mezzo. – Ah, *merda*.

Io comincio a ridere: ha una faccia bellissima, sembra un cittadino modello che torna a casa dal lavoro e trova nel letto una puttana morta e un chilo di cocaina.

– Gesú, Antoinette, cosa c'è di divertente? È una merda totale. Stiamo parlando di uno della nostra squadra. Che ha ucciso una persona. Forse in modo intenzionale –. Io rido piú forte e lui prosegue. – No. Hai pensato… Se è tutto vero, cosa *cazzo* facciamo noi due…

– Dovresti vederti. In che stato sei. Non osare farti venire un infarto in casa mia. Se si sparge la voce…

– *Antoinette*. Cosa facciamo?

Ovviamente, non ne ho la minima idea, proprio come lui. Potrei dirgli che lo capiremo meglio andando avanti, ma mi sembra improbabile. – Tirati su, – dico. – Forse finirà tutto in una bolla di sapone. Forse ti basterà dare una spintarella a Rory, domattina, e lui confesserà piangendo sulla tua spalla. Portati dei fazzoletti.

Steve fa un respiro profondo e si passa una mano sul viso. – Potrebbe davvero non essere nulla. Giusto? Breslin si scopava Aislinn, è andato da lei sabato sera in cerca di fica e l'ha trovata morta, e si è spaventato. Come sarebbe successo a chiunque. Il resto sono tutte coincidenze e assurdità. Può essere.

– Può essere, – ripeto. Ma non è.

– Quello che abbiamo sono solo idee. Nessuna prova. Soltanto un mucchio di se e forse.

Mi sorride, ma è un sorriso complicato. Steve deve sapere almeno in parte ciò che mi è passato per la testa nelle ultime ore. Ed è qui comunque.

– Sí, sí, sí –. Mi viene facile dirlo, ma Steve ha ragione e questo mi disturba in punti che non riesco a vedere. – Tu sei ancora dell'idea della malavita, eh? Brutti, grossi e cattivi.

– Gesú, – dice Steve, perdendo il sorriso. – Vorrei davvero che quella teoria fosse risultata vera. Avrebbe reso piú semplici le nostre vite.

– Ah, no. Se le nostre vite fossero semplici, io ti starei ancora rompendo i coglioni su quella teoria e tu li staresti rompendo a me perché li rompo a te. Questo è molto meglio.

Lui emette un suono a metà tra un gemito e una risata. – Dio Cristo, tutta quella manfrina con le banconote da cinquanta…

– Sí, – dico. – Tutta quella manfrina. Breslin ha fatto di tutto per farci credere di essere corrotto, e spedirci a caccia in un bel vicolo cieco. Il primo giorno, quando ho chiesto a tutta la sala detective chi avesse fatto una ricerca su Aislinn nel database, McCann si sarà cacato addosso. Appena ha potuto ha preso da parte Breslin e insieme hanno tirato fuori un'idea che potesse spiegare il controllo effettuato su Aislinn, spiegare qualsiasi cosa avessimo scoperto che potesse collegare Aislinn a loro per poi portarci esattamente da nessuna parte, tenendoci occupati fino a quando Breslin fosse riuscito a spezzare Rory. Breslin si deve essere divertito, a borbottare frasi oscure al cellulare, a raccontare storie evidentemente false sul fatto di aver bisogno di privacy per una scopata, per spingerci a tirare fuori la storia altrettanto falsa ma non evidente che c'era sotto. E noi ci siamo bevuti tutto.

E ora so come mai Breslin stamattina ha smesso di seminare indizi sulla propria corruzione. Non tanto perché pensava che fossi pronta a saltare, ma perché quando è tornato dai colloqui con le ex di Rory, la recluta sul suo libro paga – e se non si tratta di Reilly scoprirò chi è – gli ha detto che Steve e io avevamo avuto una lite e Steve se n'era andato. Breslin sapeva che, dei due, ero io quella piú propensa ad accettare Rory come colpevole, fin dall'inizio. Ha immaginato che questa fosse stata la ragione principale della lite e ha capito che io non vedevo l'ora di avere l'ultima parola, dimostrando a Steve che si era sbagliato. E per aiutarmi a farlo, mi ha dato i video che dimostrano lo stalking di Rory. Perciò ha lasciato perdere le stronzate sul poliziotto corrotto e ha puntato tutto sull'altro cavallo, spingendo per arrestare Rory al piú presto e per tenere me e Steve lontani l'uno dall'altra finché il fascicolo non fosse stato inviato ai magistrati.

In quanto a me, ero cosí occupata a cercare di sfuggire a chiunque avesse deciso di affondarmi o in generale di usarmi, che non mi è mai passato per la mente che tutta questa storia non girasse intorno a me. E sono andata via a braccetto con l'uomo che mi offriva le caramelle. Anche Steve ha fatto la stessa cosa, in un modo diverso. E se quel bastardo presuntuoso non si fosse messo a spiare casa mia o se io non mi fossi convinta a telefonare a Steve, o se Steve fosse un tipo d'uomo leggermente diverso, ora non saremmo seduti qui.

– Grazie, – dico. – Di essere venuto.

– Tranquilla, alla tele non c'era nulla di interessante.

Vorrei quasi dirgli che mi dispiace, ma spiegare di che cosa intendo scusarmi e di che cosa no implica troppo fastidio e troppo imbarazzo e tutto il resto. Steve forse pensa la stessa cosa, non lo so. Invece vado a prendere la bottiglia di whisky, riempio di nuovo i bicchieri di entrambi, e ce ne stiamo seduti a bere mentre le cose che dovremmo dirci si risolvono da sole nel silenzio.

– Merda, – dico, rendendomi conto all'improvviso di una cosa. – Sono mezza inglese.

– E della media borghesia, – dice Steve. – La prossima volta che torni a casa ti prenderanno a calci in culo.

– Zitto. Nessuno deve saperlo.

– Te ne sentiranno l'odore addosso.

– Sul serio, – dico, guardandolo in faccia. – Nessuno deve saperlo.

Steve ricambia lo sguardo. – Nessuno lo saprà.

– Bene.

– A meno che non sia qualcun altro a parlare. Sai come ha fatto lui a rintracciarti?

– Si è fatto dare il mio indirizzo da Crowley, – rispondo. Il sapore di quella frase mi spinge a ingollare il resto del whisky. – Devo mettere a posto quella macchia di sperma prima che cominci a blaterare.

– Non è un problema. Lo facciamo domani.

Quel «facciamo» suona proprio bene. – Sarà una giornata lunga.

– Sí –. Steve fa un respiro profondo e finisce il suo bicchiere, scuotendo la testa per mandare via il bruciore. – Torno a casa a riposare, per ciò che resta di *questa* giornata.

– Sei oltre il limite dell'alcol. Prendi un taxi e torna a recuperare la macchina domattina.

– Mi avvio a piedi, poi ne fermerò uno lungo la strada. Servirà a schiarirmi le idee –. Si alza e si infila il cappotto. – Vieni con me da Rory, domani?

– Sí. Lui pensa ancora che io sia dalla sua parte. Sul presto, tipo alle sette? Devi tornare in tempo per il tuo appuntamento con Breslin.

Steve annuisce. Il nome di Breslin non riporta a galla neppure un'eco di quello sguardo atterrito. Ormai in qualche modo l'abbiamo superato. – Alle sette va bene.

Non mi chiede – anche se gli ho chiesto aiuto perché c'era un uomo cattivo fuori da casa mia, non me lo chiede – se starò bene da sola, o se voglio che resti. Se io fossi una persona molto diversa, potrei persino abbracciarlo, per questo.

– Mandami un messaggio quando sei a casa, – dico invece. – Fammi sapere che sei arrivato bene.

Steve alza gli occhi al cielo. – Nessuno mi violenterà in un angolo buio.

– Lo so, scemo. Ma sono stata io a farti uscire e mi sento responsabile. Se poi vuoi farti violentare quando esci di tua iniziativa, fa' pure.

– Grazie mille –. Mi fa un sorriso, si avvolge la sciarpa intorno al collo. – Ti mando un messaggio.

Aspetto che esca, poi mi porto a letto il laptop e mi metto a sparare ai nazisti. Non devo neppure sforzarmi di non pensare a tutte le stronzate della mia lista di stronzate a cui non voglio pensare. La mia mente ormai è fritta, se provi a comunicare ricevi solo il segnale di linea libera, ma non risponde nessuno.

Mezz'ora dopo, il mio cellulare emette un *bip*. «Sono a casa al sicuro. Ci vediamo domani».

Rispondo: «A domani, allora. 'Notte». Quando metto giú il telefono sto già dormendo.

14.

Il risveglio è come la mattina dopo aver fatto un tra-
sloco, cambiato squadra al lavoro o lasciato un fidanzato:
sai che il mondo è cambiato, anche se non ricordi ancora
in che modo. L'aria ha un sapore diverso, forte e strano
e resinoso, con un sottofondo freddo. Prima di ricordare,
sai già che oggi devi fare attenzione a dove metti i piedi.

Vado a correre come una macchina, nel buio e sotto una
pioggerella fine. Stamattina il corpo mi sembra separato
da me, funziona perfettamente senza bisogno di stimoli.
Vado piú veloce e piú lontano del normale e non mi viene
neppure il fiatone. Davanti a me vedo solo il prossimo passo: andare a casa di Rory. Al di là di questo, non c'è nulla.

Steve arriva in anticipo, alle sette meno un quarto, ma
sono già pronta. Caffeinata, colazionata, docciata e vestita. Non credo che nessuno sorvegli casa mia, ma quando
Steve bussa praticamente lo risucchio dentro, per stare
sul sicuro.

– Come stai? – chiedo.

Lui annuisce. È piú pallido del solido, ma la linea della
sua bocca è determinata. – Tu?

– Bene. Vuoi qualcosa? Caffè, colazione?

– No, sono a posto, grazie. Come vuoi procedere?

Dico: – Deasy doveva organizzare la sorveglianza della casa di Rory; sono quasi certa che se ne sia occupato di
persona; non credo abbia provato a farsi autorizzare l'uso

di agenti in divisa, e inoltre vorrà la sua pacca sulla spalla se succede qualcosa di buono. Ora, non voglio che Deasy sappia che tu e io ci stiamo lavorando Rory insieme. Potrebbe essere lui il cagnolino di Breslin.

Steve annuisce. – Andiamo da lui separatamente.

– Sí. E ci trattiamo a vicenda in modo scontroso.

– Ho preparato un confronto fotografico, – dice Steve. Estrae un foglio di cartoncino sottile dalla borsa. Otto uomini di mezza età, ben rasati, capelli scuri tendenti al grigio, tutti quasi presi di fronte. Le foto sono immagini tratte da video, su sfondi neutri. Steve deve essere stato alzato quasi tutta la notte, per trovare la foto giusta di McCann e poi setacciare internet alla ricerca di foto somiglianti, per assicurarsi che nessuno possa dire che il riconoscimento è inaffidabile. McCann è il terzo a sinistra, con addosso il suo vestito da tribunale, e fissa oltre la mia spalla sullo sfondo di un cielo nuvoloso. – Ne ho stampate diverse copie, per sicurezza.

– Bene –. Mi sconvolge il cervello, vedere uno dei nostri al posto della faccia di un criminale; sembra uno di quei biglietti di compleanno scherzosi. – Ne hai fatto uno anche per Breslin? Mi può servire con Lucy.

– Sí –. Prende un altro foglio, pieno di uomini di mezza età biondi e bellocci. Breslin sorride dall'angolo in alto a destra.

Se mi metto a pensare alla perversione di tutto questo, sono finita. Non possiamo permettercelo.

Vedo che Steve pensa la stessa cosa. – Ottimo lavoro, – dico. – Muoviamoci –. E apro la porta per lasciarlo uscire.

C'è una Mitsubishi Pajero nera dai finestrini oscurati, parcheggiata di fronte al Wayward Bookshop, sul lato opposto della strada, nello spazio fosco tra due lampioni.

L'alba è appena cominciata e attraverso il parabrezza distinguo solo una forma vaga dietro il volante, ma quando busso al finestrino, tenendomi tra l'auto e la casa, è Deasy ad aprirlo.

– Come va? – chiedo. – Notizie?

– Non molte –. La sua faccia distrutta mi convince che è stato davvero sveglio per la maggior parte del tempo. L'aria dentro l'auto odora di fish and chips e di fiato stantio, e probabilmente c'è una bottiglia piena di piscio sotto il sedile. – Quella porta grigia accanto alla libreria conduce al suo appartamento al piano di sopra; le finestre sopra la libreria sono quelle del soggiorno. È andato alla Spar all'angolo verso le nove di ieri sera, tornando con una bottiglia di latte e un sandwich; si guardava intorno come se temesse che qualcuno gli saltasse addosso. Quando mi è passato accanto, avevo quasi voglia di dare un colpo di clacson, solo per vederlo schizzare in aria.

Ci facciamo tutti e due una risata. – Ottimo, – dico. – È cosí che lo vogliamo. Altri movimenti?

– Entrato in casa ha chiuso le tende, ma la luce è rimasta accesa tutta la notte. Alle cinque e venti è sceso ed è andato nella libreria. Da allora non si è piú visto. Pensa di portarlo in centrale?

– Non ancora. Piú tardi. Voglio solo dargli una ripassata per tenerlo agitato. E non c'è motivo per cui lui debba farsi una dormita mentre io non posso.

L'idea induce Deasy a sbadigliare. – A proposito, – dico. – Chiama qualcuno a darti il cambio e va' a letto.

Mi fissa, sorpreso. Mi rendo conto che in questa indagine forse sono stata un po' dura con le reclute. E cosí ho reso piú facile a Breslin trovarsi un lacchè.

– Grazie, – aggiungo. – Hai fatto un buon lavoro.

Prima che Deasy trovi una risposta, arriva Steve, con

le mani nelle tasche del cappotto e un'espressione che nessuno potrebbe definire amichevole. – 'Giorno, – dice. – Che succede?

– Nulla, – rispondo. – Cosa ci fai qui?

– Solo un controllo. Volevo sapere se Rory ha fatto qualcosa di interessante.

– La risposta è no.

Steve solleva le sopracciglia e guarda Deasy, che non si perde una parola. – Cos'ha fatto?

Deasy apre la bocca, intercetta il mio sguardo e la richiude. – Ah. Non molto.

– Come ti ho appena detto, – dico io. – Ci vediamo in ufficio.

Steve non si muove. – Pensi di parlare con lui?

– Forse.

– Forse potrei venire anch'io.

A denti stretti, fisso il cielo ancora buio, ma riesco a non perdere la calma, per non offrire un brutto spettacolo a Deasy. – Non hai alberi da scuotere?

– Bella battuta, – risponde Steve. – Andiamo?

Esito, poi sospiro. – Come vuoi –. Poi, rivolta a Deasy: – Ci vediamo domani –. E attraverso la strada senza aspettare Steve.

Lui mi raggiunge davanti alla libreria. Dalla vetrina si nota una luce fioca che viene dal retro. I libri in vetrina sono sistemati con un'attenzione disperata. Ci sono vari best seller e libri per bambini dalle copertine brillanti, con personaggi di cartoni animati ed eroine enigmatiche che fissano il buio con sguardi dementi. Mi scosto da Steve e suono il campanello.

Rory non si è tagliato i polsi, per fortuna. Viene ad aprire in fretta e le pulsazioni gli vanno a mille quando vede noi. Indossa gli stessi vestiti di ieri, jeans e quel deprimente pullover beige, e ha un accenno di barba. Diventare un indiziato è stato come premere il tasto «Pausa» nella sua vita; il povero bastardo è paralizzato.

Dice, senza fiato: – Non sono pronto. Non mi aspettavo... – Indica con un gesto le pantofole grigie. – Non ho nemmeno fatto colazione, o...

– Tranquillo, – dice Steve, con gentilezza. – Non siamo venuti a chiederti di venire con noi. Abbiamo solo un paio di domande. Possiamo entrare? Ci vorrà appena qualche minuto.

Il panico di Rory diventa qualcosa di solido. – Non credo di dover parlare con voi senza un avvocato. Ora che sono un...

– Non ti faremo domande su Aislinn, – dice Steve, alzando le mani. – Promesso, va bene? È solo che ieri io non ho avuto la possibilità di parlare con te e durante il colloquio hai detto una cosa che mi è sembrata interessante.

Rory sbatte le palpebre, tenta di concentrarsi. Stanchezza e paura usano quasi tutta la banda disponibile, e la sua mente è rallentata.

Steve dice, a bassa voce, come se qualcuno potesse essere in ascolto: – E penso sia meglio che ne parliamo senza il detective Breslin.

Rory si fa piú attento: qualsiasi cosa che non piaccia a Breslin deve essere buona. E Steve, tutto serio e scompigliato, ha la faccia dell'amico innocuo. – Suppongo... – dice alla fine, indietreggiando e spalancando la porta. – Va bene, entrate.

La libreria è composta di due stanze comunicanti, non troppo grandi. Quella davanti è cosí piena di scaffali che un cliente grasso non ci passerebbe. Cartelli scritti a mano annunciano «Thriller» e «Rosa» nel buio; poster di vecchie copertine e illustrazioni pendono dal soffitto, ondeggiando nel soffio d'aria fredda che abbiamo portato dentro. La luce proviene dalla seconda stanza, che dalla soglia sembra ancora piú stipata della prima: i libri sono impilati sugli scaffali, invece che allineati, e ci sono pile di libri anche sul pavimento, con le copertine un po' arricciate.

– Questa è la sezione dei libri usati, – spiega Rory, agitando una mano. – La stavo riorganizzando. Non riuscivo a dormire e non ce la facevo piú a restare immobile a fissare il soggiorno, cosí ho pensato di mettermi a fare qualcosa di utile.

– Bel negozio, – dice Steve, guardandosi intorno. – È qui che vi siete conosciuti, tu e Aislinn, vero?

– Sí. Proprio lí, nel reparto libri per bambini. Lei mi disse che amava le librerie. Le sembravano magiche, soprattutto quelle piccole, come questa; ti davano sempre l'impressione di poter trovare il libro che cercavi da tutta la vita, nascosto in fondo a uno scaffale... – Rory si massaggia gli angoli interni degli occhi. – Se sabato scorso fosse andato tutto bene, la prossima volta l'avrei invitata qui.

Cosí avrebbe potuto aiutarlo a sistemare in ordine alfabetico i libri sul feng shui. Che romantico.

– Avrei preparato un picnic sul pavimento, – dice Rory. – Avrei spostato gli scaffali per fare un po' di spazio. Avremmo esplorato il reparto libri usati, in cerca di quel libro che lei desiderava da tutta la vita... – Si sfrega di nuovo gli occhi, con piú forza. – Scusate, sto divagando. Stanotte non ho chiuso occhio.

– Non c'è problema, – dice Steve. Io prendo il taccuino e mi tengo sullo sfondo, tra uno scaffale pieno di immagini seppiate di uomini in casco da combattimento e un altro pieno di donne sorridenti e ben pettinate che guardano dei neonati in modo adorabile. Alla luce fioca sembra

quasi che si muovano, alla periferia del mio campo visivo.
– Possiamo accendere la luce?

– Oh, certo –. Rory allunga una mano verso l'interruttore accanto alla porta e la libreria si illumina. Sotto la luce, il nostro uomo ha un aspetto ancora piú brutto, tutto
spalle ingobbite e occhi arrossati, come se si fosse chiuso
qui dentro da anni, per sfuggire all'apocalisse degli zombie.

– .Grazie, – dice Steve. – Stai bene?

Rory fa un movimento vago che potrebbe significare
di tutto.

– Non ci metteremo molto. Volevo solo chiederti della
tua teoria, quella sull'uomo ossessionato da Aislinn, che
va fuori di testa quando scopre che lei si stava preparando
per te –. Rory ha un soprassalto, ricordando come Breslin
e io abbiamo trattato la sua teoria. – Ieri a un certo punto
hai detto che avevi una prova di qualche tipo, a supporto di questa idea.

Rory mi lancia un'occhiata involontaria, per vedere
se sto per scoppiare a ridergli in faccia, ma io sono tutta
orecchie.

– Un uomo, – dice Steve, spostandosi per ricatturare la
sua attenzione. – Un uomo che hai visto in strada sabato
sera. Dico bene?

– Sí. C'era un uomo. Non me lo sono inventato, l'ho
visto davvero.

Steve annuisce, appoggiandosi a uno scaffale. – Bene.
E quando è stato?

– Mentre andavo via, dopo aver perso le speranze che
Aislinn mi aprisse la porta. Ho svoltato su Astrid Road
verso la strada principale e sono passato davanti al vicolo
dietro Viking Gardens. Il vicolo dove…

Di nuovo un'occhiata verso di me. – Dove ti eri nascosto
per osservare Aislinn, – dice Steve, in tono pratico. – E?

– E ho visto un uomo uscire da quel vicolo. Ci siamo guardati in faccia, tutti e due sorpresi.

Steve annuisce. – Che aspetto aveva?

– Di mezza età. Un po' piú alto di me, capelli ricci, neri tendenti al grigio. Corporatura media, direi.

McCann, che usciva dalla casa di Aislinn.

È uscito, e probabilmente era anche entrato, dal retro. La porta posteriore era chiusa, quando siamo arrivati noi: Breslin doveva avergli dato la chiave.

– Ricordi com'era vestito? – chiede Steve, in tono casuale, come se non fosse una cosa importante.

Rory scuote la testa. – Non esattamente. Un cappotto nero. Una sciarpa chiara, mi sembra. La cosa principale che ho notato è che sembrava... Ho pensato che fosse drogato. Cocaina, forse, o... voglio dire, non so niente di droghe, ma ha fatto un salto quando mi ha visto, e gli occhi erano... – Imita uno sguardo folle, occhi spalancati e persi nel vuoto. – Ho pensato che avesse preso qualcosa o che fosse uno squilibrato. Comunque, l'ultima cosa che volevo in quel momento era avere a che fare con lui. Ho accelerato il passo e mi sono allontanato il piú in fretta possibile.

– A che distanza eravate?

– Circa come da qui a quella porta –. Indica la porta dell'altra stanza. Un metro e mezzo, massimo due. Abbastanza vicino per poterlo identificare. Abbastanza lontano, alla scarsa luce di un lampione, perché un avvocato difensore invalidi l'identificazione.

– Ha detto, o fatto, qualcosa?

– Non ce n'è stato il tempo. L'ho guardato solo per un secondo o due, prima di allontanarmi. Quando sono arrivato all'angolo di Astrid Road mi sono voltato, per vedere se mi stava seguendo, ma l'ho visto che camminava nella direzione opposta. Andava a passo svelto, con la testa china, ma sono quasi sicuro che fosse lo stesso uomo.

– E tutto questo è successo intorno alle otto e mezzo? – chiede Steve.

– Appena dopo. Ho mandato l'ultimo sms a Aislinn alle otto e mezzo, poi ho aspettato una risposta per cinque minuti. Non l'ho ricevuta e sono andato via. Perciò quando ho visto quell'uomo, sarà stato tra le otto e trentacinque e le otto e quaranta.

Significa che McCann ha avuto da trentacinque a cinquantacinque minuti, in casa di Aislinn. Rory è uscito dal vicolo per andare da Tesco intorno alle sette e quaranta. Forse McCann lo aveva visto e ha aspettato che andasse via, o forse è arrivato quando Rory se n'era già andato. Ma alle otto, quando Rory ha bussato e Aislinn non ha risposto, McCann era dentro.

Quando si è reso conto di ciò che aveva fatto, non ha perso la testa. Non McCann. I detective sono esperti nel mettere da parte le emozioni, per dopo, quando possono permettersi di provarle. Appena ha capito che Aislinn era morta o stava per morire, deve essersi tolto le scarpe per non lasciare impronte, ripulendo con della carta da cucina tutti i punti in cui Breslin poteva aver lasciato delle impronte digitali. Ha spento il forno, per evitare che scattasse l'allarme antifumo prima che lui fosse ben lontano da lí. Ha sentito squillare il cellulare di Aislinn mentre Rory provava a chiamarla e a inviarle messaggi, e si è tenuto fuori vista dalle finestre. Una volta finito, deve aver cancellato le impronte delle scarpe che aveva lasciato entrando in casa, si è messo in tasca il rotolo di carta da cucina, per gettarlo in un bidone mentre tornava a casa, ed è uscito senza far rumore dalla porta sul retro. Da trentacinque a cinquantacinque minuti. C'era tutto il tempo.

– Come mai non ci hai detto nulla di questo, domenica? – chiede Steve.

– Perché… – Rory si massaggia la bocca. – Ecco, il fatto è che lo avevo già visto prima, a Stoneybatter. Due volte. La prima è stata una sera di forse tre settimane fa; aspettavo il momento giusto per entrare nel vicolo, e lui era proprio all'imboccatura che si accendeva una sigaretta, cosí ho dovuto fare il giro dell'isolato e riprovarci. Quella volta ero dall'altro lato della strada rispetto a lui, perciò forse non mi ha visto. E io l'ho notato solo perché si trovava proprio dove volevo andare. Ma la seconda volta gli sono passato accanto su Astrid Road, mentre tornavo verso casa, e abbiamo incrociato lo sguardo. Se ha una buona memoria per le facce, è possibile che si ricordi di me. Se vi avessi detto di averlo visto sabato sera, voi lo avreste rintracciato e lui vi avrebbe detto che mi aveva visto prima di quella sera nel quartiere, e allora avreste saputo che io… Insomma, non volevo dirvelo. Anzi, *pregavo* che non trovaste mai quell'uomo.

«Ma che cazzo?» è la domanda inespressa che gravita tra me e Steve. Cosa ci faceva McCann intorno a casa di Aislinn settimane prima della sera fatale?

Rory scambia il nostro silenzio per incredulità. – Avevo paura! «Sa, detective, io passavo le serate in giro per Stoneybatter a spiare una donna dalla finestra di casa sua, e cosí ho notato un tizio che forse faceva la stessa cosa, perciò dovreste cercarlo…» Sarei stato pazzo, a dirvi una cosa del genere. Guardate cosa è successo quando l'avete scoperto.

– Capisco, – dice Steve. – Sul serio. E quando poi ormai la frittata era fatta e hai provato a menzionare quell'uomo…

– Nessuno ci ha creduto, – concludo io. – Rory, ti devo delle scuse –. Lui sbatte le palpebre, sorpreso, poi annui-

sce, in modo impacciato. – Per nostra fortuna, il detective
Moran invece ha seguito questa pista.

– Pensi che lo riconosceresti? – gli chiede Steve.

– Sí. Ne sono quasi sicuro. Ho pensato molto a lui, da
quando ho saputo di Aislinn –. Rory ha il busto in avanti,
lo sguardo impaziente; è di nuovo nostro amico. – E piú
ci penso, piú mi convinco che… Voglio dire, la faccia che
aveva, sabato sera: qualcosa non quadrava.

Steve estrae dalla borsa le foto per il riconoscimento.
– Bene, – dice. – Ora voglio che tu guardi con attenzione
queste foto. Dimmi se l'uomo che hai visto è tra questi.
Se non ne sei sicuro, dillo, capito?

Rory annuisce e fa una faccia concentrata. Steve gli allunga il foglio di cartoncino.

Rory ci mette al massimo due secondi. – Questo qui. È lui.

Ha il dito sopra la faccia di McCann.

– Prenditi il tempo necessario, – dice Steve. – Guarda
bene tutte le facce.

Rory dà un'altra occhiata a tutte le foto, perché è un
bravo ragazzo, ma il dito non si muove. – È lui.

– Ne sei sicuro?

– Sicurissimo. Nella foto sembra un po' piú giovane,
ma è lui.

Ed eccolo qui: un collegamento solido. Niente se e forse: questo è reale, alla fine. Piomba tra me e Steve con un
tonfo, denso e nerastro e troppo pesante per spostarlo.
Ora bisogna per forza farci qualcosa.

Rory si accorge che gli crediamo. – Pensate che lui…
Chi è quest'uomo?

– È un uomo, – taglia corto Steve. – Non possiamo entrare nei particolari, per il momento. Puoi scrivere qui in
fondo dove l'hai visto? Aggiungi data e firma e scrivi le
tue iniziali accanto alla foto che hai riconosciuto.

Rory appoggia il foglio di cartoncino contro uno scaffale e scrive tutto con cura. - Ecco, - dice, restituendolo a Steve. - Cosí va bene?

Steve legge e dice: - Benissimo. Ti convocheremo per rilasciare una dichiarazione ufficiale, ma non ora. Puoi rilassarti.

- Significa... Dovrò comunque venire piú tardi?

- Non lo so ancora. Dipende da come va la giornata. Per ora, tenta solo di rilassarti un po'; dormi, mangia qualcosa. So che è piú facile a dirsi che a farsi.

- Io sono ancora... - Il pomo d'Adamo sale e scende, Rory non riesce a dire la parola. - Avete parlato con i vicini di Aislinn? Qualcuno di loro mi ha visto nel... fuori da casa sua?

- Non ancora. Ti faremo sapere. Come ho detto, per adesso cerca di rilassarti.

- Sí, ma... ecco... pensate ancora che sia stato io?

Steve dice: - Devo chiedertelo: c'è qualcosa che non ci hai ancora detto? Una cosa qualsiasi?

Rory scuote la testa con forza. - No. Lo giuro. Vi ho detto tutto.

- Va bene, - dice Steve. - Se ti viene in mente altro che dovremmo sapere, chiamami subito. Nel frattempo, tutto quello che posso dire è che crediamo che tu abbia visto quest'uomo e seguiremo con attenzione la sua pista.

- Grazie, - dice Rory con un lungo sospiro. - Grazie.

Io metto via il taccuino. Steve raddrizza i libri che ha spostato quando ci si è appoggiato sopra. - Ah, - aggiunge Rory, tormentando con le mani l'orlo del suo orrendo pullover. - Posso dire una cosa?

- Certo, - dice Steve.

- Io osservavo Aislinn. So come può sembrare... ma ricordate quando vi ho detto che a Aislinn non dispiaceva entrare nelle fantasie degli altri? E non mi avete creduto?

Sta parlando con me. – Me lo ricordo, certo, – dico.

– Osservandola… io stavo provando a fare questo. Tentavo di immaginare come fosse vivere lí, essere lei. Tentavo di entrare nella sua testa, invece di fare il contrario, come avevano fatto tutti gli altri.

Ha le mani annodate nel pullover. – Ha… senso?

A me sembra un tentativo di giustificarsi placcato d'oro, ma ci serve che Rory stia dalla nostra parte, perciò annuisco. Steve dice, in tono gentile: – Ce l'ha. Lo terremo a mente.

Lo lasciamo in piedi in mezzo agli scaffali, che ci fissa al di sopra di duri in silhouette e alberi scheletrici e donne in prendisole; ho l'impressione che se torniamo tra qualche ora, tutte quelle immagini lo avranno sommerso e lui sarà sparito.

Appena usciamo dico: – Che diavolo ci faceva McCann a Stoneybatter settimane fa?

– Un giro di ricognizione, forse, – dice Steve. – In modo che quando fosse arrivato il momento di fare il lavoretto, potesse andare e venire senza perdersi e senza essere visto.

– Solo che è stato visto, un bel po' di volte. Google Earth serve proprio a questo: se fai una ricognizione via internet, non ti identifica nessuno.

Il Pajero nero di Deasy non c'è piú. Due lampioni piú in là c'è una Nissan Qashqai che prima non c'era. È stato un cambio rapido. Mi chiedo se lí dentro ci sia Breslin, ma non penso di andare a controllare, non con Rory che ci guarda da dietro la vetrina della libreria. – Stammi a sentire, – dico, voltandomi di scatto verso Steve e puntandogli un dito in faccia. – Vediamoci tra venti minuti, in quel parco dove abbiamo fatto colazione domenica. Controlla di non essere seguito –. Gli do una ditata sulla spalla. – Chiaro?

– Come vuoi, – risponde lui, alzando gli occhi al cielo.
– Cristo –. Mentre mi volto per andare alla mia macchina, lo vedo alzare le mani in un gesto esasperato. Chissà
se basterà a ingannare Breslin o il suo galoppino nella Nissan. Salgo in macchina e parto sgommando come se fossi
incazzata nera.

Arrivo al parco per prima, piuttosto sicura di non essere
stata seguita. Il posto è umido e di nuovo semideserto: c'è
solo un ciclista tutto avvolto in indumenti di lycra, intento a mangiare qualcosa di deprimente da un contenitore
tupperware, e due bambinaie che spettegolano in portoghe-
se mentre un gruppo di bambini piccoli scava in un'aiuo-
la. Vado a sedermi sulla panchina piú lontana da loro e do
un'occhiata ai miei appunti mentre aspetto Steve.
    La descrizione che corrisponde a McCann. I tempi,
che gli dànno fino a quasi un'ora in casa di Aislinn. Tutto scritto con la mia calligrafia sul taccuino regolamenta-
re, proprio come quelli pieni di appunti sui deficienti che
hanno fatto un balletto sulla testa di un altro deficiente,
o sul violentatore che ha strangolato la sua vittima con la
cintura dei pantaloni, e tutto il resto. «Testimone identif.
det. Joseph McCann».
    Apro una pagina nuova e chiamo Sophie. Sono appena
le otto e mezzo, ma lei risponde al secondo squillo. – Ciao,
pensavo di chiamarti non appena fossi arrivata al lavoro.
    – Ciao, – rispondo. – Significa che hai trovato qualcosa?
    – Significa che sei sulla mia lista nera –. Mastica e par-
la, allo stesso tempo fa colazione in piedi e prepara la sua
roba. È in ritardo. – Alle quattro di stamattina, il mio cellulare è impazzito: messaggi, e-mail, altri messaggi, tutti
dal mio uomo dei computer. Li ho ignorati, perché sono
una persona *normale*, e lui si è messo a *chiamarmi*! È bra-

vissimo nel suo lavoro, ma gli mancano le competenze necessarie per comportarsi da essere umano. Alla fine ho dovuto spegnere il telefono. E cosí ovviamente la sveglia non è scattata e mi sono svegliata tipo dieci secondi fa –. Sottolineato dallo sportello sbattuto di un armadietto.

– Oh, merda, – dico. – Mi dispiace. Vuoi darmi il numero del tuo informatico, e lo chiamo ogni mezz'ora per un paio di settimane?

Questo la fa ridere. – Se pensassi che gli darebbe fastidio, direi di sí. Ascolta, è riuscito a entrare nella cartella supersegreta della tua vittima. Era questo che stava facendo alle cazzo e un quarto del mattino. Avevi ragione tu, la password era: «mimancailmiopapàmancante», con alcuni caratteri speciali gettati in mezzo tanto per complicare le cose.

Il brivido di disgusto mi coglie di sorpresa. È la prima emozione vera che provo nella giornata. – Grande, – dico. – Mi piace quando sono prevedibili. E cosa c'è dentro?

Sophie beve un sorso di qualcosa. – Ti inoltro tutto non appena riesco a salire in macchina. In pratica, una ventina di foto di post-it con sopra numeri e lettere, piú la foto di un pezzo di carta con quella che sembra una favoletta da bambini. Non so cosa sognavi di trovare, ma spero che valga il fatto di avermi rovinato la giornata.

– Non posso dirlo finché non vedo il materiale, – dico, – ma deve pur valere qualcosa, se lei si è presa il disturbo di chiuderlo in una cartella protetta, no? Un milione di grazie, Sophie. Mandami tutto, aggiungendo anche date e ore in cui sono state scattate le foto, se ne hai il tempo. Spero proprio di poterti dire che è la soluzione del caso.

– Sarà meglio che lo sia. Devo chiudere, perché non riesco a trovare l'altra scarpa e sto per mettermi a sfasciare oggetti. Ci sentiamo –. E riattacca.

Controllo l'edizione online del «Courier», nel caso debba mettere da parte il tempo per andare a spaccare la faccia a Crowley, ma non trovo nulla sulla mia vita personale. Sembra che anche uno stronzo arrogante come quello di ieri sera riesca a capire quando è il caso di battere in ritirata. C'è un altro articolo da vomito su Aislinn: Crowley ha rintracciato una vecchia compagna di scuola che piagnucola su che brava ragazza fosse la vittima; Lucy, che Dio la benedica, deve averlo mandato affanculo. E sulla barra laterale c'è un elenco degli omicidi irrisolti degli ultimi due anni. Per un attimo penso «il capo ne sarà felice», poi ricordo che alla fine della fiera questo articolo sarà il minore dei problemi di O'Kelly. Non riesco nemmeno a immaginare cosa penserà di me a quel punto. Il solo fatto che mi venga questo pensiero mi irrita. L'opinione di O'Kelly non avrà un ruolo chiave nel mio futuro, ma una parte testarda del mio cervello non lo ha ancora capito.

Solo per divertimento, provo a chiedermi cosa penserà lo stronzo arrogante di ieri sera quando (se) leggerà il mio nome su tutte le prime pagine. Lo faccio prima con delicatezza, come tentando di mordere con un dente rotto che non uso piú da molto tempo. Ci metto un po' a capire che non sento niente. Allora mordo piú forte, chiedendomi se sarà orgoglioso di me per aver risolto un caso complicato, impressionato dai miei sforzi, deluso per l'impatto che ciò avrà sulla mia carriera, disgustato perché ho tradito un compagno di squadra: e viene fuori che non m'interessa. Vado oltre, cercando di provare risentimento verso di lui perché non mi lascia nemmeno il piacere perverso di avere una reazione emotiva: nulla. Mi sento soltanto stupida, per aver sprecato dello spazio nel cervello per questa merda. Quando chiamerò mia madre, stasera, le racconterò qualche vecchia storia sul criceto di gomma di quando ero alla Persone scomparse, e non dirò una parola su ieri sera.

Steve entra dal cancello del parco parlando al telefono e cercandomi con lo sguardo; le bambinaie lo squadrano con attenzione, poi tornano alla loro conversazione vedendo che lo saluto con un gesto. Lui si siede sulla panchina accanto a me, infilandosi il telefono in tasca.

– Con chi parlavi? – gli chiedo.

– Ho lasciato un messaggio al mio contatto presso la compagnia telefonica, quello a cui ho chiesto i tabulati del telefono che ha chiamato la stazione di Stoneybatter. Spero che trovi qualcosa che ci aiuti a provare che si tratta del cellulare di Breslin. Certo, ci vuole una bella fortuna, ma... – Piega un angolo della bocca. – Novità?

– L'uomo di Sophie è riuscito a entrare nella cartella protetta di Aislinn. Si tratta soprattutto di foto di post-it con sopra dei numeri; Sophie sta per mandarmi il tutto via e-mail, adesso.

Steve fa una smorfia rapida. – Ah, merda, merda, merda. Speravo proprio che fosse qualcosa di buono.

– Può ancora esserlo. Chi è il pessimista, ora?

– Il fatto è che l'identificazione di Rory... non vale molto. Qualsiasi avvocato difensore dirà che Rory deve aver incrociato McCann in corridoio, quando l'abbiamo portato in centrale, perciò ricordava la sua faccia e quindi si è confuso.

– Lo so, – dico. – O peggio, non si è confuso, ma voleva disperatamente trovare qualcuno da accusare al suo posto e ha scelto un uomo che aveva incontrato di recente, per fare in modo che la descrizione sembrasse realistica.

– Già –. Steve non si è mosso da quando si è seduto, non ha nemmeno spostato un po' il culo per trovare un punto meno umido sulla panchina. È concentratissimo. – Ci serve che l'agente di Stoneybatter che ha preso la chiamata identifichi la voce della persona che ha telefonato.

– Mentre sei con Breslin, stamattina, vedi se riesci a prendere un campione vocale. Registra un minuto di conversazione sul tuo cellulare. Poi mandalo a me, se non puoi allontanarti da lui, e io lo porto a Stoneybatter.

Steve annuisce. Il mio telefono emette un *bip*. – Ci siamo, – dico, tirandolo fuori. – Incrocia le dita.

– Le tenevo già incrociate, credimi.

La mail dice «Ecco», con una lista di ore e date. Ci sono ventinove foto allegate. Le guardo rapidamente. Post-it giallo, «8 Me» con un cerchio intorno. Altro post-it, «1030» con un cerchio intorno. Post-it, «7» con un cerchio intorno, piú una striscia viola sullo sfondo che somiglia alle tende del soggiorno di Aislinn. Post-it, «7 G» con un cerchio intorno, il polpastrello di un pollice in un angolo.

– Sono giorni e ore, – dico.

– Cosí sembra.

– Ricordi che ci chiedevamo come faceva l'uomo segreto a prendere gli appuntamenti con Aislinn?

Steve tocca il bordo del mio cellulare con un'unghia. – Sistema a bassa tecnologia. Il piú sicuro.

– E non abbiamo trovato nessun post-it durante la perquisizione in casa –. Continuo a far scorrere il dito sulle foto: «11», «6 L», «745». – Quando Breslin sapeva di avere un po' di tempo libero, lasciava un post-it nella cassetta delle lettere di Aislinn, per farle sapere quando doveva farsi trovare pronta nella sua lingerie migliore. Poi, quando arrivava da lei, si riprendeva il biglietto e lo distruggeva. Come abbiamo detto, è un tipo prudente.

Steve allunga una mano e ingrandisce sul mio telefono il «745». – Dici che corrisponde alla calligrafia di Breslin?

– Difficile a dirsi. Non c'è nulla che lo escluda, comunque. E l'ho visto scrivere le ore in questo modo, senza virgole o punti.

– Molti poliziotti lo fanno.

– Sí, ma non molti civili. Questo potrebbe restringere il campo.

– Ciò nonostante... – Steve scuote la testa. – Un esperto di calligrafia non ci darà una corrispondenza basandosi su cosí poco.

– No, certo –. Riprendo a scorrere le foto: «9 V», «630 Me», «7». – E Breslin lo sa. Di nuovo: non ha corso rischi.

– Di sicuro però non pensava di uccidere Aislinn fin dall'inizio.

– No, ma non pensava nemmeno di lasciare la moglie per lei. A Breslin la sua vita piace. Gli piacciono i suoi figli, la sua casa, la sua macchina, le vacanze al sole in bei posti. Probabilmente gli piace anche sua moglie. E gli piaceva Aislinn, ma non abbastanza da rischiare di perdere tutto il resto. Se si fosse trasformata in una stalker, Breslin non voleva lasciarle in mano nessuna prova che lei potesse mostrare a sua moglie.

– Ha fatto un buon lavoro –. Steve non ne sembra affatto felice.

«7», «745 G», «8». E poi un foglio di carta bianca. Una scrittura curata, regolare, non quella di Breslin; sembra la stessa delle firme e degli appunti di Aislinn. Ogni vocale arrotondata per bene, ogni trattino cosí dritto che sembra tracciato con la riga. Ingrandisco l'immagine e leggiamo insieme. Aspetto sempre un cenno d'assenso di Steve prima di spostare il cursore.

C'erano una volta due ragazze che vivevano in un cottage, in una foresta grande e oscura. Si chiamavano Carabossa e Meladina.

Carabossa correva scalza nella foresta, giorno e notte. Saliva sugli alberi piú alti, nuotava nei torrenti. Addestrava i cuccioli di lupo a mangiare dalla sua mano. Uccideva gli orsi con arco e frecce.

Meladina non usciva mai dal cottage, perché un mago le aveva gettato un incantesimo. Carabossa non poteva spezzarlo. Nessun principe poteva spezzarlo. Nessun mago o strega poteva spezzarlo. Meladina pensava che sarebbe rimasta intrappolata in casa per sempre. Guardava fuori dalla finestra e piangeva.

Poi un giorno trovò un libro di incantesimi sepolto sotto il pavimento. Cominciò a studiare la magia. Carabossa l'avvertí che il mago era pericoloso, e che era meglio non avere nulla a che fare con lui, ma Meladina non aveva scelta. Se non l'avesse fatto, sarebbe morta in quel cottage.

Quando ebbe studiato abbastanza, Meladina compí una magia e riuscí a gettare il suo incantesimo sul mago. Adesso era lui a trovarsi intrappolato per sempre nel cottage, e Meladina poteva correre e arrampicarsi sugli alberi e nuotare nei torrenti con Carabossa. E tutte e due vissero per sempre felici e contente.

Se ho sbagliato il finale, per favore, diglielo tu. Amore e ancora amore.

– Che cazzo è? – dice Steve.

– È una lettera a Lucy.

– Grazie, ci ero arrivato da solo. Ma che vuol dire? Aislinn si è innamorata di Breslin; questo è l'incantesimo, e la teneva intrappolata. E poi cosa? Ha fatto in modo che anche lui si innamorasse di lei? O cosa?

– Non m'interessa. Lucy può spiegarci tutto. Perché è questo che vuol dire il finale: se qualcosa va storto, Lucy deve dire a noi (o a qualcun altro) tutta la storia. E questo significa che Aislinn aveva paura. Già dal... – Tocco lo schermo e torno alla mail di Sophie. – Già dal 12 novembre, Aislinn temeva che la storia andasse a finire com'è finita. È stato piú o meno allora che ha fatto testamento, ricordi?

– Aveva troppa paura per lasciarlo, – dice Steve, saggiando la mia teoria. – E questo sarebbe l'incantesimo?

– Aveva paura anche che lui controllasse il suo computer, altrimenti non avrebbe protetto la cartella con una password, visto che si trattava di una cosa che desiderava

TANA FRENCH

far trovare. Proprio una bella storia romantica –. Controllo anche le date in cui sono state caricate le foto, già che ci sono. 9 settembre, 17.51. 15 settembre, 18.08. 18 settembre, 18.14. Aislinn torna a casa dal lavoro, trova il post-it, gli scatta la foto, la carica sul computer e la elimina del cellulare. Evidentemente progettava qualcosa.

– E l'incantesimo rovesciato sul mago significa che è lei a intrappolare lui, in qualche modo. Forse facendolo finire in galera? – Steve ha le sopracciglia aggrottate e le mani intrecciate sulla testa, mentre pensa. – Tutta la faccenda con Rory poteva essere un tentativo di provocare Breslin a picchiarla a sangue, cosí sarebbe finito dentro, perché questo era l'unico modo in cui lei poteva liberarsi di lui? Però non aveva messo in conto che potesse finire com'è finita?

Ci penso su. Quadra con ciò che sappiamo di Aislinn: abbastanza ingenua da pensare che un piano idiota come questo potesse funzionare nella realtà, perché nella sua testa funzionava benissimo; inoltre, aveva trascorso una parte cosí grande della sua vita intrappolata dalle esigenze di un'altra persona, che forse era andata in panico, vedendolo succedere di nuovo. – Spiegherebbe perché conservava le foto dei biglietti. Prove della relazione, nel caso in cui Breslin sostenesse di non averla mai vista né conosciuta.

– Ma perché solo i biglietti? Perché non… registrare una conversazione con il cellulare, per esempio? O scattargli qualche foto mentre era nudo a letto, dopo che si era addormentato?

Avrei trascorso volentieri il resto della vita senza quell'immagine nella mia mente. Le cose che ti tocca affrontare in questo lavoro. – Aveva paura che lui la cogliesse in flagrante, – dico. – O che controllasse il suo cellulare prima che lei potesse caricare il file sul computer e cancellarlo dal telefono.

– Merda, – dice Steve. – Anche una sola foto di lui nudo sarebbe stata una prova solida. Questa roba... – sbuffa. – A meno che Lucy non abbia un fantastico asso nella manica, saremo fortunati se ci resterà in mano abbastanza per un'accusa, ma a una condanna è meglio non pensarci.

Ha le mani strette tra le ginocchia e guarda i bambini che si gettano la terra tra i capelli. La curvatura rigida della sua spina dorsale indica che non è contento.

– Non sei obbligato ad andare avanti, – dico.

È importante dirlo. Ieri sera, mentre eravamo presi dall'eccitazione adrenalinica della caccia, ho dato per scontato che fossimo di nuovo insieme fino al traguardo. E credo che lo pensasse anche lui. Oggi, il suo atteggiamento cupo si aggiunge alla mattinata fredda e coperta, agli occhi attenti di Deasy e alla pioggia recente che gocciola dalle siepi del parco; è giusto lasciargli una possibilità di cambiare idea.

Lui volta il viso verso di me, non inespressivo, non sta cercando di fingere che quel pensiero non gli sia passato per la mente. È complicato.

Dice: – Nemmeno tu.

– Io non ho molto da perdere. Tu sí. E il caso è mio –. Provo un lampo di qualcosa come dolore, perché una parte di me non smette di pensare come una detective: il mio caso, la mia responsabilità. Ma prima o poi questo atteggiamento svanirà. – Puoi darti malato, hai mangiato qualcosa che ti ha intossicato e te ne stai due giorni a casa. Quando torni, la polvere si sarà già posata.

– Possiamo anche uscirne insieme. Diciamo a Breslin che Rory ha identificato McCann sulla scena; noi sappiamo che McCann non c'entra affatto e non vogliamo incasinargli la vita facendo in modo che l'avvocato di Rory lo citi in tribunale come colpevole alternativo. Perciò abbiamo deciso di fare marcia indietro ed etichettare il caso come irrisolto. Poi diciamo a Rory che la sua identificazione non ci ha portato da nessuna parte. Il capo ci romperà i coglioni per non aver risolto il caso, ma Breslin metterà una buona parola per noi, e *bang*, è tutto passato. Come se non fosse mai successo.

Mi osserva, e il suo viso ha la stessa immobilità di ieri notte. La luce del giorno rivela zampe di gallina e rughe di espressione che non avevo mai notato prima. Non capisco se vuole che risponda davvero di sí: sí, gettiamo nel cesso tutto questo casino del cazzo, tiriamo lo sciacquone e non pensiamoci piú.

Ha ragione: possiamo farlo. Possiamo persino trovare una giustificazione valida per le nostre coscienze, o quasi. Come ho detto, la probabilità di ottenere una condanna è la stessa di vincere al lotto. E anche se la ottenessimo, ai morti la giustizia non serve: nessuna nostra decisione farà differenza per Aislinn. Non c'è neppure una famiglia che chiede delle risposte. E non è che Breslin e McCann rischiano di trasformarsi in serial killer, se non li fermiamo; torneranno a essere quelli di sempre, e Breslin tornerà a tenere l'uccello al guinzaglio. Nessuno perde nulla, tutto va a posto.

Solo che cosí mi ritrovo allo stesso punto di quando pensavo che Breslin e McCann prendessero soldi dalla malavita. Se tengo la bocca chiusa, significa che loro mi hanno messo le mani addosso, trasformandomi in una persona diversa, che vivrà una vita diversa, anche se da fuori nessuno se ne accorgerà. Breslin e McCann governeranno me e le mie giornate, che lo vogliano o no.

Io sono in debito con questo caso. Ho un problema serio con lui. Devo sparargli dritto in mezzo agli occhi, scuoiarlo, impagliarlo ed esporlo sul muro, per quando i miei nipoti mi chiederanno di raccontargli delle storie di quando ero una detective, un milione di anni fa.

Non ce la faccio a dire a Steve che me ne andrò, non ancora. – No, – dico. – Ho cominciato, posso anche finire.

L'improvviso sciogliersi del suo viso può essere tutto, sollievo o delusione, ma poi si risolve in un sorriso, piccolo e molto dolce. – Allora io posso anche restare a bordo, – dice. – Non mi sono mai intossicato con il cibo, se provassi a fingere un'intossicazione farei solo un casino.

Per qualche motivo, queste parole sono come un pugno allo stomaco. Qualcosa mi si gonfia sotto le costole. Strano, quando ho capito che avrei mollato, non mi è venuto in mente che questo significa anche mollare Steve. A un certo punto, non so quando di preciso, devo aver cominciato a dare per scontato che lui ci sarebbe sempre stato, come un fratello. Io non faccio queste cose. Perché il fatto è che Steve non ci sarà sempre. Una volta andata via, ci terremo in contatto per un po'. Andremo a berci una pinta qualche volta, rideremo troppo forte delle storie che ci racconteremo e le nostre conversazioni saranno piene di inciampi, quando lui tenterà di parlare con tatto del lavoro e del suo nuovo partner e io tenterò di convincerlo a lasciar perdere. Poi le pinte si faranno sempre più distanziate, poi un giorno uno dei due comincerà una relazione con qualcuno e vedersi sarà più difficile; i messaggi cominceranno con «Ciao, è tanto che non ci vediamo», e all'improvviso ci renderemo conto che è già passato un anno dall'ultima volta. E questa sarà la fine.

Non posso permettermi di diventare sentimentale. – Il solito perfettino. Scommetto che non hai mai marinato la scuola una volta, vero?

– Invece sí. Per andare a trovare la nonna malata.

Mi concentro sui bambini che stanno brucando il tappeto erboso, e sul ciclista che esegue degli stiramenti improbabili per mostrare i glutei alle bambinaie, finché riesco a ripulirmi la mente. – Va bene, – dico. – Allora io vado a far leggere a Lucy la favoletta di Aislinn. Tu va' a giocare con Breslin. Digli che tu e io siamo stati da Rory, tanto lo verrà a sapere comunque. Digli che ho interrogato Rory sulle sue ex, accusandolo di avere una vera e propria ossessione; gli ho chiesto se faceva lo stalker anche con loro, lui ha negato e l'abbiamo lasciato tutto sconvolto. Giocatela come se tu non fossi pienamente convinto su Rory: hai ancora dei dubbi, io ce l'ho con te perché li hai, e tu ce l'hai con me perché li ignoro. In questo modo Breslin vorrà tenerti vicino e non si preoccuperà troppo se io scompaio per un'ora.

Steve annuisce mentre ci pensa su. – Mi sembra tutto giusto. Se mi chiede dove sei andata...?

– Non lo sai. Me l'hai chiesto e ti ho risposto che non erano cazzi tuoi.

Dopo un breve silenzio, Steve chiede: – Quando chiudiamo?

– Oggi, – rispondo. – Non possiamo rimandare. Breslin si aspetta che richiamiamo Rory in centrale, lo arrestiamo e cominciamo a preparare il fascicolo per i magistrati. Se non lo faccio, si chiederà come mai e alzerà la guardia.

Steve annuisce. – A chi andiamo addosso? Breslin o McCann?

– Io voto per McCann. A meno che Lucy non ci riveli qualcosa di serio che possiamo usare contro Breslin. Breslin ci osserva da giorni, e sa molto meglio di McCann come comportarsi con noi. Inoltre, se solo accenniamo a Breslin di questo, si farà venire un attacco di dignità offesa e ne ho già sopportati abbastanza questa settimana.

Troviamo il modo di togliercelo dai piedi per un po' e andiamo a placcare McCann.

– Va bene, – dice Steve, alla fine di un lungo respiro.
– Va bene. McCann.

– E tu farai meglio a darti una mossa, prima che Breslin
cominci a chiedersi dove sei finito.

– Giusto –. Tira fuori dalla borsa i fogli per il confronto fotografico sia di Breslin, sia di McCann, e me ne dà
un paio di copie. – Buona fortuna.

– Sí, anche a te.

Per qualche motivo battiamo un cinque, prima di la-
sciarci. Di solito non facciamo queste cose, non abbiamo
piú sedici anni, ma sembra che ne abbiamo bisogno, prima di incamminarci lungo questa strada.

15.

Stavolta Lucy risponde in fretta al citofono. Quando apre la porta è già vestita, di nuovo in pantaloni mimetici neri e felpa con cappuccio, ma non gli stessi dell'altra volta. E ha le scarpe ai piedi, precisamente un paio di Dr. Martens. Mi fissa senza espressione e aspetta.

– Buongiorno, – dico. – Va bene se parliamo un po' o è troppo presto?

– Pensavo sarebbe arrivata prima –. Si volta e sale le scale.

Il soggiorno è freddo, quel freddo umido dopo una notte con il riscaldamento spento. Odora di pane tostato e caffè, e di fumo, fumo legale, stavolta. La volpe impagliata e i vecchi telefoni e la matassa di cavo non ci sono più; al loro posto vedo un giradischi e una pila di album dalle copertine rovinate, una grossa scatola di cartone piena di ceramiche a fiori e un rotolo di tela che tocca quasi il soffitto, un po' srotolato a mostrare una strada di campagna che scompare in lontananza. La stanza sembra carica di troppe storie, che fanno a gara per conquistarsi spazio e si spintonano negli angoli.

Stavolta Lucy si siede per prima, scegliendo il divano di spalle alla finestra e lasciando a me quello che prende tutta la luce: impara in fretta. Ha tutto l'armamentario già pronto sul tavolino: pacchetto di sigarette, accendino, posacenere, tazza di caffè. Non mi offre nulla. Resta ferma e mi osserva, lasciando a me la prima mossa.

Mi siedo sull'altro divano. – Le dirò alcune cose che ho pensato, – dico. – Non voglio che mi dica se ho torto o ragione finché non avrò finito. Non dica nulla, voglio solo che ascolti. Va bene?

– Vi ho già detto tutto ciò che avevo da dire.

– Mi ascolti, per favore.

Lei scrolla le spalle. – Come vuole –. Si accomoda meglio sul divano, gambe accavallate, tazza in grembo, con l'aria di volermi soltanto assecondare.

È un gioco a cui so giocare anch'io. Sistemo meglio i cuscini, sposto il culo sul divano bitorzoluto, trovo l'angolazione migliore per allungare le gambe. Lucy si irrigidisce, vuole sapere di che si tratta.

– Bene, – dico, quando sono sistemata e a mio agio. – Cominciamo dalla sua amicizia con Aislinn. Voi due eravate molto piú intime di quanto lei abbia ammesso. Secondo i tabulati di Aislinn, vi parlavate o vi scambiavate messaggi praticamente ogni giorno. Eravate la migliore amica l'una dell'altra.

Lucy infila la punta di un dito nel caffè, estrae dalla tazza un pezzettino di qualcosa e lo esamina. I vestiti neri contro le coperte messicane a strisce blu e ruggine, la ciocca biondo platino che le ricade sulla faccia bianca, rendono difficile vederla bene, è come un punto vuoto nel mezzo del mio campo visivo.

– Quindi deve esserci un motivo per cui lei non voleva che lo sapessimo, domenica. E il momento in cui ha cominciato a dire che lei e Aislinn non eravate poi cosí amiche è stato dopo aver menzionato l'amante segreto di Aislinn. Questo significa tre cose: A, su quest'uomo, lei sa piú di quanto abbia ammesso; B, lui le fa paura; C, se parla, pensa che lui verrà a saperlo attraverso noi.

Lucy batte le palpebre una volta sola, alla parola «paura». Si pulisce il dito sul bordo della tazza.

Continuo: – Io e il mio partner all'inizio abbiamo pensato che forse Aislinn usciva con qualche malavitoso –. Il modo in cui il viso di Lucy si chiude è un'indicazione chiara, se già non lo sapessi, di quanto sbagliata fosse quella supposizione. – Ci siamo arrivati solo la notte scorsa. L'uomo sposato di Aislinn non era un malavitoso. Era un poliziotto.

Il silenzio si protrae, ma io sono piú brava di Lucy in questo gioco: ho piú pratica. Alla fine lei si muove: – Ha finito?

– Sí. È il suo turno.

– Di fare cosa? Non ho niente da dire.

– Invece sí. Posso capire che sia spaventata, – di nuovo quel battito di ciglia, – ma se avesse voluto davvero tenere la bocca chiusa, non avrebbe detto nulla. Ci ha parlato dell'uomo segreto di Aislinn perché voleva che indagassimo. Non voleva essere coinvolta, ma sperava che, se ci avesse indicato la direzione giusta, ci saremmo arrivati da soli. E cosí è stato.

Lucy ha ancora lo sguardo fisso sulla tazza. Dice: – Allora non avete bisogno di me.

– Se cosí fosse, non sarei qui. Sono quasi certa di chi sia l'uomo segreto di Aislinn. Sono quasi certa di sapere chi l'ha uccisa. Ma non posso provarlo.

– Oppure lo dice solo perché vuole scoprire quello che so.

– Vuol sapere una cosa che non ho mai detto a nessuno? Al lavoro abbiamo degli armadietti. Un paio di mesi fa, qualcuno ha forzato il mio e ci ha pisciato dentro. Sopra la mia tuta da corsa e sopra gli appunti presi durante una mezza dozzina di colloqui.

Lucy non alza gli occhi, ma noto il battito di ciglia: sta ascoltando. – La parte importante è questa, – dico. – La

Omicidi è separata dalle altre squadre, nel nostro edificio non c'è nessun altro. E la porta dello spogliatoio ha una serratura a combinazione. Quindi è stato uno della mia squadra.

A questo punto lei mi guarda. – Perché?

– Perché non mi amano. Vogliono che me ne vada. Ma il punto non è questo. È il fatto che qui non siamo in tivú, dove i poliziotti sono tutti fratelli di sangue e chiunque si fa nemico un poliziotto finisce morto in un fosso mentre tutti noi facciamo in modo di seppellire le prove. Io non ho nessuna lealtà di squadra da mantenere. Non sono qui per ripulire i casini di qualcun altro. Sto solo lavorando alla mia indagine. E se la persona che cerco è un poliziotto, non mi interessa.

– Questo dovrebbe rassicurarmi?

– Se fossi venuta qui per chiuderle la bocca, l'avrei già fatto. In un modo o nell'altro. So già che sa qualcosa, Lucy; se non volessi che venisse fuori, non mi preoccuperei dei particolari.

Per un attimo penso di averla convinta, ma di nuovo la sua espressione si chiude. Dice, in tono piatto: – Lei è piú brava di me, in questo. Lo so. Non ho modo di sapere se mi sta dicendo la verità.

Prendo il cellulare, trovo la favola di Aislinn e gliela passo attraverso il tavolino. – Legga. Penso sia stata scritta per lei.

Spero proprio che non abbia un altro crollo emotivo, perché oggi non ho il tempo di rimetterla in sesto, ma Lucy è una dura. Una volta si morde un labbro e quando alza lo sguardo ha gli occhi umidi, ma ormai ha già pianto le sue lacrime in privato.

– È la scrittura di Aislinn, vero? – dico.

– Sí.

– E quella favola è per lei.

– Sí.

– Non capisco tutto ciò che c'è scritto, ma una cosa mi
è chiara: se la storia non ha un lieto fine, lei deve dirmi il
resto. E credo che il modo in cui è andata si qualifichi come un finale di merda.

A queste parole Lucy fa una risata, impotente e cruda.
– Carabossa e Meladina, – dice. – Quando eravamo piccole, e lei inventava storie avventurose con noi come pro-
tagoniste, questi erano i nostri nomi. Non ricordo piú da
dove li aveva presi. Avrei dovuto chiederglielo.

– Se io volessi coprire tutto, – dico, – non le avrei portato questa storia da leggere. Lei ha ragione, ci sono detective che tenterebbero di insabbiare il caso. Ma non le
sono toccati loro, le sono toccata io.

Lucy passa leggermente due dita sullo schermo del mio
cellulare. – Posso averla? – chiede. – Può inviarmela, o
stamparmela?

– In questo momento fa parte delle prove, e non posso
darla a nessuno. Una volta chiuso il caso, gliene manderò
una copia. Promesso.

Lucy annuisce. – Va bene. Grazie.

Tendo la mano. Lei guarda di nuovo il messaggio, poi
fa un respiro tirato e drizza la schiena. – Sí, – dice, restituendomi il telefono. – L'uomo con cui Aislinn aveva una
storia era un poliziotto. Un detective.

Un lampo negli occhi, per controllare la mia reazione.
Le chiedo: – L'ha mai incontrato?

– Sí. La stessa sera in cui Aislinn l'ha conosciuto. Non
volevo che lei…

– Un momento, – dico. – Un passo alla volta. Pensa di
poterlo riconoscere?

– Sí. Al cento per cento.

Apro la cartella e trovo il foglio con il confronto fotografico per il riconoscimento di Breslin. – Ecco. Se tra
questi vede l'uomo di Aislinn, me lo dica. Se non c'è o se
non è sicura, me lo dica. Pronta?

Lucy annuisce e si prepara.

Le passo il foglio. Lei lo guarda, poi fa una faccia perplessa. – No. Lui non c'è.

Ma che cazzo?, penso. – Ci rifletta bene, – dico. – Ne
è sicura?

– Sicurissima. Nessuno di questi gli somiglia nemmeno
un po' –. Mi restituisce il foglio con fare brusco. È di nuovo diffidente, si chiede a che gioco stia giocando. Giurerei
che la sua reazione è autentica.

Mentre mi chino per rimettere il foglio nella cartella,
con la mente in subbuglio, chiedendomi a questo punto
che cazzo si fa e desiderando aver portato Steve con me,
mi viene in mente la spiegazione.

Tiro fuori l'altro foglio di fotografie, quello relativo a
McCann. – Provi con questi, – dico. – Riconosce qualcuno di loro?

Lucy ci mette mezzo secondo: scorre le foto con gli occhi, le scappa un rapido sbuffo dal naso, il corpo si irrigidisce per la tensione. – È lui, – dice, piano, con il dito
puntato su McCann. – È questo qui.

– L'uomo che aveva una relazione con Aislinn.

– Sí.

– Quanto ne è sicura?

– Al cento per cento. È lui.

– Lo scriva, – dico, passandole una penna. – In fondo alla pagina. Quale numero ha riconosciuto, e dove
l'aveva visto prima per poterlo riconoscere ora. Metta
data e firma, piú le sue iniziali accanto alla foto che ha
identificato.

Lei scrive con mano ferma; solo il rapido alzarsi e abbassarsi del petto e il rumore leggero del respiro dànno l'idea della scarica di adrenalina che attraversa il suo corpo. E anche il mio. Ecco risolto il grande mistero di come mai McCann andava in giro per Viking Gardens già varie settimane prima dell'omicidio. Il vicino di casa di Aislinn ha detto che l'uomo che ha visto scavalcare il muro di cinta gli era sembrato biondo, ma la luce gialla del lampione può benissimo aver fatto sembrare bionde le ciocche grigie di McCann. Le telefonate di sua moglie che si lamentava perché aveva saltato un'altra cena, la schiena ingobbita quando Breslin gli ha promesso che si sarebbe liberato di me, lo stato in cui è apparso negli ultimi giorni: tutto quadra.

L'unica tessera del rompicapo che ancora non trova un posto è per quale motivo Aislinn voleva McCann; e cosa cazzo Steve e io ci siamo fatti sfuggire fin dall'inizio.

Lucy mi passa il foglio. – Cosí va bene?

– Sí, – dico, leggendo in fretta. – Grazie. Ora può raccontarmi tutta la storia.

Lucy respira a fondo. – Cosa vuol sapere?

– Tutto. Dall'inizio.

– Va bene –. Si passa le mani sulle cosce, per togliere il sudore o la sensazione di aver toccato quelle foto. – Va bene, va bene. L'inizio è stato sette, otto mesi dopo la morte della madre di Ash, quindi… circa due anni e mezzo fa. Ash e io eravamo al pub, e lei disse: «Indovina cosa farò». Mi guardava da sotto in su, con la testa bassa e con un sorriso timido. Per un attimo pensai che volesse farsi un piercing su un capezzolo, o qualcosa di simile –. Lucy fa una risatina secca. – E sarebbe stato molto meglio. Invece disse: «Ho deciso di scoprire cosa è successo a mio padre». Era l'ultima cosa che mi aspettavo. Ash continuava a immaginare storie su dove si trovava suo padre, o a pensare ai modi in cui sarebbe potuto tornare. Ma non aveva mai parlato di provare a rintracciarlo.

Dico, con un'empatia che deriva dalla pratica: – Forse non si sentiva in grado di farlo mentre la madre era viva. Occuparsi di lei doveva assorbire tutta la sua energia, e non mi sorprende che non gliene restasse per trovare il padre.

Lucy annuisce vigorosamente. – È quello che pensai anch'io. Mi sembrò una buona idea. Non il fatto di ritrovarlo sul serio: c'erano troppi modi in cui poteva andare a finire male. Ma era la prima volta in assoluto che lei parlava di fare qualcosa che voleva davvero. Pensai che fosse un bene, che imparare come fare ciò che desiderava fosse una buona idea. Ha senso, vero?

– Assolutamente, – rispondo. Ne sono davvero convinta, e osservo il sollievo sul viso di Lucy. – Non avrebbe ricavato granché dalla vita, se non avesse imparato questo.

– Esatto. Perciò dissi che era una buona idea e le augurai il meglio. Aislinn disse al lavoro che aveva un appuntamento dal dentista, indossò il suo vestito migliore e si recò alla polizia, squadra Persone scomparse. All'inizio provarono a dissuaderla, ma finalmente ci fu un detective che cercò suo padre su un database della polizia e le disse che era morto. Aislinn restò... – Lucy si morde le labbra, al ricordo. – Dio, fu una rivelazione devastante. Chiamò al lavoro, disse che l'anestesia l'aveva lasciata debole e che non se la sentiva di tornare, dopodiché andò a casa e pianse tutto il giorno. Io andai da lei dopo il lavoro, e la trovai distrutta. Schiacciata come un gatto investito sull'autostrada. Non aveva dentro piú nulla. Era... persa.

Questo è il punto in cui io dovrei sentirmi in colpa, perché è stata la mia mancanza di sensibilità a spingere Aislinn sulla via della tragedia, e blablabla. Ieri, non avrei

provato nulla. Come ho detto a Steve, se Aislinn voleva
far dipendere tutta la sua vita da un uomo che non c'era,
era un problema suo. Ma oggi non so piú cosa pensare.
All'improvviso mi sembra che ci fossero cosí tante persone a spingerla, da tutte le direzioni: io, Gary, sua madre,
suo padre, e tanti altri, tutti con il dito puntato, pronti a
indirizzare la sua vita come piú conveniva a loro. Sento
un formicolio come se avessi la pelle coperta di mosche.
E alla fine qualcuno non si è accontentato di spingere: la
vita di Aislinn non gli conveniva piú, e gliel'ha tolta con
un pugno.

Lucy prosegue: – Temevo che riprendesse ad andare alla deriva. Quella era l'unica possibilità che aveva avuto di
prendere in mano la sua vita, e ora che era stata distrutta in quel modo, non ci avrebbe piú riprovato. Allora le
dissi, come una cretina: «Forse qualcuno che ha lavorato
al caso può dirti almeno cosa gli è successo». Volevo solo
farla sentire meglio. Volevo darle un obiettivo.

Quello sguardo supplichevole le riappare negli occhi.
– Mi sembra giusto, – dico. – Io avrei detto esattamente
la stessa cosa.

– Avrei dovuto tenere la bocca chiusa. Ma all'epoca,
ero convinta di aver fatto la cosa giusta. Aislinn smise di
piangere all'improvviso e si lanciò verso il cellulare. Io dissi: «Che succede?» e lei rispose che le avevo fatto venire
in mente una cosa che il detective della squadra Persone
scomparse le aveva detto. Aveva menzionato i nomi dei
detective incaricati del caso, quando suo padre era sparito. I detective Feeney e McCann.

Sentirle pronunciare il nome è come una goccia fredda
dietro il collo.

Lucy continua: – Li cercò su Google. Trovò il necro-
logio di Feeney; riconobbe solo vagamente la foto, ma

l'articolo diceva che Feeney aveva trascorso ventitre anni alla Persone scomparse, quindi doveva essere lui. Ed era un vicolo cieco. Ma il detective McCann... Ash ci mise un po' a trovare qualcosa su di lui, ma alla fine trovò un video di un notiziario, dove lo si vedeva uscire dal tribunale dopo un caso di omicidio, e capí che ora McCann lavorava alla Omicidi. E lo riconobbe immediatamente. Aveva dimenticato il suo nome, ma ricordava di averlo visto spesso in casa: veniva a parlare con sua madre, tentando di calmarla. E una volta aveva fatto una carezza sulla testa anche a lei, dicendo: «Tu hai dei bellissimi ricordi di lui, e non vogliamo cambiare la situazione, no? A volte è meglio lasciare le cose come stanno». Aislinn continuava a ripetere: «Questo significa che lui sa qualcosa, no? Ne sono sicura, sa qualcosa». Io dissi che forse aveva detto cosí solo per farla sentire meglio, ma lei non mollava. Per settimane, parlò solo di quello. E alla fine io le dissi: «Cristo, basta. Va' da lui e chiediglielo direttamente».

– E lei lo fece?

Lucy scuote la testa. – No. Disse che se non glielo aveva detto allora, perché avrebbe dovuto dirglielo adesso? E non poteva certo obbligarlo. I detective della squadra Persone scomparse le avevano spiegato che la legge sulla libertà di informazione non valeva per le indagini. Cosí Aislinn decise di usare un sistema diverso: incontrarlo «per caso», senza dirgli chi era, e provare a farlo parlare.

Io sollevo un sopracciglio. Lucy dice: – Sí, lo so. Ma Aislinn non pensava semplicemente di urtarlo per la strada e convincerlo a parlare. Quella era la sua ultima chance, e non voleva sprecarla, perciò fece un piano accurato. Scrisse in un taccuino tutto ciò che ricordava di McCann. All'epoca non gli aveva prestato molta attenzione, perché non le sembrava importante; ma se ne stava seduta al buio in fondo alle scale, mentre lui e sua madre parlavano in soggiorno, sperando di udire qualche indicazione su dove era finito suo padre. Per questo ricordava qualcosa di lui. Ricordava che veniva da Drogheda e che prendeva il tè con solo una goccia di latte, senza zucchero.

McCann lo prende ancora cosí. Per qualche motivo, quel particolare mi manda un altro brivido freddo giú per la schiena. Finalmente me ne rendo conto: quell'uomo è lo stesso McCann che mi aspettava sul portone ieri mattina, tutto barba lunga e inquietudine. Quel caso di persona scomparsa lo ha seguito dal soggiorno poco illuminato dove una bambina lo ascoltava parlare, fino alla nostra luminosa e rumorosa sala detective. Quello è il momento in cui capisco che McCann è il nostro uomo.

– Aislinn ricordava che era sposato, con due figli maschi, e sua madre continuava a chiedergli: «E lei non li abbandonerebbe mai, vero? Non lascerebbe mai soli sua moglie e i suoi bambini, è cosí?» E lui rispondeva sempre di no, che non lo avrebbe mai fatto. Aislinn ricordava il suo cappotto grigio di tweed; lui lo lasciava piegato sulla ringhiera, e lei gli toglieva dei fiocchetti di fibre mentre ascoltava e gliele infilava in tasca. Non le piaceva vedere quell'uomo in casa. Ma la cosa importante che ricordava, la cosa che scrisse sul taccuino tracciandole intorno cerchi e stelle, era che al detective piaceva sua madre.

– Gli piaceva in che senso? – chiedo. – Avevano un rapporto? O lui ci aveva provato?

– Gesú, no! – Il disgusto istantaneo sul viso di Lucy mi dice che è la verità. – Non era una tragedia greca, Ash non pensava di mettersi con un ex di sua madre. È solo che, con il senno di poi, era piuttosto sicura che McCann si fosse infatuato di Evelyn. Probabilmente era quello il motivo per cui passava tanto tempo a indagare su quel ca-

so. Anche se era sposato con figli, anche se doveva tenersi
su un piano professionale, anche se la madre di Ash stava
perdendo la ragione, nel tentativo di ritrovare il marito,
McCann se n'era innamorato e continuava ad andarla a
trovare.

– E Aislinn pensava fosse importante.

– Sí. Sapeva che era una cosa di cui poteva servirsi.
Disse: «Se è quel tipo d'uomo, il tipo che fa cose stupide
per una bella donna, io posso essere quella donna. Dovrò
cambiare aspetto, non voglio rischiare che mi riconosca e
si insospettisca. Non che mi abbia mai guardata, all'epoca si accorgeva a malapena della mia esistenza, ma ho una
sola possibilità e voglio fare le cose per bene». E diceva
sul serio.

Lucy ride, senza allegria. – Dio, se diceva sul serio.
Praticamente smise di mangiare, e cominciò ad andare in
palestra tutti i giorni. Dimagrí in un modo soddisfacen-
te per lei (un po' esagerato, secondo me, ma erano affari
suoi), dopodiché si rivolse a un consulente di immagine,
che le mostrò quali vestiti acquistare e come truccarsi e
di che colore tingersi i capelli. Alla fine sembrava un clone uscito da una fabbrica nascosta in qualche zona industriale fuori dall'autostrada. Io le dicevo: «Ma perché non
ti metti semplicemente quello che ti piace?» Ma niente da
fare. Ash rispondeva: «Non so che tipo di donna gli piace, a parte mia madre, e non posso cercare di somigliare a
lei, sennò mi sgama subito. Perciò devo avere un look ge-
nerico. Devo diventare una donna che chiunque consideri carina, cosí anche se lui non è particolarmente attratto
da me, stare insieme a me sarà una bella spinta per il suo
ego, e non resisterà. *Dopo*, avrò tutto il tempo per capire
cosa piace a *me*». Voglio dire, – Lucy alza le mani, in un
gesto frustrato. – Cosa potevo risponderle?

Una parte di me comincia a rispettare Aislinn Murray. L'idea di base è idiozia pura, ma è il modo in cui l'ha messa in pratica che merita rispetto. Non era la donna informe che avevo immaginato la prima volta che sono entrata in casa sua, e nemmeno la ragazzina spinta qua e là da tutti per cui provavo pena solo un minuto fa. Si stava allenando a dare anche lei qualche spintone, prendendosi il tempo necessario e facendo tutto ciò che serviva.

– Mi sembra una cosa un bel po' ossessiva, – dico. – Lei non era preoccupata che Aislinn finisse per perdersi dentro le sue storie?

– Certo. Quando le avevo detto di fare ciò che voleva davvero, non pensavo a nulla del genere. Ci mise *un anno e mezzo* per trasformarsi in una donna che secondo lei qualsiasi uomo avrebbe voluto. Era una cosa folle.

– Glielo disse?

– Ahhh… – Lucy fa una smorfia, passandosi le mani sul viso. – Sí e no. L'ultima cosa che volevo era spingerla a fare ciò che sembrava meglio a me, capisce? Ash ci aveva messo un sacco di tempo per capire cosa voleva e fare qualcosa per ottenerlo, e non aveva bisogno che arrivassi io a dirle che aveva sbagliato tutto. Ma dopo la storia del consulente d'immagine, *dovevo* dire qualcosa. Non usai espressioni tipo: «Ma sei impazzita?» o simili, dissi che secondo me si stava spingendo troppo oltre, e forse la cosa migliore era andare a parlare con McCann senza sotterfugi, o lasciar perdere tutto. Aislinn si mise a ridere. «Non preoccuparti, sciocca! So quello che faccio. Ho un piano, ricordi? Devo solo risolvere questa cosa e poi finalmente sarà *finita*, e potrò iniziare la mia vera vita! Vuoi venire in Perú con me?» Io provai a insistere, del tipo: «Perché non andiamo in Perú subito e dimentichiamo questo tizio?»

– Ma lei non sentiva ragioni, – dico io.

– No. Disse che aveva bisogno di andare fino in fondo. Continuava a ripetere, con il suo nuovo accento: «Ti preoccupi troppo! Guardami; non ti sembro felice?» Prima aveva la parlata di Greystones, come me, ma per evitare che McCann la riconoscesse dall'accento, aveva cominciato a parlare come quell'annunciatrice televisiva che sporge le labbra in fuori, non mi ricordo come si chiama.

Il ricordo fa salire un sorriso alle labbra di Lucy. – Ed era vero; sembrava davvero felice, come non l'avevo mai vista. Un po' frastornata, come una bambina che avesse mangiato troppi dolci, ma felice. E faceva progetti per dopo, una cosa che non aveva mai fatto. Il viaggio in Perú non era uno scherzo. Cioè, per me sí, perché non ho il grano e non potrei lasciare il lavoro per tanto tempo, ma lei voleva davvero viaggiare. Faceva ricerche su tutti i posti del mondo che voleva visitare, e sui corsi universitari che voleva seguire una volta tornata... Il suo piano la *galvanizzava* –. Lucy alza appena una spalla. – Difficile controbattere tutto questo.

– Il suo piano, – dico. – Qual era?

– L'idea era di flirtare con questo detective McCann per qualche settimana, uscire con lui alcune volte. Ash non intendeva andare oltre e non si preoccupava di dover respingere delle avance insistenti: era certissima che McCann non avesse mai fatto una mossa con sua madre, perciò per lei non era il tipo d'uomo che tradisce davvero la moglie. Era piú il tipo che ama ricevere attenzione da donne attraenti e se la beve anche quando non dovrebbe. Ash diceva che sarebbe fuggita a gambe levate, se lui avesse tentato di baciarla –. Di nuovo l'ombra di un sorriso sulla bocca di Lucy. – Intendeva solo dargli attenzione. Tantissima attenzione.

– Bella idea, – dico. – Aislinn era brava a capire le persone.

– Sí. Era perché non aveva mai avuto una vita sua: passava tutto il tempo a osservare gli altri, cercando di capire come funzionavano. Quello era l'unico motivo per cui pensavo che forse poteva davvero riuscire nella sua idea. Voglio dire, quell'uomo era un *detective*, non sarebbe certo caduto in trappola come un fesso. Ma se qualcuno poteva riuscire nell'intento, era Ash –. Il sorriso si allarga, ma sembra doloroso. – Avrebbe finto di essere una di quelle persone affascinate dalla polizia, cosí avrebbe potuto fare a McCann domande su tutti i suoi casi; aveva letto vecchi articoli di giornale su alcuni processi, per capire a quali tipi di casi aveva lavorato, e si era comprata persino dei libri su quegli argomenti, per essere in grado di fare le domande giuste. E poi, gradualmente, avrebbe portato la conversazione sul caso di suo padre… E quando avesse scoperto tutto ciò che McCann sapeva al riguardo, avrebbe smesso di vederlo. E sarebbe andata in Perú –. Lucy alza la testa di scatto e sbatte le palpebre con forza, fissando il soffitto. – La sua idea era solo questa: alcune settimane di *attenzione*.

Ecco spiegati anche i libri sul crimine nella libreria di Aislinn e gli omicidi di gang sulla cronologia ricerche del computer. Non era in cerca di emozioni, e nemmeno sognava di farsi amica di uno dei ragazzi di Cueball. – Cosa è cambiato? – chiedo.

– Sapevo che Aislinn non aveva pensato a tutto. Era come nelle favole: a un certo momento si salta al momento del matrimonio e poi al «vissero felici e contenti». Questo era ciò che lei stava facendo. Riusciva a pensare solo al grande momento in cui avrebbe spinto quell'uomo a parlare di suo padre. E dopo c'era solo una nebbiolina indistinta in cui tutto era perfetto. Provai a dirle che poteva anche andare a finire in modo diverso. Ci ho provato, davvero. Ma… – Allarga le mani.

– Lei non ascoltava.

Lucy si passa le mani tra i capelli, lasciandoli dritti e scompigliati. Dice: – Eravamo proprio qui. Ash sul divano dove ora è seduta lei. Era tutta avvolta in una coperta con una tazza di tè in mano. Eravamo state fuori a ballare, era tardi ed eravamo abbastanza sbronze; il momento giusto per azzardarmi a dirle ciò che pensavo. E glielo dissi: «Ash, che succede se quello che scopri non ti piace? Potrebbe essere qualcosa di brutto, di veramente brutto».

Era buio, avevamo acceso solo quella lampada lí. Vedevo soltanto il suo viso che spuntava dalla coperta. Non sembrava bella, era smunta, tutta ossa e denti, e sembrava molto piú vecchia della sua età. Mi rispose: «Lucy, davvero credi che non lo sappia? Ho pensato a ogni singola possibilità. La cosa piú probabile, secondo me, è che mio padre si sia suicidato e che la polizia non avesse abbastanza prove per esserne certa; cosí hanno preferito non dirci niente, nel caso si fossero sbagliati. O magari ha avuto un esaurimento nervoso ed è finito a fare il vagabondo per la strada, e la polizia non è riuscita a rintracciarlo e non ha voluto ammetterlo. Penso persino che un poliziotto possa averlo investito con la sua macchina e i colleghi lo abbiano aiutato a insabbiare tutto. O che uno psicopatico lo abbia ucciso seppellendo il cadavere tra le montagne, e la polizia ha un motivo per non volerlo sapere, chi lo sa, magari il caso di mio padre si è incrociato con un'indagine piú importante. E cosí non hanno mai fatto ricerche fino in fondo. Voglio solo saperlo. Cosí sarà finita. E potrò andare avanti».

– Cosí lei non ha insistito, – dico.

– Sí, non ho insistito. Ma forse avrei dovuto; no, *certo* che avrei dovuto. Giusto? – Lucy sputa una piccola risata furiosa. – Ma la sua faccia... Quel piano era tutto ciò

che aveva, e poteva spolparlo fino all'osso e avere ancora
fame... Cosí non ho fatto niente. Mi sono detta che forse
tutto sarebbe andato bene: che forse questo McCann non
l'avrebbe degnata di uno sguardo. O forse avrebbe scoperto il suo gioco. Voglio dire, sgamare le persone era il suo
lavoro, no? E le avrebbe detto che suo padre era morto
salvando un bambino biondo da un trafficante di droga,
e Aislinn si sarebbe fatta un pianto e finalmente sarebbe
andata avanti, proprio come desiderava.

Se solo McCann avesse avuto le palle di fare esattamente questo. – Ma non è andata cosí, – dico.

Lucy dice: – Ash lo fece suonare come un juke-box. Il
grande detective duro e cinico, eh? Lei ci mise solo un mese per tirargli fuori tutto.

– In che modo?

– Cercò i posti dove vanno a bere i poliziotti; credo che
lo avesse chiesto su qualche forum online, facendo sembrare che volesse portarsi a letto un tutore dell'ordine. Otten-
ne una lista di locali e dovemmo controllarli uno per uno.

– «Dovemmo» significa che lei l'accompagnava?

Il mento di Lucy scatta verso l'alto. – Ovviamente. Crede che l'avrei lasciata andare da sola?

– No, anch'io avrei fatto lo stesso, con la mia migliore
amica; per controllare la situazione.

Lucy si calma. – Alcuni pub non erano quelli giusti, tipo il *Copper Face Jacks*. La polizia lo frequenta, ma sono
tutti ragazzi giovani. Però c'era un pub, forse lei lo conosce. *Horgan's?*

– Sí, – rispondo. *Horgan's* è un posto da poliziotti: un
pub vecchio stile, tutto sedili consunti di velluto rosso
e lampade a muro, nascosto nella rete di vicoli intorno a
Harcourt Street, dove lavorano quasi tutte le squadre e
l'amministrazione. Ci andavo anch'io, a volte, prima di

trasferirmi alla Omicidi. Un paio di volte ho visto Breslin e McCann. Allora li guardavo come fossero rockstar.

– È un posto dove vanno a bere molti poliziotti anziani. Perciò noi due ci tornavamo spesso. Era complicato, perché ogni tanto qualcuno provava ad abbordarci e dovevamo liberarcene, ma in modo amabile, altrimenti ci saremmo fatte la reputazione di stronze e McCann, se si fosse fatto vedere lí, non avrebbe perso tempo con noi. Ce la giocavamo... – Lucy sbuffa. – Anche quella era stata un'idea di Aislinn. Fingevamo che io stessi attraversando un brutto periodo, per la fine di una relazione o qualcosa di simile, e volessi fare delle chiacchiere solo tra donne. Cosí Ash poteva mandare via ogni uomo che tentava di attaccare discorso con lei, facendogli credere che lo faceva per me.

Incrocia il mio sguardo e dice, in tono difensivo: – Non ne ero contenta. Non è il tipo di cose che faccio. Ma... Aislinn era brava a portarti a bordo con lei. Un passo alla volta, e all'improvviso, senza sapere come, ero diventata il personaggio di una commedia che lei stava mettendo in scena.

Quel tocco freddo dietro il collo, di nuovo. McCann, come ogni detective della Omicidi, me compresa, è abituato a essere lui quello che scrive le sceneggiature. Se un giorno ha aperto gli occhi e si è trovato nella commedia di qualcun altro, non gli sarà piaciuto affatto.

– La quarta volta che tornammo da *Horgan's*, – dice Lucy, – io me ne stavo seduta lí a fingermi depressa, sperando che saremmo andate via il prima possibile, e all'improvviso vidi Aislinn bloccarsi. Le uscí tutto il fiato, rovesciò il bicchiere sul tavolo, come se non avesse piú forza nei muscoli. Mi voltai a guardarla, e lei disse, cosí piano che quasi non la udii: «È lui». Era appena entrato. Lo riconobbi anch'io. I capelli erano un po' piú grigi, ma era proprio lo stesso uomo del video. Lui dovette sentire i nostri sguardi, perché si voltò verso di noi. E Aislinn, fece cosí –. Lucy abbassa le ciglia, mi guarda da sotto in su con un rapido sorriso, e abbassa la testa sulla tazza. – Subito. Senza perdere nemmeno un secondo. Era già al lavoro.

– E funzionò, – dico.

Di nuovo quella risata cruda. – Gesú, funzionò eccome. Il detective McCann restò praticamente allibito, notando che quella bella ragazza guardava proprio lui. E lei fece una risatina, la stessa risatina idiota che aveva perfezionato con tutti gli altri che provavano ad attaccare bottone. E quando McCann andò al bancone, Aislinn finí ciò che restava nel bicchiere e andò a chiedere un altro drink. E un minuto dopo, il detective McCann ci stava offrendo da bere, portandoci i bicchieri al tavolo.

Pezzo d'idiota. – Questo quando è successo?

– A fine luglio. Finita la pinta ce ne andammo subito, io volevo uscire da lí al piú presto. Fu la conversazione piú assurda della mia vita, con Ash che alzava gli occhi a fissare quell'uomo e rideva a ogni sua battuta, e lui, tutto tronfio, che credeva di averla affascinata, mentre invece… Ma prima di andarcene, Ash diede a McCann, a «Joe», il suo numero di telefono. E lui la chiamò il giorno dopo.

– Era davvero in gamba, Aislinn, – dico.

– Già. È vero. Era proprio quello a spaventarmi. La vedevo manovrare quell'uomo con una facilità… come se l'avesse fatto per tutta la vita. E mi resi conto che era proprio cosí. In fondo, era come quando eravamo piccole e lei inventava storie per far sembrare che tutto andasse come voleva lei. Solo che stavolta la storia era reale. E non mi piaceva. Avevo la sensazione… So che sembro melodrammatica, ma avvertivo una sensazione di pericolo.

Ma non mi dire, penso. E chiedo: – Pericolo per Ash?
Per Joe? Per lei?

– Aislinn non avrebbe fatto mai del male a nessuno.
Lei... era una persona gentile.

Non mi convince. Gentile quando aveva cominciato,
forse, ma una persona che si sottopone per un anno e mezzo a un addestramento durissimo, sarà dura anche con gli
altri. Comunque lascio correre senza commenti. – Non ha
risposto alla mia domanda.

– La situazione era pericolosa per Ash. Lei non si rendeva conto che stavolta era tutto reale. Non capiva la differenza.

Questo è probabilmente vero. – Quindi il detective
McCann la chiamò e cosa successe? – chiedo. – Si incon-
trarono di nuovo?

Lucy dice: – Le dà fastidio se fumo?

– Prego.

Non mi guarda, mentre toglie le gambe dalla coperta
a strisce, posa la tazza di caffè, apre il pacchetto, prende
una sigaretta e fa scattare l'accendino. Ha ancora il tempo
per provare a tirarsene fuori. «Non so il resto della storia,
Aislinn non mi diceva nulla, una volta messe le mani su
Joe, si era fatta evasiva...»

Ma non posso dire niente che non abbia già detto. Perciò aspetto e basta.

Alla fine, Lucy soffia una lunga boccata di fumo e dice: – Cominciarono a vedersi regolarmente. Almeno una
volta alla settimana, di solito due o tre volte.

– Lei è mai stata presente?

– Solo la prima volta. Volevo accompagnarla, ma Ash
disse che le avrei rovinato la commedia. Tutto doveva essere centrato su «Joe».

– Cosa facevano?

– Non andavano a letto insieme, all'inizio. Parlavano
e basta. Lui passava a prenderla, sempre sui viali e mai a
casa, per non essere visto dai vicini; andavano a fare un
giro in macchina, in montagna o da qualche altra parte.
Non mi piaceva affatto. Voglio dire, voi trovate spesso
cadaveri tra le montagne, no? Lui carica in macchina una
ragazza, facendo in modo che nessuno lo veda, la porta in
mezzo al nulla... È un po' da serial killer. O no?

– Aveva qualche motivo, per pensare che fosse un uomo pericoloso?

Lucy scuote la testa, con riluttanza. – No. Ash diceva che la trattava sempre in modo corretto. Da vero
gentleman, diceva. Lui non era il suo tipo. Diceva che era
troppo carico, troppo intenso, persino quando cercava di
farla ridere; ma le sue storie erano interessanti ed era un
brav'uomo. Prendeva sul serio il proprio lavoro, e questo
la rassicurava: significava che doveva aver indagato davvero a fondo sul caso di suo padre, quindi ci sarebbe stato qualcosa da scoprire –. Esala una boccata di fumo con
un suono che può somigliare a una risata secca. – E l'ha
scoperto, alla fine.

Io dico: – Ma a lui andava bene parlare e basta? Non
tentava di pilotare il rapporto verso il sesso?

– No. Ash aveva ragione su di lui: non era il tipo da volere un'amante. Non ci provò mai, non fece mai neppure un
tentativo di baciarla. Era un romantico; le piaceva amarla
da lontano. Perché innamorato lo era, eccome. Aislinn si
sentiva un po' in colpa per questo, perché era sposato...

– Domenica, lei ci ha detto che Aislinn non avrebbe
avuto problemi ad andare con un uomo sposato, – dico. – Figuriamoci se si trattava solo di un giretto in auto.

Lucy non fa nemmeno finta di essere imbarazzata. – Sí,
ho mentito. Volevo farvi capire che lei poteva andare con

un uomo sposato, ma senza dover spiegare come mai si trattava solo di *un* uomo sposato in particolare.

Anche nel dolore che l'aveva appena colpita come un pugno in faccia, Lucy era rimasta lucida. Perché aveva paura. – Capisco, – dico. – Allora, Joe non tentava di scoparsi Aislinn ma era innamorato di lei.

– Oh, sí. Continuava a dirle che era fantastica, bellissima, intelligente... Significava solo che Aislinn si comportava come se ogni parola che usciva dalla bocca di McCann fosse oro puro. Lui le raccontava che non andava d'accordo con la moglie, che si erano sposati troppo giovani ed era stato uno sbaglio, perché lei non aveva l'intelligenza necessaria per capire il suo lavoro ed era troppo egoista per capirne l'importanza; vedeva solo che lui non era a casa per aiutare con i compiti dei bambini o per mangiare ciò che lei aveva cucinato –. Lucy torce la bocca intorno alla sigaretta. – E cosí Aislinn capiva come comportarsi con lui. Blaterava senza fine di come era importante il lavoro di Joe, di come era bello conoscere una persona che faceva qualcosa di cosí incredibile, e dài, raccontami un'altra storia di come hai risolto in modo fantastico un altro fantastico caso. E lui non si faceva pregare.

Ovvio. Come aveva detto Aislinn, McCann è un romantico. Voleva immaginarsi mentre galoppa giú da verdi colline, con la luce che si riflette sulla punta della lancia, in battaglia per salvare il mondo. Il lavoro che faceva non gli dava la possibilità di raccontarsela in quel modo, non dopo tanti anni. E sua moglie non lo ascoltava. Aislinn invece lo stava a sentire.

– E alla fine di agosto, – dice Lucy, – Aislinn decise che era arrivato il momento. Lei e Joe andarono a fare un picnic, e lei cominciò a chiedergli com'era stato lavorare nella squadra Persone scomparse, perché suonava cosí *misterioso*.

Aveva pianificato tutto. Si era scritta le domande e le aveva imparate a memoria; mi aveva chiesto di fargliele ripetere, proprio come fanno gli attori. Lasciò che Joe le raccontasse un paio di storie, trattenendo il fiato nei punti giusti. Aspettò che gliene raccontasse una abbastanza brutta, che riguardava un adolescente che era morto di overdose, e disse: «Oddio, la famiglia sarà stata a pezzi!» e gli chiese come la polizia gestiva i familiari, in casi del genere. Perché *lei* non sarebbe mai stata capace di farlo, sarebbe andata in pezzi proprio come loro, ma era sicura che Joe era *fantastico* nell'aiutarli a superare quello che era certamente il momento peggiore della loro vita. Lui allora le raccontò alcune storie di quel tipo, e Ash disse che scommetteva che a volte, quando non trovavano la persona scomparsa, Joe continuava a occuparsi dei familiari anche dopo la chiusura ufficiale del caso, perché lei sapeva che non era il tipo da lasciarli soli a raccogliere i cocci. Non era cosí? E a un tratto...

Lucy schiaccia la cicca. La sua voce è cambiata, ha un tono secco, come se volesse essere certa che non le sfugga nulla che possa farle perdere il controllo di sé. Dice:
– Fu facilissimo. Non avevano ancora nemmeno finito di mangiare i panini che Joe cominciò a raccontarle di quella povera donna abbandonata dal marito, con una bambina di otto o nove anni. La donna era un tipo delicato, le disse, con un'espressione nostalgica negli occhi, e non era in grado di sopportare uno shock come quello. Lui si era prodigato al massimo per poterle dare delle risposte, e finalmente aveva rintracciato il marito: era in Inghilterra, e viveva con una donna piú giovane.

– Questo deve aver fatto male a Aislinn.

– Sí. Non era esattamente ciò che sperava di sentire –. Lucy fa una piccola smorfia con la bocca, quasi un tic. – Ma poteva farcela a sopportarlo. Era preparata, non tanto come pensava, ma poteva farcela. Solo che Joe continuò a parlare. Disse che aveva telefonato a quell'uomo, gli aveva fatto la predica sul fatto che era fuggito dalle proprie responsabilità e gli aveva chiesto che cosa doveva dire alla moglie. E il tizio aveva risposto qualcosa tipo: «Le dica solo che sto bene, che mi dispiace tanto. E che la contatterò quando la situazione sarà piú stabile». Joe sapeva che non l'avrebbe fatto, disse che quelli che scappano senza lasciare nemmeno un biglietto in genere non trovano mai il momento giusto per riprendere i contatti.

– Ah, – dico. Gary mi aveva detto, e sono certa che ci credesse, che Des Murray aveva chiesto alla polizia di non dire nemmeno una parola alla moglie. – Solo che Joe non passò il messaggio alla madre di Aislinn.

– No, – conferma Lucy. – Decise che saperlo non le avrebbe fatto bene. Quella povera donna non era in grado di sopportare una simile notizia, ne sarebbe rimasta distrutta. Decise che sarebbe stato meglio per lei non sapere nulla –. Di nuovo quel tic all'angolo della bocca. – E cosí fece: non le disse nulla. Era molto orgoglioso di sé, per averle evitato di portare quel peso.

Ci scommetto. Almeno io, quando ho scaricato Aislinn su Gary, ho avuto la sincerità di non pensare che lo facevo per il suo bene. L'ho fatto perché cosí mi andava di fare e basta. – Cosa fece Aislinn, sentendoglielo dire?

– Mi raccontò che non aveva spaccato il bicchiere e non gli aveva piantato in gola il vetro tagliente, solo perché non si sentiva nelle mani la forza di farlo. Invece gli disse, tutta occhi spalancati e meraviglia, che aveva fatto proprio bene, che era stato bravo e coraggioso, che quella donna era stata cosí fortunata che le fosse capitato proprio lui, come detective incaricato del caso. Poi gli disse che

le era venuto un gran mal di testa, le dispiaceva rovinare
il loro picnic, ma non poteva per favore accompagnarla a
casa? Aveva bisogno di dormire un po'. E McCann la por-
tò a casa, le disse di prendere un Nurofen e si salutarono.

– E Aislinn chiamò subito lei.

– Non mi chiamò, venne direttamente qui. Era... –
Lucy fa un sibilo. – Non l'avevo mai vista cosí. Non avevo
mai visto *nessuno* cosí. Era furiosa e urlava contro i cuscini
del divano. Tutta truccata e in ghingheri nel suo vestitino rosa a fiori, gridava: «Come ha osato, come ha *potuto*,
chi cazzo si crede di essere!» Il mascara le colava sul viso
insieme alle lacrime, la sua pettinatura elaborata era tutta
scomposta, prendeva a pugni i cuscini, li *mordeva*... Non
so se rendo l'idea di come era incazzata.

Mi sta fissando. – Sí, – dico. – Rende l'idea. Al cento
per cento. Lui non aveva diritto di prendere quella decisione –. Sarebbe stato diverso se il padre di Aislinn fosse
morto già da quando era scomparso. Allora McCann non
le avrebbe tolto nulla, nascondendole la notizia. Ma suo
padre allora era vivo. Lei avrebbe potuto contattarlo. Forse
sua madre non avrebbe perso la ragione, se avesse saputo
cosa ne era stato di lui.

– C'è anche qualcosa di piú, – dice Lucy, e aspetta di
vedere se lo capisco da sola.

Lo capisco benissimo, e dico, in quella stanza che sta
diventando sempre piú fredda: – Aislinn immaginava che
McCann avesse tenuto la bocca chiusa per qualche motivo personale: perché suo padre era stato investito da un
poliziotto, o perché rivelare di averlo ritrovato avrebbe
incasinato un'indagine importante. E questo lei poteva
capirlo: la gente agisce per motivi egoistici e altre persone
restano prese nel fuoco incrociato. La vita è cosí. Invece
ha scoperto che McCann ha fatto ciò che ha fatto *per il bene*

suo e di sua madre, perché aveva deciso che le loro vite dovessero seguire la direzione che *lui* pensava fosse giusta per loro. Aislinn e sua madre non erano vittime collaterali delle sue decisioni: erano l'obiettivo principale.

Lucy annuisce. Ho passato l'esame. – Esatto. Non potevano neppure esprimere un'opinione. Lui era il poliziotto, lui aveva il diritto di decidere per loro. Non erano nemmeno persone, erano solo comparse nel suo film personale, in cui lui era l'eroe. Era questo che faceva infuriare Aislinn. Questo.

La sua voce ha ripreso volume, pulsante di rabbia in nome dell'amica morta. Ora è disposta a dirmi qualsiasi cosa.

Tutte quelle stronzate che ha detto il capo, il fatto che io non sono brava con i testimoni. Questa testimone ha tutti i motivi per tenere la bocca chiusa con me, e invece si fida al punto da dirmi tutto quello che sa. Vorrei tanto che questo mi facesse provare, almeno in parte, qualcosa che non sia pura e semplice tristezza.

– E cosí, – dico, – Aislinn cambiò i suoi piani.

Lucy fa un'altra risata secca. – Sa cosa pensai, quando Ash venne da me a piangere e a dare calci al muro? Pensai: «Almeno è finita, grazie a Dio». A Aislinn non lo dissi subito, volevo prima che si calmasse, e ci mise un sacco di tempo. Dovetti ascoltare la storia completa almeno tre o quattro volte, con tutti i particolari; lei non riusciva a smettere di raccontare. Ma alla fine riuscii a farle bere un bicchierino di whisky e una tazza di tè. Voglio dire, le sarebbe servita una dose massiccia di Valium, ma non avevo niente del genere in casa e sapevo che il tè zuccherato aiuta contro lo shock. Funzionò: lei era ancora in collera, ma si calmò abbastanza da riuscire a sedersi e a piangere in silenzio, mentre io potevo finalmente dire qualcosa. E dissi: «L'unica cosa buona, in tutto questo, è il fatto che ora finalmente sai cos'è successo. Ora puoi lasciare in pace il passato, come hai detto che avresti fatto». Ash si drizzò sul divano. Aveva le mani cosí –. Lucy fa le mani ad artiglio. – Credevo volesse saltarmi addosso, oppure piantarsi le unghie in faccia. Stavo quasi per afferrarla per impedirglielo, ma lei disse: «Credi che lascerò le cose come stanno, cazzo?» Ash non imprecava mai. «Non ho finito. Per niente. Gliela farò pagare, a quello stronzo. Credeva di avere il diritto di decidere della mia vita! No. No. No. Non abbasserò la testa in silenzio. Sí, signore, tutto quello che vuole, signore, mi picchi pure piú forte. *Vaffanculo!*» Ansimava dalla rabbia. Sembrava *minacciosa*. Ash, voglio dire, la persona meno pericolosa del mondo. Aveva la voce diversa, dopo tante lacrime, una voce dura, rauca, che non sembrava la sua. Disse: «Ora lo farò io a lui. Modellerò il resto della sua vita come voglio *io*». Io dissi: «Cosa?» E lei: «Lui è già mezzo innamorato di me. Lo farò innamorare del tutto, poi lo convincerò a lasciare moglie e figli per me, gli farò dire alla moglie che stiamo insieme, cosí non c'è pericolo che lei lo riprenda in casa. E poi lo lascerò».

Ed eccolo qui, il pezzo mancante che io e Steve non riuscivamo a trovare: il motivo per cui Aislinn voleva McCann. – Gesú Cristo, – dico. – Non poteva in nessun modo finire bene.

– Lo sapevo anch'io, e glielo dissi. Con queste stesse parole.

– Credevo che Aislinn fosse brava a capire gli altri.

Lucy dice: – Lo era. Ed era questo che mi spaventava di piú. Per immaginare un piano folle come quello, doveva aver perso la presa su tutto ciò che sapeva su come funzionano le persone. Era cosí ossessionata dalla storia nella sua testa, che ormai non aveva piú nessuna importanza il fatto che coinvolgesse persone reali.

Allunga la mano verso il pacchetto, non per prendere una sigaretta, ma solo per tenere qualcosa in mano. – Provai a farla ragionare, dicendo: «Credevo che Joe non fosse il tipo da avere un'amante». E lei: «Non lo è, ma lo diventerà. Non sarà difficile; non fa altro che ripetere che lui e la moglie praticamente stanno insieme solo per abitudine, e che le vuole bene ma non la ama, e blablabla, tutta la serie dei cliché. Lo fa solo per convincere tutti e due che va bene se andiamo a fare dei giri in macchina insieme, ma io posso usarlo. Gli farò pensare di essere l'eroe romantico e coraggioso che abbandona il suo matrimonio senza senso per seguire il Vero Amore. Diceva a mia madre che *lui* non avrebbe mai lasciato sua moglie e i suoi figli, *mai*, quel bigotto del cazzo. E per tutto il tempo sapeva... Gli farò lasciare la moglie entro Natale. Aspetta e vedrai».

– Per dirla senza peli sulla lingua, – dico io, – se lo voleva scopare fino a fargli perdere il senso della ragione.

Lucy sbatte le palpebre a quelle parole, ma dice, in tono piatto: – Sí, è cosí.

– Non tutti sarebbero in grado di farlo –. È un eufemismo. Ci sono molti agenti sotto copertura, professionisti addestrati, che non scopano con i loro obiettivi. Per essere una civile, Aislinn era una vera dura.

Lucy si sposta sul divano, come cercando un posto piú morbido. – Ash era strana, su alcune cose. Sesso, amore, e tutto il resto. Non faceva altro che leggere storie romantiche a lieto fine, ma per ciò che riguardava la sua vita, l'amore non esisteva. Già da quando eravamo piccole diceva che non si sarebbe mai innamorata. Aveva avuto un paio di ragazzi, ma solo come esperienza: non voleva arrivare a trent'anni vergine, senza sapere che cosa si prova a stare con un uomo. Ma appena il ragazzo in questione cominciava a volere qualcosa di serio, lei lo lasciava.

– Per via di suo padre, – dico. – E di sua madre.

– Sí. Diceva: «Guarda innamorarti cosa ti fa. Significa lasciare a un altro il controllo della tua vita. E in qualsiasi momento, cosí, – Lucy schiocca le dita, – l'altro può decidere di cambiarla. Tu forse non saprai mai nemmeno perché. E non riavrai indietro la tua vita di prima. L'altro se ne va e se la porta via con sé, e non la rivedi piú».

Lucy fissa il nulla, e la sua voce si è fatta piú sottile e rigida: è la voce di Aislinn, rapida e urgente, sotto la sua. È persa nel ricordo. Per un attimo vorrei farle un cenno d'assenso; a Aislinn, non a Lucy. Quel cenno che fai in una sala affollata a un altro poliziotto, o all'unica altra donna presente, o all'unica persona vestita con il tuo stesso stile. Quel cenno che dice: anche se magari non mi piaci, tu e io ci capiamo.

Lucy dice: – Voglio dire, a me sembrava che lei stesse facendo proprio quello: lasciare che i suoi genitori controllassero la sua vita. Voleva evitare deliberatamente di innamorarsi, a causa di ciò che loro avevano fatto. Ma Ash disse che non la capivo. Disse che quella era *lei*, la decisione era sua. Aveva ragione, non la capivo, ma capivo che l'idea di scopare con Joe... per lei non aveva lo stesso significato che avrebbe avuto per altre persone. Ash non si aspettava mai che il sesso fosse qualcosa di speciale, di importante; non *voleva* che lo fosse. Mentre l'idea di vendicarsi di Joe era la cosa piú importante della sua vita. Perciò, se il sesso poteva aiutarla a ottenerla, perché no?

– Ha detto che Aislinn non avrebbe fatto del male a una mosca. Questo piano avrebbe fatto del male, e molto, alla moglie e ai figli di Joe.

Lucy si rigira tra le dita il pacchetto di sigarette. – Lo so. E glielo dissi, quel giorno stesso. Pensavo che riflettendo su questo si sarebbe fermata.

– Come mai non successe?

Lei scuote la testa. – Non lo so. Quando ho detto che Ash non avrebbe fatto del male a nessuno, non lo dicevo per farla sembrare una santa, ora che è... morta. Aislinn era davvero cosí –. Lucy gira piú veloce il pacchetto. Si vede che quel pensiero è una cosa che non la lascia in pace. – Non lo so. Certo, era ossessionata, ma anche cosí, non riuscivo a credere... Ma Ash mi guardava come se stessi dicendo cose senza senso. Ancora non lo capisco.

Io sí. Lucy ha ragione, Aislinn era brava a coinvolgere le persone nelle sue storie, spingendole in una corrente che le trascinava sempre piú a fondo, verso il finale che lei intravedeva nella foschia sull'altra riva. Ma era diventata troppo brava, e alla fine si era intrappolata da sola. E quando Lucy aveva tentato di farle vedere cosa avrebbe fatto alla moglie e ai bambini di McCann, per Aislinn era troppo tardi: non poteva piú tirarsene fuori. La corrente creata da lei stessa era diventata troppo forte. E la trascinava con sé verso una riva che non riusciva a vedere.

Lucy dice: – Si era asciugata le lacrime con il vestito. Il vestito rosa che aveva comprato specificamente per il grande giorno, per avere un'aria sexy, adorabile, innocua, in modo da convincere Joe a vuotare il sacco. Lo aveva pagato un sacco di soldi, e poi se lo era passato sul viso come fosse un fazzoletto di carta, lasciandolo tutto sporco di mascara, fondotinta e lacrime e muco. E all'improvviso sembrò rendersene conto e disse: «Oh, mio Dio, che disastro! Devo portarlo in lavanderia. A Joe piace tanto questo vestito, ne avrò bisogno». Prese un fazzolettino e tentò di dare una ripulita ai punti peggiori, come se ci avesse rovesciato sopra del tè, o qualcosa del genere. Non era piú in collera, non piangeva, era come se tutto ciò che aveva detto e fatto prima non fosse mai successo.

– Lei cosa fece?

– La pregai di aspettare almeno qualche giorno, prima di fare qualsiasi cosa. Pensavo che, una volta superato lo shock, si sarebbe resa conto che si trattava di una pessima idea, da tutti i punti di vista. La *supplicai* –. Lucy stringe la mano intorno al pacchetto, alzando la voce. Poi fa uno sforzo e riprende un tono normale. – Ma Ash, giurerei che non mi abbia nemmeno sentita. Diede una sistemata ai punti piú sporchi del vestito, poi chiamò un taxi con un'app dal cellulare, si alzò e mi abbracciò, stringendomi forte. E mi disse all'orecchio: «Quando lo lascerò, gli dirò che è per il suo bene». E se ne andò.

Dico: – E non aspettò qualche giorno prima di cominciare.

– Entro una settimana, – dice Lucy, – erano già andati a letto insieme. Mi disse che era stato facile, gli aveva fatto credere che fosse stato lui ad avere l'idea e lei quella che aveva bisogno di essere convinta. E dopo si era mostrata sconvolta, non troppo, solo graziosamente in lacrime, perché temeva che ora lui la odiasse per essersi lasciato trasportare e aver fatto una cosa terribile al proprio matrimonio, e l'avrebbe lasciata e lei non lo avrebbe rivisto mai piú. Cosí McCann dovette rassicurarla, dirle che non era colpa sua, che lui non l'avrebbe stimata meno per questo e non l'avrebbe mai lasciata, e che comunque il suo matrimonio era già un disastro di per sé, eccetera. Andò tutto in modo perfetto –. Lucy pronuncia l'ultima parola con un sarcasmo selvaggio.

– E dopo? – chiedo. – Come andò la relazione, da quel punto in poi?

Lucy apre il pacchetto e prende una sigaretta, chiedendomi permesso con un'occhiata. Io annuisco. La cosa si sta facendo ancora piú difficile.

Con la sigaretta tra le labbra, mentre si china verso l'accendino, dice: – Per prima cosa smisero di andare a fare giri in macchina tra le montagne, il che da un lato era un sollievo, per me. Lui andava a casa di Ash e... restavano lí. E questo non era affatto un sollievo –. Getta l'accendino sul tavolo, aspira una boccata profonda.

– Con quale frequenza si vedevano?

– Come prima: alcune settimane una volta sola, altre anche due o tre volte. Non avevano una routine. Joe diceva di dover vivere alla giornata, per evitare che la moglie sospettasse qualcosa.

– Quindi non stava pensando di lasciarla.

– Non ancora, – dice Lucy, in tono asciutto. – Ma Aislinn lo stava spingendo in quella direzione. La seconda cosa fu che lui cominciò a farle dei regali. Piccole cose, tipo un gattino di ceramica con il fiocco a quadretti, dopo aver visto che lei aveva motivi quadrettati in cucina. Niente di costoso, perché sua moglie aveva il controllo dei soldi e notava la mancanza di ogni singola moneta, e gli sarebbe stata intorno come una vespa, se Joe avesse comprato qualche regalo importante. Ma continuava a ripetere come gli sarebbe piaciuto comprarle una collana di diamanti, e portarla a Parigi, perché Ash gli aveva detto che voleva viaggiare... E secondo Ash non lo diceva tanto per dire, era serio. Perciò lei gli dava corda. Gli diceva che aveva sempre sognato di avere una collana di diamanti, e stampava foto dei posti che avrebbero potuto visitare a Parigi.

Penso alla voce frustrata che esce spesso dal telefono di McCann, mentre i ragazzi mimano schiocchi di frusta e McCann tenta di sparire dentro sé stesso. Una ragazza che si comportava come se tutto ciò che usciva dalla sua bocca fosse la perfezione, sarebbe stato un bel cambiamento, per lui. Ricordo quel brutto gatto di porcellana, al posto d'onore sul davanzale della cucina di Aislinn.

– La terza cosa, – dice Lucy, – fu che alla fine di ottobre, cioè solo *tre mesi* dopo che si erano visti per la prima volta, Joe disse a Aislinn che l'amava.

Che idiota, penso. E dico: – Immagino che le abbia fatto tanto piacere.

– Era felice. Mi invitò fuori a bere champagne, per festeggiare. Io non mi sentivo affatto dell'umore giusto, ma ci andai, perché... – Lucy posa la testa sullo schienale del divano e osserva il fumo salire nell'aria. – Sentivo la sua mancanza. Ci vedevamo molto meno, ormai. Aislinn non poteva mai fare progetti, nel caso in cui *Joe* volesse passare da lei. Non parlavamo nemmeno piú, non come prima. Voglio dire, ci telefonavamo, ci scambiavamo messaggi, ma erano tutte stupidaggini: «Stai vedendo la tale cosa alla tele, hai sentito questa canzone...» Nulla d'importante.

Non guarda me, sta ancora osservando i riccioli di fumo che salgono nell'aria fredda. – Ci stavamo perdendo, – dice. – Lentamente, ma non c'era nulla che potessi fare per evitarlo. E sapevo che se quella storia non fosse finita presto... Ash riusciva a parlare solo di Joe, e io non volevo sentire i particolari scabrosi. Quel po' che sentivo, non mi piaceva per niente.

– Per esempio? – chiedo.

– Per esempio, – dice Lucy, spostando la testa sullo schienale. – Lei non aveva ancora il numero di Joe, riesce a crederci? Lui è innamorato perso, vuole andare a bere vino con lei in qualche bistrot di Montmartre, ma darle il suo cellulare? Oh, Dio, no. L'aveva chiamata solo una volta, il giorno dopo che l'avevamo conosciuto in quel pub, e l'aveva fatto mantenendo il numero privato. Da allora, ogni volta che voleva vederla, le lasciava un biglietto nella cassetta delle lettere. E senta questa: quando si incontravano, si faceva restituire il biglietto per distruggerlo.

Ma Aislinn, una volta partita con il suo brillante piano, fotografava i biglietti per la sua cartella segreta, prima di consegnarglieli da brava amante ubbidiente. McCann credeva di avere il controllo di tutto, il detective della Omicidi duro e cattivo che conduce un'operazione a prova di bomba. Aveva sottovalutato Aislinn di interi anni luce.

– Meticoloso, – dico.

– Meticoloso? Io direi pazzo. Che tipo di persona si comporta cosí?

I detective pensano sempre a conservare le prove, mai a distruggerle. McCann pensava già come una persona diversa. Mi chiedo se l'avesse notato.

– A Aislinn dava fastidio? – chiedo.

– Non molto. Io le dissi che non mi piaceva, ma lei non ci fece caso. Secondo lei Joe aveva la paranoia che lei potesse andare da sua moglie, e in fondo aveva ragione. Ma io pensavo che ci fosse sotto qualcosa di piú. Joe voleva essere lui a decidere il gioco. Il modo in cui si comportava significava che Aislinn non aveva voce in capitolo: se le lasciava un biglietto con scritto «Mercoledí alle sette», lei non poteva mandargli un messaggio scrivendo qualcosa tipo «Mercoledí ho da fare, facciamo venerdí?» Poteva solo mollare qualsiasi progetto avesse per mercoledí sera, mettersi un bel vestito e aspettare in casa. E qualche volta... – Lucy drizza la testa, per guardarmi in faccia, – qualche volta non l'avvisava neppure. Si presentava alla porta aspettandosi che lei lasciasse tutto e trascorresse la serata con lui. Ash pensava fosse per via dei suoi orari imprevedibili, ma a me sembrava che la controllasse. Voleva sapere cosa faceva quando lui non c'era.

I suoi occhi scuri mi osservano, tentando di capire ciò che penso. Sappiamo entrambe cosa sta dicendo: se McCann ha deciso di controllare cosa faceva Aislinn sabato scorso, ha visto candele accese, calici da vino e lei che si era messa in ghingheri per qualcun altro.

Sto attenta a non lasciar trapelare nulla. – Cosa succedeva se lei non si faceva trovare all'orario previsto?

– Si faceva trovare sempre. Come ho detto prima, negli ultimi mesi mi ha tirato un sacco di bidoni. E il motivo era questo.

Aveva bidonato anche Rory, la prima volta che dovevano andare a cena al *Pestle*. «Mi dispiace tanto, per stasera ho un problema». Rory pensava che lei dovesse occuparsi della madre malata, noi che si facesse desiderare. Dico: – Aislinn ha mai fatto qualcosa che McCann non voleva che facesse?

Lucy fa una smorfia. – Credo di no. Cioè, tutto il suo piano si basava sul fingere di essere la donna dei suoi sogni.

– Mai una lite, un disaccordo?

– Gliel'ho detto, lui l'adorava. Potevano sembrare la coppia perfetta, a chi non sapesse anche il resto. L'unica volta che ebbero un problema fu verso la fine di settembre. Joe prese il cellulare di Aislinn per controllarlo e lo trovò bloccato da una password. Non ne fu niente affatto contento. Voleva sapere se nei suoi messaggi aveva parlato di lui a qualcuno.

– Di quale livello di «niente affatto contento» stiamo parlando?

Lucy torce un angolo della bocca intorno alla sigaretta. – Vuol sapere se l'ha picchiata?

– L'ha fatto?

Lucy pensa di mentire, glielo leggo in faccia, ma poi scuote la testa. – No. Da ciò che mi ha detto Aislinn, lui non l'ha mai toccata, non in quel modo. Lei non sembrava nemmeno preoccupata che potesse farlo. Se fosse successo me l'avrebbe detto. Cosa potevo fare, io? Chiamare la polizia? – Si china in avanti a scuotere la cenere. – Da ciò che mi disse Ash, Joe non era arrabbiato per la storia del telefono; piú che altro spaventato. Sempre per via della moglie: questa città è piccola, piena di pettegolezzi, non sai mai chi può dire qualcosa alla persona sbagliata… Ma secondo Aislinn lui si comportava piú come se fosse terrorizzato dall'idea di trovare una serie di messaggi in cui lei raccontava alle amiche di quel cretino di mezza età che aveva abbindolato per farsi restituire tutti i punti che le avevano tolto dalla patente. McCann non le sembrava ancora del tutto convinto che la storia tra loro fosse reale.

– McCann è un detective, – spiego. – L'istinto di sicuro gli diceva che c'era qualcosa sotto. È solo che lui non voleva ascoltarlo.

Lucy fa una risatina senza allegria. – Se solo avesse avuto il buon senso di darvi retta.

– Cosa fece Aislinn?

– Gli chiese sinceramente perdono, come se avesse investito il cane di Joe con la macchina. Lei non la mise cosí, dico solo per dire. Gli lasciò controllare ogni singolo messaggio sul telefono, e io ne fui proprio felice, quando me lo disse. C'erano cose, lí dentro… Niente di grosso, ma insomma vari messaggi su serate fuori che non avrei esattamente voluto far leggere a un poliziotto –. Mi lancia una rapida occhiata. Io resto del tutto indifferente, ed è la verità. – A Ash non venne nemmeno in mente. Le importava soltanto avvolgere sempre di piú Joe nella sua rete. E da allora tenne il telefono bloccato solo con un semplice salvaschermo su cui far scorrere il dito. Cosí lui poteva controllare ciò che voleva, quando voleva.

McCann ha avuto una bella forza di volontà, per non toccare quel cellulare sabato sera. Mi viene di nuovo in mente che lotta durissima dovremo combattere io e Steve. – Davvero non la irritava questo atteggiamento?

Lucy alza una spalla. – No. Tanto sarebbe stato per pochi mesi. E lei *voleva* che Joe fosse ossessionato. Ma io ero preoccupata. Un tale maniaco del controllo…

Non finisce la frase e io non la finisco al suo posto. Ha ragione, ovviamente: questo sarebbe dovuto essere un altro campanello d'allarme per Aislinn. Un uomo che non è disposto a lasciar sfuggire al suo controllo nemmeno un singolo sms o post-it, come l'avrebbe presa, quando lei lo avrebbe buttato fuori di casa a calci? La corrente che aveva creato per spingere McCann avrebbe spazzato via e sommerso anche lei. Aislinn aveva sottovalutato anche sé stessa.

– All'inizio di dicembre, – prosegue Lucy, – Aislinn disse di essere quasi arrivata al punto, con Joe. Lui le ripeteva tutto il tempo che l'amava, e blaterava di tutte le cose che avrebbe fatto per lei, se fossero stati insieme. Era a un passo dall'offrirle di lasciare la moglie per lei. E Ash… Gesú, era come ubriaca, tutto il tempo: parlava a mille all'ora e rideva forte per qualsiasi cosa e non riusciva a stare seduta nemmeno un minuto. Era come perennemente fatta di coca. Non perché la eccitasse tenere un uomo al guinzaglio, lei non era cosí. Il motivo era che il suo piano stava *funzionando*. Non riusciva quasi a crederci. Per lei, era come scoprire che la magia è reale e che lei la possedeva, che poteva trasformare le zucche in carrozze, i principi in rospi e di nuovo in principi… Mi capisce? Ha senso quello che dico?

– Sí, – rispondo. – Capisco perfettamente –. Mi viene in mente la mia prima mattina alla Omicidi. Con il tailleur nuovo addosso, la cartella lucente che ballonzolava al mio fianco, i tacchi che battevano un ritmo veloce sulla strada pedonale, autobus e voci in sottofondo, mentre io attraversavo tutto come una lama, diretta alla sala detective della squadra Omicidi, che finalmente, finalmente, era la *mia* squadra. Avrei potuto fare quella strada a balzi di tre metri. Quella mattina avrei potuto puntare un dito verso il castello e magicamente si sarebbero manifestati squilli di tromba e cascate di petali dorati.

Lucy dice, schiacciando la sigaretta: – E poi è arrivato Rory.

– Rory non era previsto nel piano, giusto?

– Il piano –. Allarga le mani in un gesto fiorito. – Avevo cominciato a pensarci come se fosse scritto in maiuscolo: IL PIANO, *ta-da-da-da*. No, Rory non era assolutamente previsto. Lui è stato colpa mia. Fui io a trascinare Aislinn a quella presentazione – e ci volle una bella insistenza – perché passasse una serata fuori senza restare in casa a ossessionarsi con Joe… speravo che uscire e chiacchierare e ridere di cose normali con gente della nostra età, potesse farle vedere le cose nella giusta prospettiva. Speravo capisse che situazione malata aveva messo in piedi.

– E magari incontrasse un ragazzo normale, – dico io.

– Non avrei mai creduto che succedesse. Speravo solo che trascorresse una serata fuori dalla sua follia. Ma dopo un'ora con Rory, Ash era cotta. E spaventatissima: era l'ultima cosa che desiderava, soprattutto ora che aveva portato Joe praticamente dove voleva. Non riusciva a credere di aver passato tanto tempo a parlare con Rory. Aveva una sua regola, non parlare mai a lungo con un uomo, per non fargli pensare che avesse una chance. Lei lo trovava leale, in un certo senso, perché non voleva una relazione.

– Lucy, a noi lei aveva detto che il motivo di questa regola era che voleva farli sudare un po' prima di concedersi.

Lucy fa spallucce. – È stato il meglio che sono riuscita a pensare in quel momento. Dovevo dirvi che aveva interrotto all'improvviso la chiacchierata con Rory, perché qualcun altro poteva averlo notato; ma non potevo dirvi che evitava le relazioni, altrimenti non avreste cercato il suo uomo segreto. E non potevo neppure spiegarvi tutta la faccenda.

– Capisco, – dico. Per una donna che non ama inventare storie, ne ha inventate un bel po', ultimamente. Si vede che era proprio brava a risucchiare le persone nel suo modo di fare. – E quindi, Aislinn non sapeva cosa fare, riguardo a Rory?

Di nuovo quel sorriso sulla bocca di Lucy, tenero e sofferto. – No, sapeva esattamente cosa fare con lui: toglierselo dai piedi. Ma non riusciva a decidersi. Lo definiva «la cosa migliore del mondo dopo il pane già affettato». L'accompagnai a casa quella notte, dopo la presentazione, e non smetteva di parlare di lui. Era tutta rossori e risatine, come una ragazzina, e continuava a ripetere: «Cosa devo fare? Oddio, Lucy, cosa devo fare?»

– E lei cosa le rispose?

Il sorriso scompare. – Ormai non avevo piú remore a suggerirle che cosa fare, perciò dissi: «Domani chiama Joe e lascialo. Digli che non potresti mai perdonarti per aver distrutto il suo matrimonio, e cose del genere» –. Lucy si passa di nuovo le mani tra i capelli. – Stavo facendo proprio come lei, inventavo balle… Volevo solo che uscisse da quella storia con Joe, prima che le esplodesse in faccia, facendola a pezzi. «E poi, quando Rory ti chiama, e lo farà, gli dirai che sí, uscire con lui ti fa tanto piacere e sei felice di accettare l'invito». Le dissi: «*Questo* è il modo

di vendicarti di Joe. Impedendogli di farti perdere un uomo che ti piace davvero. Impedendogli di condizionare
ancora la tua vita».

– Era la cosa perfetta da dire, in quel momento, – dico.

– Aislinn avrebbe dovuto farsela tatuare sul braccio. Ma
immagino che non la sia stata a sentire.

Lucy scuote la testa. – No, infatti. E per essere sincera, un po' la capivo. Aveva investito cosí tanto nel suo
piano... una quantità enorme di energia. La dieta ferrea,
fare l'amore con un uomo che odiava, per *mesi*. E proprio
quando tutto stava per arrivare alla conclusione, con tanto di effetti speciali, arrivo io a dirle di gettare via tutto?

Le stava dicendo di rinunciare alla magia, proprio quando lei stava per lanciare sfere di fuoco con le mani. – Era
molto difficile. Sí, lo capisco.

– E naturalmente, proprio due giorni dopo, Rory le
manda un messaggio chiedendole di vedersi. Se gli avesse
risposto di no, lui si sarebbe tolto di mezzo, e Aislinn non
voleva questo. Ma non poteva neppure dire: «Lasciami un
mese o due, mentre finisco di scoparmi un tizio per convincerlo a lasciare la moglie, poi sarò tutta per te». Provò
a prendere tempo, ma non voleva neppure che lui si con-
vincesse di non piacerle e non la cercasse piú. Perciò alla
fine disse di sí. E uscirono a bere una pinta, e passarono
una serata fantastica, e Aislinn tornò innamorata.

– Ma ciò nonostante, non lasciò Joe.

– No. Cercò soltanto di affrettare la conclusione del
piano. Gli diceva quanto le mancava quando tornava a
casa e restava sola, gli diceva che voleva avere dei bambini, e non stava certo diventando piú giovane... Doveva
stare molto attenta, per evitare che lui decidesse di fare
il nobile cavaliere e si ritirasse in buon ordine perché lei
meritava di meglio, e nemmeno che diventasse paranoi-

co, temendo che gli bucasse i preservativi. Era... – Lucy
si porta le mani al viso e ride tra le dita, una risata con un
singhiozzo trattenuto. – Gesú, sarei morta dal ridere, se
non fosse stata una cosa cosí folle.

– Joe come reagí?

– Io *pregavo* che facesse la grande rinuncia. Tentavo di
mandargli messaggi telepatici in questo senso. E non sto
scherzando –. Un'altra risata piangente. – Ma niente. Joe
camminava obbediente verso il punto dove Aislinn lo stava guidando. Tre settimane fa, dopo capodanno, le disse
che aveva deciso di lasciare la moglie.

McCann, che si vantava con la madre di Aislinn che
non avrebbe mai lasciato la sua famiglia. E lei aveva sbri-
ciolato tutto questo. – Scommetto che Aislinn ne sarà stata contenta.

– Oh, sí –. Lucy si passa di nuovo le mani sul viso. Questo racconto le sta costando molto. – Sí, era tutta felice.
Solo che Joe voleva aspettare fino all'estate. Uno dei suoi
figli si diploma alle superiori, quest'anno, e Joe non voleva rovinargli l'esame.

– Il che significa che Ash doveva tentare di tenere in
ballo lui e Rory per altri sei mesi.

– Già. E non le piaceva affatto. Si mise a piangere, non
tanto da disperarsi, solo una lacrimuccia, e disse a Joe che
sapeva che dopo sarebbe venuto fuori qualcos'altro, perché
gli uomini non lasciano mai le mogli. Era cosí difficile per
lei vederlo tornare ogni volta da un'altra donna, eccetera
eccetera. Ma Joe stavolta puntò i piedi.

– Allora lei cosa fece?

– Dio... – Lucy fa una smorfia, a occhi chiusi. – Comprendere la situazione era fuori dalla sua portata. Si trattava di una cosa reale, capisce? Venticinque anni di matrimonio, figli... Era impossibile che lei avesse un peso

maggiore. Poteva solo tentare di tenere Joe sulla corda. Si comportava ancora come l'amante perfetta, ma ogni tanto gli mostrava su Facebook la foto di qualche neonato e sospirava, o diceva che un cliente al lavoro aveva flirtato con lei... Continuava a lasciar cadere allusioni al fatto che lui rischiava di perderla, se non si fosse dato una mossa.

Chiedo: – Gli parlò mai di Rory? Anche solo un'allusione?

– Intende dire, per fargli capire che aveva altre opzioni? – Lucy scuote la testa. – No. Ci avevo pensato anch'io e le dissi di non farlo, e lei rispose che non ne aveva l'intenzione. Ma... come ho detto prima, Aislinn aveva tolto la password dal cellulare. E mi chiedevo se non avesse lasciato un paio di messaggi di Rory sul telefono. Cosí, se Joe fosse andato a controllare...

E Aislinn li aveva lasciati. Gesú Cristo. Mi viene voglia di sbattere la testa sul tavolo. Quella ragazza era ingenua a livelli irreali.

– Era per questo che ero preoccupata, – dice Lucy, – quando Ash mi disse che aveva invitato Rory a cena. Avrebbero potuto vedersi da qualsiasi altra parte, capisce? E se poi avessero voluto andare a letto, potevano andare a casa di Rory. Perché vedersi da lei, dove Joe poteva arrivare in qualsiasi momento?

– Forse era proprio quello che Ash sperava.

– Già. Forse non a livello cosciente, ma di sicuro sapeva che poteva succedere. E ormai voleva che tutta questa faccenda arrivasse alla fine. Ogni volta che vedeva Rory, o che parlava con lui, era piú innamorata. Dentro di sé, voleva solo dimenticare tutto quel pasticcio con Joe e trascorrere ventiquattr'ore al giorno sbaciucchiandosi e ridendo con Rory. Ma non ce la faceva a mollare il suo piano. Forse una parte di lei sperava che Joe venisse a trovarla,

vedesse Rory e scoppiasse in un pianto disperato, per poi
scomparire nel tramonto. In pratica, prendendo la decisione per lei –. Lucy nota la mia espressione. Ci osserviamo
a vicenda da tanto tempo che abbiamo imparato a capirci
al volo. – Lo so. Crede che non lo sappia? Come ho detto,
Aislinn si era messa in una situazione fuori dalla sua portata. Per questo può aver pensato seriamente che sarebbe
andata così. Tutto chiaro e semplice.

Gesú Cristo, penso. – Magari, – dico.

– È stato lui, vero? Joe ha ucciso Aislinn.

– Lei deve mantenere il silenzio su questa conversazione. Neppure un'allusione con i suoi amici, nulla. È chiaro?

– Sicuramente. Mantengo il silenzio da mesi, non mi
metterò certo a parlare ora. Voglio solo sapere.

Io non farò come McCann. Non lascerò cadere le informazioni goccia a goccia, solo quando la mia mente il-
luminata valuta che sia giusto farlo, per il bene delle persone coinvolte.

– Sí, – dico. – Sono abbastanza sicura che sia stato lui.

Lucy si mette un pugno in bocca e annuisce a lungo.
Non è certo una sorpresa, ma sentirlo dalla mia bocca è
diverso. Ci mette un po' ad abituarsi all'idea.

Poi chiede: – È stato di proposito? Voleva davvero ucciderla, o ha avuto uno scatto d'ira e non si è reso conto…?

– Non lo so.

– Ha mai fatto una cosa del genere, prima? Voglio dire,
non esattamente così, è ovvio, ma…

– Vuol dire se lei avrebbe potuto prevederlo?

– Sí.

– Io non l'avrei previsto, – rispondo. – E conosco
McCann molto meglio di lei. Non ho mai sentito dire che
abbia picchiato la moglie, e neppure che abbia preso a
schiaffi un indiziato, e tutti sappiamo chi di noi lo fa, sa-

pendo che non ci saranno conseguenze, e chi non lo fa. McCann non è un uomo violento.

– Il fatto è che io temevo che sarebbe scoppiato tutto. Dissi a Aislinn… – Riprende fiato con un respiro ansimante. – A settembre, quando mi disse che lei e Joe erano andati a letto… eravamo al *Flowing Tide*, ma c'era abbastanza rumore e potevamo parlare senza paura di essere ascoltate… Le chiesi: «Gli hai detto che io sono la tua migliore amica?» Aislinn rispose di no, che non parlavano mai di nulla se non di Joe e di quanto lui fosse fantastico. Dissi: «Allora non dirglielo, per favore. Digli che sono soltanto una con cui vai fuori a bere qualcosa ogni tanto». Ash era tutta: «Ma perché? Non voglio fingere che tu non sia importante per me». Io le dissi: «Quando premerai il grilletto, lui impazzirà di rabbia. Non andrà in un pub a piangere le sue lacrime fissando un bicchiere. Tu sarai in Perú o chissà dove a scoparti turisti bellissimi, e lui non potrà raggiungerti. Ma se sa che io sono la tua migliore amica, può vendicarsi di te facendo qualcosa a me».

– Qualcosa, – ripeto. – Cosa temeva che facesse?

– Non ci ho mai pensato in modo specifico. Ma… vivo sola in questo appartamento. Un poliziotto può fare quello che vuole: fabbricare prove false, o chissà che. Non volevo scoprirlo sulla mia pelle. La cosa piú sicura, per me, era stare il piú lontano possibile da tutto quel dramma –. Lucy getta indietro la testa. Di nuovo quella risata secca, diretta al soffitto. – Ma non era questo il punto principale. Il punto che volevo farle entrare in testa era che non si trattava di un gioco, e avevo paura sul serio. Sapevo che a Ash non importava correre rischi, ma se si fosse resa conto che stava mettendo a rischio anche me, forse avrebbe finalmente riflettuto.

– Ma non ci riuscí neppure in quel modo.

– No –. Una rapida alzata di spalle. Quella scoperta le fa ancora male. – Aislinn disse che avrebbe fatto il mio nome solo una volta o due, per far pensare a Joe che ero una ex compagna di scuola con la quale lei non aveva perso del tutto i contatti. Ma capii che lo faceva solo per tranquillizzarmi. Non credeva fosse importante. Ormai riusciva a sentire solo la storia che aveva in testa. Qualsiasi altra cosa era solo… – Lucy fa un gesto con la mano, come una bocca che si apre e chiude rapidamente. – Rumore di fondo. E avrei dovuto saperlo da prima.

– Aislinn ormai era persa, – dico. – Lei ha fatto del suo meglio.

Lucy scuote la testa, come se non capissi. – No. Ho sbagliato perché non ho mai pensato a una cosa simile. Sapevo che Aislinn giocava col fuoco, e sapevo che Joe era l'uomo sbagliato con cui farlo. Uno che pensa di avere il diritto di decidere se tu debba o non debba sapere dov'è finito tuo padre, come reagirà quando tu farai la stessa cosa con lui? Ma non ho mai pensato che sarebbe finita cosí. Temevo che quando Ash l'avrebbe lasciato lui potesse picchiarla, sí. Ma temevo soprattutto che potesse rovinarle la vita. Farla arrestare per qualche motivo inventato, sbatterla in cella, costringerla a passare anni e a spendere tutto ciò che aveva per difendersi da imputazioni fabbricate ad arte, e poi ricominciare da capo. È questo che ho pensato, quando avete suonato il campanello domenica mattina: Joe era andato da Aislinn, aveva visto Rory in casa e aveva trovato il modo di farla arrestare per qualcosa.

– Ha senso, – dico. – È il tipo di cosa di cui mi sarei preoccupata anch'io.

– E invece… – Lucy ha le dita intrecciate nella frangia della coperta, cosí strette che sono sbiancate. – E ora continuo a chiedermi… Se quella sera le avessi detto l'esatto contrario? Avrei potuto dirle: «Fa' capire bene a Joe quanto siamo amiche». Cosí lui avrebbe pensato che Ash mi raccontasse tutto. E allora, pensa che avrebbe... Crede che si sarebbe fermato se...

Non avrebbe fatto nessuna differenza. La frazione di secondo in cui McCann ha deciso di tirare quel pugno non lasciava spazio per nessuna riflessione. Ma ho bisogno che Lucy si senta in colpa.

– Non c'è modo di saperlo, – dico. – E non ha senso flagellarsi adesso. Quello che può fare, ora, è aiutarmi a inchiodarlo.

Lucy alza gli occhi e mi fissa. Dice, dura: – Ha detto che gli altri detective la vogliono fuori dalla squadra. Ci sarà, quando si tratterà di inchiodare McCann?

– Non me ne è mai fregato un beneamato cazzo di cosa vogliono gli altri detective.

– Dico sul serio. Non intendo venire da voi e firmare una dichiarazione e rischiare che Joe mi rovini la vita, se poi non deve servire a niente.

– Non posso garantirle che McCann finirà in galera. Neanche con la sua testimonianza; abbiamo una probabilità del cinquanta per cento. Ma posso assicurarle che, se ripete ciò che mi ha detto in una dichiarazione ufficiale, la vita di Joe non sarà piú quella di prima. Di questo me ne occuperò di persona, e non andrò da nessuna parte finché non sarà finita. È abbastanza, per lei?

Lucy aspetta qualche secondo, poi lascia andare il fiato e libera le dita dalla frangia della coperta. – Mi sa che deve bastare.

– Ha il mio biglietto, – dico. – Dubito molto che McCann tenti di farla tacere; sarebbe troppo rischioso e non servirebbe a molto, visto che ormai lei ha parlato con me. Inoltre presto avrà parecchie altre cose per la testa. Ma se succede qualcosa che la preoccupa, se qualcuno la molesta, o se nota qualcosa di anche solo un po' strano, mi chiami. Va bene?

Lucy annuisce, flettendo le dita per riattivare la circolazione, ma non sono sicura che mi abbia sentita. – Volevo che Ash avesse il suo lieto fine, – dice. – Davvero. Anche se sarebbe stata a un milione di chilometri da qui, sul Machu Picchu con quel bel turista. Se lo meritava. Ma lei non poteva ottenere nulla per sé, finché non avesse tolto di mezzo Joe. Non riusciva neppure a *vederlo*, il lieto fine, tanto era lo spazio che lui occupava nella sua mente.

– O magari lo vedeva, – dico, – e lo voleva, ma vendicarsi di Joe era piú importante –. Queste stronzate psicologiche mi fanno venire i formicolii, o forse è solo perché sono ancora qui seduta a sentire storie sul lato stupido delle persone, quando ho tante cose da fare. Mi alzo. – La contatterò quando sarà il momento di venire a rilasciare la sua dichiarazione. Fino ad allora, grazie. Sul serio.

Lucy fa un suono stanco che potrebbe essere una risata. – Eccoci qui, lei e io, che ci prepariamo a dare a Ash ciò che desiderava. È comunque un modo di ottenerlo, alla fine.

Mi accompagna alla porta e la richiude in fretta appena esco, senza accompagnarmi giú fino al portone. Lucy deve andare a farsi un bel pianto. Io invece scendo le scale, che puzzano di zuppa di verdure e fiori morti, con la storia di Lucy che mi martella in testa, mentre tento di capire come cazzo devo usarla.

16.

Salgo in macchina e controllo i miei messaggi. I cellulari vanno lasciati in silenzioso durante gli interrogatori, altrimenti, secondo la legge della sfiga, è sicuro che ti chiama tua madre. Sms da Sophie: «Ricevuto profilo fluidi su materasso. Maschio, non nei database. Fammi avere campione di tuo indiziato e facciamo confronto». Steve mi ha inviato un file audio dove Breslin gli spiega che lui è un giovane di talento e non dovrebbe sprecarlo. La bionda di Google Immagini ha qualche altro milione di messaggi deprimenti nei vari siti di appuntamenti dove l'ho registrata. Cancello gli account.

Mando un messaggio a Steve: «Chiamami». Poi me ne sto seduta con il riscaldamento al massimo per scongelarmi i piedi, dopo il gelo in casa di Lucy, e osservo la gente. Mi rende nervosa. Decine e decine di passanti, tutti con la testa piena di storie a cui credono, storie a cui vogliono credere e storie alle quali qualcun altro li ha convinti a credere, e ogni storia batte contro le sottili pareti del cranio, cercando di uscire per poter attaccare qualcun altro, entrare anche nella sua testa e nutrirsi della sua mente. La bella studentessa in vestito a fiori, l'anziano con lo spaniel al guinzaglio, mi sembrano letali come l'ebola. Non so cos'ho che non va. Forse mi sta venendo l'influenza.

Passo ben undici minuti cosí, prima che il cellulare s'illumini con il nome di Steve. – Ciao, – dico. – Puoi parlare?

– Sí, ma per poco. In questo momento dovrei essere occupato a parlare con il giornalaio. Breslin è dall'altro lato
della strada, nella panetteria. Hai ricevuto il file?

– Sí. Ascolta, ho mostrato a Lucy quella favola di Aislinn, dopodiché lei ci ha messo un quarto di secondo a
identificare l'uomo segreto. Solo che non è Breslin.

Prima che Steve possa chiedere come cazzo è possibile,
ci arriva da solo. – Cristo. McCann?

– Esatto.

– Ma come... che...

Gli racconto la versione abbreviata. Alla fine dice, dopo
un momento di silenzio. – Oh, Gesú –. Gli trema la voce.

– Sí, a quella parte ci pensiamo dopo. C'è altro che devo sapere?

Steve dice: – Il mio contatto alla compagnia telefonica
mi ha mandato una mail con i tabulati del numero da cui
è partita la chiamata.

– C'è qualcosa per provare che appartiene a Breslin?

– No. Tutte le altre chiamate sono state fatte a giornalisti. Tra cui... – So il nome che sta per dire e lo dico insieme a lui: – Crowley.

Breslin, pezzo di merda. Era in cima alla mia lista dei
sospetti fin dall'inizio, ma saperlo per certo mi provoca
un lampo di rabbia. – Lasciami indovinare, – dico. – Domenica mattina presto.

– Alle sette meno un quarto.

Mi scappa una risata dura. – E poi si è presentato in
centrale e ci ha fatto la lezione sulla lealtà di squadra. Che
mucchio di merda. Breslin deve aver pensato che se la
pressione su questo caso fosse salita abbastanza, io avrei
firmato l'arresto di Rory, solo per togliermi il problema.
Sapeva che quel succhiacazzi di Crowley sarebbe stato felice di darmi il tormento, e mi ha spinto praticamente tra

le sue braccia. Gli ha dato lo scoop e gli ha detto di sparare a zero: allusioni che io non fossi all'altezza del lavoro, foto che mi facessero sembrare una pazza. E tutto quel pacchetto del cazzo.

– Mi sembra una ricostruzione sensata, – dice Steve. La nota tesa nella sua voce significa che qualcosa non lo convince, ma al momento penso ad altro. Il mio problema con Crowley non è cominciato domenica mattina.

– A quando risalgono le altre chiamate a Crowley da quel telefono? – chiedo.

– C'è solo questa. Otto ad altri giornalisti, durante tutto lo scorso anno, ma solo quella di domenica mattina a Crowley.

Le magiche apparizioni di Crowley sono iniziate l'estate scorsa, e da allora sono state almeno quattro o cinque. Se Breslin usa quel telefono per comunicare con i suoi giornalisti, non è lui quello che ha mandato Crowley sulla scena dei miei casi, non fino a quest'ultimo. E io che me ne stavo alla scrivania, cupa e convinta che questo caso facesse parte di un grande e oscuro complotto contro di me. Mi sento di nuovo una merda totale.

– Il punto è, – dice Steve: – come faceva Breslin a sapere che il caso era stato affidato a noi?

– Perché aveva fatto la telefonata a Stoneybatter circa due ore prima. Anche contando eventuali ritardi, il pronto soccorso, gli agenti in divisa e tutto il resto, a quel punto il caso doveva già essere arrivato alla Omicidi.

– No, voglio dire, come sapeva che si trattava di noi due? Crowley non è scemo, conosce la musica. Non avrebbe mai creato problemi a O'Neill, diciamo, o a Winters, se il caso fosse andato a uno di loro. Per non bruciarsi i ponti con loro e con tutti i loro amici. Tu e io siamo gli unici con cui sarebbe stato disposto a farlo. Chiamare Crowley

non sarebbe servito a nulla, a meno che Breslin non sapesse già che il caso l'avevamo preso noi. E quando il capo ce
lo ha dato erano quasi le sette.

Scende un silenzio improvviso. Dal telefono di Steve
sento il rumore del vento, un bambino che strilla in lontananza e il sibilo del vuoto.

– Forse Breslin sapeva che avevamo il turno di notte, –
dico. – Sa che il capo dà sempre a noi i domestici...

Mentre lo dico, mi rendo conto di quanto suona debole.
Steve dice: – Se il caso fosse arrivato dieci minuti dopo,
l'avrebbe preso qualcuno del turno di giorno. Come faceva Breslin a sapere che l'avremmo avuto noi?

Rivedo la sala detective, la luce fredda del giorno che
sta ancora aspettando di cominciare. O'Kelly che getta il
foglio sulla mia scrivania: «L'ho preso mentre salivo, l'ho
portato di persona per evitare il fastidio a Bernadette...»
Dico, con una voce che suona calma, pulita e molto strana: – Breslin aveva parlato con il capo.

Steve dice: – Riesci a pensare a un altro modo qualsiasi
in cui possa averlo saputo?

– Nei tabulati di quel telefono c'è una chiamata al capo?

– No, quella l'avrà fatta con il suo cellulare privato. Sapeva che avremmo rintracciato la chiamata alla polizia di
Stoneybatter, e non voleva che su quello stesso telefono
apparisse il numero del capo. Non poteva fare nulla per
cancellare le telefonate ai giornalisti, ma quelle avrebbe
potuto farle chiunque, e noi non possiamo costringere i
giornalisti in questione a rivelare le loro fonti. Deve aver
pensato che non ci sarebbe stato modo di ricondurre quel
telefono a lui.

O'Kelly che guarda la lista dei turni con le mani in tasca, si dondola sui talloni e dice: «Avrete bisogno di una
mano. Breslin è di turno stamattina. Prendete lui».

– Il capo sapeva tutto dall'inizio, – dico. – Ci ha messo Breslin alle costole per tenerci d'occhio.

– Sí, – dice Steve. – Sí, Antoinette. Cazzo!

Non possiamo permetterci di farci distrarre dalla rabbia o dall'ansia, non ora. – Mantieni il controllo, – dico, secca.

Sento il lungo respiro che Steve emette dalla bocca.

– Lo so.

– A che ora tu e Breslin sarete di nuovo in centrale?

– Qui abbiamo quasi fatto. Diciamo tra quarantacinque minuti, massimo un'ora.

– Gli getterò una palla da inseguire. Quando lui esce, ci vediamo nel giardino fuori dall'edificio.

– Va bene. Devo andare –. E riattacca.

Le persone che passano accanto alla macchina sembrano accelerate, spinte da quel pulsare selvaggio dentro le loro teste. Io mi sento ancora fuori fase, sembra davvero che stia per venirmi la febbre. Ma non posso permettermi l'influenza oggi, proprio come non posso permettermi di perdere la testa.

Devo andare a Stoneybatter, ma prima metto il mio numero in modalità privata, chiamo l'amministrazione e con una voce sottile da ragazzina, con un piacevole accento da ceto medio, chiedo se posso parlare con il detective Breslin, riguardo a Aislinn Murray, che è stata uccisa. Mi passano la Omicidi; quando Bernadette risponde che Breslin è fuori e mi farà parlare con un altro detective, mi innervosisco e dico no, grazie, ma forse posso lasciargli un messaggio? E Bernadette mi dà l'equivalente di un buffetto sulla testa e mi mette in comunicazione con la segreteria telefonica di Breslin.

«Parla il detective Don Breslin, – dice la voce da pubblicità di una marca di caffè. Deve aver fatto almeno una dozzina di prove. – Lasciate un messaggio e sarete richiamati». *Bip.*

Tengo la bocca un po' lontana dal telefono, per sicurezza. – Ah, buongiorno. Mi chiamo… cioè, preferisco non
dirlo… ma sono un'amica di Simon Fallon. Ho saputo che
gli avete fatto delle domande riguardo a suo fratello Rory.
E… ecco, io ho frequentato Rory per un periodo, e lui ha
fatto delle cose che forse voi dovreste… non ho mai voluto
dire nulla, ma… Simon mi ha detto che lei è una brava persona. Mi trova al *Top House Bar* di Howth. Sono seduta a
un tavolo vicino al caminetto, se ce la fa a venire. Penso di
poter restare fino alle quattro. Altrimenti, proverò a richia-
marla in un altro momento, o… bene, grazie. Arrivederci.

Metto via il telefono e parto a manetta in direzione di
Stoneybatter. Dovrebbe funzionare. Breslin arriva, controlla i messaggi, ha un orgasmo nei pantaloni di Armani, gira sui tacchi e corre a scoprire quali cose terribili ha
fatto Rory a quella povera ragazza. Non si porterà dietro
Steve, per evitare che la ragazza, vedendo due grossi e
cattivi detective allo stesso tempo, non voglia piú parlare.
Dalla centrale a Howth sono una quarantina di minuti, a
quest'ora e con questo tempo. Aggiungiamo una mezz'ora di
attesa della donna misteriosa, o fino alle quattro se abbiamo fortuna, quindi altri quaranta minuti per il ritorno. Per
almeno due ore, Steve e io avremo McCann tutto per noi.

Il *Ganly's* è deserto, c'è solo il barman un po' calvo che
impila bicchieri e canticchia sulle note di *Magic Moments*,
cantata da Perry Como alla radio. – Ah, – dice, vedendo-
mi. – È lei. Ho vinto?

– Ha la possibilità di ritentare, – rispondo. – Ha presente la donna che ha identificato l'altro giorno? Ricorda
l'uomo che era con lei?

– Piú o meno. Come ho già detto, non era lui che guardavo.

– Darebbe un'occhiata ad alcune foto per vedere se lo riconosce?

– Il suo amico è stato qui ieri a chiedermi la stessa cosa. Ma non gli sono stato utile.

– Sí, me l'ha detto. Queste sono foto diverse.

Il barman scrolla le spalle. – Va bene, perché no. Tutto per aiutare i tutori dell'ordine.

Tiro fuori un'altra copia del foglio per il confronto fotografico di McCann. – Se tra questi vede quell'uomo, me lo dica. Se non ne è sicuro, me lo dica. Va bene?

– Ce la posso fare –. Il barman prende il foglio di cartoncino e lo guarda a lungo, pensieroso. – Ma guarda, – dice. – Direi che stavolta lo avete trovato. È questo qui –. Batte un colpetto col dito sulla foto di McCann.

– Ne è sicuro?

– Non ci scommetterei la vita, ma cinquanta euro con gli allibratori ce li punterei. È abbastanza, per lei?

– Accetto la puntata, – dico, prendendo la penna. – Scriva le sue iniziali accanto alla foto che ha riconosciuto. In fondo, scriva dove l'ha visto e quanto ne è sicuro, poi metta la sua firma.

Lui scrive, con la testa china sul foglio.

– Ricorda per caso qualcun altro che era qui dentro quella sera? – chiedo. – Qualcuno che può aver notato la coppia?

– Ah, ora mi chiede troppo. Non è che faccio l'appello, quando apro la sera.

– Forse dovrò venire qui e fare due chiacchiere con i suoi clienti regolari, una sera di queste. Cercherò di non dare troppo fastidio.

– Avevo la sensazione che ci saremmo arrivati. Va bene –. Mi restituisce foglio e penna. Ha una grafia minuscola e aggraziata, che meriterebbe una stilografica e una bella carta spessa. – Se parlerà con quell'uomo, gli dica che

qui non è piú il benvenuto. Non voglio sapere se ha fatto
qualcosa a quella ragazza o no. Dico solo che qui la gente
viene a cercare un po' di pace –. Mi dà una lunga occhiata, riprendendo il lavoro con i bicchieri. – Non vorrei il
suo lavoro per tutto il tè della Cina.

Il poliziotto di Stoneybatter dice che il campione vocale
potrebbe essere quello dell'uomo che ha telefonato domenica mattina, solo che lui aveva un accento un po' diverso
dalla voce della registrazione. Non sa spiegarlo bene, ma
la voce non è proprio uguale, forse era un po' piú acuta, e
forse aveva un accento del Meath o forse del Kildare, non
riesce a ricordarla bene. Nessuna sorpresa. Anche se non gli
avessimo rovinato la memoria con il nostro confronto vocale, io non sono l'unica capace di modificare un po' la voce. Ormai abbiamo in mano tutto ciò che possiamo avere.

È l'ora di pranzo. Mi fermo al Tesco preferito di Rory,
prendo due bottiglie di Coca e due sandwich con dentro
un bel po' di carne – questo pomeriggio rischia di essere
molto lungo – e torno verso la centrale. Una pioggia mista
a nevischio si spiaccica sul parabrezza, ma quando arrivo
ai giardini fuori dal Dublin Castle ha smesso. Scelgo un
pezzo di muretto tra i cespugli, fuori vista dalle finestre,
lo asciugo un po' con dei tovaglioli di carta, poi mi siedo
e apro il sandwich. Un paio di uccellini saltellano sull'erba
bagnata. Getto loro un pezzetto di pane, ma si spaventano
e si rifugiano svolazzando dentro i cespugli.

Ho appena dato un morso al sandwich quando Steve
attraversa il cancello del giardino, camminando a testa
bassa, come se questo magicamente potesse nascondere i suoi capelli rossi a chiunque guardi da una finestra.
– Ciao, – dice.

– Ciao. Breslin è uscito?

Steve spazzola il muretto e si siede accanto a me. – Appena partito. Ha ricevuto un messaggio da una ragazza di Howth.

– Già. Ma non gli servirà a molto. Hai mangiato?

– No.

– Tieni.

Gli passo l'altro sandwich. Steve lo prende e lo tiene tra le mani, senza aprirlo. – Hai trovato qualcosa di buono?

– Un'identificazione non sicura al cento per cento da parte del barman. Niente dall'agente di Stoneybatter. I ragazzi di Sophie confermano che il Dna sul materasso appartiene a un uomo.

Lui dice: – Cosa facciamo?

– Dobbiamo parlare con McCann.

Non c'è piú modo di girarci intorno. Tra due ore, tre al massimo, Breslin sarà di nuovo qui, insospettito e deciso ad arrestare Rory. Questo paio d'ore sono tutto ciò che abbiamo.

Steve annuisce. Chiede: – Come?

Abbiamo tante armi. Le raccogli guardando i colleghi, ascoltando le storie che si raccontano in sala detective, ne scopri alcune tue personali e le passi in giro; e le conservi al sicuro, per il giorno in cui potranno servirti. Quando arrivi alla Omicidi, hai un arsenale in grado di polverizzare intere città.

Entri in sala colloqui con un fascicolo pieno di carte, cosí il sospettato pensa che hai molto materiale contro di lui. Ci metti sopra una videocassetta, per fargli credere che hai anche delle prove video. Sfogli le carte, tocchi un punto con l'indice e cominci a dire qualcosa, ma ci ripensi: «No, questo lasciamolo per dopo» e vai avanti, lasciando che l'indiziato si tormenti pensando a *cosa* stai lasciando per dopo. Tiri fuori un registratore: «Ho una scrittura orrenda, le dispiace se uso questo?» Cosí piú tardi, quando lo spegni e ti chini verso di lui in modo confidenziale, lui penserà che state parlando in modo non ufficiale; avrà dimenticato che sono in azione i registratori in dotazione alla sala. Leggi messaggi immaginari sul cellulare e scambi commenti criptici con il tuo partner («Ottimo, hanno trovato qualcosa»). Oggi c'è anche un'app che ti permette di fare un finto test della macchina della verità: racconti al sospettato un paio di scemenze sui campi elettromagnetici e gli dici di premere il pollice sullo schermo del tuo telefono dopo ogni domanda; quando arrivi a quella dove lui ha mentito, sposti un dito e parte un grafico rosso e la scritta MENZOGNA. Gli dici che la vittima, che è viva, è morta e quindi non può contraddirlo, o al contrario che il morto è vivo e sta parlando. Gli dici che non puoi lasciarlo andar via finché non avrete finito, ma se solo ti dirà cosa è successo davvero, potrà essere a casa, seduto sul divano con una tazza di tè, in tempo per *Downton Abbey*. Gli dici che non è colpa sua, che la vittima se l'è cercata, gli dici che chiunque al suo posto avrebbe fatto lo stesso. Gli dici che dei testimoni lo hanno sentito dire che gli piace il porno con i bambini, gli dici che il patologo ha detto che ha continuato a picchiare il cadavere fin quasi a farlo a pezzi, lo bombardi con tutte le cose peggiori che ti vengono in mente, finché non ce la fa piú e urla che sono tutte bugie e non è andata affatto cosí; allora alzi un sopracciglio e dici: «Sí, certo, allora dimmelo tu, com'è andata». E ascolti mentre te lo racconta.

Tutte le nostre armi stavolta sono inutili. McCann le conosce a memoria, le ha usate centinaia di volte molto prima di noi. Dobbiamo affrontarlo a mani nude.

Dico: – Andiamo a parlargli. È l'unica cosa che possiamo fare.

– Ma lui non parlerà con noi.

– Vuole raccontarci la sua storia, è quello che vogliono tutti. Nel profondo, vuole farci sapere che tra lui e Aislinn era vero amore e, quale che fosse il gioco a cui lei giocava con Rory, era una stronzata e che lei come minimo si meritava un cazzotto. Perciò vediamo quanto di tutto questo riusciamo a fargli dire.

Steve dice: – Ci concentriamo sulla relazione. Nient'altro. Non accenniamo al coinvolgimento di Breslin, o McCann avrà un rigurgito di lealtà e chiuderà la bocca. Parliamo solo di Aislinn.

– Abbiamo in mano una bomba, comunque, – dico. – Quando Breslin ha scoperto che in quella scatola c'erano i fascicoli del caso di Desmond Murray, ha fatto un'espressione sollevata. Significa che non sa che McCann ha lavorato a quel caso. Significa che, almeno fino a due giorni fa, McCann non aveva fatto il collegamento: non sapeva che Aislinn era la figlia di Des Murray. Non sapeva che lei lo aveva manipolato fin dall'inizio.

Steve dice: – Quello lo lasciamo per dopo.

– Sí. Deve esplodere solo quando può avere il massimo effetto.

Gli uccellini hanno dimenticato lo spavento di prima e sono usciti di nuovo a becchettare sull'erba. Breslin ormai avrà già passato il fiume, diretto a nord.

Steve chiede: – Dove lo facciamo?

È ciò a cui ho pensato per tutta la strada, in macchina, e per tutto il tempo che sono stata qui ad aspettare Steve. – Sala colloqui, – rispondo.

Lui volta il viso verso di me. – Sicura? Potremmo liberare la sala operativa. O anche venire qua fuori.

– No. Se facciamo uscire tutti dalla centrale operativa C, tanto vale che appendiamo un cartello con scritto che sta per avere luogo una importante faccenda segreta. E comunque da ora in avanti dobbiamo documentare tutto, se vogliamo una minima possibilità di costruire un caso.

McCann capirà tutto. Non appena ci incamminiamo verso una sala colloqui, capirà.

– Lo capirà in ogni modo, ovunque lo portiamo. Basteranno i primi trenta secondi per capire che non si tratta di una chiacchierata amichevole. Nel momento in cui menzioniamo il fatto che lui conosceva Aislinn, capirà.

Il pensiero di quel momento ci colpisce come uno spruzzo di nevischio sporco sulla schiena. Ci fa smettere di parlare.

Mangiamo i nostri sandwich e beviamo Coca-Cola per fare scorta di caffeina. Poi entriamo nell'edificio, dalla porta a vetri con la combinazione che potrei digitare anche dormendo. Passando salutiamo Bernadette con un cenno del capo, andiamo a toglierci i cappotti e li appendiamo nei nostri armadietti. Io apro la cartella e la riempio di materiale. Steve prende una copia della foto di famiglia del caso di Desmond Murray e la mette in tasca; io con il cellulare scatto foto dei confronti fotografici e nascondo gli originali in fondo all'armadietto, pregando che oggi nessuno ci venga a pisciare dentro. Le porte metalliche dei due armadietti si chiudono allo stesso tempo, con un'eco acuta contro le piastrelle dello spogliatoio.

Saliamo fianco a fianco l'ampia scalinata in marmo. Il rumore confuso dei nostri passi ci accompagna fino in sala detective, dove entriamo senza grossi fascicoli in mano, senza videocassette, o registratori. Entriamo a mani vuote.

La sala detective è quasi deserta, sono tutti fuori a pranzo o a seguire i loro casi. Per un attimo mi sembra la scena di domenica mattina presto, quando il capo è venuto ad assegnare questo caso a me e a Steve. La quiete, disturbata

appena dal ronzio lontano del traffico; la luce bianca dei
neon che sigilla la stanza contro la pressione grigia delle
nuvole fuori dalle finestre, caricando di significati latenti
le scartoffie sparse e le tazze di caffè dimenticate. Penso
a come potrei amare questa sala, se soltanto...

McCann è nel suo angolo e batte svogliatamente sulla
tastiera. Ha un'aria peggiore ogni volta che lo vedo. Che
cretina, ho chiesto a Pulci di segnalarmi chiunque avesse
la faccia di uno che ha passato una brutta settimana, e non
ho dato peso alle borse sotto gli occhi di McCann.

– McCann, – dico. – Hai qualche minuto per darci una
mano?

Lui alza gli occhi dal computer e ha già capito.

Per un attimo penso che rifiuterà: ho del lavoro mio da
fare, arrivederci. Ma ha bisogno di sapere cos'abbiamo in
mano. E lui è il veterano, noi siamo i nuovi acquisti, non
riusciamo nemmeno a fare questo primo passo senza farcela addosso: Steve sposta il peso sui piedi, io mi passo
una mano sulla bocca. McCann non resiste. Immagina di
poterci affrontare senza problemi.

– Va bene –. Schiaccia il tasto per salvare e si alza.
O'Neill e Winters, che stanno esaminando una dichiarazione firmata all'altro capo della sala, alzano appena lo
sguardo.

– Grazie davvero, – dice Steve, mentre saliamo le scale.

– Certo. Per che cosa avete bisogno di una mano?

– Il caso di Aislinn Murray, – dico io, voltandomi a metà. Il viso di McCann non cambia espressione. – Abbiamo
bisogno di tutti i testimoni che possiamo trovare. Va bene qui dentro? – Apro la porta della sala colloqui carina,
quella color pastello con le bustine di caffè che abbiamo
usato la seconda volta con Rory, e guardo McCann con
aria speranzosa.

Lui fa un grugnito d'assenso. Si siede dal lato dei detective, con la schiena rivolta al falso specchio e dondola la sedia sulle gambe posteriori per saggiarne la solidità. – Io prendo un tè, – dice, riportando giú la sedia con un tonfo. – Un goccio di latte, niente zucchero.

– Sicuro che non sia un problema? – chiede Steve, avvicinandosi obbediente al bollitore. – Non voglio farmi gli affari tuoi, ma mi sembri un po' sbattuto.

– Grazie.

– La tua signora non ti stira i vestiti, questa settimana, eh? – Mi inserisco io, con un sorriso che può essere interpretato in qualsiasi modo. – Ti ha mandato a dormire nella cuccia del cane?

– Me la passo benissimo. Com'è la tua vita personale?

– Una merda –. Io e Steve ridiamo; McCann tenta qualcosa che dovrebbe essere un sorriso, ma è fuori allenamento. – Sei sposato da venticinque anni, se non sbaglio. Come fai?

– Ventisei. È per questo che mi avete fatto venire qui? Consigli matrimoniali?

– No. Ti scoccia se accendo questo? – E intanto ho già premuto il tasto della videocamera.

McCann aggrotta le sopracciglia; non pensava che avremmo avuto le palle per farlo. – Perché cazzo vuoi quell'affare?

– Perché sono paranoica. Alcuni mesi fa mi è toccato assistere Roche nell'interrogatorio alla madre di un delinquente. L'ho convinta a lasciar cadere il falso alibi che aveva fornito al figlio, e Roche ha detto al capo che era stato lui –. Mi siedo di fronte a McCann, dal lato degli indiziati. – Ora faccio sempre tutto in video. Sto quasi pensando di comprarmi una bodycam.

– In tutta sincerità, – interviene Steve, in tono di scusa, mettendo le bustine di tè nelle tazze, – è il sistema migliore, registrare le dichiarazioni dei testimoni, quando ne abbiamo la...

– Gesú Cristo, – dice McCann. – Va bene, registrate quello che vi pare.

– Ah –. Steve si è praticamente appallottolato per l'imbarazzo, gli occhi da cucciolo pregano McCann di non avercela con lui. – Mi dispiace davvero. Avremmo preferito non disturbarti con questa storia. Se avessimo trovato solo una piccola prova, l'avremmo gettata in fondo al fascicolo senza pensarci piú. Non ti avremmo fatto perdere tempo. Ma ora... Voglio dire, la stessa cosa ci arriva da tutte le direzioni, e abbiamo pensato fosse meglio occuparcene subito.

– Almeno hai l'intelligenza di lasciar fare a lui il poliziotto buono, – dice McCann, rivolto a me. – Tu non ci riusciresti mai.

Steve fa una risatina impacciata. – Non ti sfugge niente, eh? – rispondo, scuotendo la testa con tristezza. – Inutile cercare di farti fesso, sprecheremmo solo il nostro tempo, o il tuo.

– Il mio lo state già sprecando.

– Una frecciata eloquente, – dico a Steve. Lui fa un altro mezzo sorriso imbarazzato e viene a sedersi al tavolo, con gli occhi sulle tre tazze che tiene in mano. Ce le passa, poi prende l'altra sedia e si siede dal mio lato. McCann beve un sorso e fa una faccia come per indurci a cominciare.

– Chiariamo subito una cosa, – dico io. – Cosí risparmiamo tutti del tempo. Tu avevi una relazione con Aislinn Murray.

McCann sibila tra i denti e mi fissa, senza nascondere il disgusto. – Sei un'infame, – dice.

Con sorpresa, noto che non provo nemmeno una scintilla di rabbia a quell'insulto. – Abbiamo una testimone che ti ha visto abbordare Aislinn e farti dare il suo numero di telefono, – dico. – Ha identificato la tua foto. Un altro testimone ha visto te e Aislinn insieme da *Ganly's*. E ha identificato la tua foto. Un altro testimone ti ha visto nelle vicinanze di Viking Gardens almeno tre volte nelle ultime sei settimane. E ha identificato la tua foto. Tutti e tre ti identificheranno in un confronto, se ci costringi a farlo. Ora, devo fare tutta la classica manfrina, o possiamo tagliare corto e andare al punto?

McCann beve il suo tè e pensa. Lo vedo spostare pedine nella mente come un giocatore di scacchi, valutando varie strategie, mosse e contromosse.

L'unica cosa che deve fare è rispondere: «Non ho niente da dire». Puro e semplice. Alzi un muro di non-ho-niente-da-dire, contro il quale noi gettiamo una prova dopo l'altra fino a terminare le munizioni, e poi te ne vai. È la sola cosa intelligente da fare, e qualunque detective al mondo lo sa. Abbiamo tutti il nostro racconto stupefacente di quando l'idiota si è messo davvero a parlare con noi, mentre per tornarsene a casa tranquillo gli sarebbe bastato tenere la bocca chiusa. Tutti noi abbiamo visto i professionisti incrociare le braccia e ripetere non-ho-niente-da-dire fino a sfinirci, dopodiché non ci resta che arrenderci e lasciarli andare. E abbiamo pensato: «Se si trattasse di me, col cazzo che aprirei bocca». Siamo convintissimi che, se un giorno capiterà a noi, innocenti o colpevoli, sarà tutto un non-ho-niente-da-dire.

McCann non ce la fa. Se si trincera dietro il non-ho-niente-da-dire, perde la sua immagine di detective, forse per sempre. Una volta pronunciate quelle parole, non è diverso da un tossico taccheggiatore, da un pervertito che palpeggia le ragazzine sugli autobus: è il sospettato.

Dice: – Conoscevo Aislinn Murray. Ci siamo visti alcune volte.

– E nient'altro, – dico.

– Già.

– Sei mai entrato in casa sua?

Di nuovo ingranaggi che girano, mentre lui pensa se c'è qualcosa che siamo riusciti a nascondere a Breslin, qualche impronta digitale che gli è sfuggita quando ha ripulito la casa, una cosa qualsiasi che può incastrarlo se mente.

– Sí, – dice alla fine. – Per una chiacchierata e una tazza di tè, qualche volta.

– Avete mai scopato?

– C'è un motivo valido per questa domanda?

Io e Steve ci guardiamo. McCann non reagisce.

Dico: – Abbiamo trovato del Dna maschile sul materasso.

– Non è mio.

– Stai dicendo che indossavi il preservativo. Ma non è sperma, è sudore.

McCann si ritira di nuovo nella sua testa per pensare. Io aggiungo, in tono gentile: – Siamo pressoché certi che Aislinn non abbia dormito con nessun altro, negli ultimi due anni.

Lui non fa una piega, mentre pesa e misura. Poi annuisce. – Sí. Qualche volta abbiamo scopato.

E i preliminari ce li siamo tolti dai piedi. Tutte le carte che possiamo permetterci di scoprire, sia noi che lui, sono già sul tavolo. È come un inizio di partita a scacchi: sacrifichi questo per prendere quello, una serie di mosse quasi automatiche per liberare la scacchiera dalla minutaglia e prepararsi alla battaglia vera.

– Ah, Cristo, – dice Steve, con dispiacere, passandosi una mano tra i capelli. – Tra tutte le ragazze in questa città, dovevi pescare proprio quella che poi finisce ammazzata?

McCann fa spallucce, beve un sorso di tè. – Cosa posso dire? Non mi sembrava il tipo.

– Avresti dovuto dircelo, – dice Steve. – Appena il caso è arrivato a noi.

McCann sposta gli occhi su tutti e due, come se non valessimo la pena di un'occhiata piú lunga. – Se si fosse trattato di qualsiasi altro detective, l'avrei fatto.

– Noi non avremmo certo chiamato tua moglie per dirglielo.

– No? Volete farmi credere che avreste mostrato spirito di squadra? Guardate dove siamo ora.

– Sai che è necessario, – dice Steve, preoccupato. – Sul serio. Cosa vuoi che facciamo? Ignoriamo tutto questo, arrestiamo Rory e poi il suo avvocato difensore scopre le stesse cose che abbiamo scoperto noi e ce le getta in faccia al processo?

– Voglio solo un po' di rispetto. Se volete parlare di una cosa del genere, lo fate in *privato*, non in una cazzo di sala colloqui. Con una cazzo di videocamera *accesa*. Gesú –. Lancia un'occhiata furiosa alla telecamera.

– Se io fossi qualsiasi altra detective, – dico, – l'avrei fatto. Ma ho preso troppa merda in faccia da questa squadra, e ormai ogni cosa importante la registro. Cercheremo di tenere tutto riservato, solo per noi, ma non posso promettere nulla finché non so di che cosa stiamo parlando.

È la battuta piú vecchia del mondo. McCann torce la bocca. – Lo terrò a mente.

– Allora, sentiamo. Cominciamo dalla prima volta che tu e Aislinn vi siete incontrati. Quando, dove, come.

McCann si accomoda meglio sulla sedia, stende le gambe e incrocia le braccia. – Da *Horgan's*. L'estate scorsa; non ricordo la data esatta.

– Non c'è problema, possiamo trovarla noi. L'avevi mai vista lí dentro, prima?

– No.

– L'avresti notata.

– Certo. Tutti i ragazzi la notavano, e anche diverse ragazze –. Occhiata velenosa rivolta a me.

– Non mi sorprende, – dico. – Ho visto le foto. Come hai trovato la faccia tosta per abbordarla?

– È stata lei ad abbordare me.

Io rido forte. – Sí, certo. Bellissima venticinquenne, può scegliere chi le pare e si getta addosso a un uomo di mezza età con le rughe in faccia e la pancia da birra. E non è disposta ad accettare un rifiuto, perciò cosa deve fare quel poveretto?

McCann mantiene le braccia incrociate e l'espressione impassibile. – È andata come ho detto. Lei non è stata troppo diretta, è una cosa che a me non piace. Ma è stata lei a lanciarmi un'occhiata per prima.

Io ho ancora un sopracciglio alzato. – Dài, piantala, – mi dice Steve, in tono ragionevole. – Le persone hanno gusti diversi. Solo perché un uomo non incontra i *tuoi* gusti…

– A me piacciono abbastanza giovani da poterci fare qualcosa di utile, – dico a McCann, con una strizzata d'occhio. – E belli.

– E come fai, li paghi? – Stiamo cominciando a farlo incazzare.

– Non significa che non incontri quelli di un'altra donna, – finisce Steve. – Capita.

– Capita, – ammetto. – Nelle soap opera. Ogni volta che accendo la tele, c'è una ragazza giovane innamorata di un uomo abbastanza vecchio da essere suo padre. Questo ti sembra il set di *Fair City*?

– Ah, Conway. Non succede solo in tivú, anche nella vita reale.

– Se sei Donald Trump, allora sí. Ci nascondi qualcosa, Joey? Sei un milionario, in segreto?

«Joey» non gli piace affatto, ma lo nasconde dietro un ghigno asciutto. – Mi piacerebbe.

– Non tutti pensano solo ai soldi, – dice Steve. – A Aislinn forse piaceva lui, cosí com'è. Non c'è nulla di male.

– Sí, forse. Tu somigli a George Clooney, Joey? Magari quando non sei in servizio?

– Dimmelo tu.

Io faccio una smorfia e un gesto vago. – Confesso che la somiglianza non la vedo. Perciò vorrei sapere: perché lei ha abbordato proprio te? Non dirmi che non te lo sei mai chiesto.

McCann si muove. Disincrocia le braccia, si mette le mani in tasca. Dice: – Era una fissata del distintivo.

Lo avevamo pensato anche noi. Aislinn ci ha ingannati tutti. Quello che Steve e io dobbiamo sapere è se McCann ci crede ancora.

– Una ragazza come quella va a caccia di un distintivo, – dico, – e tu sei la preda che si porta a casa? Dici sul serio?

McCann stringe i denti. – Io ero lí.

– Come molti altri. *Horgan's* è sempre stipato di poliziotti. Quindi, perché tu?

– Perché lei voleva un detective. Le piaceva ascoltare storie del lavoro: a quali casi hai lavorato, com'era, cosa hai fatto dopo... Le dava una scarica di emozione. Sai di cosa parlo? – Mi fa un sorriso cattivo. – Ha scelto me perché ero di una certa età, vestito abbastanza bene, e ha capito che ero un detective; conosceva la materia, devo dire. Appena le ho detto che lavoravo alla Omicidi, è partita. Le si sono illuminati gli occhi. Per tenerla lontana avrei dovuto usare un rastrello da giardino. E l'hai vista anche tu: perché avrei dovuto farlo?

– Perché sei sposato? – suggerisco. – Ho sentito dire che per alcuni significa che non vai a ficcare il cazzo in ogni buco disponibile.

McCann alza una spalla. – Ci siamo fatti qualche scopata. Succede. Niente di che.

Buona scelta. Se Aislinn per lui era solo «qualche scopata», non c'era motivo di ucciderla perché aveva un altro. – Lo fai normalmente? – chiedo. – Tradire tua moglie.

– No.

– Mai fatto prima?

– No.

– Allora cos'aveva Aislinn di speciale?

– Mai successo prima che una ragazza cosí bella ci provasse con me. E io e mia moglie ormai non andiamo piú tanto d'accordo. Quindi ho pensato: perché no?

Io e Steve ci scambiamo una rapida occhiata, facendo in modo che McCann se ne accorga. Dico: – Che storia romantica. Solo che non corrisponde a quella di Lucy Riordan.

McCann scuote la testa. – Chi è Lucy Riordan?

– La migliore amica di Aislinn. Bassina? Capelli biondi tinti, tagliati corti fin qui? Non ti suona familiare?

McCann ride, a denti scoperti come un cane aggressivo. – Quella lesbica? Sicuro che la sua storia è diversa. Non era la migliore amica di Aislinn, qualsiasi cosa abbia detto a voi. È una stronzetta innamorata cotta di Aislinn, ed era piena di rabbia perché lei si era trovata un uomo. Ovvio che vi abbia raccontato una storia in cui io faccio la figura del cattivo.

Steve chiede: – Dove hai incontrato Lucy?

– Lo sapete già. Il vostro *testimone* che mi ha visto quando ho conosciuto Aislinn. Credi che non...

– Ci serve la tua versione.

McCann si fa indietro di scatto sulla sedia, incrocia di nuovo le braccia sul petto e ci fissa, con la bocca storta. – Voi due siete patetici, lo sapete? Seduti lí a provare le vostre tecniche di interrogatorio con me, deviando per la tangente... Io facevo queste cose con i delinquenti, delinquenti *veri*, quando voi vi schiacciavate i punti neri e sbaciucchiavate i poster delle popstar. Credete sul serio di potermi fregare?

– *Fregarti*? – ribatte Steve, ferito. – Vogliamo solo che tu ci dia una mano.

Dico: – Dove hai incontrato Lucy?

– Non c'è scritto nella sua *versione*?

– Ah, ma dài, – dice Steve chinandosi sul tavolo. – Sai bene quanto noi che stiamo cercando di affondarla, la sua versione. Credi davvero che desideriamo accusare te? Se dovessimo davvero scoprire che sei stato tu, siamo *fottuti*. Pensi sul serio che vogliamo metterci dall'altra parte di quel vetro, in stanza di osservazione, per cercare di decidere se vogliamo accusare di omicidio uno della nostra squadra?

McCann volta verso di me quegli occhi infossati. Ha molta piú pratica a mantenersi inespressivo; non riesco a leggere nulla nel suo sguardo. Dice: – Tu non hai motivo di amare questa squadra. Sei fottuta comunque; perciò puoi anche aver pensato di trascinare qualcun altro con te.

Anche se so a che gioco sta giocando, quel tono pratico mi gela dentro. – Con te non ho problemi, – dico. – Non hai mai fatto nulla contro di me.

Lui annuisce. – Se hai un po' di buon senso, – dice, – fa' marcia indietro. È il miglior consiglio che posso darti; lo stesso che darei se al tuo posto fosse seduto uno dei miei ragazzi piú giovani. Non sono stato io, perciò non riuscirete a dimostrare nulla. Se ci provate, arriverete a fottere voi stessi. Non si tratta solo di lasciare la squadra: dovrete lasciare la polizia. Forse anche il Paese.

Tutti abbiamo detto a un sospettato che la sua vita era finita, se non avesse fatto ciò che volevamo noi. Ma il gelo penetra lo stesso piú a fondo. Ripeto: – Dove hai incontrato Lucy?

McCann scuote la testa, lentamente. – Come vuoi, il funerale è il tuo, – dice. – Lei era da *Horgan's* con Aislinn. Per tenerla d'occhio. Aislinn era seduta lí nel suo vestito corto e colorato, bevendo a piccoli sorsi e godendosi le occhiate di tutti i maschi presenti, mentre sceglieva quello che preferiva; e intanto l'amica, con una faccia da cane rabbioso, gettava occhiate tremende a chiunque guardasse Aislinn due volte. Aislinn mi disse, dopo, che Lucy l'aveva trascinata in quel pub per piangere sulla sua spalla e lamentarsi che non riusciva a trovare un uomo... – McCann solleva un angolo della bocca; per un attimo il suo viso si ammorbidisce. – Aislinn era proprio innocente, in tutti i sensi. Era come una bambina. Pensava seriamente che Lucy volesse un uomo. L'alibi di Lucy l'avete controllato?

– Sí, – rispondo, e capisco cosa ho ammesso quando vedo il suo sorriso. – È solidissimo. Mi dispiace.

– Ma ve lo siete chiesto.

– Abbiamo fatto il nostro lavoro.

– Come state facendo il vostro lavoro adesso –. Il suo sorriso si è fatto selvaggio. – Scommetto cento euro che è stata Lucy a cercare di gettare tutto addosso a me. Cosa racconta? Che ho picchiato Aislinn? Che la trattavo come una merda?

Io e Steve facciamo di nuovo il numero dell'occhiata. – Non esattamente, – dice Steve.

– In realtà, – dico io, – niente affatto.

Il viso di McCann è tornato inespressivo. Non se lo aspettava.

– Secondo Lucy, – dico, – tu trattavi Aislinn come se fosse fatta di diamanti. Quello che c'era tra voi non era una storia da quattro scopate, ma qualcosa di vero, amore con la A maiuscola.

Lui fa una risata feroce, un latrato cosí forte che sobbalziamo tutti e tre. Sta un po' esagerando. – Gesú Cristo. E voi ci avete creduto?

– Stai dicendo che non hai mai detto a Aislinn che l'amavi? – Prima che risponda, aggiungo: – Attento. Abbiamo i messaggi che Aislinn mandava a Lucy.

– Forse gliel'ho detto. Ho una notizia per te, Conway: quando un uomo che vuole entrarti nelle mutande ti dice che ti ama, c'è la possibilità che non sia sincero. O con te nessuno si è mai preso il disturbo?

– Secondo i messaggi, – dico, – tu e Aislinn vi siete visti parecchie volte in agosto, ma non avete iniziato a fare sul serio fino ai primi di settembre. Se tu eri interessato solo a questo, perché perdere tanto tempo?

McCann si chiude di nuovo, prendendosi il tempo necessario per pesare le sue opzioni. Alla fine dice: – Aislinn mi piaceva. Era una brava ragazza. Dolce. In cerca di emozioni, come ho detto prima, ma non era una di quei vampiri che si eccitano alla vista del sangue. Non aveva avuto una vita facile; il padre è morto quando lei era piccola, sua madre aveva la sclerosi multipla, e lei ha fatto una vita da piccola infermiera fin quando la madre è morta alcuni anni fa. Non era una vita molto eccitante, perciò le piaceva ascoltare le storie della mia.

Giurerei che ci crede davvero. Sento che anche Steve se n'è accorto. Abbiamo ancora la nostra bomba.

Aislinn aveva raccontato a Rory la stessa cosa: padre morto, madre con la sclerosi multipla. Nessuna meraviglia che non volesse parlarne. Usare quella storia per portare McCann dove voleva era una cosa, servirsene con qualcuno che desiderava portare nella sua vita reale era un altro paio di maniche.

– Io e mia moglie stiamo attraversando un brutto periodo. Era piacevole avere intorno una donna che apprezzava la mia compagnia, e un posto dove stare in pace, senza nessuno che dicesse continuamente che io sono soltanto uno spreco di spazio. Rendeva tutto un po' piú facile. Era solo questo che volevo, all'inizio. Solo un po' di pace.

L'angolo della bocca sollevato dice che non c'è bisogno che gli facciamo notare l'ironia della cosa. – Dove andavate, di solito? – chiedo.

– Passavo a prenderla in qualche posto vicino casa sua e andavamo a fare un giro in macchina. Era estate. Lei portava da mangiare e andavamo a fare un picnic in campagna. Trovavamo un posto con una bella vista, dove sederci e parlare –. McCann tenta di mantenere un tono piatto, ma la nostalgia gli sale nella voce. Resta in silenzio.

– Ah, – dico. – Che dolce. Non l'hai mai portata a pranzo fuori? O almeno a bere qualcosa? Le dicevi di preparare i sandwich e la facevi sedere sull'erba, con le formiche che le entravano nelle mutande?

– A lei non ha mai dato fastidio, non vedo perché debba darne a te. Siamo andati al pub vicino a casa sua una sola volta. Non mi è piaciuto. Dublino è ancora una piccola città. Ti vede la persona sbagliata e lo dice a sua moglie, che lo dice alle amiche del club e una di loro è la migliore amica di tua moglie, e *bang*, a un tratto di ritrovi a dormire sul divano di un amico.

– Solo perché sei andato a farti una pinta? – Steve inarca un sopracciglio. – A me sembra che tu sapessi, dentro di te, che non si trattava solo di chiacchierate amichevoli.

McCann solleva le labbra in quello che vuol essere un sorriso ma sembra quasi un ringhio. – A me sembra che tu non sia mai stato sposato. «Sí, tesoro, ho trascorso la serata a bere con una fantastica bionda, ma abbiamo so-

lo parlato, lo giuro su Dio». Credi che la passeresti liscia?
Non con mia moglie.

Steve sorride. – Hai ragione, – ammette. – Comincio a
pensare che farei meglio a restare single.

– Tu e chiunque altro –. Ma il sorriso di McCann scompare in fretta. – Tra me e Aislinn, lo ripeto, è cominciato
tutto in modo innocente.

– E cosa è cambiato?

McCann si stringe nelle spalle. È diffidente; siamo ai
confini del territorio pericoloso.

– Piantala, Moran, – dico io a bassa voce, ma ovviamente McCann lo sente benissimo. – Lui glielo ha messo
dentro, ecco cosa è cambiato. Ha aspettato la sua occasione, e appena ha potuto l'ha sbattuta come uno zabaione.
Non deve mica farti un disegno, per capirlo, no?

McCann tende il collo. Non gli piace sentirmi parlare
cosí. – Piantala tu, – ribatte Steve, anche lui a bassa voce.
– Non gli ho chiesto qual era la loro posizione preferita.
Voglio solo sapere come è successo. Qui stiamo parlando
di McCann «il Monaco». Non si è infilato in quella storia
perché sperava di poter tradire la moglie –. Getta un'occhiata speranzosa a McCann.

McCann lo fissa. – Secondo te come è successo? Un uomo e una donna passano del tempo insieme, cominciano a
provare desiderio l'uno per l'altra e un giorno la situazione sfugge al controllo –. Nota il mio sopracciglio alzato.
– Ridi quanto ti pare. Dimmelo tu: perché Aislinn sarebbe stata con me, se non mi voleva? Come hai detto anche
tu, non sono ricco e famoso.

– Sei un detective, – gli faccio notare. – Questo ad alcune persone potrebbe venire utile.

– Ci ho pensato. Non sono scemo. Ho pensato che fosse
un trucco per avere un poliziotto dalla sua parte.

– E cosí hai lanciato una ricerca su di lei sui database.

– Sí. Va' pure a dirlo al capo, se questo ti fa sentire meglio. Ma non dirmi che tu non l'hai mai fatto.

– Ah, i controlli di background, – dico. – La base di ogni bella storia romantica.

– Come ho detto, so di non essere nulla di speciale. Dovevo controllare. Ma Aislinn era pulitissima. Non le servivo nemmeno per cancellarle i punti di penalità sulla patente. Non voleva nulla da me –. McCann allarga le mani. – Questo è ciò che ho. Se voleva me, era per questo.

Io e Steve lasciamo protrarsi il silenzio ed è come se facessimo uno sforzo per non scambiarci un'altra occhiata. McCann s'innervosisce. – Cosa c'è? – chiede.

– La relazione vera e propria, – dico. – È cominciata in settembre?

– Ai primi di settembre, sí.

– La data?

– Non mi ricordo.

L'ho spinto a mentire per non dare l'impressione di essere un allocco sentimentale che si attacca a ogni dettaglio, e lui sa che noi sappiamo. Mi lascio scappare un accenno di sorriso e lui contrae i muscoli del viso.

– Va bene, lasciamo i primi di settembre come data d'inizio, – dico, in un tono generoso che gli provoca un altro spasmo al viso. – Ed è andata avanti fino allo scorso fine settimana. In questo periodo, nessuna lite o separazione, anche temporanea?

McCann ha di nuovo incrociato le braccia e messo su la faccia da poliziotto, una lastra piatta e scura. – No. Niente problemi, né discussioni. Tutto perfetto.

– Autunno, – dice Steve, pensoso, fissando la sua biro. – Inverno. Non per essere rude, ma voi due non passavate

TANA FRENCH

piú il tempo chiacchierando. Ormai i picnic in montagna non funzionavano piú, no? Dove vi vedevate?

«Non sono affari tuoi», dicono i denti stretti di McCann. Ma si costringe a rispondere: - A casa sua.

Steve aggrotta la fronte. - I vicini di casa non ti hanno mai visto.

- Perché non volevo che mi vedessero. Mi infilavo nel vicolo, scavalcavo il muro di cinta ed entravo dal retro. Aislinn mi aveva dato una chiave.

Ed ecco anche l'intruso dell'autunno. - Scalare i muri alla tua età? Complimenti, - dico, trattenendo un sorriso. A McCann non piace affatto. - Molto meglio che andare in palestra. Quanto spesso ci andavi?

Gli piacerebbe tanto mentire, ma non può rischiare. - Un paio di volte alla settimana. Dipendeva. Dal lavoro, dalla famiglia e cose varie.

- Come prendevate gli appuntamenti?

- A volte decidevamo il prossimo incontro prima che andassi via. Altre volte le lasciavo un biglietto dicendo quando potevo passare. Oppure, se all'improvviso avevo un paio d'ore libere, passavo senza avvisare.

- Dove lasciavi i biglietti?

- Erano dei post-it. Li infilavo in una bottiglia di 7 Up e la gettavo oltre il muro di cinta. Lei sapeva dove guardare.

- Non abbiamo trovato nessun post-it, in casa.

- Me li riprendevo quando arrivavo e li gettavo via.

Mi mostro sorpresa. - Perché?

- Secondo te? Faccio questo lavoro da troppo tempo, per lasciare in giro delle prove.

L'occhiata fredda sembra aggiungere: «E da troppo tempo per farmi fregare da due come voi».

- Gesú, - dico. - Un sacco di precauzioni, per una scopata ogni tanto.

– Dipende da quanto è buona la scopata –. Di nuovo quel ghigno cattivo, ma gliel'ho visto usare con i sospettati e su di me non funziona.

– Perché non chiamarla o mandarle un sms? Il tuo numero non era nemmeno sul suo cellulare. Come mai?

– Perché non volevo che ci fosse.

– E perché non entrare dalla porta principale, come una persona normale?

Lui mi fissa con disgusto. – Chissà come mai?

– Lo sto chiedendo a te. Lei era eccitata dal segreto? O tu ti eccitavi sapendo che lei doveva essere pronta per te in qualsiasi momento?

– Lei non *doveva* fare nulla. Non ero il suo capo.

Dico, scegliendo le parole con cura. – Ti saresti... arrabbiato, diciamo cosí, se non fosse successo?

McCann parla a denti stretti. – Cosa vuoi dire?

– Quello che ho detto. Aislinn se ne stava in casa, praticamente sempre pronta a saltare non appena tu tiravi i fili. Se li avessi tirati e lei non fosse saltata, cosa sarebbe successo?

– Nulla. La maggior parte delle volte l'avvisavo in anticipo; era solo ogni tanto che arrivavo senza preavviso. Se non l'avessi trovata in casa, o se lei fosse stata occupata, sarei andato via per tornare un'altra volta. Fine della storia.

– Ne sei sicuro? – chiedo, scettica.

– Sí. Ne sono sicuro.

– Non le avresti mai dato, che so, uno schiaffo? Non per farle del male, no. Solo per farle capire che non doveva prenderti in giro.

McCann dice: – Non ho mai picchiato una donna nella mia vita.

– Mmh, – dico. – Va bene. Le hai detto di togliere la password al cellulare perché volevi poter leggere i suoi messaggi. Giusto?

Lui volta la faccia di lato, solo un centimetro, poi si controlla e torna a guardare noi. Pensare a questo non gli piace. – Non le ho *detto* di fare nulla.

– Glielo hai chiesto, allora.

– Gliel'ho chiesto, sí. Poteva rispondermi di andare al diavolo. Ma non l'ha fatto.

– E li hai letti? – Spero tanto di no, soprattutto per orgoglio professionale. Mi piace pensare che se un detective della Omicidi avesse pianificato di sorprendere l'amante con il *suo* amante, avrebbe fatto un lavoro migliore di questo.

McCann abbassa il viso sulla tazza, ma noto il leggero rossore sotto la barba lunga. Tra tutte le opzioni, questa lo ha colpito: l'immagine di lui che fruga tra gli sms di Aislinn. È ancora attaccato all'idea del suo amore puro per lei; nella sua mente, quel ficcanasare è l'unica cosa in grado di macchiare quell'immagine. – Alcune volte. Non c'era nulla da vedere, e mi sono sentito un cretino. Cosí ho smesso.

Gli credo. McCann non sapeva nulla di Rory, fino a sabato sera. Il piano frenetico di Aislinn per accelerare le cose non aveva funzionato. Lucy aveva ragione: la situazione era fuori dalla sua portata. Di molto.

Chiedo: – Fai tenere il cellulare senza password anche a tua moglie?

– Non fare la furba con me. La risposta è no, cazzo –. La vergogna che prova lo fa incazzare. – Non *controllavo* Aislinn. Semplicemente, non volevo che mia moglie venisse a sapere di noi. Per questo qualche volta ho guardato i suoi messaggi: dovevo sapere se ne parlava con le amiche. Per questo entravo dal retro. Per questo non volevo che avesse il mio numero. Lei mi piaceva molto, e mi fidavo abbastanza, ma non al punto da mettere la mia vita nelle sue mani. Non volevo trovarmi in una posizione per cui, se lei si fosse troppo attaccata a me, o magari in un momento di sindrome premestruale le fosse venuto in mente di ricattarmi, potesse portare il suo cellulare a casa mia e far scoppiare tutto. È abbastanza semplice, per te? – Questo è il suo discorso piú lungo, finora. Cercare di allontanare quel ricordo lo ha reso chiacchierone.

– Quindi, – dice Steve, asciutto, – stai dicendo che non avevi nessuna intenzione di lasciare tua moglie per Aislinn, giusto?

McCann fa una risata secca, solo un po' troppo forte. – Col cazzo. Io e mia moglie abbiamo dei problemi, ma la amo e amo i miei figli ancora di piú. Non pensavo di andare da nessuna parte.

– Quindi qual era il piano? Continuare a scalare il muro di cinta di Aislinn, – faccio una risatina e lui mi lancia un'occhiata assassina, – per il resto delle vostre vite?

– Non avevo nessun piano. Mi stavo divertendo, in attesa di vedere come si sarebbero messe le cose.

– Anche se stava pensando di lasciare la moglie, – faccio notare a Steve, – avrebbe voluto tenere nascosta Aislinn. Non aveva senso mettere in mano a sua moglie le munizioni per ottenere un divorzio favorevole.

– Non mi avete sentito? Non ci sarebbe stato nessun divorzio. Io e Aislinn stavamo bene cosí.

Alzo un sopracciglio. – Sí? Lo pensava anche lei?

McCann scrolla le spalle. – A quanto ne so. Se non le fosse andato bene, mi avrebbe lasciato.

– Tu ti prendi tutta la torta e a lei restano le briciole. A che tipo di persona può andare bene una cosa del genere?

– Io non le toglievo nulla. Avevamo deciso dall'inizio che lei poteva vedere altri uomini. Era solo giusto.

Bella mossa. Nessuna possibilità che sia vera. – E lei ti ha preso in parola, – dico. – Quando hai scoperto che aveva un altro?

Un rapido battito di ciglia. McCann qui deve stare molto attento. – Solo dopo la sua morte.

Steve e io ci scambiamo un'occhiata e lasciamo protrarsi il silenzio. McCann è una volpe troppo vecchia per caderci, e sta zitto anche lui, con un sorriso sardonico.

– Per adesso la prendo per buona, – dico. – E come ti sei sentito, quando l'hai saputo?

McCann ride. – Cosa sei, la mia psicologa?

– Vai da uno psicologo?

– Io no. E tu?

– Allora non è necessario che risparmi per lui la roba buona. Come ti sei sentito, scoprendo che Aislinn aveva una relazione con un altro?

McCann era pronto per questa domanda. Fa spallucce. – Nessuno è contento di condividere. Comunque, ho sempre usato i preservativi, quindi nessun danno.

– Ne sei rimasto sorpreso?

– Non ci ho proprio pensato, in nessun modo.

– Lucy è rimasta sorpresa quando ha saputo di Rory.

Un altro sorriso sardonico. – Ci scommetto. Chissà come sarà stata contenta: due uomini tra lei e Aislinn invece di uno.

Steve dice: – Era sorpresa perché Aislinn amava te. Era pazza di te. Lo sapevi?

McCann ha uno scatto, come se gli fosse volato qualcosa in faccia. Non sa piú se è vero o no, e non vuole pensarci, punto e basta. Dice, di nuovo attento, ricordando quei messaggi: – Non è proprio una sorpresa.

– Lei non si era mai innamorata sul serio. Tu sei stato il primo. Sapevi anche questo?

– Forse me l'aveva detto. Non ricordo.

– Quindi, – dice Steve, – se lei era pazza di te, perché diavolo aveva invitato un altro per una cena romantica?

McCann è bravo, ed è solo perché sto attentissima che noto il lampo di dolore, rapido e selvaggio. – Chi lo sa. Le donne sono pazze.

– Va bene, – dico, tamburellando sul bordo della tazza e fissandola, accigliata. – Ricapitoliamo. Aislinn era innamorata di te ma non viceversa. Giusto?

McCann ha ripreso il controllo. Sorride. – Gesú, no. Era una brava ragazza e il sesso con lei era fantastico. Ma non c'era altro.

– Lei sapeva che la pensavi cosí?

– Sono stato abbastanza sensato da non dirglielo, se è quello che vuoi sapere.

– Ma forse lo sospettava. Non era stupida.

– Se lo avesse sospettato, – dice Steve, – ci sarebbe rimasta malissimo. Primo amore. Roba potente. Non ti disturbava?

Stiamo accelerando il ritmo. McCann se n'è accorto: ha drizzato la schiena, c'è un lampo concentrato nei suoi occhi azzurri. Per un attimo lo vedo com'era vent'anni fa, tutto zigomi netti e barba scura non rasata e occhi azzurri e profondi, e capisco perché pensava di poter ancora sentirsi affascinante agli occhi di Aislinn.

Dice: – Non avevo intenzione di farle del male. Ma non ero neppure disposto a farle da baby-sitter. Aislinn era una donna adulta.

– Quindi quella storia con Rory poteva essere questo? – chiedo. – Un tentativo di farti ingelosire?

Scrollata di spalle. – Ne dubito. Visto che io non sapevo della sua esistenza.

– Lei teneva sul cellulare i messaggi che lui le mandava. Forse voleva che li leggessi.

Di nuovo quel lampo, e il leggero scatto della testa. – Anche se lo avessi fatto, non avrebbe funzionato. E Aislinn era abbastanza intelligente da saperlo.

– Forse usava Rory come una distrazione? – suggerisce
Steve. So perfettamente che ha capito dove voglio arrivare
e mi asseconda. – Per tentare di non pensare troppo a te?

– Può darsi.

– Allora sospettava che tu non fossi innamorato di lei
come lei di te.

– Può essere. A me non l'ha mai detto.

Gli chiedo: – Ti ha mai chiesto se avevi intenzione di
lasciare tua moglie?

– Un paio di volte. Solo vagamente, non ne abbiamo mai
parlato in maniera seria –. È di nuovo attento a dove mette
i piedi, sempre per via dei messaggi.

– E cosa le hai risposto?

– Ho cambiato discorso. E lei non ha insistito.

– Ah, – commento. Mi faccio indietro sulla sedia, bevo
un sorso di tè ormai freddo e tiro fuori il cellulare. Entro
nella mia casella di posta, con tutta calma, e trovo le foto
dei post-it della cartella segreta di Aislinn.

La gente comune getta subito gli occhi su tutto quello che fai. Quelli di McCann invece non si spostano dalla
mia faccia. Poso il telefono sul tavolo di fronte a lui, con
un rumore secco che taglia l'aria.

McCann aspetta che ritiri la mano, prima di abbassare
lo sguardo. La sua espressione non cambia, ma avverto lo
sconcerto e la circospezione che irradiano da lui.

– Ce ne sono altre, – dico. – Scorrile pure.

Le scorre, una dopo l'altra. Sotto lo sconcerto si agita
qualcos'altro: un dolore tremendo misto a qualcosa di simile alla gioia. McCann pensa che quella sia la prova di
quanto si era sbagliato: Rory non significava nulla per
Aislinn. Lei era davvero pazza di lui.

Dopo una dozzina di foto, fa un respiro rapido e spinge
il telefono verso di me. – Hai reso l'idea.

– Sono i biglietti che scrivevi a Aislinn, per farle sapere quando saresti passato?

Scrollata di spalle. McCann prende una posizione comoda, con le mani in tasca, ma il rigido controllo al quale sottopone ogni singolo muscolo lo tradisce. Stiamo marciando verso la spinta finale, e lui lo sa.

– Non ho bisogno di essere un'esperta, per sapere che questi biglietti sono coerenti con la tua grafia, – dico. – Ma posso farmelo confermare da un grafologo, se sarà necessario. Posso anche farmi dare i tuoi turni degli ultimi sei mesi e fare un controllo incrociato con date e ore in cui Aislinn ha caricato queste foto sul suo computer. Scommetto lo stipendio che ciascun biglietto corrisponde a un momento in cui tu stavi per andare al lavoro o per uscirne.

– Quindi forse quelli sono i miei biglietti. E allora? Ti avevo già detto di averli scritti.

– E poi distrutti, – dice Steve. Ha preso il mio telefono e scorre le foto. – O almeno, cosí credevi.

– Invece Aislinn aveva altre idee, – dico. McCann chiude gli occhi per un istante. – Ogni volta che le lasciavi un biglietto, scattava una foto, la caricava sul computer, in una cartella speciale protetta da una password, e la cancellava dal cellulare. Perché avrebbe dovuto prendersi tutto questo disturbo?

Scrollata di spalle. – E che ne so?

– Se dovessi fare un'ipotesi.

– Souvenir?

Mi faccio una risata. – Dici sul serio? – Mi riprendo il telefono dalle mani di Steve e lo agito in faccia a McCann. – Credi che sia questa l'idea che una ragazza ha dei souvenir?

– Non so che idee hanno le ragazze.

– Fidati di me, questa non ce l'hanno. Perciò, cosa aveva in mente Aislinn?

Dopo un breve silenzio, McCann dice: – Forse pensava di mostrarle a mia moglie.

– Hai detto che era contenta di come stavano le cose tra voi. Perché avrebbe dovuto farlo?

– Pensavo che lo fosse. Non significa che avessi ragione.

– Ci hai detto che stavi attento nel caso che Aislinn si fosse troppo attaccata a te e «facesse scoppiare tutto» –. Ruoto il telefono sul tavolo. – Sembra che avessi ragione a essere cauto.

– Ma non lo sei stato abbastanza, – fa notare Steve.

– Per come la vedo io, – dico, – Aislinn aveva un piano. Immaginava che, se tua moglie avesse saputo di voi, ti avrebbe mandato via di casa, e tu saresti corso dritto tra le sue braccia.

– Tua moglie ti avrebbe mandato via? – vuol sapere Steve.

– No.

Steve inarca le sopracciglia. – Sul serio?

– Certo.

– Scusa, prima hai detto che ti avrebbe buttato fuori se avesse scoperto che andavi a fare dei *giretti in macchina* con Aislinn. Se fosse venuta a sapere che te la *scopavi*, da *mesi*...

– Avrebbe fatto un inferno. Mi avrebbe apostrofato con gli insulti peggiori che esistono. Avrei dormito nella stanza degli ospiti di Breslin per settimane, forse per mesi. E me lo sarei meritato –. Il tono graffiante della sua voce significa che lo pensa davvero. – Ma alla fine avremmo fatto pace. Senza dubbio.

– Sí, – dico io. – Facile a dirsi, ora.

– È un fatto. Mi avrebbe costretto a supplicarla, a strisciare ai suoi piedi, ma mi avrebbe ripreso con sé. I ragazzi...

– Già, non dimentichiamo i ragazzi. Quanto li avrebbe traumatizzati, una cosa del genere?

McCann stringe i denti. – Ormai sono adulti, o quasi. Se mamma e papà litigano per qualche settimana non è la fine del mondo.

– Come si sarebbero sentiti sapendo che il loro padre si scopava una ragazza quasi della loro età?

– Gesú, – dice Steve, trasalendo. – Allontanamento a lungo termine garantito, direi.

McCann scatta. – Non lo avrebbero saputo.

– No? – dico io. – Tua moglie non lo avrebbe nemmeno menzionato? È una santa?

– Sembra di sí, – dice Steve.

– Avrebbe dovuto esserlo, – rincaro io.

– Lei ha a cuore i nostri figli. Non avrebbe fatto loro del male.

Ci stiamo andando giú duri, a un ritmo piú rapido, sbattendo le domande sul tavolo. McCann risponde colpo su colpo, senza un secondo di pausa, quel lampo azzurro ora arde come una fiamma. Crede che siamo arrivati al dunque. Vede perfettamente dove siamo diretti e pensa che sia questa la teoria su cui abbiamo puntato tutto. Deve solo farla a pezzi e ci lascerà in mutande.

– In un modo o nell'altro, – dice Steve, – sarebbe molto piú facile non dover attraversare quel calvario, no?

– Certo. Infatti per fortuna non è successo.

– Fortuna, – dico, con le sopracciglia altissime. – È cosí che si chiama ora, eh? Abbiamo una ragazza morta all'obitorio, ma ehi, che fortuna hai avuto, eh?

McCann mi lancia un'occhiata disgustata e non si prende il fastidio di rispondere.

– Francamente, – dice Steve, – McCann qui ha evitato un bel proiettile. Io questa la chiamo fortuna.

– Certo, – dico io. – L'ha evitato eccome. McCann, Aislinn ha mai minacciato di andare da tua moglie?

McCann scuote la testa, in modo lento e definitivo. Qui è su un terreno solido: non deve preoccuparsi degli sms di Aislinn, perché sta dicendo la verità. – Mai.

– Lo ha accennato, allora.

– No. Mai nemmeno un'allusione.

– Ne sei sicuro?

– Sí. Al cento per cento. Chiedi a Lucy Lesbo, chiedi a chi ti pare: e vediamo se trovi uno straccio di prova che Aislinn abbia mai minacciato di andare da mia moglie. Una prova. Una sola.

– Ne abbiamo un paio di dozzine.

– I biglietti? – McCann mi ride in faccia, a bocca aperta. – Cristo, Conway, dimmi che non ci credi sul serio. In che modo quelli sarebbero la prova di una minaccia? *Forse* Aislinn pensava di usarli per forzarmi la mano, ma non l'ha fatto. Io non avevo idea dell'esistenza di quelle foto. Non avrei neppure potuto vederle. Protette da una password, hai detto, no? La squadra Crimini informatici può ricavare le volte in cui quella cartella è stata aperta e scoprirà che non corrispondono ai momenti in cui io ero in casa di Aislinn. Quei biglietti non sono *niente*.

Mentre parla scuoto la testa. – Non conta se tu sapevi della loro esistenza o meno. Aislinn può aver mandato delle copie a tua moglie.

– Non l'ha fatto. Controllate il suo computer, la stampante, quello che volete. Sono certo che non le abbia mai stampate.

– Potrebbe averle inviate via e-mail.

– Controllate i suoi account, allora. Credete davvero

che Aislinn avesse l'indirizzo e-mail di mia moglie? Vi sembro cosí stupido?

– O magari si è recata a casa tua un giorno in cui eri al lavoro.

– No. Ricostruite i suoi movimenti, cercate qualcuno che l'abbia vista dalle mie parti. E buona fortuna.

– Tua moglie confermerà quello che hai detto?

In un attimo McCann è davanti a me, oltre il tavolo, con i denti scoperti, in un unico scatto selvaggio. – Non *provare* nemmeno a mettere in mezzo mia moglie. Lei non sa di Aislinn e deve continuare a non saperlo. È chiaro?

– Procedura di routine, – dico, alzando le mani. – Devo seguire tutte le piste.

– Segui quello che ti pare. Ma se dici a mia moglie di me e Aislinn ti rovino. Hai capito?

– Caspita, – dico. – Sembra che se tua moglie venisse a saperlo sarebbe davvero un problema serio, dopotutto.

McCann stringe i denti con forza. Si trattiene a stento dal mettermi le mani addosso. Io lo fisso, irridente, e spero che ci provi.

Un attimo dopo, lui distoglie lo sguardo. Si rilassa, ruota il collo. – Se dovete parlare con mia moglie, fatelo. Ma evitate di menzionare la relazione. Anche due come voi dovrebbero esserne capaci. Chiedetele se ha ricevuto delle lettere anonime, o strane telefonate, o visite. Posso già dirvi cosa risponderà, ma se volete sentirvi importanti per un giorno...

Steve dice: – Se non vuoi che andiamo a parlare con tua moglie, non costringerci a farlo. Parla tu con noi.

– E cosa sto facendo?

– Va bene, – dico. – Dov'eri sabato sera?

Un sorriso feroce gli solleva il labbro. Si fa indietro sulla sedia, incrocia le braccia e ride, con la testa rivolta al soffitto. – Finalmente arriviamo al punto. Era ora, cazzo.

– Dov'eri?

– Non mi reciti i miei diritti?

– Se ci tieni. Non sei obbligato a dire nulla se non vuoi, ma tutto ciò che dirai sarà trascritto e potrà essere usato come prova –. McCann fa un'altra risata cattiva. – Dov'eri sabato sera?

– Non sono affari vostri.

Mossa intelligente: niente alibi, niente possibilità di invalidarlo. – Ti stai trincerando dietro il «non ho niente da dire»?

– No. Vi sto dicendo che non sono affari vostri.

– Cosa risponderà tua moglie, quando le chiederemo se eri a casa?

– C'è solo un modo di scoprirlo.

Steve dice, facendosi in avanti: – Non stiamo cercando di fregarti, sai? Stiamo solo chiedendo. Se puoi provare dov'eri, fermiamo tutto. E faremo in modo che tutto ciò che ti riguarda non venga fuori. Ma non possiamo, a meno di non conoscere tutta la storia.

McCann lo fissa come se non riuscisse a credere che Steve abbia davvero tentato quella battuta con lui. – Non ho niente da dire su sabato sera. Se non che non ho fatto del male a Aislinn. Punto. Possiamo restare qui fino alla fine dell'anno, e non avrò altro da dirvi.

– Non è cosí semplice, – dico. – Ricordi quel testimone che ti ha visto a Stoneybatter nelle ultime settimane?

– E allora?

– Lo stesso testimone ti ha visto uscire dal vicolo dietro Viking Gardens appena dopo le otto e mezzo di sabato sera.

Risata con sbuffo. – Rory Fallon. Si tratta di lui?

– L'hai riconosciuto, eh? Quando lo abbiamo portato qui.

McCann scuote la testa e schiocca la lingua: non ci casca.

– No. Bres mi ha detto che Fallon ultimamente è andato spesso in giro per Stoneybatter. Per stalking. Dico bene?

Steve e io non rispondiamo. McCann annuisce, soddisfatto. – Questo significa che era possessivo nei confronti di Aislinn. Anzi, peggio: ossessivo. Probabilmente mi ha visto qualche sera entrare o uscire dal suo appartamento. Vero?

Noi lo guardiamo senza rispondere.

– Sí, e dev'essere ammattito dalla gelosia. Sabato sera, quando è entrato in casa di Aislinn, per prima cosa le ha chiesto se aveva un altro. Quella povera ragazza non ha negato, o non ha negato in modo convincente, e...

Chiude una mano a pugno e la solleva di qualche centimetro sopra il tavolo, poi la gira di scatto.

– Non mi meraviglia che dica di avermi visto, sabato sera. Direbbe qualunque cosa, pur di distogliere la vostra attenzione da lui. Ma anche se ci siete cascati voi, di sicuro non ci cascherà nessuna giuria.

Steve dice, con una nota difensiva nella voce: – Nessuno ha detto che siamo cascati da nessuna parte. Stiamo solo parlando.

McCann si fa indietro sulla sedia e si mette le mani in tasca, sollevando un angolo della bocca. Non si preoccupa di nascondere il suo trionfo. Pensa di aver visto tutte le nostre carte, e di averle fatte cadere dal tavolo con un soffio.

Dice: – Cosa credete che succederà, se la squadra viene a sapere che avete *solo parlato* con me in questo modo? Per due scopate?

– Ah, ma dài, – dice Steve, quasi in tono di supplica. – Sei un testimone. *Dovevamo* parlare con te. Sai che è cosí.

– Non sono testimone di nulla.

– Conoscevi la vittima. Andavi *a letto* con lei. Non potevamo semplicemente...

– Se me lo chiedete con la dovuta cortesia, – lo interrompe McCann, – e non provate a mandare a puttane il mio matrimonio, dimenticherò che sia successo.

– Non diremo a tua moglie di Aislinn, lo giuro.

– Buona decisione, – dice McCann. Stira le braccia, ruota le spalle all'indietro. – Abbiamo finito, dico bene?

Steve mi lancia un'occhiata rapida e incerta. – No, – dico io, testarda. – Visto che siamo qui, concludiamo davvero.

– Altri cinque minuti? – chiede Steve a McCann. – Giuro su Dio, non ci vorrà di piú, abbiamo solo alcune...

McCann ride e allarga le braccia. – Volete sparare un ultimo colpo? Prego.

– Grazie, – dice Steve. – Cioè, no, non vogliamo sparare... vogliamo solo...

– Io voglio chiederti di Aislinn, – dico. – Di ciò che le passava per la testa.

McCann sbuffa. – Queste stronzate psicologiche, Conway. Sinceramente, devi superarle. Rory Fallon si è ossessionato e ha perso la testa. Tutto il resto, quello che pensava Aislinn, non è un problema tuo. Non interessa a nessuno.

– Probabilmente hai ragione. Ma stammi a sentire, per favore –. McCann fa un lungo e sofferto sospiro e si dispone ad ascoltare. – Ci hai detto, proprio due minuti fa, – dico, – che quando una persona ti dice che ti ama per portarti a letto, e Aislinn diceva che ti amava, è possibile che siano balle. Che dietro ci sia un secondo fine. Giusto?

– Giusto. Solo che Aislinn non stava cercando di portarmi a letto. È successo, e basta.

– L'hai controllata sul database, all'inizio, perché pensavi che potesse avere un secondo fine. Giusto?

– Giusto. E ne è venuta fuori pulita.

– Già. Ed è bastato per tranquillizzarti e non pensarci piú? Una ragazza come quella, un uomo come te, e davvero hai pensato di averla affascinata con il tuo bel visino?

– Forse sí, – dice Steve, esaminandolo con occhio critico. – Gli ormoni. Incasinano il cervello.

– Ah, ma lui ci pensava, – dico io. – Se lo chiedeva tutto il tempo. Si odiava, per questo, cercava di smettere. Non è cosí, McCann? Ma non ci riusciva. Sai cosa penso? Che dentro di sé, in qualche modo, lo sapesse.

McCann solleva un labbro. – Credi che non sappia cosa stai facendo? Hai una bella faccia tosta a usare questi sistemi con me. Va' a giocare un altro po' con Rory Fallon, e fatti mostrare da Bres come si fa. Vedi se riesci a imparare qualcosa –. Allontana la sedia dal tavolo. – Qui abbiamo finito.

Steve estrae la foto della famiglia di Des Murray dalla tasca della giacca e la mette sul tavolo. – Riconosci qualcuna di queste persone? – chiede.

McCann si china sul tavolo e prende la foto, pronto a gettargliela in faccia dopo una sola occhiata, ma l'immagine lo cattura. La tiene tra le punte delle dita e noi osserviamo il suo viso, che riesce a mantenersi immobile con un grande sforzo di volontà, mentre riconosce Evelyn, poi Des, e si chiede che diavolo abbiano a che fare loro con questa storia. Poi la bambina grassottella con il sorriso timido comincia a sembrargli familiare. Vediamo il tremito che gli scuote la mente, risalendo dal profondo, dalle fondamenta, mentre finalmente comincia a capire.

Steve indica Desmond Murray. – Puoi identificare quest'uomo?

McCann non lo sente.

Io mi chino in avanti e do un colpetto sulla foto. – McCann. Chi è quest'uomo?

McCann batte le palpebre. Dice, con la voce impastata, la mente troppo confusa per far funzionare bene la bocca: – Si chiama Desmond Murray.

– Come lo conosci?

– Lo sapete già.

– Vogliamo sentirlo da te.

– È scomparso. Molto tempo fa. Io ho lavorato al caso.

– E questa chi è? – indico Evelyn Murray.

– La moglie. Evelyn.

– E questa?

Il mio dito è su Aislinn. Steve è chino sul tavolo accanto a me, tutti e due osserviamo da vicino ogni minimo movimento del viso di McCann. Dopo un lungo silenzio, risponde: – È la figlia.

– Il nome.

In un soffio: – Aislinn.

Un secondo di silenzio, mentre quel nome galleggia nell'aria.

– Sul serio non te la ricordavi? – chiede Steve, incredulo. – Certo, era cresciuta e tutto, ma il viso non ti ha mai fatto venire in mente nulla? O il nome?

Dopo un momento, la testa di McCann si muove da un lato all'altro.

– Lei invece si ricordava di te.

Lui non riesce a smettere di scuotere la testa.

– Per questo ti ha abbordato, da *Horgan's*, – lo incalzo. – Non perché era una fissata del distintivo e tu eri un detective. Perché voleva sapere cos'era successo a suo padre.

– Io mi sono chiesto se all'inizio ti avesse abbordato per curiosità, – dice Steve. – O se fosse un modo un po' malato di sentirsi piú vicina a suo padre –. A quelle parole un rapido tremito muove un labbro di McCann. – Ma poi, dopo averti conosciuto, la cosa è diventata reale.

Mi lascio scappare una risata nasale.

– Ehi, – insiste Steve. – Succedono cose anche piú strane. È quello che ti stai chiedendo anche tu?

McCann alza la testa a guardare Steve, per un secondo. Il lampo di speranza nei suoi occhi è terribile.

Io prendo di nuovo il cellulare e scorro con il dito, metodicamente, avvertendo lo sforzo che McCann fa per non guardare. Trovo la favoletta che Aislinn ha lasciato per Lucy. – Leggi questo, – dico, e gli passo il telefono.

Lui legge, e per un attimo chiude gli occhi. Quando finisce posa il cellulare sul tavolo al rallentatore, come un ubriaco. Evita i nostri sguardi.

– Riconosci la scrittura? – chiedo.

Annuisce.

– Di chi è?

Un secondo di pausa, poi: – Aislinn.

– Già. E il cattivo della storia? Quello che le ha rovinato la vita e ora lei ha deciso di rovinare la sua? Sai di chi si tratta, vero?

McCann non dice nulla. Sento il suo respiro, forti sbuffi dal naso, nell'aria surriscaldata della stanza.

Quando capiamo che non risponderà, dico: – Si tratta di te, McCann. Lo capisci?

Nulla. Le sue mani coprono la foto, cosí non deve vederla.

Mi chino verso di lui, batto sul tavolo. – Fa' attenzione a questa parte. Voglio che tu capisca chiaramente perché è successo tutto questo.

Un battito di ciglia. Ha dei vaghi indizi, ma non abbastanza. Vuole disperatamente sentire il resto.

– Ricordi di aver parlato a Aislinn del caso di suo padre?

McCann risponde: – Non ho mai fatto nomi.

Rido forte. Tra tutte le cose di cui preoccuparsi, è andato a pescare proprio quella: Dio non voglia che lo giudichiamo poco professionale. – Non ce n'era bisogno. Lei sapeva esattamente di chi parlavi; inoltre era stata lei a pilotare la conversazione da quella parte. Ricordi cosa le hai detto?

Lui scuote la testa, sforzandosi di pensare. – Che abbiamo cercato quell'uomo dappertutto, arrivando fino in Inghilterra. Che l'abbiamo trovato che conviveva con la sua... Aislinn non ha detto nulla, nemmeno una parola, nemmeno un accenno di tensione. Ascoltava e annuiva...

– Era in gamba, – dico. – Era molto piú brava in questo gioco di quanto tu abbia mai pensato. Ricordi di averle detto che avevi parlato con suo padre? E lui ti aveva chiesto di dire alla moglie e alla figlia che stava bene? E invece tu hai deciso di non dire nulla?

McCann alza gli occhi a guardarmi. – Non hai conosciuto Evelyn Murray. Una donna delicata, dolce, timida... Come il personaggio di un vecchio libro, di quelli che alla fine muoiono di consunzione o di qualcosa del genere, solo perché il mondo è troppo per loro. Evelyn era fragile come il vetro –. Davanti al ghigno sulla mia faccia, sbotta: – Non me la scopavo. Non l'ho mai toccata nemmeno con un dito. Non l'avrei mai fatto.

– Sí, va bene, – ribatto. – Ma se t'importava tanto di lei, perché non darle il messaggio?

– Perché scoprire che suo marito era scappato con un modello piú recente l'avrebbe uccisa. Sarebbe crollata in pezzi. E io non potevo farle una cosa simile.

– Ma non hai avuto problemi a indirizzare il resto della sua vita dove volevi tu. Tutto ciò che lei ha fatto dopo essere entrato in casa sua, ogni singolo pensiero che le ha attraversato la mente, ha le tue impronte sopra. E tu sapevi che sarebbe stato cosí.

Mi sporgo attraverso il tavolo, che è stretto apposta, e mi avvicino a lui tanto da vedere ogni singolo pelo della sua barba dura, da sentire l'odore di tè del suo fiato, quello di fumo di sigaretta sui suoi vestiti e quello acre di rabbia e terrore nel suo sudore. Sono abbastanza vicina da potergli tirare il sangue, in almeno una dozzina di modi. – Sii sincero con te stesso, McCann: è per questo che hai tenuto la bocca chiusa, vero? Non potevi avere Evelyn, ma amavi l'idea di esserti appropriato del resto della sua vita. Ogni volta che lei si svegliava chiedendosi se Des quel giorno sarebbe tornato a casa, ogni volta che sobbalzava sentendo squillare il telefono, ogni notte che sognava che il marito era morto, lei apparteneva a te. Ci hai mai pensato, qualche volta, quando tua moglie ti trattava male e tu, steso a letto accanto a lei, pensavi alla dolce, piccola Evelyn? Ti eccitavi, sapendo che qualsiasi cosa lei stesse facendo in quel momento, qualsiasi cosa pensasse, era dovuta a te?

McCann mi fissa con gli occhi azzurri iniettati di sangue. Non ho mai visto tanto odio, prima d'ora, non rivolto verso di me. Ho visto un odio cosí intimo solo tra coppie, o membri della stessa famiglia. L'ho ferito nel suo punto piú dolente e nascosto. È in mano mia.

McCann dice, a voce bassa e tesa, a pochi centimetri dal mio viso: – Vaffanculo, stronza. Era per il suo bene. Sai cosa disse quell'uomo, di lei? Disse che lo aveva soffocato per dieci anni. Disse che lo faceva ammattire, che se avesse passato qualche altro mese in quella casa sarebbe uscito di testa. Credi che avrei dovuto riferirle queste cose? Lasciare che fosse *quello* a governare il resto della sua vita? Lei non era il tipo capace di gettarsi il passato dietro le spalle e andare avanti. Ne sarebbe rimasta distrutta. Almeno cosí ha potuto mantenere un po' di autostima, ricordando il suo matrimonio come pensava che fosse. Le ho dato una possibilità.

– Solo che, – ribatto, – hai incluso nel pacchetto anche Aislinn. Non ti sei mai preso il disturbo di pensarci, vero? Ma ti sei preso anche la sua, di vita. Ogni sua giornata era una merda, e lo doveva a te. Poi è cresciuta e si è messa a cercare delle risposte, e alla fine ha scoperto chi gliele aveva tenute nascoste finché era stato troppo tardi.

McCann apre la bocca. Noi osserviamo il momento in cui qualcosa di appuntito e lucente esplode con un rombo tremendo nel suo cervello, proiettando schegge che si piantano dappertutto.

Io proseguo: – Lascia che ti dica che cosa ha fatto Aislinn, la sera in cui tu le hai raccontato quella storia. Ha deciso che era il suo turno di fare della tua vita il che cazzo voleva lei. È stato per questo che voi due avete cominciato a scopare, McCann. Non perché «è successo», ma perché Aislinn ha pensato che ti avrebbe manipolato piú facilmente, in quel modo. E aveva ragione. Ti aveva quasi convinto, non è vero? Quando avresti detto a tua moglie che era finita? Questa settimana? Oggi?

McCann non riesce a parlare. Io mi faccio ancora piú vicina e dico, a bassa voce ma in modo chiarissimo: – Tutto il vostro amore era una menzogna. Ogni volta che Aislinn ti baciava, ogni volta che andava a letto con te, ogni volta che diceva di amarti, doveva fare uno sforzo tremendo per non vomitare. Si è costretta a sopportare tutto questo solo per poterti punire come meritavi.

McCann dondola la testa, con gli occhi a terra. Ha le spalle ingobbite, come un animale ferito che tenta disperatamente di non crollare.

– Ora capisci perché ha tenuto quelle foto?

Il suo respiro sembra venire da un letto d'ospedale.

– Avevi ragione: intendeva portarle a tua moglie, se non fosse riuscita a convincerti a lasciarla. In un modo o nell'altro, avrebbe distrutto il tuo matrimonio. Poi ti avrebbe accolto a braccia aperte, dicendoti che tua moglie non ti meritava, che saresti stato meglio con una donna che sapeva come trattarti. Avrebbe atteso che i documenti per la separazione fossero stati firmati, che i tuoi figli ti odiassero perché li avevi traditi, che non ci fosse piú nessun modo di fare marcia indietro, e allora ti avrebbe sbattuto fuori, lasciandoti solo con la tua nuova vita.

Nulla, solo quel respiro denso. Ci siamo. Non resta nulla di McCann; tra me, Steve e Aislinn ci siamo presi tutto. Se parlerà, sarà da qui, da questo posto fremente e senza nome in cui lo abbiamo portato.

Steve dice piano: – Tu eri innamorato di lei. Non è cosí?

McCann alza la testa. Gli occhi si spostano come se fosse cieco. La bocca si apre e fa un breve respiro e trattiene l'aria per un lungo momento, prima di dire: – Non ho niente da dire.

L'espressione resta nell'aria come un punto nero. La stanza ha un aspetto quasi folle, con quei colori gradevoli e quei piccoli falsi comfort che si sforzano di coprire lo scheletro bianco da sala interrogatori: tavolo, sedie, telecamera, falso specchio.

Steve dice: – Quando sei arrivato e l'hai vista prepararsi per Rory, è stato un fulmine a ciel sereno? O avevi già i tuoi sospetti?

– Non ho niente da dire.

– Parla con noi, amico. Cos'ha detto Aislinn? Ti ha detto di andare via e non tornare piú? Ha riso, perché avevi pensato che una donna come lei potesse innamorarsi di te?

– Non ho niente da dire.

Non si sforza neppure di guardarci in faccia, non piú. Fissa il muro tra le nostre teste, con uno sguardo vuoto. Ciò che diciamo non lo sente nemmeno, diventa un rumore di fondo indistinto. Ho già visto quell'espressione, sul viso di stupratori e assassini. Quelli che non riusciremo mai a far crollare, perché sanno ciò che sono e non tentano di combatterlo.

– Dov'eri sabato sera? – chiede Steve.

– Non ho niente da dire.

Il rumore lieve della maniglia della porta che gira fa sob-balzare me e Steve. McCann non si muove. Breslin appa-re sulla soglia, con il cappotto nero lucente di pioggia, e sorride a tutti e tre.

17

– Mac, – dice Breslin. – Ti vogliono in sala detective.

McCann alza gli occhi. I loro sguardi si incrociano, e in quell'attimo io e Steve siamo del tutto tagliati fuori.

– Va', – dice Breslin. – Ti raggiungo tra qualche minuto.

McCann si tira su dalla sedia, un'articolazione dopo l'altra, e si dirige alla porta. Breslin gli dà una rapida pacca sulla spalla mentre passa. McCann annuisce, automaticamente.

– Colloquio terminato alle 15.24, – dice Breslin, avvicinandosi alla telecamera e spegnendola. Poi si volta verso il distributore d'acqua. – Bene, bene, bene. Guarda chi è di nuovo culo e camicia. Che bello.

Dico: – Vorrei sapere cosa ti ha fatto pensare che non fossimo piú culo e camicia.

– Perdonatemi se in questo momento non me ne frega un cazzo dei vostri rapporti. Avete avuto la faccia tosta di accusare il mio partner…

– Parleremo di questo quando lo dirò io. Adesso voglio sapere quale delle reclute è corsa a riferirti, ieri mattina, che Moran e io avevamo avuto una lite.

– Reilly, – dice Steve. – Non è cosí? Appena abbiamo cominciato a discutere, ha smesso di battere sulla tastiera.

Me lo ricordo, il silenzio improvviso e pesante al posto di quel ticchettare insulso che mi entrava nel cervello.

– Come ho detto, Reilly è un ragazzo intelligente, – di-

ce Breslin. – Al contrario di me. Ho passato venti minuti seduto al *Top House*, prima di riuscire a capire. I miei
complimenti, Conway: hai finto una voce da testa vuota
di Dublino Sud molto convincente. Non immaginavo che
ne fossi capace –. Alza il bicchiere d'acqua verso di me.
– Ma ho avuto fortuna con il traffico. Sono tornato in tempo
per ascoltare la parte interessante dello show.

Evidentemente nota un lampo di sorpresa negli occhi di
uno di noi, perché ride. – Pensavate che appena tornato
dal mio giro in macchina fossi subito corso qui, per salvare
Mac dai due tremendi vendicatori? Ero nella stanza dietro
lo specchio. Perché Mac non ha bisogno di essere salvato,
visto che non ha fatto nulla. A parte infilare l'uccello nel
buco sbagliato, che però non è un reato. Ma siamo tutti
d'accordo che sta passando delle giornate difficili, perciò,
quando ho visto che vi eravate lanciati su di lui premen-
do l'acceleratore per farlo crollare, ho pensato che fosse il
momento di dire stop.

Si avvicina al tavolo, prende la foto della famiglia
Murray e la guarda a lungo. – Ah. Nessuna meraviglia che
Mac non l'abbia riconosciuta –. Getta la foto sul tavolo, manca il bersaglio e la fa cadere a terra, ma non la
raccoglie. – Quindi, – prosegue, – tutto il tempo in cui
pensavo che stessimo lavorando insieme. Tutto il tempo in cui mi sentivo soddisfatto degli interrogatori che
avevamo fatto con Rory... era questo che voi avevate
in testa. Ditemi: quando vi siete guardati allo specchio,
stamattina, non avete sentito almeno un po' un sapore
nauseante in gola?

Breslin fa ciò che sa fare meglio. E, come se avessi perso
qualcosa, mi sembra strano non sentire il minimo desiderio
di tirargli un pugno in faccia. – E tutto il tempo in cui io
pensavo che lavorassimo insieme, – dico, – tutto il tempo

in cui facevamo quei begli interrogatori, tu ti stavi tenendo
per te tutto ciò che sapevi. Vuoi lanciare la prima pietra?

Lui spalanca gli occhi di scatto e mi punta contro un dito. – No, no, no, Conway. Non girare la frittata. Mi hai
appena dato la prova che ho avuto perfettamente ragione
a non dirti nulla. Questo *interrogatorio*... – Torce la bocca per il disgusto e beve un sorso d'acqua per mandarlo
via. – Dimmi, cosa pensi di aver concluso, con questo interrogatorio?

– Abbiamo abbastanza per chiedere un mandato e perquisire la casa di McCann.

Breslin ci pensa su e annuisce. – Un mandato. Certo. E
cosa pensate di trovare?

– Hai presente quei guanti di pelle marrone che McCann
indossa per tutto l'inverno? Questa settimana non glieli
ho visti nemmeno una volta. O ci troveremo sopra il sangue di Aislinn o non troveremo quei guanti.

– Caspita, – dice Breslin, alzando le sopracciglia. – Impressionante. Mac se la farebbe addosso, se ti sentisse.
Volete risparmiarvi il disturbo e sapere cosa è successo
davvero?

– Mi piacerebbe proprio saperlo, – dico. – Ma da
McCann.

Breslin schiocca la lingua. – Non succederà. Mac non
è cosí scemo da dirlo davanti a un registratore. Per essere
sinceri, non credo che vorrà mai piú parlare con nessuno
di voi due, in modo ufficiale o non ufficiale. Ma credo che
conoscere i fatti vi semplificherebbe la vita.

– E sarà una storia non registrata, non verificabile, un
sentito dire inammissibile in tribunale.

– Questo è l'accordo. Volete sentirla o no?

In realtà, non vorrei. Quando McCann è uscito da questa stanza si è portato dietro una sorta di carica elettrica

che sfrigolava nell'aria. Senza lui al centro, la stanza è piatta, nauseabonda e inutile. Vorrei solo uscire e camminare, andare in un posto qualsiasi che mi aiuti a non pensare a che cosa succederà dopo e a non vedere la faccia ipocrita di Breslin. Mi tiro indietro sulla sedia e mi passo le mani sul viso, tentando di ritrovare un po' di quella carica.

– Va bene, – dice Steve. – Sentiamo.

– Guardate che non mi state facendo un favore.

– Vogliamo saperlo.

– Conway?

– Perché no, – dico. Sposto le mani dal viso ma non ho l'energia per sedermi con la schiena dritta.

Breslin non si siede al tavolo con noi. Getta il bicchiere di plastica nel cestino, infila le mani in tasca e si mette a camminare con calma avanti e indietro. È il professore che tiene la sua lezione davanti agli studenti ipnotizzati.

– Sabato sera, – dice, – Mac ha cenato a casa con la famiglia, poi ha deciso di passare da Aislinn. È arrivato alle otto meno un quarto, grosso modo, non ha guardato l'orologio. Ha scavalcato il muro ed è entrato dalla porta della cucina, come al solito. Dentro c'erano le luci accese e ha visto che Aislinn stava preparando la cena. Ma non era in cucina e quando l'ha chiamata non ha risposto. Mac è andato in soggiorno e l'ha trovata stesa a terra, con la testa sul gradino del caminetto.

– Dev'essere stato uno shock, – dice Steve. Breslin gli lancia un'occhiataccia, ma Steve fa finta di nulla.

– Lo è stato, eccome. Ovviamente.

– La maggior parte delle persone sarebbero crollate.

– La maggior parte della *gente comune*, sí. Mac era distrutto, ma non ha perso la calma. Questo non lo rende un assassino, ma un poliziotto.

– Ha anche trovato la tavola apparecchiata per una cena romantica, – dico io. – Anche quello dev'essere stato uno shock. Cos'ha pensato?

Breslin dice, in un tono destinato a farmi capire che la sua pazienza non è infinita: – Non ha pensato *nulla*, Conway. Se anche ha diretto un pensiero alla tavola apparecchiata, con il corpo della sua ragazza steso sul pavimento davanti a sé, avrà dato per scontato che quella cena era per lui, nel caso avesse deciso di passare. Perché a volte lo faceva. Ha pensato che qualcuno si fosse introdotto in casa, forse un pervertito, o piú probabilmente un tossico, quella zona non è delle migliori, e Aislinn avesse avuto la peggio. Solo in seguito gli è venuto in mente che Aislinn potesse avere un appuntamento con un altro e che qualcosa fosse andato storto, ma al momento non gli è neppure passato per la testa. Come ha detto Moran, era sotto *shock*.

Steve chiede: – Aislinn era viva?

Breslin scuote la testa. – Mac ha subito controllato le pulsazioni e il respiro, quindi sí, probabilmente si è sporcato di sangue i guanti e poi forse li ha gettati via. Aislinn era morta.

Minuti o anche ore, ha detto Cooper; un trauma che probabilmente è progredito in modo rapido. È plausibile, anche se non è vero, e una giuria potrebbe crederci.

Dico: – Quindi ha subito chiamato la polizia per far arrivare una squadra di detective sulla scena.

Lui mi fissa, con quegli occhi chiari un po' sporgenti, senza un battito di ciglia. – Non fare la furba, Conway. Non è il momento. Forse credi davvero che al suo posto tu ti saresti comportata cosí, ma sono stronzate. Se Mac avesse fatto la telefonata, si sarebbe trovato al centro di un'indagine per omicidio; cioè sarebbe rimasto confinato alla sua scrivania fino alla conclusione, se mai fosse arrivata. Se il caso non fosse stato risolto, la sua carriera come detective della Omicidi sarebbe finita: non è possibile essere un buon investigatore se ti trovi tu stesso nella condizione di indiziato. Avrebbe perso la moglie e i figli. Forse avrebbe dovuto affrontare un processo, con la possibilità di finire in galera. *A vita.* E per cosa? Per un delitto che non aveva commesso. Non aveva alcuna informazione utile a far progredire l'indagine. Sarebbe stato solo un suicidio, professionale e anche personale, per niente. Se credi davvero di essere una santa del genere, sono felice per te, Conway. Ma non ne sono convinto.

Non ho nessuna intenzione di dirgli che non ho la minima idea di che cosa avrei fatto io. Posso immaginarmi la scena, chiara come un incubo: in piedi in mezzo al sangue versato da qualcun altro, sentendo che mi avviluppa le caviglie, i polpacci, sale fino alle ginocchia, e penso: «No!»

Fisso Breslin. – Cosa avrei fatto io non importa. Cos'ha fatto McCann?

– Ha ispezionato la casa, perché l'aggressore poteva essere ancora dentro, ma non ha trovato nessuno. Dopodiché ha ripulito tutto per cancellare le sue vecchie impronte digitali. Fammi un favore, Conway, togliti quell'espressione di disapprovazione dalla faccia, non posso concentrarmi se la guardo.

Io non ho nessuna espressione. Breslin vuole solo farmi sentire in torto. – Se non ti piace la mia faccia, – dico, – guarda quella di Moran. O chiudi gli occhi, per quello che me ne frega.

Breslin sospira, scuote la testa e si volta verso Steve con ostentazione. – Allora, McCann ha ripulito le impronte. Ha dato un'occhiata nella stanza da letto di Aislinn per vedere se avesse conservato qualcuno dei suoi biglietti, e non ne ha trovati. Ha pensato di restare un po', nel caso l'aggressore fosse tornato, ma ha deciso che il rischio era troppo grande, per un'eventualità cosí improbabile.

Steve dice, tutto perplessità e sopracciglia aggrottate: – Perché ha spento il forno? È una cosa che non mi quadra fin dall'inizio.

– Per evitare di distruggere tutte le prove –. Io faccio una risata secca e lui aggiunge: – Le impronte digitali non sono tutto, Conway. McCann sapeva che l'assassino poteva aver lasciato tracce di Dna, capelli, fibre, tutta roba importante; e non voleva rovinare ogni cosa. Non voleva nemmeno che bruciasse la casa e Aislinn morisse, se c'era una minima possibilità che si fosse sbagliato e lei fosse ancora viva. E... – Breslin fa un sorrisetto triste. – Questo non me l'ha detto, perché Mac non vuole sembrare sdolcinato, proprio come voi e me, ma sono certo che non sopportasse l'idea del corpo di Aislinn carbonizzato. Le voleva bene, capite?

– Ah-ah, – dico io. Quasi mi aspetto che Steve mi lanci qualche segnale di non esagerare, ma non lo fa. Ormai ha superato l'idea di voler fare l'amico di Breslin.

– Conway. *Smettila.* So che detesti questa squadra e tutti i suoi membri, ma pensa come una detective per un secondo, cazzo, invece che come l'adolescente emarginata che finalmente si è presa una rivincita sulle ragazze fighe della scuola. Se Mac avesse ucciso Aislinn, avrebbe spento il forno? Al contrario, lo avrebbe messo al massimo, sperando che la casa bruciasse fino alle fondamenta.

– Cos'ha fatto dopo? – chiedo.

Breslin sospira, a denti stretti. – È uscito dalla porta posteriore, chiudendola a chiave, ed è tornato a casa. Non disturbarti a cercare le sue immagini nelle telecamere di sorveglianza, perché non le troverai. Né sabato sera, né mai. È abbastanza facile scoprire dove sono le telecamere e pianificare un itinerario che le eviti. Se fosse arrivato al divorzio, Mac non voleva dare a sua moglie nulla che un detective privato avrebbe potuto trovare e usare contro di lui.

Funziona; certo che funziona. Proprio come la storia di McCann, e quella di Lucy. Funzionano tutte. Ronzano come calabroni enormi che svolazzano pigramente agli angoli del soffitto, raccogliendo le forze. Vorrei estrarre la pistola e farli esplodere uno alla volta, trasformarli in grumi di polvere nera che si dissolve nell'aria.

Chiedo: – Quando ti ha detto tutto questo?

– Mi ha telefonato appena sua moglie è andata a dormire. Rifletti, Conway, non è che poteva parlarmi di una cosa del genere mentre attraversava la città a piedi, di sabato sera. O sul divano mentre la moglie guardava la televisione accanto a lui. Ha colto la prima occasione che ha avuto.

– E tu gli hai creduto.

Breslin si volta di scatto a guardarmi negli occhi. – Sí, Conway. Sí. Gli credo. In parte per quel sentimento chiamato lealtà, di cui tu sembri ignorare l'esistenza. Lui è il mio partner; se lo becco con un cadavere ai piedi e una pistola fumante in mano, il mio compito è pensare subito che l'abbiano incastrato. Ma gli credo soprattutto perché lo conosco. Da molto, molto tempo. E non c'è *nessuna cazzo di possibilità* che sia stato lui.

I miei occhi incrociano per un secondo quelli di Steve. Non so se Breslin crede davvero a tutto ciò che ha detto, o se si è convinto a crederci perché ha bisogno di essere quel tipo d'uomo, il nobile cavaliere che resta al fianco del partner nella buona e nella cattiva sorte. Probabilmente la seconda, il che significa che non lo smuoveremo. Puoi abbattere una convinzione genuina, se le getti sopra abbastanza fatti che la contraddicono; ma nulla può far crollare una convinzione costruita sull'immagine di sé che una persona desidera trasmettere. Potremmo mostrare a Breslin un video in cui McCann spacca a pugni la faccia a Aislinn, e il nobile cavaliere troverebbe il modo di girarci intorno.

– Vi è chiaro, questo? Sta entrando nelle vostre teste?

– Sí, – rispondo. – E tu hai chiamato la stazione di Stoneybatter.

– Esatto. E inoltre McCann sapeva che l'avrei fatto ed è stato d'accordo. Appena passato lo shock iniziale ha ripreso a pensare da poliziotto. Perché questo è ciò che è. Non un assassino. Un poliziotto.

– Ah. E perché hai aspettato fino alle cinque del mattino? Se McCann ti ha telefonato appena la moglie è andata a dormire, stiamo parlando al massimo di mezzanotte. Perché attendere cinque ore?

Breslin sospira e alza le mani. – Va bene, mi hai beccato. Brava. Volevo assicurarmi di essere qui, quando il caso fosse arrivato a noi. Ovviamente, McCann non poteva avvicinarsi all'indagine nemmeno con le pinze, o sarebbe crollato tutto…

– Molto onorevole, – dico. – Sono impressionata.

Breslin mi lancia un'occhiata cattiva, ma non si prende il fastidio di rispondere e continua: – Abbiamo deciso che io avrei dovuto tenere d'occhio il caso. Per vedere se c'era un momento in cui Mac avesse avuto la necessità di farsi avanti, per… Conway, perché stai qui ad ascoltare, se non fai altro che sorrisetti sprezzanti a ogni parola che dico? Non è che preferiresti aspettare fuori, mentre io parlo con Moran?

– Volevi esserci per trovare il momento in cui mandare i detective incaricati del caso a caccia di farfalle, di' la verità. Dev'essere stato un gran divertimento, per te, guardare Moran e me girare a vuoto per tutta la settimana…

Breslin attraversa la stanza cosí in fretta che per poco non scatto indietro. – Di cosa mi stai accusando? No, – aggiunge, puntandomi un dito in faccia quando provo a rispondere. – Sta' attenta. Sta' molto attenta, cazzo.

Io ho finito di stare-molto-attenta-cazzo. Tolgo il suo dito dalla mia faccia con uno schiaffo e vedo il lampo negli occhi di Breslin quando pensa di colpirmi, ma purtroppo rimane solo un pensiero. Steve fa per alzarsi, ma ha il buon senso di non intervenire. – Tu hai ostacolato la mia indagine. Non è un'accusa, è un fatto. Hai giocato al poliziotto corrotto, cosí se io e Moran avessimo trovato qualcosa che collegava McCann a Aislinn, avremmo avuto una bella falsa pista da seguire, finché Rory Fallon non fosse stato pronto per essere infornato. Agitando banconote da cinquanta, togliendoti Gaffney dai piedi, inventando telefonate sospette... È stato Reilly a darti una mano anche in quello? È corso da te a dirti che stavamo cercando dei malavitosi...

Breslin mi ride in faccia, una risata forte. – Credi che avessi bisogno di Reilly, per saperlo? Me l'avete detto voi due. Prima chiedi chi ha fatto una ricerca su Aislinn nei database. Poi domenica pomeriggio, Moran, quando il capo vi ha chiamato a rapporto, sai cos'hai lasciato aperto sul tuo computer? Una ricerca su uomini residenti a Dublino, età dai venti ai cinquanta, con precedenti legati al crimine organizzato. E lunedí mattina, Conway, sei arrivata piena di false preoccupazioni sui miei problemi finanziari. Credi sul serio che io sia cosí scemo da non fare due piú due?

Con la coda dell'occhio, vedo il rossore di Steve, che probabilmente è intenso come il mio. Ho dato la caccia alle ombre, tentando di portare alla luce un nido di spie che volevano fregarmi, e semplicemente non sono stata furba come credevo, e Steve ha dimenticato di schiacciare «Esci».

Breslin fa un passo indietro e allarga le braccia. – Se pensi che io abbia ostacolato la tua indagine, prego, inoltra un reclamo. Cosa ci scriverai? Breslin ha pagato il suo sandwich nel modo sbagliato? Breslin non voleva Gaffney tra i piedi? – Ha sul viso un ghigno cattivo. – Se avete notato qualcosa di losco, ragazzini, era tutto nella vostra mente. Se siete andati a caccia di fantasmi, è un problema vostro, non mio.

Nessuno di noi due risponde. Ho ancora nel naso l'odore del suo dopobarba.

– Se non avete abbastanza da inoltrare un reclamo, – dice Breslin, – allora mi dovete delle scuse.

Io dico: – Ora ti raccontiamo la nostra storia, che è molto migliore della tua.

Breslin fa una smorfia di totale incredulità. – Ma di cosa parli? Qui non si tratta di chi ha la storia migliore, Conway. Si tratta di ciò che è successo davvero sabato sera. E vi ho già detto com'è andata.

– Seguimi. E non preoccuparti, la nostra è piú breve della tua.

Breslin fa un sospiro lungo e rumoroso, spinge via le tazze con ostentazione, per appoggiare il culo contro la credenza dove c'è la caffettiera. – E va bene, – dice, incrociando le braccia. – Accomodati. Fammi sognare.

– Sabato sera, – dico. – McCann ha cenato a casa e ha deciso di passare da Aislinn. Non l'aveva avvisata, ma non importava: lei doveva sempre tenersi pronta, in qualsiasi momento lui la volesse. È arrivato intorno alle sette e quaranta, quando Rory aveva lasciato il suo posto di osservazione nel vicolo per andare al Tesco. McCann ha scavalcato il muro ed è entrato dalla porta sul retro, come al solito.

Breslin annuisce, fissandomi come se non credesse alle sue orecchie: non è la stessa storia che ci ha raccontato lui? – Aspetta, – dico. – Qui arriva il bello. Ha trovato Aislinn in cucina, vestita elegante e intenta a preparare la cena e non ha ricevuto l'accoglienza entusiasta che si aspettava. Lei ovviamente non lo voleva lí. McCann è andato in soggiorno a vedere cosa stava succedendo, e ha trovato la tavola apparecchiata per una cena romantica; e sapeva benissimo di non essere lui l'ospite atteso.

– A quel punto, – interviene Steve, – la sua intera vita era incentrata su Aislinn Murray. Si stava preparando a lasciare moglie e figli...

– Mi sa che Breslin lo sapeva già, – dico, mentre Breslin alza gli occhi al soffitto.

– McCann ormai aveva gettato via la sua vita di prima, – dice Steve, – e l'aveva riscritta intorno a Aislinn.

– Facendosi prendere per il culo, – commento, e noto il lampo di rabbia negli occhi di Breslin.

Steve continua: – E lei l'ha gettata nella spazzatura.

– Mi chiedo quanto gli abbia rivelato, in quel momento, – dico.

– Non tutta la storia, comunque. Non la parte relativa a suo padre. Lo shock di McCann quando gliel'abbiamo detto era autentico.

– Ah, sí. Non è arrivata a dirglielo. Ma sono sicura che gli ha chiarito che la loro relazione era finita e che lui doveva andarsene fuori dai piedi subito, e lasciarla a godersi in pace il suo nuovo uomo.

– Ahia, – dice Steve, con una smorfia di dolore. – Nessuna meraviglia che McCann abbia perso la testa.

– Sarebbe successo a chiunque. A chiunque.

– Molti avrebbero fatto anche di peggio. Un secondo di rabbia, un solo pugno? Non è praticamente nulla. Lui non poteva immaginare che sarebbe finita cosí.

Breslin, ancora a braccia conserte, ci osserva con un sorrisetto all'angolo della bocca. – Che bella storia. Quindi è stato solo un omicidio colposo, niente di che. Mac dovrebbe prendersene la responsabilità e accettare uno schiaffetto sulla mano, da bravo ragazzo. È cosí?

– Cosa dovrebbe fare, secondo te? – gli chiedo io. – Tenere la bocca chiusa e tornare dalla moglie e nella squadra come se non fosse successo nulla?

– Esatto. Perché la vostra storiella crolla non appena io comincio a guardarla come un *vero* detective. Psicologicamente non ha senso, e mentre a me di solito non frega un cazzo delle stronzate psicologiche, qui non avete letteralmente nient'altro, perciò vale la pena di perderci un po' di tempo. Primo –. Alza un dito. – Perché Rory dovrebbe essere stato un cosí grande shock per Mac? Tanto forte da spingerlo a dare un pugno in faccia a una donna? Mac non era innamorato di lei. Se non ci credete, ricordatevi che aveva lasciato Aislinn libera di vedere altri uomini. E lo dimostra l'invito a Rory in casa, dove *sapeva* che Mac avrebbe potuto presentarsi in qualunque momento. Se non credete a questo, avete la testimonianza di Lucy secondo cui Mac aveva accesso al cellulare di Aislinn, *specificamente* perché voleva controllare i suoi messaggi. Quel telefono è pieno di messaggi tra Aislinn e Rory, tra cui quelli in cui si mettevano d'accordo per l'invito a cena. E voi vorreste dirmi che, venendo a sapere di Rory, Mac avrebbe perso la testa?

– Quando Rory è entrato in scena, – dico, – McCann non leggeva piú i messaggi di Aislinn. Lo imbarazzava troppo, e comunque non aveva mai trovato nulla che valesse la pena di leggere.

– Sí, vi ho visti umiliarlo su quel punto. Lo avete cucinato per bene, devo darvene atto –. Batte le mani due o tre volte, lentamente. – Ma se a Mac fosse interessato

tanto scoprire se Aislinn aveva un altro, sono certo che
avrebbe superato l'imbarazzo e controllato i suoi messaggi. Indipendentemente da ciò che ha detto a voi.

Steve interviene: – A meno che Aislinn lo avesse fregato cosí bene che non gli fosse mai venuto in mente di
controllare se aveva qualcun altro.

– Certo. Il che significa che non è un tipo geloso e quindi
è improbabile che abbia perso la testa quando l'ha scoperto. Siamo di nuovo daccapo: dal punto di vista psicologico
non ha senso. Poi c'è il secondo problema –. Breslin solleva un altro dito. – Rory può aver spento il forno perché
lo disturbava l'odore, o perché la mamma gli ha insegnato a non lasciare mai gli elettrodomestici accesi. Mac no.
Lui non è un frocetto qualsiasi che crolla e agisce senza un
buon motivo. Anche sotto stress, è in grado di pensare.
Abbastanza da ricordarsi di pulire le sue impronte in tutta la casa. Non avrebbe toccato nulla senza un motivo valido. Se avesse ucciso Aislinn, se sapeva che la Scientifica
avrebbe potuto trovare prove a suo carico e far scoppiare
un incendio lo avrebbe aiutato a evitare di essere incrimi-
nato, perché diavolo doveva spegnere il forno?

– Perché cosí non sarebbe scattato l'allarme antifumo, –
dico io. – McCann era in grado di pensare, su questo sono
d'accordo. Aveva bisogno di tempo per ripulire la casa dalle sue impronte e inoltre si è reso conto che l'altro uomo
di Aislinn poteva venirgli utile. Un boyfriend sulla scena
del crimine, solo e senza nessuno che potesse confermare
le sue azioni, proprio intorno all'ora dell'aggressione: be',
è il sogno di ogni assassino.

Breslin scuote la testa alle mie parole, con un sorrisetto
disgustato. Non mi lascio sviare. – L'unico problema era
che, – continuo, – non avendo letto i messaggi di Aislinn,
non sapeva a che ora l'altro uomo sarebbe arrivato. Anche

se avesse guardato il cellulare e visto l'ora dell'appuntamento – cosa che voleva evitare, perché i tecnici avrebbero scoperto che l'aveva fatto e a che ora precisa – non aveva nessuna garanzia che questo boyfriend non arrivasse in ritardo. Perciò, se avesse lasciato il forno acceso, l'allarme antifumo sarebbe potuto scattare, e far trovare il corpo di Aislinn prima che l'altro uomo arrivasse; e magari mentre costui aveva un alibi. Anche se McCann avesse disabilitato l'allarme, un vicino di casa, o lo stesso boyfriend misterioso, forse avrebbero notato il fumo e chiamato la polizia, e cosí il boyfriend sarebbe stato escluso dalla lista dei sospetti. Per questo, il forno in cucina andava spento.

Breslin fa spallucce. – Sí, in qualche modo può reggere. Come ho detto, è una bella storia. Ma sotto non c'è niente di solido. Potete provare che McCann aveva una relazione con Aislinn. Buon per voi. Ma riguardo a sabato sera, non potete provare un cazzo. Avete un'identificazione da parte del primo sospettato, che ha ottimi motivi per voler tirare dentro qualcun altro. Avete una storia bizzarra che avete sentito da una donna che forse era la migliore amica della vittima e forse era innamorata di lei, e forse provava rancore e gelosia nei confronti dell'uomo fortunato che se la scopava. E se davvero chiederete un mandato per perquisire la casa di McCann – ma non riesco proprio a credere che siate cosí stupidi – probabilmente riuscirete a provare che lui ha perso i suoi guanti marrone. E questo è tutto. Non avete altro.

Silenzio.

– Cosa pensate di farvene?

Ancora silenzio.

– Esatto. È ciò che pensavo –. Breslin si versa un altro bicchiere d'acqua e sentiamo il rumore delle bolle che risalgono lungo il distributore. Beve un sorso volutamente lungo poi dice: – Spero che vi rendiate conto di ciò che avete fatto a questo caso.

Noi non abbocchiamo.

– Lo avete completamente fottuto. Lo capite? Non riuscirete mai ad accusare McCann, perché a) non avete prove, e b) non è stato lui, ma Fallon. Se tentate davvero di andare avanti su Mac, il magistrato getterà il fascicolo nella spazzatura con una risata. Ma anche se doveste riuscire in qualche modo ad arrivare a un processo, la difesa di McCann tirerà dentro Rory Fallon e la *montagna* di vere *prove* che esistono contro di lui, e la giuria ci metterà un secondo ad assolvere McCann. Non lo fareste anche voi? Siate sinceri. Se faceste parte della giuria, e le prove a carico dell'imputato fossero quelle che avete appena detto a me, votereste per una condanna?

Io e Steve non rispondiamo.

– Ovviamente no. Non lo farebbe nessuno, in questo Paese, eccetto forse qualcuno che odia la polizia per principio e quindi crederebbe anche che Mac sia Jack lo Squartatore. Ma ora che avete tirato fuori tutta questa merda, non potete piú avere Fallon. Al processo, la difesa tirerebbe dentro McCann, sfasciando il suo matrimonio e la sua carriera, ma tanto non è mica un problema vostro, dico bene? E comunque *bang*, ragionevole dubbio e addio Rory, goditi la vita. Ci rivediamo quando la tua prossima ragazza ti farà incazzare.

Alza il bicchiere verso un immaginario Rory.

– Avete chiuso, ragazzi. Vi resta solo da impacchettare il fascicolo e inviarlo nel seminterrato, e ovviamente spiegare al capo e ai media come mai l'indagine è andata a sbattere contro un muro e la povera Aislinn non riceverà giustizia. Siete orgogliosi di voi? Vi sembra di aver lavorato bene, questa settimana?

Continuiamo a restare in silenzio. Non vale la pena dire nulla.

Breslin sospira e si avvicina alla videocamera. – L'unica cosa che possiamo fare, con tutto questo casino, è evitare che la vita di McCann vada in frantumi. Francamente, dopo quello che gli avete fatto passare senza nessun motivo, è il *minimo* che gli dovete.

Alza un braccio verso la videocamera, schiaccia il tasto di espulsione e fa uscire la cassetta. – Ho ragione a dire che avete avuto il buon senso di non registrare questo colloquio?

Steve annuisce.

– Quando avete chiesto a McCann di venire con voi, siete riusciti a non farvi notare?

Altro cenno d'assenso.

– Non avete chiesto a Lucy Riordan una dichiarazione ufficiale?

Io scuoto la testa.

– Ringraziamo Dio per la sua misericordia, – dice Breslin. Si fa cadere la cassetta in mano con un tonfo piatto. – Allora: dimentichiamo ciò che è successo nell'ultima ora. Voi distruggete i vostri confronti fotografici e vi fate rilasciare da Lucy una dichiarazione come si deve. Sono certo che troverete il modo di farlo. Io spiegherò al capo che avete fatto un ottimo lavoro, ma non abbiamo abbastanza per un'imputazione solida, perciò abbiamo deciso per il momento di tenere in caldo Rory Fallon e continuare a lavorare sulle prove scientifiche e sui dati elettronici, sperando che prima o poi venga fuori qualcosa di buono.

O, piú probabilmente, spiegherà al capo che ha tenuto me e Steve sotto controllo, come aveva promesso di fare. Riesco a fatica a sopportare la sua vista, mentre continua. – Il capo terrà a bada i media finché non troveranno qualche altro osso da spolpare. Intanto sorveglieremo Rory per assicurarci che questa storia lo abbia spaventato abbastanza da tenerlo sulla retta via. E vivremo tutti felici e contenti –. Breslin tocca di nuovo la cassetta nel palmo della mano. – Vi sembra un buon piano?

Dopo un momento io dico: – Sí.

– Moran?

Steve respira a fondo. – Sí.

– Non ci sarà nessun intoppo lungo la strada, dico bene?

– Nessun intoppo, – confermo.

– Bene –. Breslin infila la cassetta nella giacca e va alla porta. Con la mano sulla maniglia, si volta per recitare la battuta di uscita.

– Ci metterete un po' a capirlo, ma voi due siete in debito con me. Sono certo che ora non lo pensate, ma tra qualche anno, quando Rory Fallon lo rifarà con la sua nuova ragazza e voi sarete ancora qui per poterlo arrestare, vi renderete conto che io sono la cosa migliore che vi sia mai capitata. Allora accetterò i vostri ringraziamenti. E se saranno accompagnati da una bella bottiglia di bourbon, non mi dispiacerà.

Prima che uno di noi due possa tirare fuori una risposta sensata a quel mucchio di merda, ci fa un segno di saluto e scompare, sbattendo la porta. I suoi passi risuonano decisi in corridoio. Sta andando a dire a McCann che andrà tutto bene.

Passa qualche secondo, poi Steve si china a raccogliere la foto della famiglia Murray. – Credevo che l'avessimo in mano, a quel punto, – dice. – McCann. Quando abbiamo giocato questa carta. Credevo proprio...

– Sí, anch'io. Era un'ottima mossa. Avrebbe dovuto funzionare –. Mi regalo cinque secondi per ricordare come è stato ben condotto l'interrogatorio, come siamo stati

bravi, insieme, io e Steve. Come sembrava che ci leggessi-
mo nel pensiero a vicenda. Mi prendo quei cinque secondi
per capire che cosa ho perso.

– «Non ho niente da dire», – dice Steve. Rimette la foto nella tasca della giacca, come se potesse di nuovo tornare utile, prima o poi.

– Avremmo dovuto capirlo.

All'inizio del caso, quando Lucy era evasiva sull'uomo
segreto di Aislinn, avremmo dovuto capirlo. Siamo andati
in giro a caccia di gangster immaginari, di poliziotti corrotti altrettanto immaginari, ci siamo eccitati a vicenda
con sospetti complicati, quando la risposta ovvia saltellava davanti ai nostri occhi, agitando le braccia per attirare
l'attenzione.

– Sono un idiota per aver lasciato quella ricerca sul mio
computer, – dice Steve. – Non avevo dormito, il capo ci
ha chiamati, mi sono agitato…

– Non preoccuparti. Non è peggio di quello che ho fatto io, tentando di far parlare Breslin e ottenendo solo di
fargli capire che cosa stavamo pensando.

– Se non avessi cominciato io con la storia della malavita…

– Anche se non l'avessi fatto, – gli dico, – dubito che
avremmo capito la risposta.

Steve lo ha detto diversi giorni fa: Breslin è abituato a
essere dalla parte del bene, ogni storia che trova spazio nella
sua testa deve partire da quell'inizio. E non solo Breslin.
Tutti noi detective pensiamo di essere i buoni contro i cattivi. Senza quel sostegno, non è possibile superare le parti
infernali di questo lavoro. Breslin corrotto, McCann corrotto, quello potevamo immaginarlo. I poliziotti corrotti ci
sono sempre stati. È un rischio del mestiere. Ma un poliziotto omicida, uno di noi che si trasforma in ciò che pas-

siamo la vita a combattere, è un altro paio di maniche. È qualcosa che rivolta il mondo come un calzino. Persino io, che ho anni di ragioni per sapere che i poliziotti non sono sempre i buoni, quando mi sono trovata davanti agli occhi una possibilità del genere, non sono riuscita a vederla.

Breslin e McCann che parlottavano in cima alle scale, di come questo caso andava chiuso con urgenza: lo avrebbe capito anche un bambino. A me invece non è mai passato per la testa.

Forse Breslin ha davvero creduto a McCann, quando gli ha telefonato nel cuore della notte con una storia vagamente plausibile. E non solo perché gli piace pensarsi come un nobile cavaliere. Gli ha creduto perché quando gli è balenata l'altra possibilità, la sua mente l'ha sputata e se n'è allontanata con un salto.

– Forse no –. Steve fissa il posto in cui era Breslin. – Anche se l'avessimo capita, probabilmente non avrebbe fatto nessuna differenza. Non esistevano altre prove su cui potevamo mettere le mani. Saremmo stati fregati ugualmente, senza speranza.

O magari sarebbe andata in maniera diversa. Tutti i modi che avrebbero potuto fare la differenza mi si affollano in testa, fino a diventare un'unica cortina spessa e scura. Non riesco a trovare le parole per dirlo: quello che ora forse abbiamo perso per sempre, quello che questi pochi giorni avrebbero potuto cambiare, se solo avessimo visto.

– Io non ho ancora finito, – dico. Prendo il cellulare e comincio a scorrere la rubrica dei contatti.

Gli occhi di Steve si spostano su di me, scuri e dubbiosi. – Non riusciremo a mettere le mani su McCann. Quello che ha detto Breslin mi fa schifo, ma ha ragione.

– Lo so.

Lui apre la bocca per aggiungere qualcosa, ma lo fermo

alzando un dito: il telefono sta squillando. – Louis Crowley, – risponde il Bieco Crowley, in tono diffidente. Dal rumore di fondo, sembra che sia in un pub.

– Come va? – dico io. – Sono Antoinette Conway, della squadra Omicidi. Ho bisogno di parlare con te. Ora. Dove sei?

Metto nel tono una manciata di disperazione appena trattenuta, per farlo sbavare, e funziona. – Mmh, – risponde. – Non so se ho tempo.

– Per favore. Non te ne pentirai.

Quello stronzetto crede di sapere esattamente cosa sta succedendo, e vuole estrarne fino all'ultima goccia. – Be', – dice con un sospiro, godendosela da matti. – Immagino che... Sono da *Grogan's*. E ci resterò per un'altra mezz'ora. Se riesci ad arrivare in tempo, penso di poterti dedicare qualche minuto.

– Grande, – dico, lasciando trapelare la gratitudine. – Io... perfetto, ci sarò. – E riattacco.

– Era Crowley? – chiede Steve, perplesso.

– Devo chiudergli la bocca, ricordi? E mi è venuta un'idea –. Metto il telefono in tasca, mi alzo e mi liscio il tailleur. – Verresti con me? Una mano mi farebbe comodo.

A un tratto c'è un accenno di sorriso all'angolo della bocca di Steve. – Questa idea si può definire come un «intoppo» nel piano di Breslin?

– Spero proprio di sí. Vieni o no?

Steve spinge indietro la sedia e si alza. – Non me lo perderei mai.

Nei corridoi non c'è anima viva. Quando prendiamo i cappotti, idem, e nemmeno nello spogliatoio. Suoni familiari escono da dietro la porta della sala detective: tastiere, telefonate, battibecchi, la stampante; in mezzo a tutto questo, la voce bella e potente di Breslin pronuncia la battuta finale di una barzelletta che ottiene una gran risata. Su nella sala operativa C le reclute lavorano, api operose che accumulano pile di carte destinate a finire direttamente nel seminterrato. Anche la reception è deserta; Bernadette è in pausa o in bagno. Usciamo dall'edificio e nessuno se ne accorge.

Da *Grogan's*, Crowley è solo, a un tavolo d'angolo. Sorseggia una pinta di Smithwick's e legge un libro rovinato con «Sartre» scritto a grandi lettere sulla copertina, per comunicare a tutti il suo livello culturale. Finge di non vederci finché non siamo praticamente al suo tavolo. – Crowley, – dico.

Fa un tentativo mal riuscito di mostrarsi sorpreso e posa il libro. Non si aspettava Steve, ma non se ne preoccupa. Gli tende la mano con un sorriso, ignorando me, per mettermi al mio posto. – Detective Moran.

– Come va? – dice Steve, senza stringergli la mano. Si siede su uno sgabello, gambe lunghe che vanno dappertutto, tira fuori il telefono e si concentra sullo schermo.

Crowley sta cercando di capirci qualcosa. Io mi siedo davanti a lui, poso i gomiti sul tavolo e il mento sulle dita intrecciate e gli sorrido. – Buonasera.

– Sí, – risponde lui, con un misto di fastidio e diffidenza: non trova in me la disperazione a cui intendeva abbeverarsi. – Buonasera.

– Begli articoli hai scritto. Non ero mai stata in prima pagina. Mi sembra di essere Kim Kardashian.

– Non direi proprio, – ribatte lui, fissandomi negli occhi. – Ti è piaciuta la foto?

– Crowley, – dico, – stai per commettere un grave errore.

Il colloquio non sta andando come si aspettava, ma tiene botta. Dopotutto, è lui ad avere in mano le carte migliori. – Oh, non credo. Se non vuoi fare la figura della prepotente agli occhi della nazione… – Steve sul telefono si mette a giocare a qualcosa che è un misto di *bip* e forti esplosioni; Crowley ha un piccolo soprassalto, ma non perde la sua espressione oltraggiata. – Non usare la prevaricazione contro gli esponenti della libertà di parola. È semplice, in realtà.

– No, no, no. Non sono qui per la foto. Il mio problema è un tizio che ha visto quella foto. Ti ha telefonato per avere il mio indirizzo e tu glielo hai dato.

– Non so di cosa parli, – ribatte lui. Intreccia le mani piccole e grassocce sul tavolo e sorride. – A proposito, come sta tuo padre?

Mentre gli rivolgo un'espressione perplessa, Steve tira su la testa e ride. – Non può essere. Ha detto questo?

Gli occhi di Crowley si spostano tra noi due. È per questo che volevo Steve: se il mio scopo fosse stato quello di supplicare Crowley di non rivelare i miei segreti familiari, non mi sarei portata compagnia. – Chi ha detto cosa? – gli chiedo. Poi, a Crowley. – E tu, come conosci mio padre?

– L'uomo che ti ha telefonato, – dice Steve a Crowley, – non può essersi spacciato per il *padre* di Conway. O sí?

– Ma porca puttana, – dico io. – Sul serio?

Steve scoppia in una risata. Crowley gli lancia uno sguardo velenoso. – È quello che ha detto. Ha detto che aveva perso i contatti con te molto tempo fa e voleva riprenderli.

– E tu ci sei cascato? – chiedo. – Come un idiota?

– Mi sembrava sincero. Non ho trovato un motivo valido per dubitare di lui.

– Credevo fossi un *giornalista,* – dice Steve, ancora con il sorriso in faccia. – Il dubbio dovrebbe essere il tuo mestiere.

– Gesú, Crowley, – lo incalzo. – Non mi piaci, eppure arrossisco per te.

590TANA FRENCH

- Sei stato giocato, amico, - dice Steve, scuotendo la testa e tornando a guardare il suo telefono. - Giocato come una carta a poker.

- Crowley, - dico io. - Sei un lobotomizzato del cazzo. L'uomo che ti ha telefonato non è mio padre -. Steve ride di nuovo. - È un criminale dell'Irlanda del Nord che ha passato vari anni in galera grazie anche al mio contributo. Quando ha visto quella foto, gli è venuto in mente che poteva prendersi la sua vendetta. E tu gli hai dato l'indirizzo di casa mia.

Crowley si sgonfia all'istante.

- Da allora tiene sotto sorveglianza la casa, - dico, - e ieri sera me lo sono ritrovato in soggiorno. Credi fosse venuto per fare due chiacchiere?

- «Cooonway», - dice Steve, con voce profonda. - «Sono tuo paaadre».

- Per fortuna di tutti, - dico, - ho risolto la situazione. Quell'uomo non si farà piú vedere. L'unico problema che mi resta sei tu. Io e il mio partner stiamo cercando di decidere di che cosa accusarti.

- Complicità per ingresso con scasso in abitazione privata, - suggerisce Steve, senza smettere di schiacciare tasti sul telefono. - E complicità in aggressione. Questo dopo aver stabilito se quell'uomo pensava solo di lasciare un semifreddo al cioccolato nel frigo di Conway, o invece progettava di farle del male. O anche favoreggiamento. O magari potremmo accusarlo di tutto il pacchetto e vedere cosa gli resta attaccato addosso.

Crowley è ancora piú pallido e sudato del solito. Dice: - Voglio parlare con il mio avvocato.

- Sei nella merda fino al collo, - dico. - Ma per tua fortuna puoi essermi utile.

- Dico sul serio. Voglio parlare con il mio avvocato *adesso*.

– Ehi, genio, – dice Steve, sparando a qualcosa che esplode con un rumore da bomba nucleare. – Ti sembra una sala interrogatori, questa?

– No. Perché non sono in arresto. Conosco i miei diritti...

– Certo che li conosci, – lo interrompe Steve. – E visto che non sei in arresto, non hai diritto a un avvocato. Hai il diritto di alzarti e andartene in qualsiasi momento, questo sí –. Io sposto il mio sgabello, lasciandogli lo spazio per uscire. – Non te lo consiglio, ma se vuoi farlo porteremo questa storia dal tuo capo, e a quel punto sarai arrestato e potrai avere tutti gli avvocati che vuoi.

Crowley fa per alzarsi. Noi lo osserviamo senza tentare di fermarlo; allora cambia idea e si risiede.

– Oppure, – dico, – puoi farmi un favore e ci dimentichiamo di tutto. Ti darò anche un piccolo scoop, per dimostrarti che non ti serbo rancore.

– Io sceglierei questa opzione, – gli consiglia Steve. – Se fossi al tuo posto, intendo.

– Il favore, – dice Crowley. Buona parte della presunzione è sparita dalla sua voce.

– Ultimamente sei comparso su un po' troppe scene del crimine dei miei casi, – dico. – Chi ti dà l'imbeccata?

Crowley per poco non cade dalla panca per il sollievo. Tenta di coprirlo stringendo le labbra e fingendo di avere degli scrupoli. Io e Steve aspettiamo.

– Io non sono il tipo che crea casini... – Steve ridacchia a questa battuta, e Crowley precisa: – A meno che non sia moralmente necessario.

– Lo è, in questo caso, – dice Steve. – Tu vuoti il sacco, Conway sistema il problema con i ragazzi, tutti tornano a concentrarsi sulla caccia ai criminali e la giustizia è servita. In piú, non dovrai passare il tuo tempo a difenderti dalle imputazioni che dicevamo prima; potrai impiegarlo per combattere la tua battaglia per la libertà d'informazione. Moralmente, mi sembra a prova di bomba.

– È ovvio che non dirò che sei stato tu a fare nomi, – puntualizzo. – Potrai mantenere i rapporti con tutti i tuoi amichetti nella polizia. Voglio solo sapere chi è che sta cercando di mettermelo in culo.

Crowley fa una smorfia, sentendo quel linguaggio da una donna, ma è abbastanza furbo da tenere la bocca chiusa. Si batte un dito su un labbro e aspetta ancora qualche secondo, per farci capire bene che tipo pieno di scrupoli sia. Poi sospira. – Il detective Roche mi fa sapere quando pensa che potrebbe interessarmi uno dei tuoi casi.

Nessuna sorpresa, qui. – Roche e chi altri?

Dopo un attimo risponde, riluttante, perché detesta mettere in pericolo la sua nuova amicizia: – Il detective Breslin mi ha chiamato domenica mattina. Ha menzionato il caso di Aislinn Murray.

– Sí, questo lo sapevamo già. È stato lui a darti il mio indirizzo di casa, o Roche?

– L'ho avuto da un mio contatto.

– Che tipo di contatto?

– Non potete costringermi a rivelare le mie fonti. So che vi piacerebbe tanto trasformare questo Paese in un regime totalitario...

Steve alza in aria il pugno e grida: – Sí! – rivolto al telefono. – Scusa, – dice poi. – Stavi dicendo? Ho sentito la parola totalitario.

– Questa non è una fonte giornalistica, idiota, – dico io a Crowley. – Si tratta di qualcuno che ti ha aiutato a fornire a un criminale il modo di introdursi in casa mia. Credi si tratti di informazioni protette?

– Forse sí, non sapete le altre cose che mi ha detto.

– Crowley, vuoi che lo chieda direttamente a lui?

Crowley scrolla le spalle, come un adolescente che tiene il muso. – E va bene. È stato Breslin.

Quel bastardo. Avrei dovuto dargli un pugno in faccia, quando ne ho avuto la possibilità. – Come l'hai costretto a dirtelo?

– Oh, per favore. Non ho dovuto torturarlo. Quando mi ha chiamato per dirmi del caso di Aislinn Murray, mi ha detto che tu hai una forte tendenza a tergiversare. Sto solo citando le sue parole, – dice, alzando le mani con un sorriso sarcastico. – Che potevi metterci mesi per chiudere il caso piú ovvio del mondo. Di solito questo è un problema tuo, mi ha detto Breslin, ma stavolta lui era stato incaricato di occuparsi del caso con te, e aveva bisogno che qualcuno ti mettesse sotto pressione per convincerti a fare il tuo lavoro. Testuali parole, di nuovo, Conway. E cosí ho provato a metterti un po' sotto pressione.

– Nessuno avrebbe potuto farlo meglio, – dice Steve, fissando il cellulare. – Non riuscivamo nemmeno a pensare, tanta era la pressione che ci sentivamo addosso. Non è vero, Conway?

Crowley gli scocca un'occhiata diffidente. – E poi, quando quell'uomo che sosteneva di essere tuo padre mi ha telefonato...

– Ecco perché eri cosí disposto a credere che fosse mio padre, – dico. – Io pensavo solo che ti eccitasse l'idea di ficcare le tue dita sudate nella mia vita privata. Ma hai pensato che, se quell'uomo era chi diceva di essere, scatenarmelo addosso avrebbe aumentato la pressione su di me. E avresti ricevuto una carezza e un biscotto dal tuo addestratore. Dico bene?

Crowley stringe le labbra. – Questo tono deliberatamente provocatorio non mi piace per niente. Non ho nessun obbligo di...

– Il mio tono ficcatelo nel culo. Hai chiamato Breslin,
raccontandogli tutto contento che avevi un altro modo
per incasinare cosí tanto la mia vita privata da farmi firmare qualsiasi cosa pur di chiudere il caso. Tutto ciò che
ti serviva era il mio indirizzo. E lui te l'ha dato immediatamente. Ho omesso qualcosa?

Crowley ha incrociato le braccia e si rifiuta di guardarmi, per farmi capire che il mio comportamento è inaccet-
tabile. – Se sai già tutto, perché lo chiedi a me?

– Oh, ma non so tutto, non ancora. Roche ti ha sguin-
zagliato sui miei casi, e Breslin l'ha fatto solo stavolta. Chi
altri?

Lui scuote la testa. – Non c'è nessun altro.

– Crowley, – dico, in tono di avvertimento, – non te la
cavi gettandomi in pasto due nomi. Vuota il sacco o l'accordo salta.

Lui tenta di darsi un'aria da nobiltà ferita, ma gli viene come se avesse fatto indigestione. – Io so bene quando
la trasparenza è importante, detective Conway, mentre ci
sono parecchi poliziotti che non possono dire altrettanto.
Altri detective invece ogni tanto mi contattano, perché
tra voi ci sono anche quelli a cui importa del diritto del
pubblico a essere informato. Ma non riguardo ai tuoi casi.

Non capisco cosa mi faccia salire la rabbia all'improvviso:
la possibilità che stia mentendo o quella che dica la verità?
Mi sporgo verso di lui sul tavolo, a pochi centimetri dalla
sua faccia: – Non prendermi per il culo. Il nome che non
mi hai detto lo scoprirò lo stesso, capisci? E tu passerai il
resto della vita a guardarti le spalle, desiderando di aver
scelto una carriera come pulitore di cessi al Supermac's.

– Ti ho detto tutto! Il detective Roche e il detective Breslin. Non c'è altro –. È la paura sulla sua faccia a convincermi. Crowley aggiunge, con cattiveria: – Forse ti credi cosí importante da meritare un complotto di massa, ma sembra che non tutti la pensino cosí.

Ho una sensazione strana, come se la mia testa fosse senza peso. Per tutto questo tempo ho pensato che l'intera squadra volesse il mio sangue, che la sala detective fosse come una tenda dietro la quale si nascondeva un esercito di nemici, mentre io ero la guerriera solitaria che solleva la spada pur sapendo che verrà abbattuta. Ma ogni volta che sollevo la tenda, trovo sempre lo stesso stronzetto del cazzo.

I ragazzi che facevano battute volgari su di me: ho dato per scontato che avessero i bordi affilati e cosparsi di veleno apposta, per indebolirmi finché non fossi caduta. Non mi è mai venuto in mente che le battute erano solo battute, un po' piú cattive del normale solo perché io non vado d'accordo quasi con nessuno, e anche perché da dopo quella pacca sul culo che mi ha dato Roche, che molti di loro hanno visto senza dire una parola, non ci ho piú nemmeno provato, ad andare d'accordo. Quando Pulci ha sondato il terreno per capire se avevo voglia di tornare a lavorare sotto copertura, ho subito immaginato che fosse perché sapeva che alla Omicidi stavo affondando. Non mi è neppure venuto in mente che forse l'ha detto perché lavoravamo bene insieme e sente la mia mancanza. Steve che tesseva i suoi «se» e «forse», esaminandoli da tutti gli angoli: ho pensato, e per qualche ora ci ho davvero creduto, che lo facesse per spingermi oltre il bordo del precipizio e guardarmi facendo ciao con la manina mentre mi spiaccicavo in basso. Sono felice che il colore della mia pelle impedisca a lui e a Crowley di vedere il mio rossore.

In pratica ho fatto proprio come Aislinn: mi sono persa nella storia che avevo in testa, senza piú riuscire a vedere il mondo fuori dalle mura che avevo costruito. Ora quei muri sussultano con un rombo che mi scuote fino alle ossa. La mia faccia è esposta all'aria fredda che filtra dalle crepe. Un lungo e intenso brivido mi risale lungo la schiena.

Crowley e Steve mi osservano, tutti e due vogliono capire se ho intenzione di lasciare in pace Crowley. Il gioco sul telefono di Steve manda rumori che implorano attenzione.

– Va bene, – dico. Vorrei alzarmi e uscire, ma non ho ancora finito. Spingo ogni altra cosa in un angolo della mente. – Va bene. La prendo per buona.

Crowley dice: – Hai detto che avevi un piccolo scoop per me –. La paura è scomparsa, è di nuovo in modalità iena.

– Ah, sí, – dico, di nuovo concentrata: questo sarà divertente. – Ce l'ho, infatti. E ti piacerà.

Crowley tira fuori il registratore ma io scuoto la testa. – Niente da fare. L'informazione non è attribuibile. L'hai ricevuta da fonti vicine all'indagine. Capito?

«Fonti vicine all'indagine» significa poliziotti. Non voglio che Breslin e McCann pensino che sia stata Lucy a parlare.

Lui mette il muso, ma io non parlo e osservo Steve che tempesta di ditate lo schermo del cellulare. Alla fine Crowley sospira e mette via il registratore. – Va bene.

– Bravo ragazzo, – dico. – Sta' a sentire: riguarda Aislinn Murray –. Crowley annuisce, pronto a sbavare; spera che gli riveli che prima di essere uccisa è stata violentata in modi creativi. – Aveva una relazione. Con un uomo sposato.

Crowley è deliziato. Scuote la testa, da uomo di mondo. – Sapevo che quella lí sembrava troppo a posto, per essere vera. Lo sapevo. Le ragazze che sanno di essere belle credono di poterla avere vinta sempre. Ma a volte non va cosí.

Sta già riscrivendo la storia nella sua mente, scegliendo i migliori eufemismi per definirla in pratica «una ninfomane rovinafamiglie che ha avuto ciò che si meritava». Steve dice: – La storia diventa ancora piú interessante. Indovina che fa di lavoro quell'uomo.

– Mmh –. Crowley si pizzica il naso e pensa. – Be', di sicuro a una ragazza come quella piacevano i soldi. Ma la butto lí, secondo me era ancora piú attratta dal potere. Ho ragione?

Io e Steve siamo impressionati. – Come mai non fai il nostro lavoro? – vuol sapere Steve. – La tua intelligenza ci farebbe comodo, nella squadra.

– Ah, be', non potrei lavorare agli ordini di chiunque. Torniamo al nostro uomo, detective Moran. Secondo me è un politico. Vediamo… – Unisce le punte delle dita davanti alla bocca. Ha già la storia in testa, pronta per l'inchiostro. – Il lavoro di Aislinn non la portava a frequentare quegli ambienti, perciò devono essersi incontrati in qualche locale, il che significa che l'uomo è abbastanza giovane da avere una vita sociale…

– È ancora meglio di ciò che pensi, – dico. Mi guardo intorno nel pub, mi chino sul tavolo e gli faccio cenno con un dito. Quando si avvicina tanto da soffocarmi con la puzza di patchouli, sussurro: – È un poliziotto.

– Meglio ancora, – aggiunge Steve, lasciando il telefono e chinandosi accanto a me. – È un detective.

– Meglio ancora, – incalzo io. – È un detective della Omicidi.

– Non si tratta di me, eh? – precisa Steve. – Io sono single, grazie a Dio.

Torniamo a farci indietro e guardiamo Crowley con grandi sorrisi.

Lui ci fissa, la mente che cerca di capire se vogliamo

fregarlo o cosa abbiamo da guadagnarci. – Non posso scrivere questa storia, – dice.

– La scriverai, – dico io.

– Non posso. Verrò querelato. Io e anche il «Courier».

– Non se eviterai di fare nomi, – lo rassicura Steve. – In squadra siamo piú di venti, tutti uomini a parte Conway, e quasi tutti sposati. Si tratta di sedici o diciassette persone tra cui scegliere. Sei in una botte di ferro.

– I miei contatti saranno furiosi. Non intendo rovinarmi la carriera.

– Alla Omicidi ti odiano già tutti, amico, – gli fa notare Steve, tornando al suo gioco. – Eccetto Roche e Breslin, e non si tratta di nessuno dei due, mettiti il cuore in pace. Perciò, tranquillo, non brucerai i tuoi ponti.

– Sarai un eroe, – dico io. – Il giornalista investigativo piú coraggioso d'Irlanda, che osa affrontare il Potere, in nome di verità e trasparenza. Sarà fantastico.

– Pensa quanta fica ti troverai tra le mani, – dice Steve. Crowley gli lancia un'occhiata sdegnata.

– L'articolo esce domani, – dico io. – Un detective sposato, non coinvolto nell'indagine su Aislinn Murray ma in una posizione molto vicina all'indagine, aveva una relazione con lei. Se poi avremo bisogno che tu metta altra carne al fuoco, te lo faremo sapere.

E i capi non avranno scelta: ci sarà un'indagine interna. Non verrà fuori abbastanza per un'imputazione, ma almeno McCann non tornerà al suo matrimonio e al suo posto a vita alla Omicidi come se non fosse successo nulla. Aislinn avrà ottenuto il suo scopo, alla fine. Mi chiedo se dentro di sé intuisse, nelle lunghe notti in cui non dormiva per progettare il suo piano, che questo era l'unico modo in cui poteva avere successo.

Chiedo: – Tutto chiaro?

Crowley scuote la testa, ma solo per mostrare la sua disapprovazione per i nostri modi rozzi e per la nostra inferiorità come esseri umani; sappiamo che scriverà l'articolo. – Grande, – dico. Spingo indietro lo sgabello e mi alzo; Steve spegne il suo videogame. – Ci vediamo –. E lasciamo Crowley e il suo Sartre a lavorare al nuovo scoop.

Fuori, l'aria è abbastanza dolce da convincerti a voltare la faccia verso il vento in cerca di calore. Sono soltanto le cinque del pomeriggio, ma è già buio e le strade si preparano alla vita serale: gruppi di fumatori che ridono fuori dai pub, ragazze che corrono a casa con la spesa, ansiose di prepararsi per uscire. – Voglio chiederti una cosa, – dico a Steve. – Sai chi ha pisciato nel mio armadietto, quella volta?

Non gliene ho mai parlato, ma lui non finge di non saperlo. Mi guarda in faccia, le mani nelle tasche del cappotto. – Non con certezza. Nessuno parla di queste cose in mia presenza.

– Breslin ha detto... – Breslin ha detto che *ovviamente* Steve ha sentito le storie e che *ovviamente* mi avrebbe riferito qualcosa, se fosse stato dalla mia parte. Breslin ha detto un sacco di cazzate. Chiudo la bocca.

Steve capisce il resto della frase. Spiega, in tono pratico: – Tutti sanno che sono entrato in squadra perché tu ci hai messo una buona parola. Ci vedono lavorare insieme. E nessuno prova a mettersi in mezzo. Non sono scemi.

Quelle parole mi provocano un calore che fa quasi male. – Sí, – dico. – Non lo sono.

Steve prosegue: – Ma da quello che ho capito, ascoltando una parola qua e là, è stato Roche.

– E il poster della donna con la fica aperta e la mia testa attaccata sopra con Photoshop?

– Roche.

– Capisco –. Ruoto su me stessa, guardando le luci della città che dipingono le nuvole di un grigio dorato. – E il resto? Non le cazzate, le stronzate grosse.

– Come ho detto, non lo so per certo. Ma non ho mai sentito nulla che mi facesse pensare che ci fosse di mezzo qualcun altro.

– Non mi hai mai detto niente.

Un sorriso gli solleva un angolo della bocca. – Perché mi avresti ascoltato, vero?

Steve, attaccato alla sua preziosa storia di criminalità organizzata come a un salvagente, costruendola sempre piú grande e fantasiosa e convoluta, agitando le braccia per convincermi a guardarla. Io pensavo che volesse tirarmi su il morale, cosí non avrei fatto finire anche lui sul libro nero dei ragazzi. E invece sperava solo, se fosse riuscito a trovare una buona alternativa, di tirarmi fuori dalla mia convinzione granitica che tutto il caso, tutta la squadra, facessero parte di un unico grande complotto per liberarsi di me. Non riesco a decidere chi dei due sia il piú scemo.

– Ah, – dico. L'aria è profumata e inquieta, con tutti quei locali dove passare la serata, tutte le cose che possono accadere lí dentro, le porte aperte e ammiccanti. – Ma guarda.

– Cosa?

– Vorrei solo esserci arrivata prima.

Steve aspetta.

– Dobbiamo parlare con il capo, – dico.

18.

Io e Steve siamo nell'ufficio del capo, in fondo a un corridoio. Con il *clic* della porta, il silenzio si chiude intorno a noi e siamo lontani mille miglia dal resto della squadra. Gli strati di ciarpame vario ci si stringono addosso: pianta ragno, trofei del golf, stronzate in cornice, pile di inutili vecchi fascicoli, e c'è anche un oggetto nuovo, un globo di vetro con la neve che fa da fermacarte sulla scrivania; un souvenir delle vacanze, regalo di qualche nipotino. E in mezzo a tutto questo, O'Kelly si toglie gli occhiali da lettura e ci guarda.

– Breslin è già stato qui, – dice. – Ha detto che con il caso di Aislinn Murray siete arrivati a un punto morto; è il momento di fare un passo indietro, sperando di trovare un'apertura piú avanti.

Lo dice nel modo giusto, burbero e non esattamente contento di noi, ma senza sgridarci, perché Breslin gli ha detto che abbiamo fatto un buon lavoro. Per un secondo credo quasi che sia vero, e che tutto il resto ce lo siamo immaginato. La scarica di furia mi spinge a respirare in fretta.

Il capo ci osserva.

Io dico: – McCann ha ucciso Aislinn Murray.

Lui non muove nemmeno un muscolo. Dice solo: – Sedetevi.

Voltiamo le sedie verso la scrivania e ci sediamo. Il rumore delle rotelle di quella di Steve è pieno della mia stessa furia compressa.

– Sentiamo.

Gli diciamo tutto, mentre il buio fuori dalla finestra s'infittisce. Ci manteniamo molto chiari e freddi, niente commenti, solo un fatto dopo l'altro, come piace a lui. A un certo punto solleva il globo di vetro e lo ruota tra le dita, guardando cadere la neve di plastica mentre ascolta.

Quando finiamo dice, sempre fissando il globo. – Quanto di tutto questo potete provare?

– Non abbastanza da ottenere una condanna, – dice Steve. Trattiene a stento il sarcasmo: «Non si preoccupi, è tutto a posto». – Non è nemmeno abbastanza per un'imputazione.

– Non è ciò che ho chiesto.

– Il collegamento di McCann con il vecchio caso è nel fascicolo, – dico. La rabbia s'infila anche nella mia voce, e non tento di nasconderla. – Gary O'Rourke e io possiamo confermare che Aislinn stava tentando di ricostruire la storia della scomparsa di suo padre. La relazione amorosa è solida: abbiamo prove forensi piú la dichiarazione della migliore amica di Aislinn, piú l'ammissione di McCann. E l'amica è disposta a testimoniare che Aislinn lo stava solo menando per il naso. Ma per quanto riguarda sabato sera, abbiamo solo la dichiarazione di Rory Fallon in cui sostiene di aver visto McCann, che non vale niente. McCann non ha detto una parola. Breslin dice che McCann l'ha trovata morta, ma nessuno lo confermerà in modo ufficiale.

Gli occhi di O'Kelly si spostano rapidi su di me. – Breslin ha detto questo.

– Un'ora fa.

Lui ruota sulla sedia, con un lungo cigolio, e fissa la finestra. Forse guarda fuori, oltre il cortile, verso il pendio acciottolato e la facciata dalle alte finestre dell'edificio di fronte. Forme solide che deve conoscere a memoria; ma nelle tenebre non si vede nulla.

Steve dice, come se non potesse piú trattenersi: – Breslin ha chiamato lei, domenica mattina. Prima che ci affidasse il caso.

Un battito di ciglia. Se non fosse per questo, potremmo quasi pensare che il capo non abbia sentito.

– Noi eravamo un regalo, – dico. – I burattini perfetti. Moran è un nuovo acquisto, Conway lotta contro una brutta reputazione. Facile indirizzarli nella direzione sbagliata; e se trovano qualcosa che non ti piace, puoi costringerli a fare marcia indietro e a tenere la bocca chiusa. Se si dovesse arrivare alle brutte, li infanghi tanto che nessuno sarà disposto ad ascoltare quello che hanno da dire.

O'Kelly dovrebbe cazziarmi, perché oso parlargli cosí, ma non si volta nemmeno. La lampada da tavolo inonda di luce dorata la placca d'ottone con la scritta: «Sovrint. Det. G. O'Kelly».

Dopo un bel po' dice: – Breslin mi ha detto che si trattava di un suo amico.

Nessuno di noi due dice nulla.

O'Kelly respira a fondo e lascia uscire l'aria con delicatezza, come quando hai una tosse fortissima e se sbagli senti che potresti esplodere. – Alle cinque del mattino, mi ha telefonato. Ha detto che questo amico, uno dei suoi migliori amici, sabato sera era andato a far visita alla sua ragazza. E l'aveva trovata in soggiorno, priva di conoscenza. Era stata pestata, e l'amico era praticamente sicuro che il colpevole fosse un altro uomo della stessa donna. Io ho detto: «E perché mi hai tirato giú dal letto? Denuncia il fatto, manda gli agenti e il pronto soccorso e ci vediamo in centrale tra qualche ora». Breslin ha detto che l'avrebbe fatto non appena finito di parlare con me.

Poi ha aggiunto: «Il mio amico ha moglie e figli. Non può essere collegato a questa storia, capo. Gli rovinerà la vita. Dobbiamo tenerlo fuori».

O'Kelly fa una breve risata senza allegria. – Io gli ho detto di piantarla con le stronzate su questo *amico*, che sapevamo tutti e due di chi stava parlando. Ma Breslin ha detto di no, ha giurato sul suo onore: «Non si tratta di me, capo. Mi conosce, io non tradisco mia moglie. Se vuole può parlare con lei, le dirà che siamo stati insieme, io, lei e i nostri figli, tutto il fine settimana…» Conosco Breslin. Se fosse stata una menzogna me ne sarei accorto. Perciò gli ho creduto.

Si muove e la sedia emette un forte cigolio. – Ho detto: «Il tuo amico dice di non averla toccata, che è entrato e ha trovato il danno già fatto. Tu gli credi?» Breslin ha risposto di sí. Al cento per cento, anzi al duecento, al mille per cento. E non mentiva, nemmeno allora. E Breslin non è un cretino, è un poliziotto molto esperto e sa individuare una storia che non regge.

Scende un breve silenzio, che nessuno di noi si cura di interrompere.

– Gli ho chiesto: «Allora perché sei cosí preoccupato? Se il tuo amico non ha fatto nulla e non ha visto nulla, non c'è motivo che venga fuori il suo nome. La ragazza si sveglia, dice agli agenti chi è stato a pestarla, loro fermano il colpevole, lei decide di non sporgere denuncia e tutti se ne tornano a casa; effettuare degli sciacqui e ripetere tra un mese o due. Il tuo amico è a posto, e spero si à preso un tale spavento che da ora in poi terrà l'uccello i pantaloni».

L'attacco di tosse alla fine arriva. Aspettiamo mentre O'Kelly tira fuori di tasca un fazzoletto e lo preme sulla bocca, facendo dei rumori feroci per schiarirsi la gola.

Poi riprende: – Ma Breslin era preoccupato. Ha detto
che l'amico non aveva controllato se la ragazza respirava
ancora. Era troppo scosso, troppo impaurito di essere in-
colpato dell'accaduto; aveva tagliato la corda e telefonato
a lui. Non sapevano da quanto tempo la donna fosse stesa lí. Se era morta, il suo amico era fregato. Sarebbe stato
trascinato nel caso, infangato, avrebbe perso tutto. E solo
perché aveva infilato l'uccello nel buco sbagliato.

Steve e io alziamo la testa di scatto nello stesso momento. Breslin a noi ha detto che McCann aveva controllato e
Aislinn era morta. Quindi non avrebbe avuto senso chiamare subito la polizia e lui non faceva la figura del cattivo
per averla lasciata sanguinante e ancora viva sul pavimento.
Tutte e due le versioni sono false, ovviamente, ma mi piacerebbe sapere perché a O'Kelly ne ha servita una diversa.

O'Kelly non ha visto il nostro gesto, o non ha voluto
vederlo. E continua: – Ho detto: «Tu vuoi qualcosa. Di
che si tratta?» Breslin ha risposto: «Se la ragazza è morta,
io devo partecipare all'indagine. Non chiedo che sia affi-
data a me. Voglio solo essere presente, in modo da vedere cosa succede e assicurarmi che il mio amico non venga
tirato dentro se non ce n'è bisogno. Se è tutto preciso e
pulito come sembra, non c'è motivo di rovinargli la vita.
Se ci sarà bisogno di coinvolgerlo, gli dirò di farsi avanti.
Lo giuro». Poi ha detto: «Capo, ho un credito aperto da
tredici anni. E questo è il momento di usarlo».

O'Kelly solleva un angolo della bocca, al ricordo.
– Breslin non è il genio che crede di essere, ma è un brav'uomo. Non mi ha mai deluso. Non ha mai chiesto un favore
piú grande di un po' di ferie nel periodo migliore. Se voleva
incassare il suo credito per questo caso… – Solleva le spalle e le lascia ricadere, pesantemente. – Alla fine ho detto
di sí. Gli ho raccomandato di fare tutto nel modo giusto e

di tenere pronto il suo amico: io avrei controllato questo caso passo per passo, e se avessi avuto sentore di qualcosa che non andava, lui sarebbe stato tolto dall'indagine e il suo amico sarebbe stato chiamato a rispondere alle nostre domande. Breslin mi ha detto che non c'era problema, mi ha ringraziato e ha detto di essere in debito con me, e leccate di culo varie che non ho nemmeno ascoltato. Poi ha riattaccato e ha chiamato la polizia locale.

Un'altra storia. E nemmeno una è vera da cima a fondo. Vittime, testimoni, assassini, detective, tutti non fanno altro che raccontare storie per mantenere il mondo cosí come lo vogliono, e ce le gettano addosso, ce le ficcano in gola, e ora lo fa anche il nostro capo.

Dopo essere stata in silenzio cosí a lungo, la voce mi esce rauca e secca per via del riscaldamento. – Lei sapeva chi era l'amico.

O'Kelly mi pianta gli occhi in faccia e li lascia lí, come se fosse troppo stanco per distogliere lo sguardo. – Dimmelo tu, Conway. Quando hai cominciato a sentire puzza di marcio, hai pensato subito: «Ah, lo so, dev'essere stato uno della mia squadra?»

La sua voce, quando dice «la mia squadra», mi cade addosso con la forza dell'acqua profonda. O'Kelly è nella Omicidi da ventotto anni; da quando io e Steve eravamo bambini che puntavano le dita a pistola contro gli amichetti e sparavano con la bocca. Quando dice «la mia squadra», significa qualcosa che io una volta sognavo di comprendere.

– No, – rispondo.

– E quando ormai avresti dovuto capirlo, ci hai pensato, allora?

– No.

– No –. Torna a voltare la testa verso la finestra. – Nemmeno io. Ma il sospetto mi è venuto. Non mi piaceva, e

avevo meno stima di me stesso, per questo. Ma il sospetto
restava. Perciò ho dato il caso a voi: dovevo sapere. E voi
eravate gli unici che non l'avrebbero lasciato cadere come una patata bollente, se Breslin vi avesse detto di farlo.

E noi siamo partiti lancia in resta e abbiamo fatto il lavoro sporco per lui. Forse pensa che dovremmo essergli grati
per la fiducia che ha riposto in noi. Io dico solo: – Ora lo sa.

– Ne siete certi? Ci scommettereste la vita?

Steve dice: – È stato lui.

O'Kelly annuisce varie volte. – Capisco, – dice quasi
tra sé. – Capisco.

Io aspetto, solo per il gusto di vedere cosa farà. Tento
di indovinare cosa tirerà fuori per primo: la saggezza paterna, la lealtà verso la squadra, la serietà da uomo a uomo,
il senso di colpa, le offerte per corromperci, le minacce.
Spero che Steve non abbia progetti per la serata, perché
probabilmente il capo ci metterà un po' a comprendere
che non arriverà da nessuna parte. E già che ci sono, cerco di decidere se dobbiamo dirgli che è già troppo tardi, e
goderci l'espressione sulla sua faccia, o se è meglio giocare
sicuro e aspettare che lo scopra domani mattina insieme a
tutti gli altri, quando uscirà il «Courier».

Lui ruota sulla sedia, ritorna a fronteggiare la scrivania e
alza il telefono. Il dito sui tasti è piú impacciato di quanto
dovrebbe; le nocche sono gonfie, rigide. Quando sente rispondere, dice: – McCann. Nel mio ufficio –. E riattacca.

I suoi occhi si fermano su di noi, di passaggio. – Potete restare, – dice. – Se vi comportate da adulti. Se invece
vi mettete a provocare vi sbatto fuori –. Poi torna a voltarsi verso la finestra, a fissare quello che vede là fuori,
qualunque cosa sia.

Io e Steve ci guardiamo una volta sola. Il suo viso è tirato e circospetto, tutto angoli affilati. Nemmeno lui sa

cosa sta per succedere, e non gli piace, come non piace a me. Ci scambiamo un rapido cenno: «Tieni duro». Poi restiamo seduti e fermi ad ascoltare il sibilo basso dei radiatori e il lento ansimare del respiro di O'Kelly, mentre aspettiamo McCann.

Il bussare alla porta spezza il silenzio. – Avanti, – dice O'Kelly, girando la sedia, e McCann appare sulla soglia, giacca che gli pende addosso, occhi infossati.

Due sguardi, uno al capo, uno a noi, e capisce. Ruota le spalle in avanti, preparandosi alla lotta.

– Moran, – dice O'Kelly. – Da' una sedia a McCann.

Mi alzo anch'io insieme a Steve e ci mettiamo di lato, in piedi contro il muro. Per un attimo sembra che McCann non voglia sedersi, poi tira la sedia di Steve e si siede. Gambe larghe, piedi piantati a terra, mento in avanti.

O'Kelly dice: – Avresti dovuto dirmelo.

Un rossore improvviso colora gli zigomi di McCann. Apre la bocca per sputare una serie di motivi, scuse, giustificazioni. Poi la richiude.

– Da quanto tempo sono il tuo capo?

Dopo una breve pausa, McCann risponde: – Undici anni.

– Puoi lamentarti di qualcosa?

McCann scuote la testa.

– Ti ho coperto le spalle, nei momenti difficili, o ti ho lasciato solo?

– Coperto le spalle. Sempre.

O'Kelly annuisce. Poi dice: – Un civile che combina un casino cerca di nasconderlo al suo capo. Un detective nei guai va dal suo capo.

McCann non riesce a guardarlo. Il rossore aumenta. – Avrei dovuto farlo. Subito. Lo so.

O'Kelly aspetta.

– Mi dispiace.

– Va bene, – dice il capo, con un cenno che significa: «Per ora te la cavi, ma non farlo piú». – Comunque ora parliamo. Voglio sapere esattamente che diavolo è successo. Questi due, – un cenno del capo verso me e Steve, – mi dicono che ti sei lasciato accecare dalla fica: Aislinn Murray voleva rovinarti la vita, tu hai pensato con l'uccello e tutta la storia è finita in merda. È vero? Questo pasticcio a cinque stelle è tutto perché non arrivava abbastanza sangue al cervello?

McCann muove la bocca, senza parlare. Quelle parole non gli piacciono.

– Perché io ti conosco, o almeno pensavo di conoscerti, e so che è una stronzata. Questi due hanno messo in piedi una storia che gli fa comodo, facendo in modo che tutto ciò che hanno trovato vi si adatti.

Il gelo mi scende fino allo stomaco, come se avessi inghiottito un cubetto di ghiaccio. La storia che gli abbiamo raccontato, la verità, non lascerà mai questa stanza. Quando usciremo di qui, O'Kelly e McCann l'avranno fatta a pezzi e ricucita di nuovo, rendendola irriconoscibile. E sarà quella la storia che daranno in pasto al mondo esterno. Sapevo che sarebbe successo, ma è lo stesso un brutto colpo.

– Il fatto è che tutto quello che hanno in mano può essere letto in modi diversi.

McCann gli lancia una rapida occhiata.

O'Kelly alza un pollice. – Le foto dei tuoi biglietti. È logico pensare che Aislinn volesse portarle a tua moglie, ma questo dice solo che lei ti voleva per sé. Non dice il perché.

Poi alza l'indice. – La favoletta che ha inventato per la sua amica. Dice solo che si sentiva in trappola, e non posso darle torto. Sei stato un vero idiota a metterla in quella situazione, come se lei dovesse essere felice di passare il resto della vita facendo la tua amante segreta. Ovvio che ce l'avesse con te e che volesse rovesciare il tavolo, cosí non ti saresti potuto allontanare da lei.

McCann batte le ciglia due volte, rapidamente. Sta ricevendo il messaggio. Da un momento all'altro prenderà il salvagente che O'Kelly gli sta lanciando.

Un altro dito alzato. – Rory Fallon. Con lui forse Aislinn voleva provare a dimenticare te. Ma era abbastanza intelligente da capire che tutti e due eravate una cattiva idea.

McCann lo fissa, ora. La speranza nel suo sguardo da annegato è terribile.

– Forse da parte mia è solo un pio desiderio. Non voglio credere che tu abbia combinato un casino del genere, tirando dentro tutta la squadra, solo per farti una scopata. Se l'hai fatto, allora questa storia con Aislinn doveva essere importante.

Vergogna mista a speranza.

– Non possiamo piú chiedere a Aislinn cosa le passava per la testa. L'unica altra persona a cui chiederlo sei tu. Se qualcuno lo sa, sei tu. Perciò dimmelo, McCann. Era vero amore? O ci troviamo tutti qui solo perché avevi voglia di scopare?

La rabbia repressa nella voce del capo tira fuori le parole a McCann. – Era una storia vera. Non sono cosí stupido.

– Vera, – ripete il capo, aspettando il resto.

– Forse Aislinn voleva davvero solo fregarmi, all'inizio. E forse anche alla fine. Quel suo amico l'avrà convinta, o non lo so. Ma c'è stato tutto il periodo in mezzo…

McCann si sfrega gli occhi. Nella luce spietata sono rossi e gonfi, come se avesse l'inizio di un'infezione. Dice: – Non riuscivo a credere che stesse accadendo. A me. Credevo di conoscere il mio futuro come se fosse già successo. Tutte le decisioni che fanno la differenza, le ho prese prima dei venticinque anni: il lavoro, la moglie, il quartiere dove abitare, i figli. Mi restava solo da starmene seduto a guardare mentre tutto questo andava avanti. Niente colpi di scena; niente sorprese.

Alza la testa verso me e Steve. – Ora non potete capirlo, voi due. Avete ancora un'età in cui tutto può succedere. Ma lo scoprirete. È come essere in un film di terz'ordine, dove prima di arrivare a metà sapete già come andrà a finire, passo dopo passo. E non capite perché vi state prendendo il fastidio di guardarlo lo stesso. E poi...

Batte rapidamente le ciglia, come per vedere meglio.

– All'improvviso, qualcuno ti solleva e ti getta in mezzo a un altro film. Diversa la colonna sonora, diversi i colori. Lei era brillante. Sempre colori brillanti. E poteva succedere di tutto.

Steve dice: – Allora ciò che ci hai detto prima, che ti piaceva solo la sua compagnia, erano stronzate. Sapevi dall'inizio che era una storia speciale.

McCann scuote la testa. – No. All'inizio no. Mi piaceva solo... stare con lei. Nient'altro; non pensavo di fare nulla di piú. Mi bastava guardarla mentre ascoltava le mie storie come se fossero importanti. Mi ricordava le sensazioni che il mio lavoro mi dava, in passato. L'espressione sul suo viso: quando mi capitava un buon caso, io mi sentivo cosí. Come se ciò che facevo fosse importante.

Rischio un'occhiata al capo. Il suo viso è immobile, e le ombre annidate tra le rughe e le orbite degli occhi lo rendono impenetrabile.

– Okay, – dice Steve, tenendo lo scetticismo sotto il livello della provocazione. – E quando è cambiato?

– Una sera, – dice McCann. Si passa una mano sulla guancia, come se volesse togliere una ragnatela. – Una notte. Ad agosto. Aislinn mi disse che un tizio aveva attaccato discorso con lei, al corso serale che frequentava. Lo disse solo cosí, come se non fosse niente di importante: il tizio non le piaceva, e l'aveva scoraggiato. Ma in quel momento mi si fece giorno: una ragazza come lei ovviamente vuole un uomo accanto. Non solo per picnic e chiacchierate, ma un uomo che la ami; un uomo nel suo letto. E quella consapevolezza mi cadde addosso come una tonnellata di mattoni, perché sapevo che una volta trovato quell'uomo, io sarei scomparso dalla sua vita.

«Gli aveva fatto credere che fosse stato lui ad avere l'idea», ha detto Lucy. Ed è stato proprio cosí.

– Allora pensai: perché non posso essere io? Perché no? Ci piaceva stare insieme, non ci stancavamo mai l'uno dell'altra. C'era un'attrazione chimica, lo capivo persino io. Il modo in cui mi guardava, il modo in cui accelerava il respiro quando per sbaglio ci sfioravamo... C'era qualcosa.

Un'occhiata rapida a me e Steve. Gli è tornata quella sfumatura di rossore sugli zigomi. – A voi due sembrerà patetico: il classico cretino di mezza età che perde la testa per una giovane, la storia piú vecchia del mondo. Ma voi non c'eravate.

Ogni omicida ci dice queste parole, prima o poi: «Non c'eravate, non potete capire». Nel breve silenzio asciutto che segue, nessuno lo fa notare.

– È stato cosí facile? – chiedo. – «Dài, proviamoci», e Aislinn: «Certo, perché no?»

McCann scuote la testa, lentamente. – Non so come l'ho fatto succedere. Voi due continuate a pensare che lei volesse fregarmi, ma non era cosí. Aislinn non voleva essere una rovinafamiglie. Ci ho messo un bel po' a convincerla che il danno era già accaduto da anni, e lei non c'entrava. E quando io... quando noi... è stato allora che l'ho capito: lei mi voleva bene davvero. Lei... io... – Un rapido ansimare involontario. – Questo mi ha sbalordito. Completamente.

La meraviglia nella sua voce. La gioia, lo stupore. Sembra un ragazzino delicato, a cui rischi di fare del male solo con una carezza sbagliata. Ogni volta resto stupefatta di come la gente ti dice cose che dovrebbe tenersi dentro per tutta la vita; con quanta ferocia desiderano che la storia esca nel mondo, che esista in qualche posto fuori dalla loro testa.

McCann dice: – Era vero amore. Tutta quella roba che voi due avete trovato non significa nulla. Una volta sono caduto, scavalcando il muro, e mi sono sbucciato un ginocchio. Aislinn si è inginocchiata davanti a me e lo ha lavato, con una tale gentilezza. Credete che lo avrebbe fatto, se mi avesse odiato? Forse mi odiava, a volte, ma mi amava anche. Le persone sono complicate, e lei era piú complicata di quanto pensassi.

Continua a fissare me e Steve con uno sguardo di sfida, ma noi non raccogliamo. Tutta la storia è pura fantasia, ma l'ultima cosa che vogliamo è smontarla. Io e Steve abbiamo faticato tanto per tirare fuori la vera storia da questo intrico che abbiamo dimenticato come anche le storie false abbiano un loro potere feroce, a doppio taglio.

Il capo annuisce. – Ci avrei scommesso. Sono contento di sapere che non avrei perso i miei soldi –. Si accomoda meglio sulla sedia, si aggiusta la cintura dei pantaloni sulla pancia. – Ora che abbiamo chiarito questo, – dice, – parliamo di sabato sera.

McCann apre la bocca, ma O'Kelly lo ferma con una mano. – No. Aspetta. Non è questa la mia domanda.

McCann chiude la bocca.

– Breslin ha detto a questi due che tu hai trovato Aislinn già morta. Ma ha detto a me che tu, o meglio che il suo *amico*, non aveva controllato che il cuore battesse ancora. Come mai?

McCann scuote la testa, perplesso e diffidente. Non se lo aspettava. E non me lo aspettavo nemmeno io. Non sono piú sicura di avere un'idea di dove il capo vuole andare a parare.

– Breslin voleva farmi pensare che il suo amico fosse un civile. Allora ha detto che si è spaventato e ha tagliato la corda, come avrebbe fatto un civile qualsiasi. E come un detective non avrebbe mai fatto –. O'Kelly lancia un'occhiata a McCann, da sotto le sopracciglia. – Sei contento di questa spiegazione?

McCann torce la bocca in un sorriso senza allegria. – Non sono contento di niente di tutto questo.

– E fai bene. Hai lasciato che Breslin ti dipingesse come un civile, per tenerti fuori dai guai con il tuo capo. Come ti fa sentire?

McCann dice, a fatica: – Non bene.

– Meno male, perché non fa sentire bene neppure me –. O'Kelly fa una pausa, ma McCann non ha nulla da aggiungere. – E un minuto fa hai detto che Aislinn ti faceva sentire come quando in passato ti capitava un buon caso: come se ciò che facevi fosse importante.

McCann annuisce.

– In passato, hai detto. Quindi non piú.

McCann fissa il pavimento.

– Da quando?

– Non lo so. Da un paio d'anni.

– Cosa è successo?

O'Kelly è chino in avanti, i gomiti sulla scrivania, il piú vicino possibile. Io e Steve non facciamo un movimento. Non siamo neppure nella stanza. Questo è tra McCann e O'Kelly.

McCann dice: – Non è stato il lavoro, sono stato io. Come ho detto prima, a un certo punto mi è sembrato che tutto ciò che avrei fatto in futuro fosse già scritto. Nel mezzo di un interrogatorio importante, arrivava questa sensazione, come se la mia bocca si muovesse da sola, come se leggessi un copione e non potessi cambiare nemmeno una battuta. Mi rendevo conto che non importava chi fosse seduto al mio posto a fare le domande; il finale sarebbe stato lo stesso se al mio posto ci fosse stato Winters, O'Gorman. Mi sembrava di scomparire. Non è che non riuscivo piú a vedermi come un detective. Non riuscivo piú a vedermi in generale.

Il capo dice, in tono pesante: – Avrei dovuto accorgermene.

McCann dice, in fretta: – Sul lavoro non ha mai fatto nessuna differenza, capo. Non ho mai allentato la presa. Ho sempre dato il cento per cento, indipendentemente da tutto.

– Lo so –. O'Kelly si fa indietro sulla sedia, si passa una mano sulla bocca. – Cosa pensavi di fare? Farti trasferire in un'altra squadra, resistere fino ai trent'anni di servizio e andare in pensione?

La faccia di McCann sembra quella di un bambino che chiede perdono. – No, capo, no. Ho pensato: è la crisi della mezza età, passerà, ne verrò fuori. Non volevo andare da nessun'altra parte. Volevo restare qui fin quando mi avrebbero costretto ad andare via.

O'Kelly dice, in tono semplice, non brutale: – Quel momento è adesso.

McCann si morde un labbro.

– Non posso piú averti in squadra.

Dopo un tempo lunghissimo, un cenno quasi impercettibile.

– E non posso scaricarti in un'altra squadra, non sapendo cosa succederà.

Di nuovo quel cenno d'assenso.

– E la storia verrà fuori, in un modo o nell'altro. L'amica di Aislinn: possiamo convincerla a tacere per un po', ma prima o poi capirà che il caso non sta andando da nessuna parte e andrà a spiattellare tutto a qualche giornalista –. O'Kelly non guarda verso me e Steve, si comporta come se non fossimo presenti, ma non posso evitare di farmi delle domande. – E a quel punto il pubblico ministero ci salterà alla gola. Ci saranno due inchieste, come minimo: la nostra e la loro. Salterà anche la testa di Breslin –. La testa di McCann scatta verso l'alto. – Cosa ti aspettavi? Occultamento di prove, piú quella telefonata a Stoneybatter. Sarà fortunato se non finirà sotto accusa.

– Capo, – dice McCann. La disperazione gli taglia la voce. Non riesco a guardarlo. – Non è colpa di Breslin. Non ha fatto nulla, ha solo cercato di aiutarmi. Per favore…

– Non potrò fare nulla per Breslin. Salterà anche la mia, di testa –. Nessun autocompatimento, nel suo tono; questi sono fatti, non diversi dall'esame delle impronte o di un alibi. – A meno che non mi metta in pensione prima della conclusione dell'indagine. Nel qual caso non sarò comunque in grado di tirare Breslin fuori dai guai.

– Cristo, – dice McCann, in un sussurro. – Ah, Cristo, capo, mi dispiace tanto.

– Non diventarmi sentimentale. Ormai è fatta –. La faccia di O'Kelly sopra la scrivania, tutta solchi e sporgenze, come un'antica incisione con un messaggio che non riesco a interpretare. – Hai una scelta: puoi chiudere la partita come un delinquente, o puoi essere un detective per l'ultima volta.

Il silenzio dura talmente a lungo che l'ufficio cambia

forma, proprio com'era successo in sala colloqui. Disegni a pennarello, fiocchi di neve dentro il globo di vetro. Pelle tesa sopra ossa spolpate e digrignare di denti.

McCann dice piano: – Sabato sera, dopo cena, ho detto a mia moglie che uscivo per una pinta e sono andato da Aislinn. Sono entrato dalla cucina; ho visto che aveva messo del cibo a cuocere, ma non gli ho dato importanza. C'era della musica, roba da discoteca, Aislinn non mi ha sentito arrivare. Sono entrato in soggiorno e l'ho chiamata, piano, come sempre, per non farmi sentire dai vicini. E ho visto la tavola apparecchiata per due. I calici da vino. La candela. Ho pensato fosse per noi. Avrei dovuto capire subito che non era cosí. Non andavo mai da lei di sabato: mia moglie di solito vuole cenare fuori, quella sera però aveva mal di testa. Aislinn non poteva immaginare che sarei passato. Ma io riuscivo a pensare solo alla voglia che avevo di vederla.

Rischio uno sguardo rapidissimo a Steve, senza voltarmi, con la coda dell'occhio, e vedo che lui rischia uno sguardo verso di me. Ha la mia stessa espressione. Ma siamo solo noi due quelli allibiti. La voce di McCann non mostra la minima sorpresa per ciò che sta facendo. Nel momento in cui è entrato in questa stanza, sapeva cosa avrebbe voluto O'Kelly da lui. E lo sapeva anche Breslin. Per questo non hanno dato al capo una versione che lo implicava, pregandolo poi per favore di cancellare tutto con un tratto di penna. Io e Steve siamo gli unici fessi che non l'avevano capito.

– E in quel momento lei è uscita dalla camera da letto, – dice McCann. – Bellissima, con un vestito blu luminoso; una sera d'inverno come quella, grigia e umida, e all'improvviso quell'azzurro che t'illumina il cervello... Aveva i capelli sciolti, come piaceva a me, si stava infilan-

do un orecchino. Io sono andato da lei. Per... – Le mani
imitano un abbraccio.

– Aislinn ha fatto un salto. Poi ha visto che ero io. Mi
aspettavo che ridesse e mi baciasse, ma aveva una faccia...
terrorizzata. Come se fossi un rapinatore. Allora ho cominciato a capire: non era me che aspettava. Ha alzato le
mani, per non farsi toccare, e ha detto: «Devi andare via».

McCann sta ansimando, la scarica di incredulità lo colpisce di nuovo. – Non potevo credere... Le ho chiesto:
«Cosa? Che stai facendo? Che succede?» Ma lei continuava solo a indicare la porta posteriore e a dirmi di andarmene. Io l'ho supplicata, non ricordo nemmeno bene
con quali parole. Dicevo: «Cosa è successo? Fino a mercoledí, eravamo... tre giorni fa, noi... È perché sei stufa del
fatto che torno sempre a casa da mia moglie? Perché non
passo abbastanza tempo con te? Lascio mia moglie stasera
stessa, vengo a vivere con te, farò... È stato qualcosa che
ti hanno detto di me? La tua amica Lucy? Posso spiegarti,
lascia che...» Ma lei scuoteva la testa a tutto ciò che dicevo: no, non è questo, vai e basta. Tentava di spingermi
verso la cucina, ma io non volevo, non potevo... Ho detto, come uno stupido, senza riuscire a capire: «È finita?
Mi stai lasciando?» E Aislinn si è fermata di colpo, come
se non ci avesse pensato. Sembrava sorpresa. E poi ha detto: «Sí. Direi di sí».

In nessun modo rischierei un'occhiata a Steve adesso.
Non respiriamo nemmeno.

– Sembrava uno scherzo, – dice McCann. – Aspettavo
la battuta finale. Ma la sua faccia diceva che parlava sul
serio. Ho detto l'unica cosa che potevo dire: «Perché?»
Lei ha detto: «Va' a casa». E io: «Dimmi perché e me ne
vado. Qualunque cosa sia, dimmelo. Non posso vivere senza saperlo». Lei mi ha guardato in faccia ed è scoppiata a

ridere. Aislinn aveva una bella risata, dolce, ma quella era qualcosa di diverso. Una risata forte, selvaggia. Sembrava...

La gola di McCann si muove come se udisse di nuovo quella risata, che cresce fino a riempirgli la testa, inarrestabile. – Sembrava felice. Felice come non l'avevo mai vista. E alla fine ha detto: «Continua a chiedertelo. Ora vattene via. Vaffanculo».

Smette di parlare.

O'Kelly dice: – E.

McCann continua: – E l'ho colpita.

Io e Steve l'abbiamo assalito strappandogli ciò in cui credeva di piú nella vita, facendoglielo esplodere davanti agli occhi, sperando che dopo non restasse abbastanza da permettergli di resistere ancora. Proprio come aveva pensato Aislinn. Ma dopo avergli tolto tutto il possibile, dopo averlo fatto praticamente a pezzi, ci siamo trovati davanti solo i suoi «non ho niente da dire».

O'Kelly gli ha offerto una strada per tornare a essere quello che era. E McCann l'ha presa.

Dice: – Non è stato premeditato, capo. È stato omicidio colposo. Non avrei mai voluto che morisse.

Il capo dice: – Lo so.

– Non mi è neppure venuto in mente che potesse succedere. Ci ho pensato solo dopo.

– Lo so.

Prendo fiato, preparandomi a menzionare il referto di Cooper. McCann non è un culturista. Quel pugno l'ha vibrato quando Aislinn era già a terra, con la testa sul gradino del caminetto.

O'Kelly sente il respiro e mi guarda, in attesa di ciò che dirò. La sua faccia non è cambiata. Solo gli occhi, mobili nell'ombra, sembrano vivi.

Chiudo la bocca.

Gli occhi del capo tornano a posarsi su McCann. – Questo dovremo registrarlo. Lo capisci?

McCann annuisce. E continua ad annuire a lungo.

O'Kelly poggia una mano sulla scrivania per tirarsi su dalla sedia. – È ora di andare, – dice.

McCann alza il viso a fissarlo.

– Lo farò io, – dice il capo, come un chirurgo che promette di operare di persona, senza lasciare il bisturi in mano a qualche studente inesperto.

McCann dice: – Maura.

– Andrò io da lei. Appena avremo finito.

McCann annuisce di nuovo. Si alza e resta in piedi accanto alla sedia, con le braccia lungo i fianchi, aspettando di ricevere indicazioni.

Il capo si aggiusta la giacca addosso, con cura, come per un appuntamento importante. Spegne la lampada sulla scrivania e si guarda intorno, tastandosi le tasche. Gli occhi gli cadono su me e Steve, come se avesse dimenticato la nostra presenza.

– Andate a casa, – dice.

Non parliamo. Lungo il corridoio silenzioso, i nostri passi risuonano sulla moquette come pulsazioni attutite. Scendiamo attraverso la corrente d'aria fredda nella tromba delle scale, entriamo nello spogliatoio: cappotti addosso, cartelle a tracolla, armadietti chiusi. Risaliamo le scale: sorrisi, cenni di saluto, scambiamo due parole con Bernadette che infila in borsa fazzoletti e pastiglie per la gola, preparandosi a tornare a casa. Fuori, troviamo il freddo e l'odore della città.

Il grande cortile, i riflettori, gli impiegati sulla via di casa. Tutto sembra strano, come di carta, distante. Risolvere un grosso caso ti lascia cosí, in un mondo bianco come l'alba, come la sabbia, vuoto a parte la soluzione e pesante come un sasso tenuto in mano.

Ma stavolta è piú di questo. I ciottoli mi dànno una sensazione strana sotto i piedi, come sottili bucce di pietra sopra una nebbia senza fondo. La squadra che ho passato due anni a odiare, la folla di bastardi vigliacchi capaci solo di pugnalare alla schiena la guerriera solitaria, che ciò nonostante combatte con coraggio la sua battaglia senza speranze di vittoria. Tutto questo è sparito, come una pellicola appiccicosa che nascondeva la realtà sottostante. La squadra in cui pur di poter entrare mi sarei tagliata un braccio, composta di splendenti supereroi, quella è già scomparsa da tempo. Ciò che resta è piú piccolo di entrambe le fantasie, piú tranquillo, e piú complicato. Roche, che ha bisogno di un bel cazzotto sul muso, è in cima alla mia lista di quel che devo fare. Il resto dei ragazzi è un misto di alibi da chiarire, fibre da usare come prove, la varicella del bambino, l'alzata di occhi al cielo a qualche stronzata mia o di Roche. Il capo... Mi viene in mente che forse il capo ci affida sempre i domestici non perché sa che mi fanno incazzare, ma perché hanno un buon tasso di solvibilità e vuole che le nostre statistiche siano buone; o forse, piú semplicemente, perché sa che ci lavoreremo duro. Steve e io.

Ci fermiamo nel cortile, con le mani in tasca, le spalle ingobbite contro il freddo. Non sappiamo dove andare; non c'è un manuale, un rituale, una cosa qualsiasi che ci dica cosa succede dopo una giornata come questa. Sopra di noi, le finestre della squadra Omicidi sono illuminate, sveglie, pronte per quello che la notte porterà. Da qualche parte lassú, O'Kelly e McCann sono in una sala per gli interrogatori, con le teste vicine, e parlano a voce bassa e chiara. Breslin è da solo nella stanza di osservazione, immobile, con il fiato che appanna il vetro.

Steve dice: – Ci ha voluti proteggere.

Intende il capo. Per questo ci ha mandati a casa. – Lo so, – rispondo. Ci sarà il nome di O'Kelly sulla confessione di McCann, il nome di O'Kelly sul fascicolo delle prove che sarà inviato al magistrato. Quando entreremo in sala detective, domani, non troveremo un muro di silenzio ostile. Breslin ci odierà per il resto della sua vita. Gli altri vedranno O'Kelly uscire dall'edificio spalla a spalla con McCann, per accompagnarlo a fornire i suoi dati prima di entrare in cella. E capiranno.

Steve fa un respiro improvviso e lo soffia fuori. – Dio, – dice, con un tremito nella voce che non si cura di nascondere. – Che giornata.

– Guarda il lato buono. Non avremo mai una settimana peggiore di questa.

Lui scoppia in una breve risata che sembra un latrato. – Non si può mai sapere. Se abbiamo fortuna, il capo della polizia strangolerà una prostituta mentre si trova sotto l'effetto della cocaina.

– Col cazzo. Lo lasceremo a qualcun altro. Due piccioni con una fava.

Steve ride di nuovo, ma smette subito. – Il motivo per cui non l'abbiamo capito dall'inizio, – dice, – è perché pensavamo da poliziotti. Tutti e due.

Lascia lí la frase con una specie di punto interrogativo alla fine. Lo sa. E io che credevo di essere impenetrabile come un agente segreto, e che il mio piano fosse noto solo a me. Osservo il nostro fiato diffondersi nell'aria e svanire.

– Allora, – dice Steve, stringendo gli occhi quando un'ombra passa davanti a una finestra. – Darai le dimissioni?

Vedo le possibilità come se ce le avessi davanti agli occhi, come fuochi fatui che galleggiano sopra i ciottoli, passano davanti alle finestre, accattivanti e inaffidabili. Mi vedo in un tailleur che fa sembrare un sacco della spazzatura quello che indosso ora, mentre percorro le corsie di Harrods dietro una qualche principessa saudita, un occhio su di lei e l'altro su tutto il resto. O mentre stiro le gambe durante una lezione di economia finanziaria, o mentre controllo le uscite d'emergenza nei corridoi silenziosi di hotel a ventiquattro carati; o mentre me ne sto stesa davanti a un mare di un azzurro accecante, con un cocktail in mano e una pistola nella borsa da spiaggia. Tutte quelle possibilità formano un mulinello tra le sbarre del cancello e scompaiono.

– No, – dico. – Odio le scartoffie.

Giuro che Steve getta indietro la testa dal sollievo. – Gesú, – dice. – Ero preoccupato.

Questo non me l'aspettavo. – Sul serio?

Lui si volta a guardarmi, sorpreso quanto me. – Certo. Cosa pensavi?

– Non lo so. Non ci avevo mai pensato –. Nemmeno una volta. Ma avrei dovuto. Per un attimo rivedo Breslin in sala interrogatori, fuori di sé dalla furia: «Non c'è *nessuna cazzo di possibilità* che sia stato lui». Breslin nel soggiorno di casa sua, al buio, appena prima dell'alba, che cambia voce al telefono e chiama la polizia di Stoneybatter. – Scusami, – dico. – Nell'ultimo periodo sono stata una stronza, in un sacco di modi.

Steve non prova neppure a smentirmi. – È tutto a posto. Lo siamo stati tutti.

– Non penso di farlo piú.

– Sarebbe bello.

– Vaffanculo, eh? – I ciottoli hanno perso quella consistenza nebbiosa e hanno ripreso la solidità dei secoli; l'aria fredda mi colpisce i polmoni come caffeina. Devo

chiamare Crowley e dirgli che non è piú costretto a pubblicare quell'articolo, ma che mi deve ancora un grosso
favore e prima o poi passerò all'incasso. Devo chiamare
anche mia madre e dirle della notte scorsa, che lo voglia o
no. Forse ci faremo tutte e due una risata. Forse Pulci mi
manderà un'e-mail domani mattina, vedendo i titoli dei
giornali. «Ciao, Rach, ho visto le notizie, felice che tutto
ti vada per il meglio, dobbiamo vederci per festeggiare,
baci». Forse nel fine settimana manderò un messaggio a
Lisa e al resto del gruppo, per sapere cosa fanno. – Sai di
cosa ho bisogno? Di una pinta da *Brogan's*.

Steve si aggiusta la cartella sulla spalla. – Paghi tu. Mi
devi ancora una pinta perché Rory non si è messo a piangere.

– Ma di cosa parli? Se si è sciolto in lacrime.

– Non hai detto che avevi smesso di fare la stronza?

– Non significa che penso di diventare una pollastra
da spennare.

– Ah, meno male, mi stavo già preoccupando…

Lancio un'ultima occhiata al resto della mia vita, che
mi aspetta in quei rettangoli precisi di luce dorata. Poi at-
traversiamo il cortile, continuando a litigare per gioco, diretti verso qualche pinta di birra e qualche ora di sonno,
prima che arrivi il momento di tornare al lavoro e scoprire cosa ci attende.

Ringraziamenti.

Stavolta piú del solito, devo un grosso grazie a Dave Walsh, le cui conoscenze del mondo dei detective mi hanno dato tutto ciò che in questo libro è basato sulla vita reale e nulla di ciò che non lo è. Devo ringraziare anche la sempre stupefacente Darley Anderson e tutte le persone dell'agenzia, specialmente Mary, Emma, Rosanna, Pippa e Mandy; Andrea Schulz, Ciara Considine, Nick Sayers e Sue Fletcher, per le loro immense capacità come editor, per le intuizioni e per la saggezza; Breda Purdue, Ruth Shern, Joanna Smyth e tutto lo staff di Hachette Books Ireland; Swati Gamble, Kerry Hood e tutto lo staff della Hodder & Stoughton; Carolyn Coleburn, Angie Messina, il meraviglioso Ben Petrone, e tutto lo staff della Viking; Susanne Halbleib e tutto lo staff della Fischer Verlage; Rachel Burd; Steve Fisher di APA, l'uomo piú paziente di Los Angeles; il dottor Fearghas Ó Cochláin, per avermi messo a posto gli ematomi; Sophie Hannah, per avermi indicato il titolo; Alex French, Susan Collins, Ann-Marie Hardiman, Jessica Ryan, Karen Gillece, Kendra Harpster, Kristina Johansen e Catherine Farrell, per ogni tipo di aiuto pratico, emotivo e divertente; David Ryan, guarnire con prosciutto affumicato, carne di manzo macinata, funghi e olive nere, cuocere in forno su pietra da pizza per dieci minuti e servire con Pilsener tedesca; mia madre, Elena Lombardi; mio padre, David French; e ogni volta di piú l'uomo in grado di risolvere i peggiori problemi di intreccio prima che arrivino gli antipasti: mio marito, Anthony Breatnach.

Questo libro è stampato su carta contenente fibre certificate FSC®
e con fibre provenienti da altre fonti controllate.

Stampato per conto della Casa editrice Einaudi
presso ELCOGRAF S.p.A. - Stabilimento di Cles (Tn)
nel mese di gennaio 2018

C.L. 23413

Edizione   Anno

1   2   3   4   5   6   7   2018   2019   2020   2021